KB110648

김대중 대화록 ❸ 1994—2002

김대중 대화록 ❸ 1994—2002

정진백 엮음

도서출판 행동하는양심

차례

우리 민족을 말한다   9
대담 강만길, 일시 1994년

동양의 사상에는 민주주의 정신과 일치하는 가치관이 있다   85
대담 필립 퐁스, 일시 1994년 5월

북한은 상처 입고 쫓기는 짐승, 살길은 열어 주어야 한다   93
대담 정순태, 일시 1994년 6월 13일

통일 철학을 듣는다   119
대담 김승국, 일시 1994년 9월 5일

정도 위에서 원칙을 지키며 성공하겠다   137
대담 조갑제, 일시 1994년 12월 9일

2020년대 안에 통일 확신   179
대담 최학래, 일시 1995년 1월 1일

나중에 국민들이 그때 김대중이가 참 잘했다 그럴 겁니다   187
대담 조유식·안철홍·김경환, 일시 1995년 8월 9일

김 대통령은 리더로서의 덕성에 문제…… 그가 나를 불러냈다 211

대담 조갑제, 일시 1995년 8월 13일

민자당 끝났다 247

대담 김충식, 일시 1995년 8월 14일

나의 장래는 국민이 결정해 줄 것 275

대담 최보식, 일시 1996년 4월

대통령중심제 고수 선언 295

대담 조갑제, 일시 1996년 6월 11일

전 국민 참여하는 직접민주주의 시대 열겠다 329

대담 고도원, 일시 1997년 6월 14일

내각책임제도 국민이 최종 승인해야 할 수 있는 것 353

대담 허용범, 일시 1997년 12월

공무원은 개혁의 대상이 아니라 개혁의 주체 365

대담 고위 공직자, 일시 1998년 4월 27일

대통령, 국민과의 대화 395

대담 차인태 외, 일시 1998년 5월 10일

총체적 국가 개혁으로 21세기를 준비 437
강연 고려대학교 명예 경제학 박사학위 수여 기념, 일시 1998년 6월 30일

열린 마음으로 국민과 함께 459
대담 정범구·김연주 외, 일시 1999년 2월 21일

놀라운 용기와 애국심, 그리고 헌신적인 노력 499
대담 내외신 기자, 일시 1999년 2월 24일

대통령 당선 2주년 기념 한국방송(KBS) 특별 대담 523
대담 홍성규 외, 일시 1999년 12월 19일

노벨평화상 수상 영광을 국민 여러분께 547
대담 청와대 출입 기자, 일시 2000년 10월 16일

4대 개혁 완수는 경제 회복의 선결 과제 555
대담 한수진 외, 일시 2000년 11월 13일

한반도 평화와 동아시아 571
강연 싱가포르 동남아연구소(ISEAS), 일시 2000년 11월 27일

4대 개혁 완성으로 도약의 발판 마련 583
대담 청와대 출입 기자, 일시 2000년 12월 27일

원칙과 법을 준수하는 것이 강한 정부 593

대담 내외신 기자, 일시 2001년 1월 11일

희망과 용기를 가지고 함께 나아갑시다 619

대담 김주영 외, 일시 2001년 3월 1일

한국은 새로운 투자 기회 641

대담 영국 경제인연합회, 일시 2001년 12월 3일

21세기 국운 융성의 길을 엽시다 647

대담 내외신 기자, 일시 2002년 1월 14일

우리 민족을 말한다

대담 강만길
일시 1994년

정치가에서 사상가로

강만길 선생님, 제가 말머리를 열겠습니다. 1970년대 말인지 1980년대 초에 어느 외국인 기자가 선생님에 대해서 쓴 글이 기억납니다. 그는 국회의원일 땐 정략가였고, 대통령 후보가 되면서 정치가가 되었고, 납치당하고 또 여러 가지 핍박을 받으면서는 사상가가 되었다는 글이었습니다.

1992년 대선을 치르신 후 정치 일선에서 물러나 더 높은 차원에서 민족 문제를 생각하고 계시는 지금의 상황이야말로 그 기자의 말처럼 사상가로 나아가시는 시점이 아닌가 생각합니다. 당사자로서는 왜 낙선했다고 생각하시는지, 그리고 지금의 시점에서 선생님이 생각하고 계시는 여러 가지 계획과 앞으로 어떤 일에 힘을 기울이실 예정인지 말씀해 주십시오.

김대중 저는 일생을 통해 대통령이 되어 보려는 욕망을 가지기도 했지만 대통령이 되면 이런 일은 이렇게 해 보고 저런 일은 저렇게 해 보고 싶다는 생각을 가지고 40년 동안 나름대로 노력해 왔습니다. 저의 국회 발언이나 연설을 검토해 보면 발견하실 수 있겠지만 그동안 대안이 없는 비판을 한 적은 한 번도 없었습니다.

1971년 대통령 선거 직후 미 국무부를 방문했을 때 고위 간부들이 미국에서도 보기 드문 훌륭한 정책 대결이었다고 했습니다. 국내 신문들도 비록 졌지만 자랑스러운 패배다, 시종 정책을 주도하여 선거전을 주도했다고 논평했습니다. 이번 선거에서도 남이 보기에도 또 제가 보기에도 미비하긴 하지만 나름대로 대통령이 된다면 통일·외교·국방·정치·경제·사회·문화·농촌 등 모든 면에서 어떻게 해 나가겠다는 계획과 준비가 있었습니다.

지난 선거에서 제가 실망했던 점은 두 가지입니다. 이제는 영원히 우리 민족과 국민을 위해 봉사할 수 없겠구나 하는 생각에서 가슴이 아팠는데, 처음 한 달 동안은 실제로 육체적인 고통마저 느꼈습니다. 또 하나는 이번 선거에 진 이유가 인물이 부족해서라든가 경력이 좋지 않아서라든가 혹은 정책이 뒤떨어지기 때문이라면 한이 없을 텐데 지역 문제와 용공 조작 등에 의해서 승패가 판가름 났던 것입니다. 선거 당시 경실련에서 분류한 13개 항목의 경제 정책 중에서 11가지가 우리 당의 것이 더 나은 것으로 발표됐습니다. 그런데 그런 것은 득표에 전연 도움이 되질 않았습니다.

용공 조작은 선거가 끝나자 자기들의 음해에 대해서 사과를 했습니다. 우리 당 의원의 질문에 국무총리가 안기부장이 북한에서 저를 지지하라고 방송한 적이 없었다고 공문서로 답변했습니다. 하지만 이미 선거가 끝난 후라 아무런 소용이 없었습니다. 군사정권의 악습은 언제나 마찬가지였습니다. 저 자신의 부족함에 대한 반성과 아울러 우리 국민들에 대해서도 국민이 어떻게 쉽게 번번이 용공 조작에 속아서야 되겠는가 하는 생각도 했습니다. 선거 다음 날인 19일 새벽 참담한 심정 속에서도 사람은 물러서야 할 때 물러서야 한다는 생각으로 집사람과 상의하여 당 대표직도 내놓고 국회의원직도 사퇴했습니다. 그리고 나서 저는 이제부터 무엇을 할 것인가를 생각했습니다. 대중을 움직이는 일은 이제 끝났으니 국민과 후세를 위해 뭔가 지적인 문제를 연구하고 발전시켜 내놓으면 좋겠다, 그리고 이 지적인 노력의 대상은 1960년대부터 정열을 쏟아 왔고 그 때문에 빨갱이로 몰린 적도 있지만 한 번도 정책이나 신념을 바꾸지 않았던 통일 문제여야 한다는 생각이 들었습니다. 저는 통일운동을 하겠다는 것이 아니라 다만 연구를 해서 국민과 정부가 그것을 참고하도록 하고 싶은 것입니다.

아시아도 20세기 말부터 전반적으로 민주화 단계로 들어가고 있고 다음은 아프리카가 따라올 텐데 이런 계제에 아시아 민주화를 위해서 아시아의 여러 친구들과 손잡고 나가면 좋으리라는 생각을 하고 있습니다. 지금 아시아에서는 인권이나 민주주의에 대한 각성과 기운이 상당히 높아지고 있습니다. 더 이상 억제하기 어렵습니다. 그리고 무엇보다도 독재체제로는 지금 아시아에서 일고 있는 경제 발전의 변천을 따라갈 수 없기 때문입니다. 앞으로 정보화 시대·지식산업 시대가 다가오는데 이것은 정보가 물 흐르듯이 흐르고 창의가 솟아올라야 가능합니다. 그러므로 아시아는 민주주의를 할 수밖에 없는 단계로 들어가고 있습니다. 중국도 마찬가지입니다.

또 하나는 아시아에서 민주주의를 반대하는 1세 지도자들이 2000년까지는 모두 사라지게 되는데, 이를 계기로 아시아의 민주주의는 크게 전진하게 될 것입니다. 선거가 끝난 후 어느 우방 국가의 대사가 한국을 떠나면서, 현재 아시아의 대표급 지도자를 논하면서 한 사람은 자질이 훌륭하지만 독재자라 될 수가 없고, 결국 경력이나 자격으로 보아서 김대중이 아시아의 민주화를 끌고 나갈 지도자가 아니겠는가 하는 이야기를 전해 온 일이 있습니다.

유럽에 가서 5개월을 지내는 동안 느낀 점이 몇 가지 있습니다. 첫째는 독일통일을 보고서 흡수 통합식으로 해선 큰일 나겠다 하는 것이었습니다. 둘째는 유럽 통합의 추진은 독일통일과는 달리 매우 점진적으로 이루어지고 있다는 것입니다. 독일은 정치 통합부터 먼저 하고 그다음 화폐 통합을 하고 맨 나중에 경제 통합을 했는데 유럽은 경제 통합부터 하고 있습니다. 1955년에 슈만이 슈만 플랜을 발표해서 강철과 석탄 통합을 실시한 이래 지금까지 점진적으로 통합을 해 왔습니다. 밀고 가다 어려우면 좀 쉬고 더 어려우면 물러서고 그러다가 쉬워지면 앞으로 가면서 40여 년을 이끌어 왔습니다. 이제 유럽은 다시는 분리될 수 없을 정도로 경제가 묶여 있습니다. 마스트리흐트 조약에 의해서 금세기 말까지 화폐 통합을 하고 그 후 정치 통합을 하기로 했는데 대개 30년 정도 걸릴 것으로 보고 있습니다. 나는 이러한 유럽 통합 방식의 점진적 그리고 착실한 방법이 우리에게 적합하다고 생각합니다.

지난 20년 동안 제가 한국의 통일 문제에 대해서 3단계의 단계적 통일 방안을 주장해 왔지만 실제로 독일의 급속한 통일이 가져온 폐단을 보면서 더 한층 느낀 점이 많았습니다.

이제 세계는 하나인 동시에 지역적 협력이 필요한 시대가 되었습니다. 유럽공동체(EC) 지역과 북미자유무역협정(NAFTA) 지역 그리고 아시아·태평양 지역, 이렇게 지역들끼리 서로 협력하지 않고는 어느 나라든 혼자만 편히 살아갈 수 없는 시대가 온 것입니다. 통신이나 정보에서부터 공해 문제나 안보 면에 이르기까지 모든 문제에 있어서 서로의 협력이 필요합니다. 한반도의 평화와 통일은 아시아의 평화와 민주 발전과 따로 분리될 수 없습니다.

강만길 우리의 정치 현실을 선생님의 경륜대로 한번 끌어가 보려고 하시다가 이제 어떤 의미에서는 한층 더 높은 차원의, 국민 차원이 아닌 민족 차원으로 올라가서 앞으로 민족 문제를 어떻게 풀어 나가야 하는가에 일생을 바치시겠다고 말씀하셨습니다. 저는 둘로 나뉜 하나의 민족이 재결합하는 일은 역사적 혁명에 비길 만한 일이라 생각하고 현시점에서 그 지도적인 역할을 담당할 인물은 정치가인 동시에 사상가여야 한다고 생각합니다. 과거에 우리 주변 민족들의 경우도 단순히 정치가적 자질만으로는 그러한 큰일을 이루지 못했고 결국 정치가로서의 높은 자질과 자기 철학을 가졌던 사람들만이 이룰 수 있었습니다. 앞으로 우리 민족의 통일 문제와 이후의 수습 문제를 위해서는 정치가적인 자질과 사상가로서의 자기 철학을 가진 인물이 지도자가 되어야 한다고 생각합니다.

앞으로 선생님이 통일 문제를 연구하시면서 그 이론적인 것을 정책 당국자에게 제공하실 수도 있을 테지만 아직은 스스로 적용시켜 보고 싶다는 생각을 가질 수도 있지 않을까 합니다. 또 한편 과거 40년 동안 우리 국민들이 몇 사람의 정치 지도자를 길렀다고 할 수도 있습니다. 국민적 합의 속에 어렵게 길러진 이런 분들이 모두 정책 당국자가 되어 민족을 위해 충분히 봉사하도록 하지 못하고 뒤로 물러서게 한다는 것은 안타까운 일입니다. 선생님께서 말씀하시기를 나름대로 계획을 세워서 식견과 경륜을 가지고 이루어 보려고 했지만 잘 안 되더라고 하셨습니다. 우리 국민 구성원들에 대한 인식이랄까, 정치를 하는 분들이나 학문을 하는 분들이 우리 민족을 어떻게 보고 있는가에 대한 문제가 다시 한번 제기되어야 한다고 생각합니다.

근대의 사상가들 중에 우리의 민족문화를 대단히 신랄하게 비판했던 사람이 두 사람 있습니다. 한 분은 단재 신채호로서 우리 민족의 약점이 사대주의라고 대단히 비판했습니다. 또 한 사람은 이광수로서, 봉건주의적인 사고방식을 신랄하게 비판했습니다. 그 비판들을 분석해 보면 차이가 있습니다.

단재의 비판에는 우리 민족의 문화 창조력이나 역사 창조력에 대한 깊은 신뢰와 애정이 담겨 있습니다. 그래서 그는 죽을 때까지 민족해방운동 전선을 떠나지 못했던 것 같습니다. 하지만 이광수의 비판에는 패배주의가 들어 있습니다. 민족개조론도 그런 기조에서 나온 듯싶습니다.

선생님은 정치 활동을 오래 하시는 동안 늘 대중 앞에 계셨고 또 세 번씩이나 좌절도 맛보셨습니다. 그런 입장에서 우리 역사와 국민들을 어떻게 생각하고 계시는지 궁금합니다.

양면성을 가진 민족

김대중 지금까지 발굴된 고적을 보면 한반도에 구석기인들이 들어오기 시작한 것이, 즉 오늘날의 한민족 조상들이 이곳에서 살기 시작한 것이 1만 년 전부터인데 그다음 신석기 시대가 전개된 것이 기원전 6000년 정도로 알려져 있습니다.

우리 민족은 원래 이곳에 토착하던 농경 민족과 북방으로부터 내려온 기마 민족이 합쳐진 것인데, 그 후에 고구려와 백제는 기마 민족이 건국했고, 신라와 가야는 토착 민족이 건국한 것 같습니다. 그것은 왕조 성립의 전설을 보면 알 수 있습니다. 고구려와 백제는 기마 민족에 의한 정복 왕조 형식으로 건국했고 신라와 가야는 알에서 나온 임금을 백성의 대표가 추대해서 왕을 삼은 것으로 되어 있습니다. 재미있는 사실은 신라나 가야의 건국 설화를 볼 때 오늘날의 민주주의와 똑같은 것은 아니지만 어쨌든 백성들이 주체가 되어 임금을 뽑았다는 것은 의미 있는 일입니다.

세계 각국의 건국 설화를 살펴보면 대개 정복 설화이지 이러한 백성의 추대 설화는 그리 많지 않습니다. 역사란 있는 사실도 중요하지만 어떻게 해석하느냐 하는 것도 굉장히 중요합니다. 특히 건국 설화는 백성들의 마음에 일종의 바람직한 공감으로 심정이 살아남아 온 것으로서 그러한 지지가 없었다면 이미 사라져 버렸을 것입니다.

우리 민족은 기마 민족과 농경 민족의 복합 민족으로서 진보성과 보수성이 어우러져 있습니다. 대체로 기마 민족은 진취적이고 농경 민족은 보수적인데, 2천-3천 년이 흘러오는 동안 기마 민족적인 진취성은 농경 민족의 보수성에 동화되어 우리 민족은 보수성이 두드러지게 강해졌습니다. 보수성이 나쁜 것만은 아닙니다. 이러한 보수성은 언제든지 있었습니다. 우리 민족은 자기의 본질을 지킬 수 있었고 언제든 장점을 발휘해 왔습니다.

세계적으로 중국 같은 강대국 옆에 있으면서도 우리나라처럼 국권을 한 번도 잃지 않고 견뎌 낸 나라는 없습니다. 중국 민족은 참으로 동화력이 강한 민족입니다. 4천 년 전에 황하 유역에서 일어난 묘족苗族이 동서남북으로, 오늘의 중국으로 동화시켜 나갔습니다. 그 동화력이 어찌나 강했던지 나중에는 몽골족·만주족까지 동화시켰습니다. 즉 몽골이 원나라를 세워서 백 년 동안 통치했는데도 몽골인은 오늘날 몽골인민공화국에 250만 명 정도가 남아 있을 뿐 대부분 중국화됐습니다. 또한 만주족은 청나라를 세워서 3백 년을 통치하면서 중국화되지 않으려고 온갖 몸부림을 다했습니다. 중국 사람하고는 절대로 결혼도 못 하게 하고 또 만주에 중국 사람이 못 들어오게 하려고 버드나무 장벽까지 치면서 막았으나 통치 후 결국 중국화됐습니다.

그런데 대륙 동쪽에 혹같이 붙어 있는 조그만 한반도가 2천 년이 넘도록 중국으로부터 정치·경제·사회·문화·종교 등에서 온갖 영향을 받았음에도 불구하고 중국과는 엄연히 다른 민족으로서 남아 있는 것입니다. 중국으로부터 받아들인 것조차 반드시 우리 것으로 변화시켰고 그대로 하지 않았습니다. 참으로 억울한 일이지만 일제 35년만 없었더라면 우리는 세계에 유례가 없는, 단 한 번도 외국에게 나라를 내준 적이 없는 민족이 되었을 것입니다.

우리 민족은 자기를 지키는 보수성이 뛰어납니다. 반면에 진보와 개혁에는 꼭 소극적이었습니다. 요즘 고구려가 그대로 있었더라면 우리 국토가 만주까지 차지할 수 있었을 것이라고 하며 매우 애석해하는 사람들이 있습니다. 그러나 그것은 헛된 이야기입니다. 고구려 장수왕 때에 소도를 만주 땅 통구에서 철수해 내려온 것은 우리 스스로가 한 일입니다. 백제도 처음에는 경기도 양주에 도읍했다가 자꾸 내려가서 마지막엔 부여까지 갔습니다. 신라가 삼국 통일을 했다 하지만 민족적으로는 완전한 통일이라고 할 수 없는 여러 가지 문제점을 갖고 있었습니다.

어제저녁 우리나라 지도를 다시 살펴봤더니 부산 바로 위에 경주가 있었습니다. 신라가 통일을 했으면 마땅히 수도를 평양까지 갔어야 합니다. 그래서 만주의 요하 동쪽의 고구려 땅을 관장했어야 합니다. 그러나 신라는 그러한 생각이 전혀 없었습니다. 겨우 평양 이남만 차지한 채 망하는 그 날까지 경주에 있었습니다. 너무도 지나친 소극성이라 할 것입니다. 고구려 유민들이 세운 발해는 3백 년 동안 정권이 지속되었는데 일본·중국하고는 거래를 했으면서도 신라하고는 서로 거래가 없었습니다. 대단히 진보적이질 못 합니다. 삼면이 바다로 둘러싸인 나라이면서도 장보고 외에는 제대로 바다에 나가 본 사람이 없습니다. 무한의 보고인 바다가 바로 옆에 있는데도 외면하고 살아온 것도 바로 진보성이 부족하기 때문입니다. 그래서 번번이 왜국에게 짓밟히고 약탈당한 것입니다.

우리 역사를 보면 조금이라도 개혁적인 일을 하려던 사람들이 온전히 목숨을 부지한 예가 없습니다. 중국·한국·일본의 해상을 지배한 호족으로서 국정을 개혁하려고 했던 장보고는 당시 부패한 귀족의 음모에 의해서 암살당했습니다. 고구려 고토故土 수복의 큰 뜻을 안고 수도를 평양으로 옮기려 했던 묘청도 역시 귀족들에 의해 살해당했습니다. 노예 해방과 민중에 의한 정권의 수립을 꿈꿨던 만적도 비참하게 살해당했습니다. 왕후장상의 씨가 있느냐, 우리도 정권을 잡아서 좋은 정치를 해 보자고 일어선 만적의 노예 해방투쟁은 로마의 스파르타쿠스의 난 같은 것에 비교가 안 됩니다. 거기에는 뚜렷한 목표와 이념을 가지고 있었던 세계에서 보기 드문 노예 해방투쟁이었습니다. 고려 말엽의 신돈은 당시 사람들로부터 성인으로까지 추앙받았던 사람이지만 참혹한 죽음을 맞았을 뿐 아니라 후세 사람들에 의해서 온갖 매도를 당해 왔습니다.

조선왕조의 이성계는 지금까지보다 더 높이 평가해 주어야 합니다. 우리 민족에겐 이성계의 출현이 복음과 같은 것이었습니다. 그 당시 고려왕조는 5백 년을 끌어와서 더 이상 어떻게 할 수 없을 정도로 썩고 무력해져 있었습니다. 백성들은 귀족·토호 등이 이중 삼중으로 세금을 뜯어가 살 수 없을 지경이었습니다. 더욱이 왜구가 쳐들어와서 송도까지 점령당했지만 아무도 막을 사람이 없었는데 그나마 이성계가 물리친 것입니다. 이렇게 나라가 다 망해서, 짐승에 비유하면 명이 다했는데도 죽지 않고 지척거리니까 그 밑에 깔린 풀, 말하자면 민초들만 죽을 지경에 놓인 것입니다. 그런 정권을 몰아내고 이성계가 새로운 세상을 가져온 것입니다. 이성계는 그 당시 시골에 정착해서 학문과 농업을 겸해 살아온 사대부들이 이끈 농민과 합세해서 조선왕조를 세웠던 것입니다.

이성계가 집권한 후 세종대왕 대까지 우리나라는 좋은 정치를 누렸습니다. 그런데도 우리는 그런 길을 열어 준 사람보다는 끝까지 고려왕조에 충성한 사람들을 더 높이 평가합니다. 위화도 회군의 경우만 보더라도, 사람들은 그때 이성계가 돌아오지 않고 최영 장군 말대로 했더라면 고구려를 되찾았을 것이라고 말합니다. 하지만 왜구도 막지 못한 나라가 이제 막 일어나 승승장구하는 명나라를 이기고 옛 국토를 차지한다는 것은 전혀 불가능한 것이었습니다. 이성계가 위화도에서 회군해 온 일은 무모한 이 전쟁에서 개죽음당할 뻔했던 1만여 명의 농민의 자식들에겐 축복이었으며 올바른 결단이었습니다.

조선왕조에서 개혁을 시도하려 했던 정도전이나 조준은 살해당했고 성인 정치를 꿈꿨던 조광조도 개혁에 실패하고 살해당했습니다. 민중의 권익을 생각했던 정여립, 백성을 하늘이라고 외쳤던 최수운, 서북인에 대한 지역차별에 분노했던 홍경래 등 모두 비참하게 죽임을 당했습니다. 농민사상 그 예가 없이 찬연히 빛나는 반봉건·반제국주의 투쟁을 주도했던 전봉준도 형장의 이슬로 사라졌습니다. 우리는 전봉준이 이끈 동학혁명 같은 위대한 혁명을 가진 것을 다시없는 자랑으로 생각해야 합니다. 전봉준 장군이 죽음을 앞두고 남긴 시는 우리에게 뜨거운 감동과 경애의 심정을 일으키게 합니다.

"때가 오니 천지가 모두 힘을 합치더라. 그러나 한번 운이 가니 영웅이라 한들 어찌할 수 없구나, 백성을 사랑하고 정의를 추구한 내게 잘못이 없는데 나라를 걱정한 일편단심을 누가 알아줄거냐."(時來天地皆同力運去英雄不自謀愛民正義我無失愛國丹心誰有知)

갑신정변의 개혁을 하려 했던 김옥균도 마찬가지입니다. 개혁하려던 사람 중에 죽지 않고 제명까지 산 사람은 서재필 박사입니다. 그분도 외국으로 나갔기 때문에 살 수 있었던 겁니다. 이렇게 된 데는 물론 박해자들이 첫째 책임이지만 우리 국민이 개혁을 꺼리고 두려워하는 민족성을 가지고 있는 데 근본적인 원인이 있습니다. 개혁을 거부하는 경향은 현재까지도 계속되고 있습니다. 해방 후의 우리 역사를 보십시오.

자기 나라를 짓밟은 악독한 지배자한테 붙어서 동족을 못살게 굴던 사람들이 해방된 이후에도 여전히 지배자로 군림해 왔습니다. 일제하에서 경찰 노릇을 하며 독립운동가를 고문하던 자들이 그대로 우리나라 경찰계를 장악했고, 일제하에서 검찰과 판사를 하면서 악질적인 행동을 하던 사람까지 모두 우리나라 검찰과 사법부를 장악했습니다. 일제 때 총독부나 면사무소에서 징병·징용·정신대·공출 등 온갖 악행을 다 저질렀던 관료들도 배제되지 않은 채 그대로 우리나라의 관료가 되었습니다. 뿐만 아니라 일제시대에 국민 앞에 서서 천황을 위해 모든 것을 바쳐서 충성을 다해라, 그것만이 올바른 삶의 길이라고 떠들어 대던 친일 문화인·학자·예술인 등이 해방 후 우리의 문화계·교육계·예술계를 흔들었습니다.

최근에 발표된 친일파 99인의 이름을 보고 다시 한번 놀랐습니다. 해방 이후 지금까지 우리 사회에서 큰소리치던 많은 사람들이 바로 일제 때의 친일파들이었던 것입니다. 참으로 통탄하고 부끄러운 우리의 역사입니다. 아무리 관용을 했다 하더라도 가장 악질적인 자들만은 배제해야 민족정기가 서고 민주주의가 자리 잡는 것 아니겠습니까? 그들이 발붙일 수 있었던 것은 우리 사회가 개혁에 열의가 없음으로 해서 그들이 계속 특권의 자리를 누리는 것을 용납했기 때문입니다. 이 점에 대해 우리 민족 스스로가 크게 반성해야 합니다. 이러한 반성 없이 앞날의 개선은 없습니다.

우리 민족은 자기의 본질을 지키는 데는 굉장히 강한 민족입니다. 1905년의 을사조약 이래 1945년 해방이 되기까지 40년 동안 처음에는 국내에서 의병 활동을 벌이다 안 되니까 해외로 나가 독립군을 조직해서 만주·중국·러시아 등 아시아 전 지역을 돌아다니며 싸운 민족입니다. 3·1운동 이후에는 임시정부를 만들어 그 어려운 여건 속에서 26년 동안을 상하이(上海)로 항저우(杭州)로 충칭(重慶)으로 해방 당일까지 그 간판을 유지했던 민족입니다. 이런 민족은 세계 모든 식민지 민족 중에서 어디에도 그 예를 찾아볼 수 없습니다.

이렇게 우리 민족은 양면성을 가지고 있어서 자기를 지키는 데는 뛰어난 동시에 개혁은 매우 싫어합니다. 지금 김영삼 대통령이 개혁을 주도하고 있는데 이런 민족성이 어떻게 투영될 것인지가 매우 주목됩니다.

강만길 유럽의 어느 역사학자가 일본에 왔을 때 5백 년의 문화를 가진 한국이라는 나라가 있는데 가 보지 않겠느냐고 물었더니, 그의 말이 하나의 왕조가 5백 년씩이나 지속된 나라에 가서 역사학자가 배울 게 뭐가 있겠느냐고 했다는 말을 들었습니다. 우리로서는 심각하게 음미해 볼 말입니다.

앞에서 단재를 예로 들었는데 그분은 우리 민족의 엄청난 끈기와 저력에 대해서는 깊은 신뢰를 가지고 있으면서도 개혁에 대한 불철저성에 관해서는 상당히 아쉬워했습니다. 역사를 공부하는 사람으로서 이런 점에 상당히 책임감을 느끼고, 어쩌면 우리가 역사를 잘못 기록하고 가르친 데에 원인이 있는 것이 아닌가 하는 생각을 갖게 됩니다.

나는 이렇게 쓴 일이 있습니다. 만일 임진왜란 후 조선왕조가 망해서 왕조가 교체되고 실학사상을 가진 사람들이 새로운 왕조를 수립했더라면 민족사에 탄력성이 붙었을 것이고, 그러면 문호 개방도 순조롭게 더 빨리 이루어져서 식민지로 가는 길을 막았을 것이라고 했습니다. 아직 보편적인 역사 인식은 아니지만 우리 역사학계의 여러 가지 문제점이 여기에 투영되어 있다고 생각됩니다.

어찌 되었건 우리가 일본의 식민지로 전락한 것은 어쩔 수 없는 현실적 상황 때문이었습니다. 우리 민족이 근대로 오면서 겪은 1차 실패는 식민지가 된 것이고 2차 실패는 민족의 분단이었습니다. 일본의 강압만이 식민지가 된 원인이라든지 혹은 미·소 양군이 분할 점령을 하여 분단이 될 수밖에 없었다든지 하는 것은 너무 외적인 요인에만 치우치는 것입니다. 자기 민족의 역사가 실패한 데 대해서는 민족 내부에서도 원인을 찾는 방향으로 역사 인식이 바뀌어야 하지 않을까 생각합니다. 식민지에서 해방된 직후의 상황에서는 그런 말을 하기가 어려웠지만 이제는 해방된 지 반세기가 가까워 오고, 어느 정도 자기 능력을 키워 나가는 마당에서 우리 민족사의 약점에 대한 가혹한 비판이 있어야 합니다. 그것을 바탕으로 현실을 끌고 나갈 때에 선생님께서 지적하신 것처럼 개혁 의지가 우러나고, 또한 우리 민족 문제를 해결할 수 있는 원동력이 생겨난다고 생각합니다.

세계에도 유례없는 5백 년 왕조 역사

김대중 토인비가 세계 각국의 수도를 보면 그 민족을 알 수 있다고 했습니다. 영국은 동남쪽 템스강 입구에 런던이 있고, 프랑스는 서북쪽 센강 하구에 파리가 있습니다. 중세 유럽의 역사에서 영국과 프랑스는 수백 년을 두고 서로 생사를 건 투쟁을 격렬하게 치렀습니다. 그때 전선의 최전방에 왕이 있었습니다. 귀족이든 집권자든 적이 쳐들어오면 제일 먼저 죽을 자리에 있었던 겁니다. 전쟁이 끝나고 국가가 통일되자 스코틀랜드나 웨일스뿐 아니라 다른 잉글랜드 지방도 수도를 영광의 자리인 런던으로 정하지 않을 수 없게 되었습니다. 프랑스도 마찬가지였습니다.

독일의 수도도 프러시아의 가장 동쪽인 베를린에 있습니다. 폴란드의 수도도 그 나라의 가장 동쪽인 바르샤바입니다. 이것은 중세기의 로마 가톨릭 교회와 러시아 정교회가 피투성이로 싸우던 때 최전방에 선 자리가 수도가 된 것입니다. 반면에 모스크바는 러시아의 서쪽에 있었는데, 서방으로부터 밀려오는 로마 가톨릭 세력을 저지하기 위해 왕과 모든 지배층이 이 최전방에 자리했던 것입니다. 피터 대제가 서방 문물을 받아들이려고 했을 때 수도를 서방의 창인 페테르부르크로 옮긴 적이 있지만 공산당이 정권을 잡자마자 다시 서방과 싸우기 위해서 수도를 모스크바로 되돌렸습니다.

지도를 보면 그런 예를 많이 발견할 수 있습니다. 가령 인도의 수도는 최북방 뉴델리에 있는데 힌두쿠시산맥을 넘어 중앙아시아의 만주족들이 쳐내려오는 것을 막으려고 이러한 최전방으로 중앙정부가 나온 것입니다. 중국은 북방의 만족을 막아야 했기 때문에 베이징에 수도를 정했습니다. 교토에 있는 천왕이 에도에 있는 쇼군과 싸워서 이긴 것이 명치유신입니다. 그러고 나서 바로 쇼군이 있었던 에도로 수도를 옮기고 천왕은 적의 괴수가 살던 에도성으로 들어갔습니다. 이것이 바로 현재 일본인들이 신성시하는 궁성인 것입니다. 그런데 왜 그곳으로 옮겨 갔는가 하면 그때 태평양의 전면에 나가 앉아 새로운 시대를 국민한테 알린 것입니다. 미국의 수도 워싱턴은 가장 동쪽 대서양 바닷가에 있는데, 이는 미국의 국토가 서쪽도 태평양 연안까지 도달해도 변함이 없었습니다. 그것은 지난 2백 년 동안은 대서양 시대였기 때문입니다. 이와 같이 세계 모든 나라들은 왕과 귀족과 중앙정부 모두 국가 방위의 최전방에 수도를 정해 놓고 유사시에는 목숨을 걸고 국민과 나라를 지킬 결의를 표시했습니다. 그런 공로로 그 싸운 장소가 수도로 인정받은 것입니다. 그런데 우리나라는 전혀 사정이 다릅니다.

우리나라는 신라 통일 후에도 여전히 수도가 경주였고, 고려는 고구려를 재건하겠다고 하면서도 겨우 개성에 머무르면서 평양으로 서울을 옮기자고 말하는 사람을 역적으로 몰아 죽였습니다. 더욱 가관인 것은 조선왕조에 들어오면 나침반을 가지고 풍수지리설에 따라 수도의 후보지를 찾아다녔습니다. 나라의 운명은 둘째고, 왕도가 가장 안전한 곳을 찾으러 다니다가 계룡산으로 도읍을 정했습니다. 그다음에는 왕십리로 정했는데 여기서도 십 리를 더 가라고 해서 왕십리가 된 것이 아니겠습니까? 십 리를 더 가라고 해서 지금의 북악산 밑 경복궁 자리로 온 것입니다. 수도는 국민과 더불어 사수한 곳이 아니고 왕가의 안전을 위한 명당터일 뿐입니다. 그러기 때문에 임진왜란 때 왕이 수도를 버리고 도망간 것입니다.

세계 여러 나라 중에서 한 왕조가 5백 년 이상을 집권한 나라는 이슬람교의 아바스 왕조 5백 년, 오스만 터키의 6백 년뿐입니다. 중국도 2백-3백 년 이상을 집권했던 왕조가 없습니다. 전한이 2백 년, 후한이 2백 년, 당나라가 3백 년, 송나라는 남송, 북송까지 합쳐서 3백 년을 했고, 원나라는 백 년 정도, 명나라가 2백 년, 청나라가 3백 년 미만을 집권했쥽니다. 일본도 천왕의 가계는 천 년 이상이지만 백 년 이상 갔던 정권은 거의 없고 도쿠가와 막부가

250-260년 정도를 집권했을 뿐입니다.

옛날에는 정권이라는 것이 한 번 잡으면 무한대로 가는 왕조이기 때문에 왕은 완전히 궁성 안에 포위되어 백성과 격리된 상황에서 살게 됩니다. 이런 상황이라면 아무리 건강한 사람도 둔해지기 마련입니다. 그렇기 때문에 어떤 왕조든지 처음 백 년 정도는 상승기일 수 있습니다. 그다음 백 년은 정체기로 들어가게 되는데 제일 좋은 것은 이때에 정권이 교체되는 것입니다. 그것이 어려우면 쇠퇴기인 3백 년 즈음까지는 정권이 종식되어야 합니다.

그런데 우리나라는 왕조마다 가외加外로 2백 년씩이 더 붙어서 5백 년의 길이입니다. 신라가 나라의 형태를 갖춘 것을 내물왕 때로 보면, 그때부터 망할 때까지 5백 수십 년을 갔습니다. 고려도 5백 년, 조선왕조도 5백 년을 갔습니다. 나머지 2백 년은 거대한 괴수怪獸가 단말마의 비명을 지르면서 지척거리니까 그 밑에 깔린 민초들이 못살겠다고 아우성치는 기간이었던 겁니다.

그러다가 조선왕조 말엽에 외세가 밀려들어 옵니다. 일본은 외세가 들어오자 도쿠가와 막부를 몰아내고 명치유신을 해서 대응했는데, 그렇게 하지 못한 우리로서는 몰아닥친 국란에 효과적으로 대응할 능력이 없었습니다. 지금도 안타깝게 생각되는 것은 대원군입니다. 대원군도 처음 정권을 잡았을 때엔 제대로 개혁을 했습니다. 국정도 쇄신하고 여러 가지 서민을 위한 개혁도 했습니다. 대원군이 정권을 넘겨줬을 당시의 우리나라 국고는 흑자였습니다. 대원군은 내정은 제대로 개혁했으면서도 외세가 밀려올 때에 세계 정세가 바뀌고 있다는 사실을 인식하지 못했습니다.

전쟁에 이기는 것이 반드시 좋은 일만은 아닙니다. 우리는 대동강에서 셔먼호를 물리쳤다고 하고 프랑스가 강화도에 왔다가 2-3일 만에 격퇴당했다고 합니다. 하지만 그때 졌더라면 우리는 정신을 바짝 차리고 달라졌을 것입니다. 그런데 불행히도 이겼기 때문에 오만불손해져서 그까짓 외세쯤, 오랑

캐쯤 문제없다고 안일하게 생각하다가 일본에게 당하게 된 것입니다.

대원군 초기에 일본에서 사신을 보내 우리나라에 국교를 청하면서 굉장히 유리한 조건을 제시했습니다. 그동안 잘못한 걸 사과하고 교역도 유리한 조건으로 하겠다면서 매우 온건한 태도로 나왔던 것입니다. 그런데 대원군이 이를 일축하고 무시하다가 나중에 대세가 우리에게 크게 불리하게 진행되어 일본의 강압적인 힘 앞에 참담한 악조건 속에서 강화도조약을 체결하게 되었던 겁니다.

이와 같이 왕조가 길게 계속되면 백성이 불행하고 국운이 위태로워지는 것은 동서고금에 공통됩니다. 아까 강 교수께서도 말씀하셨지만 왕조가 2백-3백 년 이상 가는 것은 좋지 않습니다. 신라도 혼란기로 들어갔던 것이 765년의 36대 혜공왕惠恭王 무렵인데 이 무렵에 국권이 교체되었으면 좋았을 것입니다. 고려도 1171년의 무신란 건국 이후 약 250년인데 이 무렵에 왕조가 교체되거나 늦어도 1231년에 원나라가 침입했을 그 무렵에 왕조가 교체되었으면 좋았을 것입니다. 조선왕조는 1392년에 시작되었는데 1592년의 임진왜란 무렵이 꼭 2백 년이고 그 후 1636년에 병자호란이 일어났습니다. 조선왕조는 마땅히 이러한 국란을 초래하고 제대로 막지 못한 책임을 지고 왕조가 교체되었어야 합니다. 그랬으면 백성도 행복했고 일제에 국권을 빼앗기지도 않았을 것입니다. 이 모든 것이 우리 민족이 개혁과 변화를 싫어한 기본이 된 것 같습니다.

앞에서 우리 민족의 뛰어난 보수성에 대해 말씀드렸습니다. 요즘 중국이 이렇게 잘돼 가는 이유는 화교들 덕분입니다. 동남아시아 각국에 있는 화교들, 즉 싱가포르·말레이시아·태국·인도네시아·필리핀에 있는 화교들은 물론 홍콩이나 대만 사람들까지도 그동안 이면으로 중국 본토에 얼마나 많은 투자를 해 왔는지 모릅니다. 대만은 겉으로는 삼불 정책이라 해서 어떠한 접촉도 안 한다고 하면서 뒤로는 상당한 투자를 했습니다. 우리가 북한에 대해 한 것과는 너무도 차이가 납니다.

그런데 이 화교가 상권을 못 잡은 나라는 동남아시아에서 일본하고 한국 뿐입니다. 과거의 인도차이나 3국과 모든 동남아시아 각국에서 우리 민족은 자기 본질은 지키는 보수성이 매우 강합니다. 그러나 이것이 지나쳐서 개혁과 변화를 너무도 기피해 왔습니다.

우리 민족이 가지고 있는 이 두 개의 성향은 매우 뚜렷합니다. 역사학자들이 이런 점을 국민에게 분명히 제시하면서 우리가 깨닫고 깨우쳐서 개혁을 받아들일 때는 받아들여야 한다는 것을 교육시켜야 합니다. 장점은 장점대로, 단점은 단점대로 충분히 인식시켜 주어야 할 것입니다. 사람은 육신이 전부 건강해도 어느 한 곳이 결정적으로 나빠지면 죽는 것입니다. 나라도 마찬가지입니다. 결점이 어느 정도 있을 때는 장점에 묻혀서 큰 문제가 없지만 그것이 결정적일 때는 장점이 있음에도 불구하고 나라를 망치게 됩니다. 이제는 우리도 우리 민족사를 뒤져 가면서 우리의 민족성에 대해 반성하고 시정할 때가 되지 않았는가 하는 생각을 갖습니다.

좌우익 민족해방운동을 함께 평가해야

강만길 선생님이 역사 분야에 대해 상당히 독서를 많이 하셨다는 것에 놀랐습니다. 선생님 연배의 분들은 우리 민족사에 대한 이해가 거의 없거든요. 일제시대에 교육을 받았기 때문에 스스로 노력하지 않으면 우리나라 역사에 관한 지식을 갖고 있기가 어렵습니다.

선생님은 일제시대의 민족해방운동에 대해 말씀하셨습니다만, 우리 민족은 여러 가지 문제도 있었고 때론 전선이 분열되기도 했었지만 어느 민족 못지않게 끈질긴 투쟁을 벌였습니다. 지금 우리는 민주화운동이나 통일운동을 해 나가면서 민족적 역량을 키워 역사를 바른길로 끌고 나가야 하는 상황에 있는데 그 뿌리는 민족해방운동으로부터 시작된다고 생각합니다. 그런데 문제는 민족해방운동에 대한 우리의 인식이 잘못되어 있다는 것입니다. 선생님이 말씀하신 것처럼 이 문제는 해방 직후의 분단 과정이나 오늘의 진보적인 시각에서 민족통일 문제를 생각하는 것과 연결된다고 생각합니다.

지금 남쪽에서는 분단시대 이후의 상황 때문에 일제시대 민족해방운동 전선의 우익 전선만 가지고 민족해방운동 전체로 생각하고 있고, 북쪽에서는 좌익 전선 가운데 극히 한 부분만을 가지고 전체를 설명하고 있습니다. 실제로는 일제시대를 통해 민족해방운동의 좌우익 전선이 모두 싸웠고, 또 서로 협력하여 전력을 강화하기 위해 통일 전선을 이루려고 노력도 했었습니다. 그러나 그 맥이 8·15 이후의 통일민족국가 수립 운동으로 연결되지 못했습니다.

식민지 시대의 민족해방운동에 대한 우리 국민 전체의 인식과 역사에 대한 이해가 잘못되어 있습니다. 이 때문에 민족해방운동에 대한 교육도 잘못되어 있습니다. 좌익 전선의 활동에 대해 전혀 가르치지 않을 뿐만 아니라 오히려 일제시대까지 소급해서 적대하는 교육을 하고 있는 것입니다. 식민지 시대의 민족해방운동에 대해 선생님은 어떻게 이해하고 계시는지요.

김대중 우선 우리 민족은 식민지 지배 전 기간을 통해 하루도 거르지 않고 싸웠던 세계에서 유일한 민족이었다고 말씀드리고 싶습니다. 국내뿐만 아니라 국외에서까지도 싸운 일은 우리가 대단히 자랑스럽게 평가해야 할 일이라고 생각합니다. 이러한 국내외에서의 투쟁이 3·1운동으로 집약되었던 것입니다.

그 당시 윌슨의 이른바 민족자결이라는 것이 있었지만 이는 유색인종을 위한 것이 아니라 중부 유럽의 일부 백인에게 국한된 것이었습니다. 그럼에도 불구하고 우리는 그 시기를 놓치지 않고 이를 최대로 활용하여 민족의 에

너지를 총집결시켜 3·1운동의 민족적 독립운동의 기치를 높이 듦으로써 전 세계를 놀라게 하고 감동시켰습니다. 이 일은 전 세계에 영향을 끼쳐 간디가 주도한 인도의 독립운동에 큰 영향을 주었습니다. 그 당시 인도의 시인 타고르가 한국을 아시아의 등불이라고 찬양한 시를 남긴 것은 너무도 유명합니다. 중국 5·4운동에도 결정적인 영향을 주었는데 주역인 진독수 같은 사람은 3·1운동과 한국 사람을 높이 평가했습니다.

3·1운동 이후에도 민족해방투쟁뿐만 아니라 국민교육운동·문화운동·노동운동·농민운동·언론운동 등이 계속됐습니다. 1920년 중반부터는 좌우가 손잡고 신간회·광주학생독립운동 등이 있었습니다. 그때 우리 민족을 위해 싸웠던 분들은 자기 개인의 소신이나 혹은 외부의 지원 세력을 이용하기 위해 좌와 우로 갈라섰습니다. 물론 개중에는 철저한 공산주의자도 있었겠지만 그들의 주목적은 민족 독립이었기 때문에 이것을 오늘날과 같은 계급투쟁의 문제로 보아선 안 됩니다. 그러므로 해방 후 일제하에서 싸운 공산주의자들을 오늘의 공산주의자와 같이 매도하고 그들이 바친 민족독립운동에 대한 공로를 무시하는 것은 대단히 잘못된 일입니다. 이것은 주로 친일파들이 해방 이후 이 나라 국권을 장악했기 때문입니다.

강만길 사실 그것은 일제하에서 민족해방운동을 했던 분들의 실제적인 대립 상황이라기보다는 8·15 이후의 상황을 기준으로 해서 일제시대를 소급해서 대립시키고 오늘의 대립을 심화시킨 경우가 상당히 많습니다. 극우, 좌익적 역사 인식이 일반화되어 있고 또 가르쳐지고 있는 것이지요. 그것을 해소하지 않고서는 앞으로의 비흡수 평화 통일을 이루기 어려운 문제와도 연결되어 있지요.

선생님은 8·15 이후 우리 민족 사회가 한창 소용돌이치고 있을 무렵에 젊은 시절을 보내셨을 것입니다. 그 엄청난 소용돌이 속에서 우리 민족은 또 한

번 중요한 선택을 해야 했습니다. 정치 노선도 여러 개로 나뉘어 있었고 여러 가지 혼란도 많았습니다. 결과적으로 통일민족 국가를 형성하지 못하고 분단 국가를 만들고 말았는데, 지금에 와선 그 시각이 옛날과 많이 달라졌습니다.

8·15 이후 되돌아볼 때 어떤 역사의 맥을 어디에다 연결시킬 수 있을까 하는 문제를 많이 생각하게 됩니다. 특히 몽양 여운형 노선은 새로운 역사적 평가를 받고 있으며 해석도 여러 가지로 달라져 가고 있습니다. 40여 년간 정치를 하면서 우리 민족 문제와 직면해 왔고 또 같은 연배의 누구보다도 역사 공부를 많이 했다고 생각되는 선생님이 8·15 당시 겪으신 경험담과 그때 어떻게 했어야 민족의 분단을 막을 수 있었는가 하는 문제에 대한 관점이 있으시면 듣고 싶습니다.

몇 년 전 어느 보수 경향의 신문사에서 주관한 학술회의에 참석했었습니다. 그때 이동화 선생님께서 우리가 분단을 막을 수 있었던 기회를 놓쳤는데, 그것은 신탁통치를 받은 일이었다고 말씀하셔서 참석했던 사람들이 모두 놀랐습니다. 이제는 8·15 시점으로 돌아가서 그 당시 우리 민족의 현실을 직시하고 재평가해야 할 시기가 왔다고 생각합니다. 또한 이 문제는 통일 문제와 직접 연결되어 있다는 생각도 듭니다.

해방공간에 대해 올바른 역사 인식을 가지고 사셨던 분들은 그리 많지 않습니다. 그런 뜻에서 선생님의 경험담과 생각을 듣고 싶습니다.

첫 번째로 놓친 통일의 기회

김대중 해방 당시 저는 스물한 살로서 일본의 군 복무를 위한 징병 검사에 갑종 합격이 되어 소집 영장을 기다리며 어떤 조그만 기선 회사에서 임시 직책을 맡고 있었습니다. 하루는 처갓집에 가 있는데 일본 천왕의 중대 방송이 있다고 해서 라디오 앞에 앉았습니다. 천왕이 떨리는 목소리로 길게 얘기를 하는데 들어 보니 항복한다는 내용이었습니다. 순간적으로 저는 자리에서 벌떡 일어나서 만세를 불렀습니다. 그때 저의 처가가 전라남도에서 몇째 가는 큰 인쇄소를 했는데 거기서 종이를 가져다가 '조선 해방'이라고 쓰고는 아직 일본 경찰과 군대가 시퍼렇게 돌아다니고 있는데도 이곳저곳에 붙이고 다녔습니다.

지금도 잊혀지지 않는 일은 세무서에 다니던 친구가 마침 자전거를 타고 지나가다가 내리더니 저에게 경례를 하면서 일본말로 "마침내 저는 내일 출정합니다." 하는 것입니다. 그의 말인즉 군에 입대한다는 겁니다. 그래서 제가 조선말로 "전쟁이 끝났는데 무슨 입대를 합니까?"라고 했습니다. 그러자 그는 저에게 "미국이 항복했습니까?" 물었던 것입니다. 그 정도로 당시의 국민은 세계 정세를 몰랐고 일본이 꼭 이기는 것으로 믿었던 것입니다.

해방 직후에 건국준비위원회가 생겼습니다. 목포의 경우를 예로 들면 좌우가 똑같이 참여했었습니다. 그땐 모두들 감격해서 서로 얼싸안고 그러던 때였는데 빨갱이가 어디 있고 반동이 어디 있었겠습니까. 그렇게 한창 건국준비위원회를 하고 있는데 서울에 한국민주당이 등장했고 국민대회준비위원회니 임정봉대臨政奉戴니 하면서 갈라지기 시작했습니다.

제가 스물한 살 때 처음 건국준비위원회에 가서 한 일은 선전부에서 글씨 쓰고 벽보를 부치러 다니는 것이었습니다. 원래 일제 때부터 좌우익이 있긴 했지만 실제로 우리는 우익이 뭔지 좌익이 뭔지 잘 몰랐습니다. 그리고 김일성이란 이름은 들어 본 일이 있지만 김구나 이승만이라는 이름은 전혀 들어본 적도 없었습니다. 그만큼 철저하게 봉쇄된 사회에서 살고 있었던 겁니다. 김일성에 관한 얘기도 축지법이니 뭐니 해서 말하자면 민중들의 소망이 합쳐져서 만들어 낸 것이었습니다. 그러자 좌우익이 갈라지고 저는 신민당이란 정당에 잠시 몸을 담았다가 공산당과 싸우고 그들과 결별을 했습니다. 그것이 1946년 여름이었습니다.

그 후 저는 사업을 하면서 우익 쪽에 가담하여 대한청년단 목포시 해상단 부단장을 지냈습니다. 그러다가 6·25전쟁이 났는데 저는 그때 서울에 있었습니다. 그전까지는 공산당이 그렇게까지 잔인한 줄을 몰랐습니다. 북에서 내려온 사람들이 공산당 얘기를 하면 자기들이 쫓겨 내려와서 저렇게 말하는 것이겠지라고 생각했었습니다. 그땐 대부분의 남한 사람이 그렇게 생각했습니다.

남한 사람들이 공산당을 알고 정말 반공의식을 갖게 된 것은 6·25전쟁 때문입니다. 6·25전쟁 때에 공산당이 인민재판을 하고 숙청을 하고 또 농촌에 가서는 감 한 개까지, 옥수수 한 개까지 세고 벼 이삭까지 세어 세금 받아 낼 준비를 하고, 게다가 길거리 좌판에 담배 몇 갑 놓고 파는 사람들한테까지 매일 세금을 걷어 가는 짓을 했습니다. 나중에 쫓겨서 북으로 올라갈 땐 대량 학살까지 했습니다. 반대파에 대한 숙청은 이쪽도 마찬가지였지만 그 정도가 북쪽이 훨씬 더 심했습니다. 그때부터 남한 사람 모두가 진짜 반공으로 돌아섰습니다. 오늘날까지 반공 체제를 지탱해 온 것도 안기부나 경찰의 노력보다는 그때의 산 체험이 강력한 반공의식을 심어 준 덕이 더 크다고 나는 생각합니다.

해방 이후 가장 큰 문제로 등장한 것이 친일파 문제입니다. 대한민국의 통일 문제나 민주주의 문제의 잘못된 출발의 근본에는 친일파가 있습니다. 친일파에 대한 숙청의 실패가 모든 일을 망쳐 놓았습니다. 해방 직후 미군정이 들어섰을 때 친일파는 재빠르게 치안이나 행정을 확보하려면 경험 있는 사람들이 해야 한다고 설득했습니다.

대한민국 정부 수립 전후인 1947년 무렵이었는데, 함경도에서 고등계 형사를 하던 자가 경찰서장이 되어 목포에 내려왔습니다. 그때만 해도 이승만·김구 두 분을 양 영수라 해서 관청 같은 곳에 사진을 걸어 놓게 했습니다. 그런데 부임하자마자 그걸 본 경찰서장이 김구 선생 사진을 가리키면서 대

뜸 "저 빨갱이 놈의 사진을 왜 걸었어, 뜯어!" 하고 호통을 쳤답니다. 그래서 그 자리에서 당장 사진을 뜯어냈다고 합니다. 그 밑에 경찰서 사찰계 주임이 있었는데 아무나 마음대로 잡아다가 살리고 싶으면 살리고 죽이고 싶으면 죽였습니다. 재판도 없이 산기슭에 가서 죽였던 것입니다. 그러다 목포형무소에서 좌익들이 탈옥한 사건이 생겼는데 다른 죄수들이 멋모르고 따라 나갔다가 잡혔습니다. 그 죄수들을 그대로 논바닥에서 막 쏘아 죽였고 또 적극적으로 해명을 안 한 사람들, 또 체포된 나머지 사람들, 특히 한독당 사람들은 죽여서 시체는 그대로 내버렸습니다.

결국 근본 문제는 신탁통치를 안 받아들인 데 있는 것이 아니라 친일파를 숙청하지 않은 데도 큰 원인이 있는 것입니다. 친일파가 자기들이 살기 위한 방패로 반공을 지상 명제로 내세웠으며 반공이면 살인을 해도 상관없는 세상으로 만들었던 것입니다. 그러다 보니 친일했다는 과거는 문제가 안 되고 어느새 나라를 지키는 의인이 돼 버렸습니다. 이런 판에 남북이 합쳐서 신탁통치를 받아들인다는 생각은 꿈에도 할 수 없었고 그런 생각을 가진 사람은 아무리 민족적 양심을 가진 사람일지라도 빨갱이로 몰렸습니다.

1945년 12월 30일, 모스크바삼상회의에서 한국에 대한 5년 이내의 신탁통치가 선포되었을 때 우리 국민 모두가 일제히 반대했습니다. 좌우가 없었습니다. 그러나 차츰 시간이 가면서 미·소가 냉전 대결을 벌이고 있는 상황에서 양쪽이 합의하여 우리의 통일 문제를 풀어 줄 길은 모스크바삼상회의의 결정을 받아들일 길밖에 없다는 여론이 중간파 지도자를 중심으로 일기 시작했습니다. 미군정도 이를 받아들이도록 적극적으로 설득했습니다. 그러자 국민들도 이대로 대결하면 분단이 몇십 년을 갈지도 모르는데 5년 이내, 그것도 3년 내로 끝날 수도 있다고 하니 다시 생각해 볼 수도 있지 않겠는가 하는 생각을 가진 사람이 늘어나기 시작했습니다. 하지만 사회 분위기는 여전히 반탁 쪽이어서 매일같이 반탁 시위가 벌어졌고 다른 말을 하면 당장 빨갱이에 역적으로 몰렸습니다.

미국은 1947년 초까지 상당 기간 동안 신탁통치를 받게 하려고 애썼습니다. 그 당시 주둔군 사령관인 하지 중장도 신탁통치를 받아야 한다고 주장하면서 좌우 합작을 추진했습니다. 하지만 한국의 모든 사법부와 검찰·경찰 등을 반탁 세력의 영양하에 그대로 둔 채 그런 주장을 한 것은 아무런 소용이 없는 일이었습니다.

그래서 좌우 합작이 시작되었습니다. 그 당시 좌우 합작의 중심인물은 좌익 대표인 여운형, 우익 대표인 김규식과 민정장관 안재홍, 이렇게 세 분이었습니다. 그러나 안재홍 민정장관의 손발은 경찰이건 공무원이건 전부 반탁에 열중한 친일 세력에 장악되었기 때문에 안 장관은 전혀 그 역할을 할 수 없었습니다. 미국은 모든 실권을 친일파의 손에 쥐어 주면서 입법 의원이나 만들어서 좌우 합작을 하라 했지만 그런 상황하에서 성공될 리가 없었던 것입니다. 미군정의 태도는 고의가 아니면 참 비현실적이고 순진한 것이었습니다.

그 당시 김규식이나 안재홍 같은 지도자들이 어째서 경찰력을 포함한 행정 실권이라든가 그런 실권을 민정장관 수중에 집중시키도록 요구하지 않았는지 이해가 안 갑니다. 그러나 신탁통치를 반대한 사람 중에는 많은 순수한 애국자들이 있었습니다. 그때 신탁통치를 받아들였더라면 5년 내에 통일을 할 수도 있었습니다. 하지만 그렇게 하려면 우선 내심으로 통일을 결사반대하는 친일파를 제거하고 실권을 안재홍 민정장관이 잡았어야 합니다. 신탁통치를 받는다는 것은 결국 통일정부가 생긴다는 말인데 그렇게 되면 기득권 세력, 즉 친일 세력의 숙청을 의미하는 겁니다. 친일파가 이를 묵과할 리가 없지 않습니까?

나는 김구 선생을 절세의 애국자로서 또는 위대한 인격자로서 매우 존경합니다. 그러나 김구 선생의 이 무렵의 정치적 판단에는 재고할 점이 있다고 생각합니다. 김구 선생이 처음에 신탁통치를 반대했던 것은 당연하지만 남한의 단독정부 수립이 임박할 때까지 반대한 것은 문제가 있었다고 생각합니다. 왜냐하면 신탁통치 아니면 단독정부 길밖에 없었던 것입니다. 그러므로 신탁통치를 끝까지 반대할 생각이었다면, 자신이 남한의 단독선거에 뛰어들어 남한의 대통령이 되었어야 합니다. 그리하여 남한의 실권을 쥐고 남북 협상을 열어서 통일을 추진했어야 할 것입니다. 그때 만일 김구 선생이 말하기를 이승만 박사는 남한 단독정부를 만들어서 영원히 분단하려고 하지만 나는 북한하고 대화해서 통일하기 위해 잠정적으로 대통령이 돼야겠다고 하면서 선거에 임했다면 국민들이 굉장히 그분을 지지하여 김구 선생 진영은 국회의원 선거에 승리하여 대통령이 되었을 것입니다. 그때는 대통령을 국회에서 뽑았습니다. 그 당시 국민들은 단독정부를 밀고 나가려는 이승만 박사를 그리 크게 지지하지 않았습니다. 제헌국회 선거에서 그를 지지한 세력이 성공하지 못한 것으로 입증이 됩니다. 그런데 김구 선생은 이것도 저것도 모두 다 반대했습니다. 신탁통치도 반대, 단독정부도 반대했습니다. 그분이 삼팔선을 넘어 북한에 다녀오신 것은 애국자로서 상징적이고 감상적인 행동이며 비장한 결심의 발로이지 현실을 움직이는 정치는 될 수 없었습니다.

미군정의 모순되는 태도와 좌우 합작 지도자들의 너무도 엉성한 상황 판단 그리고 김구 선생의 태도 등이 통일의 유일한 기회를 놓쳤다는 것을 저는 지금도 안타깝게 생각하고 있습니다.

강만길 8·15 이후 정계에 투신한 사람들은 대개 일제시대 민족해방운동에 투신했던 분들과 일제시대의 관료 출신, 그 후로 법조계·학계 출신 등을 들 수 있는데, 선생님이 정치에 투신하게 된 동기와 그즈음의 정치관을 말씀해 주십시오. 또 선생님은 현실 정치인 중에서 어느 누구보다도 먼저 민족의 통일 문제를 '4대국 보장론' 등의 구체적인 안을 가지고 말씀하셨고 그 때문에 많은 고난도 겪으셨습니다. 선생님이 언제 정치를 시작하셨고 어떤 동기로 민주주의의 발전과 민족통일 문제를 정치 생활의 대목표로 삼으시게 되었는 지를 말씀해 주십시오.

정치에 관심 많았던 소년 시절

김대중 저는 전라남도 신안군 하의면 후광리라는 섬에서 태어났습니다. 저의 아버님께서는 일제 때에 구장을 지내셨습니다. 그때는 구장집에 무료 로 신문이 배달되었습니다. 『매일신보』라고 총독부 관보였던 셈이지만 일제 말이라 한글 신문이라곤 그것뿐이었습니다. 저는 여덟 살 무렵 때부터 신문 을 봤는데 주로 1면만 읽었습니다. 어렸을 때부터 그만큼 정치에 관심이 많 았습니다. 또 어떤 영향이 있었다면 아버님한테서 받은 것인데 저의 아버님 은 우리끼리 얘기할 때는 천왕을 천왕이라 하지 않고 꼭 유인裕人이라고 이름 을 불렀습니다. 그리고 우리 조선왕조의 역대 왕들을 적어 주시면서 종종 역 사 얘기를 해 주셨습니다.

목포상업고등학교에 다닐 때 선생님 중에 무쿠모토 이사부로라는 일본 선 생이 있었는데 이분도 정치에 관심이 많았습니다. 그 선생님이 가끔 시국 얘 기를 하시다가 나와서 얘기할 사람은 해 보라고 했습니다. 그래서 제가 나가 얘기를 하면 그분 말씀이 대단한 식견이고 언변이다, 네 말을 듣고 있으면 꼭 일본 의회에서 대의사가 연설하는 것 같다고 했습니다. 그러면 나는 더욱 신 바람이 나곤 했습니다. 그때는 두어 달에 한 번씩 일본인 현역 장교 교관이 시국에 관한 강연을 했었는데 강연이 끝나면 질문을 하라고 했습니다. 마침 터키 다르다넬스 해협과 관련된 국제적 긴장이 있었는데 제가 그 문제에 대 해서 질문을 했더니 그 교관이 몰라서 답변을 못 하고 쩔쩔맸습니다. 그때 그

일은 함께 학교를 다녔던 사람들 사이에 지금도 화젯거리로 남아 있습니다.

저는 대학을 못 가고 사업을 했는데 스물다섯 살까지 해운 회사와 조선 회사를 경영하다가 『목포일보』 사장이 되었습니다. 『목포일보』는 일제시대에 조선에서 최초로 발간된 지방지였습니다. 그러다가 정계에 뛰어들어 몇 번 낙선을 했습니다.

3대 국회의원 선거에 무소속으로 나왔다가 관권의 탄압으로 떨어지고 4대 때에는 강원도 인제로 갔습니다. 그때는 군인들에게 현지 투표권이 있던 시절이었습니다. 군인들은 압도적으로 야당을 지지했기 때문에 그냥 등록만 해도 당선이 될 수 있었던 형편이었습니다. 그런데 자유당의 간섭에 의해 등록이 취소되었습니다. 유명한 인제의 호박 꼭지 도장 사건이 일어난 선거 간섭의 경우였습니다. 그때가 1959년으로 결국 1960년대에 있었던 3·15부정선거 예행연습이었던 셈입니다. 군인들을 가둬 놓고 중대장이라는 사람이 투표지를 확인하여 저를 찍은 표는 전부 찢어 버렸으니 당선될 턱이 없었지요. 그리고 4·19혁명 후에 또 떨어졌는데, 이유는 군대의 표가 부재자 투표 제도로 바뀌었기 때문입니다. 그 당시 저는 민주당 내의 신파였는데 구파가 자유당 잔당들과 짜고서 휴전선 일대의 전방 지구당에 나가서 싸운 신파의 후보자를 낙선시키기 위해 그렇게 했던 겁니다. 자유당 치하에서 목숨 걸고 일선에 가서 싸운 것은 그 대부분이 신파 출신이었습니다. 그다음 선거는 5·16군사쿠데타가 나기 사흘 전에 있었습니다. 당선이 확정되어서 여기저기 인사를 하고 서울로 가려던 참인데 5·16군사쿠데타가 났습니다. 그래도 무조건 서울에 와서 17일에 국회의원 등록을 마쳤는데, 18일에 국회가 해산된 겁니다. 그래서 이틀 동안 5대 국회의원을 했습니다.

제가 정치를 해야겠다고 결심한 것은 6·25전쟁 때문입니다. 6·25전쟁 때 저는 광화문에 있는 어느 여관에 묵고 있었습니다. 국회에서는 서울 사수를 결의하고 이승만 대통령은 서울을 지킬 테니 시민은 안심하라는 내용의 방송을 내보냈습니다. 그런 데다가 전쟁 전에 그 당시 국방장관인 신성모라는 사람이 사흘이면 평양에 가고 일주일이면 백두산에 가서 압록강 물을 떠다 '이승만 대통령 각하'께 바칠 수 있다고 큰소리를 치곤 했습니다. 채병덕이라는 일본군 출신의 참모총장도 똑같은 말을 하곤 했기 때문에 시민들이야 그런가 보다 하고 믿을 수밖에 없었지요. 그런데 막상 전쟁이 나니까 사흘 만에 우리가 평양엘 가는 게 아니라 저쪽 사람들이 서울에 왔습니다. 25일에 전쟁이 났는데 꼭 사흘 만인 28일 새벽에 광화문까지 들어왔습니다.

그때 저는 사업을 하고 있었기 때문에 어떤 기업체에 맡겨 놓은 돈이 있었어요. 그래서 갖고 있던 돈을 다른 사람들에게 다 나눠 주고 그 돈을 찾으러 갔더니 벌써 종업원위원회가 조직되어서 금고를 봉쇄해 버린 후였습니다. 당장 먹을 것도 오갈 데도 없는 거지 신세가 되었습니다. 매일같이 폭격을 하고 사람들을 자꾸 의용군으로 잡아갔습니다. 이불을 쓰고 유엔군 방송을 들으니 대전 전선에서 막아 내겠다는 것이었습니다. 그래서 나는 전선을 돌파해서 목포로 가야겠다고 생각했습니다. 일행 몇 사람과 온양·당진·서천·군산·영광·함평·무안·목포의 길로 해서 걸어 내려갔습니다. 장항에 가니까 인민군이 벌써 목포에 들어갔다고 벽보가 붙어 있는데 그 옆에 "중국군, 일본 구주九州 상륙"이라고 쓰여 있었습니다. 서울서 라디오로 듣던 대로라면 일본 상륙은 도저히 있을 수가 없는 일이었습니다.

나는 그런 엉터리 벽보를 믿고 싶지 않았습니다. 구주 상륙이 거짓말이니까 목포 점령도 거짓말이라고 생각하고 싶었던 것입니다. 그래서 계속 걸어 내려갔습니다. 불행히도 전남 일대는 인민군이 점령하고 있었습니다. 구사일생의 고비를 넘기면서 목포의 저의 집에 도착했더니 어머니가 집 앞의 도로 위 의자에 앉아 계시는데 꼭 미라 같았습니다. 제가 "어머니" 하고 부르니까 깜짝 놀라시면서 하시는 말씀이 인민군이 와서 우리 집을 반동의 집으로 지목해서 숟가락 하나까지 다 가져가고 집은 봉쇄를 당해 들어가지 못한다는 겁니다. 저의 집사람은 둘째아들 홍업이를 일본 사람들이 파 놓은 방공호 속에서 며칠 전에 낳았다는 것입니다.

저는 목포에 도착한 지 이틀 만에 붙잡혀서 내무서에서 1개월, 형무소에서 또 1개월을 보냈습니다. 처음부터 반동이라 해서 조사할 필요도 없는 대상에 들어 있었습니다. 일본 경찰에 애국자를 몇 명 밀고했느냐고 묻기에 그런 일이 없다고 하니까, 아직도 정신을 못 차렸다고 하면서 따귀를 한 대 때리고는 아예 상대를 안 했습니다. 형무소에서는 어찌나 식량이 적든지 하루에 조그만 밥덩이 두 개하고 해초 국을 조금 주는데 그릇 아래에 갯벌 흙이 수북이 엉겨 있는 소금 국물의 국이었습니다. 이렇게 되니 배가 고파서 견딜 수가 없었습니다. 먹는 것 외에는 아무것도 생각이 나지 않았습니다. 이렇게 굶주림의 생활을 두 달 하고 나니까 얼굴은 뼈와 가죽만 남을 정도로 말라 버렸습니다.

서울의 9·28수복 때에 목포형무소에서 김일성의 일제 퇴각 명령으로 인민군들이 후퇴를 하면서 우리를 학살하려고 자동차로 실어서 산골짜기에 가서 사살했습니다. 220명 중 140명 정도 죽이고 시간이 없어 그대로 가 버렸습니다. 나는 나머지 80명 중에 끼어 있었습니다. 나중에 들은 얘기로는 지방 교도관들한테 불을 질러 우리를 죽이라고 했다는데 자기들도 목포에 가족이 있으니까 겁이 나서 차마 죽이지 못했던 것이었다 합니다. 그렇게 해서 제가 살아났으며 잡혀갔던 아우와 장인도 구사일생으로 살았습니다.

그런 일을 겪고 보니 정부가 정치를 잘못하면 그리고 백성을 속이면 나라와 백성이 얼마나 비참해진다는 것을 통감했습니다. 그뿐 아니라 이렇게 백성의 생명과 재산을 지키지 못한 정부가 백성에게 사과하기는커녕 수복한 후에는 정부의 말만 믿고 서울에 남아 있었던 사람들을 부역했다고 닦달까지 했습니다. 그러다 1·4후퇴 때 국민방위군을 소집한다고 하니까 몇십만 명이 자진해서 입대했습니다. 이 사람들한테 줘야 할 식량이며 모포를 중간에서 빼돌려 간부들이 착복함으로써 그때 얼마나 많은 사병들이 얼어 죽고 굶어 죽었는지 지금도 그 숫자를 알 수 없습니다. 그런데 이런 짓을 했던 사령관과 참모장이 군법재판에서 무죄 판결을 받았습니다. 이런 통탄할 일에 대해서 야당 의원들이 들고일어났습니다. 그리하여 정부로 하여금 이 문제를 재조사하여 사령관과 참모장 둘을 사형시켰습니다. 6·25전쟁의 피해, 수복 후의 정부 태도, 국민방위군 사건 등을 볼 때 정부를 잘못 만난 백성들의 불행을 새삼 절감했습니다. 그러나 한편 국민방위군 사건을 재심해서 사령관 등을 처단한 것을 보고 나는 큰 감명을 받았습니다. 결국 내가 느낀 것은 정치가 나쁘면 백성이 희생되고 올바른 국회를 가지면 억울한 일이 해소될 수 있다, 결국 민주주의밖에 국민을 위한 길이 없다는 생각을 굳혔습니다.

사실 그 제2대 국회 때에는 언론이 굉장히 강했습니다. 그 당시 '3대지'라고 해서 『조선일보』, 『동아일보』, 『국제신문』이 있었는데 타블로이드판 지면에 주먹 같은 활자로 매일 정부를 공격했습니다. 국민들은 정부를 비판할 때에도 누구 눈치를 보는 법이 없이 다방에서도 마음 놓고 얘기했습니다. 그때는 안기부도 없었고 보안사도 없었고 국가보안법이나 반공법도 없었습니다. 오직 검찰하고 경찰이 있을 뿐이었습니다. 국민들은 그때 이승만 박사가 애지중지 하던 방위군 관련 사람들이 처형되는 것을 보고 나서 민주주의라는 게 이렇게 좋은 것이로구나 하고 느꼈던 것입니다. 전시하에도 누리는 언론과 비판의 자유 그리고 대통령이 아끼던 군 장성의 처형 등을 보고 국민들은 사기가 올랐습니다.

그때 국민들은 공산당에 대해서 마음속에서 이렇게 외쳤습니다. "너희는 자유가 없지만 우리는 전시 중인데도 이런 자유가 있다. 그러므로 우리는 목숨을 걸고 공산당과 싸우는 것이다." 이런 긍지를 가질 수 있었던 것입니다. 그래서 전쟁도 이길 수 있었습니다. 그런 걸 보면서 저는 하루속히 이런 나쁜 정치를 끝내고 민주주의를 해야겠다는 생각을 하게 되었습니다.

또 하나, 제가 글로 쓰기도 하고 여러 번 강조했던 얘기입니다만 저는 유물론도 유심론도 잘못이고 물과 심은 변증법적으로 통합되어야 한다는 생각을 가지고 있었습니다. 자유만 주장하는 것은 왼쪽 절름발이고 빵만 주장하는 것은 오른쪽 절름발이입니다. 사람이 행복하려면 빵과 자유가 함께 있어야 하고 또 건강하려면 양쪽 다리가 다 성해야 합니다. 다시 말해서 자유와 정의가 같이 있어야 한다는 겁니다. 그런 생각에서 저는 일생 동안 단순히 자유민주주의만이 아니라 정의가 수반된 민주주의를 주장해 왔고 또 노동자 등 약한 사람들 편에 섰던 것입니다. 그러나 공산당에 대해서는 일관되게 반대했습니다.

저는 절대적으로 자유시장경제 신봉자이지 사회주의경제의 지지자는 아닙니다. 유럽에서는 자유경제를 하면서도 노동당이건 사회민주당이건 모두 시장경제를 받아들이고 있습니다. 정당들은 주식의 대중화를 실천하고 사회주의의 정당들이 주장하는 사회복지를 받아들였습니다. 그리하여 오늘날에는 자본주의 정당이니 사회주의 정당이니 하는 구별이 없이 완전히 중도 통합을 했습니다. 그래서 저는 정치적으로는 민주주의를, 경제적으로는 시장경제를, 사회적으로는 복지를, 철학적으로는 유물론과 유심론이 변증법적으로 통합되는 방향으로 나가야 한다고 생각하고 있습니다. 그리고 이 모든 것을 해 나가는 데에 있어서 궁극적인 목적은 국민을 위한 자유와 정의의 실현 그리고 민족의 통일이어야 한다는 생각입니다.

분단은 남이 해 놓은 분단인데 우리는 이를 회복하려고 노력하려는 것보다는 동족끼리 수백만을 희생시키면서 처참한 대립만 해 왔습니다. 남북이 분단된 것은 이념 차이나 계급투쟁 때문도 아니고 문화나 종교가 다르기 때문도 아닙니다. 외세가 우리도 모르게 민족을 갈라놓은 것입니다. 우리는 이점을 명심해야 합니다. 우리는 민족과 이념을 구별해야 합니다. 이념은 다르고 공산당은 반대하더라도 민족에 대한 애정과 공동 운명 의식은 견지해야 합니다. 이제 냉전도 끝난 이 마당에 우리는 하루속히 민족의 통일을 시작해야 합니다. 그 진행은 단계적으로 하더라도 시작만은 빨리해야 합니다.

저는 지금까지 일관된 정치 목표로 자유·정의·통일의 길을 40년 동안 걸어오면서 많은 박해를 받았습니다. 목숨까지 걸어야 했습니다. 제 목숨만 거는 게 아니라 가족과 친척들과 친구들과 모든 주변 사람들의 안위와 목숨까지 거는 일이었습니다. 하지면 견뎌 왔습니다. 간혹 거울을 보면서, 잘 견뎌주어서 고맙다고 제 자신에게 감사를 합니다.

역사를 객관적으로 보아야

강만길 선생님이 살아온 과정이나 환경은 그 당시로 본다면 우익에 가까운 분인데 민족 문제를 생각하는 데는 상당히 객관적이고 또 그것이 선생님의 강점이라고 생각합니다.

8·15해방 이후 특히 1948년에 양쪽에 분단국가가 생기고 난 다음엔 정확한 의미의 민족주의는 없어졌고 결국 남은 남대로 북은 북대로 분단국가의 유일성·정당성·최고성만을 주장하는 분단국가주의가 만연하게 되었습니다. 정부가 모든 교육을 통해 그런 주장을 강조하고 주입시켜 왔기 때문에 어떤 의미에서는 분단 이후에는 분단국가주의만 있었을 뿐 한반도에 살고 있는 전체 주민을 대상으로 하는 통일적 민족주의는 없었던 것 같습니다. 이것을 회복하는 제일 빠른 길은 민족 문제를 자기가 소속되어 있는 하나의 정치권을 넘어서 객관적으로 볼 수 있는 눈을 가질 수 있어야 한다고 생각합니다.

현실적으로 정치에 참여하고 있는 분들은 학문을 하는 사람들과 달라서 그런 문제를 생각한다고 하더라도 더구나 분단시대의 어느 한쪽 체제에 속해 있는 정치인으로서는 그것을 실천에 옮기기가 대단히 어려울 것으로 생각됩니다. 저는 선생님이 현실 정치에 참여하고 계시면서도 분단국가주의적 한계를 넘어선 객관적이며 전체적인 민족관을 가질 수 있게 된 것은 정치인으로서의 강점이라고 생각합니다. 어떻게 그것을 뛰어넘어 한반도 전체로 사고 영역을 넓히시게 되었는지 그 계기를 말씀해 주십시오.

김대중 저는 어떤 사물이나 상황을 볼 때 한쪽에 치우치지 않고 균형 있게 보려고 합니다. 앞에서 유물론과 유심론에 대해 말씀드릴 때에도 어느 한쪽에 치우쳐선 안 된다고 했지만 무엇이든 균형 있게 보면 객관적이 될 수밖에 없습니다.

저는 역사에 많은 관심을 가지고 있습니다. 역사를 대하면서 특히 느끼는 것은 당대에 권세를 누렸던 사람들이나 비참하게 매도당했던 사람들이 후세인에게는 어떻게 평가되는가 하는 것입니다. 하느님 눈에는 천년이 한순간입니다. 역사를 보면 억울하게 매도되었던 사람들이 반드시 다시 평가됩니다.

중국의 진시황은 2천 년 동안 만고의 폭군으로서 매도되었습니다. 그러나 지금은 진시황을 세계 역대 군주 중에서 가장 탁월했던 군주의 한 사람으로 평가하고 있습니다. 조조도 『삼국지』 본지에서는 그렇지 않은데 연의에서는 몹시 나쁜 자로 나옵니다. 사실은 『삼국지』 소설을 쓴 사람이 유비를 통해서 한나라 유씨왕조의 정통성을 세우려고 조조를 천하에 못되고 악랄한 사람으로 몰았던 것입니다. 유비·손권·조조, 이 세 사람 중에서 제일 탁월한 지도자는 조조였습니다. 둔전屯田 제도를 창시해서 병사들이 전쟁이 없을 때는 농사를 지어 자기 식량을 조달하고 백성을 괴롭히지 않는 일까지 했습니다. 조조는 적어도 다른 두 사람보다 나으면 나았지 못한 것이 하나도 없습니다. 여하튼 그렇게 억울하게 당한 조조도 재평가되고 있습니다.

이완용도 자기가 한 짓 때문에 자신이 준엄한 심판을 받고 있음은 물론 죄 없는 자손들이 지금까지 매도당하고 있습니다. 반면에 안중근 의사는 만고의 애국자로서 영원히 추앙받고 있습니다. 역사에서의 평가는 작게는 내 자손들이 나를 어떻게 평가하느냐 하는 것입니다. 더 크게는 민족이나 세계가 어떻게 평가하느냐 하는 것이라고 생각합니다. 가장 중요한 것은 이 시대의 한국 사람이면 민족 최대의 아픔인 분단을 넘어 조국통일을 어떻게 이룩하는가 하는 것입니다. 북한과 공존하고 서로 협력하면서 민족의 운명을 같이 개척해 나가야 합니다. 공산주의는 이미 멸망했습니다. 중국도 베트남도 변하고 있습니다. 북한도 시간문제입니다. 우리는 자신과 민족애를 가지고 남북 문제를 풀어 나가야 합니다.

제가 5년 동안 대통령을 했느냐 안 했느냐 하는 것은 중요한 문제가 아닙니다. 제가 민족을 위해서 어떻게 살았는가가 중요합니다. 민족을 위해 사소한 차이를 버리고 헌신한 사람들은 모두 역사에서 승리했습니다. 그들은 현실적으로 성공하지 못했더라도 역사를 통해서 승리했습니다. 이순신 장군으로 말하면 지금의 해군 참모총장밖에 못 됩니다. 윤봉길 의사나 안중근 의사는 시골 면장도 못 지냈습니다. 그래도 이완용에 비하면 몇백 배나 역사를 통해서 성공한 분들입니다. 영의정 백 명을 합쳐도 이순신 장군 하나만 못할 것입니다.

사물을 이러한 역사적 시각에서 보면 뭐가 되고 안 되고는 그리 중요한 문제가 아닙니다. 어떻게 살았느냐가 중요합니다. 행동하는 양심으로 당당하고 바르게 살다 죽으면 젊어서 죽건 늙어서 죽건 무엇이 되건 못 되건 그 인생은 성공한 것입니다. 인간은 완전히 훌륭할 수는 없습니다. 그러나 훌륭하게 살다 보면 올바른 길을 가게 됩니다. 저는 그런 생각을 가지고 살아왔기 때문에 항상 마음이 평안합니다. 저의 인생은 나름대로 값있었고 성공하였다는 생각을 가지고 있습니다.

저는 1980년에 사형 선고를 받아 죽음을 앞두고 있었습니다. 협력하면 살려 주겠다고 매일 졸라 대면서 대통령만 포기하면 된다는 것입니다. 나머지는 무엇이든지 시켜 주겠다는 것이었습니다. 당신도 가족이 있지 않으냐고 하면서 그렇게 하자고 설득했습니다. 저도 살고 싶었지만 도저히 국민을 배신할 수는 없었습니다. 그것이 바로 인간의 자유의지라고 할 수 있는데, 살고는 싶으면서도 "나를 죽이시오. 국민을 배신할 수는 없소."라고 말했던 것입니다. 그리고 역사는 박정희 씨나 전두환 씨보다는 반드시 저를 더 바르게 평가해 주리라고 확신했었습니다. 저는 스스로에게 타일렀습니다. 나는 최소한 역사에서의 나의 승리를 알고 죽는다, 바르게 산 많은 사람들이 그랬듯이 나도 역사의 승자가 되는 것이다, 인생은 어차피 한 번 죽는 것 아닌가, 이렇게 역사 속에서 승자가 된 자기를 믿고 죽을 수 있으니 나는 얼마나 다행인가, 이렇게 생각하니 마음이 아주 편해졌습니다. 그래서 재판이 없는 날은 매일 잠만 잤습니다. 그랬더니 하루는 헌병이 와서 "아니, 선생님은 이 판에 잠이 옵니까?" 하고 묻기까지 했습니다. 나는 웃으면서 "잠 안 자면 누가 나를 살려 주는가?"라고 대답했습니다. 그러면서도 한편으로는 얼마나 속을 태웠던지 육군교도소에 있는 8개월 동안 몸무게가 6킬로그램이나 줄었습니다. 소신 가지고 견뎌 냈지만 한편으로는 갈등도 많이 느꼈습니다. 일생에 다섯 번 죽음의 고비를 넘겼지만 다른 때는 순간순간의 고비였는데 8개월을 죽음과 마주하면서 견뎌 내는 것은 참으로 힘든 일이었습니다. 굳은 신앙심, 확고한 인생에 대한 철학 그리고 나름대로의 투철한 역사관과 국민과 민족에의 사랑 없이는 견디기 힘든 일이었습니다.

강만길 결국 분단시대에 정치를 하면서도 민족 문제를 객관적으로 볼 수 있는 것은 사물을 역사적으로 보는 안목을 가졌다는 점, 그러면서 역사 발전의 방향성에 대한 이해가 당시의 어느 정치가보다 앞서 있었기 때문이었다고 할 수 있지 않은가 합니다. 역사 발전의 방향성 문제를 두고 이야기하면 자본주의와 사회주의의 관계 문제 그리고 민주주의의 옳은 의미와 역사성 문제 등을 언급하지 않을 수 없을 것 같은데요.

20세기는 민주주의 승리의 역사

김대중 우리는 민주주의에 대해서 다시 한번 그 가치를 인정하고, 한국 민주주의의 맥을 어떻게 잡아 나가야 할 것인가에 대해서도 생각해야 합니다. 20세기는 민주주의 승리의 역사입니다. 소련이 망한 것은 사회주의가 자본주의에 패배한 것이 아닙니다. 민주주의를 하지 않은 사회주의와 자본주의는 망하고 민주주의를 한 사회주의와 자본주의는 성공했습니다.

민주주의를 안 한 자본주의의 대표적인 예가 히틀러의 나치즘과 군국주의의 일본의 독점자본주의인데 두 나라 모두 세계 강대국이었지만 참담하게 패배하고 말았습니다. 그럼 왜 민주주의를 하면 이기고 민주주의를 안 하면 지는가, 민주주의를 하면 백성들의 의사가 위에 반영되기 때문입니다. 만일 반영이 안 되면 그런 정부는 선거를 통해서 바꿀 수 있습니다. 다시 말해서 백성들의 뜻에 의해 정권이 바뀌고 정책도 달라질 수 있는 것입니다. 보수당이든 혁신당이든 모두 마찬가지입니다. 백성들의 의사를 무시하고는 존재할 수 없는 것입니다. 따라서 정치는 백성들의 뜻에 따라 계속 변화·발전합니다. 그러니 거기에 백성들의 좌절이나 불만이 있을 수 없고 적극적인 지원 속에 정치는 발전해 나갑니다.

민주체제 아래에서의 자본주의 경제체제에 있어서 원래는 자본가가 주식을 독점했었지만 지금은 대중화되어서 선진국에서는 한 개인이 갖고 있지 못한 것이 보편적인 상황입니다. 또한 과거의 자본주의는 자본가가 직접 경영을 했지만 주식이 대중화되고 난 후부터 주주들이 뽑은 전문 경영인이 운영하게 되었습니다.

민주체제 아래서의 사회주의도 과거에는 생산수단의 소유가 국가에 의해서 독점되었고 기업의 경영도 국가가 임명한 관료에 의해 행해졌던 것을 고쳐서 대중적 소유와 전문 경영인 경영으로 바뀐 것입니다. 그리고 기업이 얻은 소득은 당연히 다수의 주주에게 공정하게 분배됩니다. 이 점에 있어서 자본주의도 사회주의도 마찬가지입니다. 이렇게 하여 소유와 경영과 분배가 중도 통합되는 것입니다. 이렇게 국민들의 뜻에 의해 이루어지는 자본주의는 이기고 공산주의나 독점자본주의는 모두 망했습니다. 문제를 그렇게 볼 때 민주주의의 중요성을 절감하게 됩니다.

19세기까지는 그렇지 않았지만 20세기부터는 민주주의가 세계적으로 보편화된 이념이 되었습니다. 20세기 역사에서 초반에는 1차대전, 중반에는 2차대전, 종반에는 냉전, 이 세 가지 고비에서 모두 민주주의가 이겼습니다. 20세기는 민주주의 승리의 역사이며 거기에 따르는 자유시장경제 성립의 역사라고 봐야 합니다. 그런데 문제는 영국이나 프랑스·일본·미국 등 자기들로서는 그만하면 민주주의를 하고 있다는 나라들이 바로 아프리카나 중남미·아시아 등 약소국가의 여러 가지 희생 위에 잘산다는 것입니다. 말하자면 국내에서만 민주주의를 하고 밖에 나가서는 민주주의를 안 하는 것입니다. 이것이 오늘날 세계 최대의 문제인 남북 문제인 것입니다. 절대다수의 인구를 접한 남쪽 국가들이 소수의 북쪽 국가들에 의해 지배당하고 수탈당하고 있는 것입니다.

이제는 민주주의가 자기 국경을 넘어서 이웃과 세계를 포함한 민주주의가 되어야 합니다. 통신·교통의 발달이 이것을 가능하게 합니다. 민주주의는 국민국가의 민주주의로부터 주변 국가들을 포함한 연방제 민주주의 그리고 전 세계를 포함하는 세계적 민주주의, 이렇게 3중의 구조로 발전해 나가야 할 것입니다. 유럽에서는 유럽공동체(EC)를 거쳐 유럽 연방의 정치적 통합까지 나아가고 있는 과정입니다. 북미자유무역협정(NAFTA)도 그렇게 될 가능성이 있습니다.

내 국민의 자유, 내 국민의 복지만 생각하는 민주주의는 이제 한계에 온 것입니다. 이렇게 되려면 철학이 달라져야 합니다. 이런 생각에서 저는 지난 대통령 선거공약으로 신인도주의를 주창했던 것입니다. 신인도주의에 있어서는 자기 국민의 자유와 복지의 실현, 또 국제사회에서는 남쪽의 제3세계 나라들에 대한 자유와 번영과 복지 실현의 보장이 이루어져야 합니다. 그리고 나아가서 지구상에 있는 모든 자연의 존재들, 동식물과 흙과 땅과 물과 공기 등의 생존과 번영도 보장해 주어야 합니다. 우리는 지구를 너무도 수탈하고 학대하고 파괴하고 있습니다. 우리가 지금 귀 기울여 듣고 눈여겨보면 지구에 있는 만물들이 사람 때문에 못살겠다고 아우성치는 소리가 귀를 쟁쟁히 찌를 것이며 그들의 처참한 모습이 우리들의 눈에 비칠 것입니다. 우리의 어머니인 지구에게 감사하고 사랑해야 합니다. 그리고 지구 위의 만물과도 같이 살고 같이 번영해야 합니다. 이것은 그렇게 하지 않으면 인류까지 멸망한다는 서구식 환경 보존론으로는 부족합니다. 동양 전래의 자연과 사람을 하나로 생각하는 자연 존중과 애호의 사상, 또는 모든 만물에 부처님이 깃들었다는 불교의 사상 등이 바탕이 되는 새로운 인도주의와 민주주의의 철학이 형성되어야 합니다. 나는 영국의 케임브리지대학에 있을 때 몇몇 석학들과 이 문제를 논의하면서 의견의 일치를 본 일이 있습니다. 그리하여 이러한 새로운 민주주의를 코즈모폴리턴 데모크라시(cosmopolitan democracy) 혹은 글로벌 데모크라시(global democracy)라고 명명해 본 일이 있습니다. 우리가 민주주의를 논함에 있어서 하나의 잘못된 주장이 있습니다. 그것은 아시아에서는 민주주의가 적합지 않다, 아시아에서는 민주적인 철학도 전통도 없다 하는 잘못된 주장으로 이는 바로잡아야 합니다.

제가 1983년 미국의 하버드대학 법과대학에서 했던 연설에서도 지적했지만, 민주주의의 제도 자체는 서구 사회의 창조물이지만 민주주의 이념은 서구 사회의 독창물이라고 생각하는 것은 잘못입니다. 의회나 행정부 같은 민주제도는 서구 사회의 창조물이지만 민주주의 이념은 서구 사회만의 독창물이 아닙니다. 민주주의 이념이라는 것은 사람이 자신의 인권과 자결권에 최상의 가치를 부여하고 자기가 자유롭고 정의로운 환경 속에서 살 권리가 있으며 그러지 못할 때는 이를 변경시킬 권리가 있는 것으로, 욕구와 주장이 있는 곳이면 어디든지 민주주의 이념이 있는 것입니다.

존 로크는 『사회계약론』에서, 국민은 정부하고 계약을 해서 권력을 맡긴 것이다, 그러므로 권력을 맡은 정부가 잘못하면 국민은 그 정부에게 시정을 요구하고 그래도 안 되면 쫓아낼 권리가 있다고 했습니다. 존 로크가 이런 주장을 내세운 것은 지금으로부터 불과 3백 년 전이지만, 동양에서는 이미 2,200년 전에 맹자가 역성혁명론易姓革命論과 방벌론放伐論을 주장했습니다. 역성혁명론은 집권자의 성을 바꾸고 하늘의 명을 새로이 한다는 것입니다. 맹자에 의하면, 천자라는 것은 하늘의 아들입니다. 하늘이 그 아들에게 이 백성을 잘 다스리라 하고 천자의 자리에 앉혔는데 그것을 이행하지 않고 학정을 하거나 부패하면 다른 임금으로 바꿔야 한다는 것입니다. 즉 하늘의 명을 바꿔야 한다는 것이 역성혁명론입니다. 그리고 백성들은 하늘의 명을 대신해서 임금을 쫓아낼 수 있다고 했습니다. 즉 방벌론입니다. 그러니까 서양보다도 동양이 민주주의 이론이나 그 근본정신에 대해 훨씬 먼저 얘기하고 있는 겁니다. 또 부처님은 2천여 년 전에 태어나자마자 "천상천하유아독존天上天下唯我獨尊"이라고 했습니다. 얼마나 장대한 인권 선언입니까. 이 세상 우주 만물 중에 내가 가장 존귀하다는 것입니다. 내 안에 우주가 있고 우주 안에 내가 있다, 우주가 바로 나다, 이러한 선언인 것입니다.

우리나라의 최제우 같은 분은 인내천人乃天, 사람이 곧 하늘이라고 했습니다. 우리나라에도 분명히 민주주의적인 철학이 있었습니다. 단군은 하늘의 제왕, 환인의 손자로서 홍익인간의 이념을 주장했습니다. 크게 인간을 이롭게 하는 이 정신에는 링컨이 말한 '인간을 위한' 개념이 들어 있다고 봐야 합니다. 그리고 신라나 가야에서 백성들이 모여서 임금을 추대한 것은 '인간에 의한'의 뿌리가 있다고 봐야 합니다.

또 왕후장상의 씨가 따로 있느냐고 하면서 우리도 한번 정권을 잡아서 좋은 정치를 해 보자, 하면서 잘 살아 보자는 혁명의 구체적인 계획을 세웠던 만적의 난은 분명히 민주주의적인 권리의 주장인데 이것은 세계 노예 반란 사상에 찬연히 빛나는 투쟁이었던 것입니다. 우리는 전봉준의 동학혁명을 보면 참으로 기적 같은 생각을 갖습니다. 어떻게 해서 그 당시 농촌에 있는 일개 서당의 접장 머릿속에서 반봉건·반제국주의 이념이 나왔는가 하는 것입니다. 그 당시 동학혁명의 지도자들이 주장한 반봉건 투쟁의 내용이 노비 해방·과부 개가·토지 개혁·서정 혁신·부패 일소, 이런 등속의 주장이었던 것은 대체적으로 인정할 수 있습니다. 그리고 혁명이 일시 성공했을 때 전라도 일대에 집강소執綱所라는 행정기관을 차려서 서정 혁신을 단행한 것을 보더라도 그들이 민주주의적인 참여를 강력히 추진했던 것은 분명합니다. 만일 일본이 개입하지 않고 그 당시에 동학혁명이 성공해서 그들이 정권을 잡았더라면 반드시 반봉건적이고 민주적인 개혁의 방향으로 갔을 것입니다. 그리고 그때 외세가 들어왔는데 외세를 막지 않으면 우리의 독립과 경제적 자립이 없다는 생각에서 반제국주의 투쟁, 일제 반대 투쟁을 했던 뛰어난 정책을 그들은 추진했었습니다. 참으로 그 당시로서는 다시없는 민주주의적인 방향을 지향했는데 이는 우리 5천 년 역사에 가장 빛나는 백성에 의한 혁명의 사실이 될 것입니다. 그런데 갑신정변을 했던 김옥균은 어떻게 평가해야 좋을지 모르겠습니다.

강만길 지금 역사학 쪽에서는 갑신정변을 최초의 부르주아 민족운동이라는 관점에서 보는 경우가 일반화되어 가고 있습니다.

김대중 그렇습니까? 그런데 불과 150명의 일본군을 믿고서 그런 일을 한 그분의 판단과 일본에서의 행적에는 문제가 있다고 생각합니다. 저는 조선 왕조 말기의 고종 황제, 순조 대를 통해서 가장 뛰어난 민주주의 지도자는 서재필 박사라고 생각합니다. 그분은 그 시대에 뛰어난 민주주의 이념을 가지고 이를 착실히 실천했습니다. 독립협회를 만들어서 반봉건·반제국주의적인 올바른 독립투쟁을 민중과 같이 추진한 것은 참으로 돋보입니다. 민중을 위해서 한글 전용의 『독립신문』을 만들어서 학문이 부족한 민중이나 여성들까지도 읽을 수 있게 했습니다. 참으로 높이 평가해야 할 분이 아닌가 생각합니다. 우리나라에서는 인물을 키우지 않는 것이 우리 민족의 가장 큰 결점 중의 하나라고 하는데, 나는 서재필 박사는 조선왕조 말기에 있어서 가장 탁월한 민주 지도자로 우리가 이를 재발견하고 높이 받들어서 자라나는 우리 젊은이들에게 긍지와 방향을 주어야 한다고 생각합니다.

강만길 어느 사회를 막론하고 역사가 발전해 가는 방향으로 나아가는 일 자체가 전체적으로 보면 민주주의의 발전 과정입니다. 인류의 역사가 많은 반동과 역류가 있었지만 기본적으로는 역사가 가는 방향이 있다고 여겨 왔고 그래서 우리는 역사학을 과학이라고 생각합니다. 고대사에서부터 시대가 내려가면 갈수록 정치적으로는 권력의 속박으로부터 해방되는 사람들이 점점 더 많아지는 쪽으로 흘러가고 있습니다. 경제적으로는 인간 사회라는 것이 시대가 내려가면 갈수록 생산력이 높아지기 마련인데, 그 높아진 생산력의 부가 한쪽으로 편재되지 않고 균배가 되는 방향으로 나아가고 있습니다. 이것이 자본주의 시대에는 사회주의적 이론과 요구로 나타난 것이지요. 사회적으로는 물론 만민 평등의 사회를 지향하는 것이지요. 앞에서 원효의 예를 들었습니다만 원효와 만적도 그런 길을 걸었던 사람이라고 할 수 있습니다. 사상·문화 이런 쪽에서는 생각하고 말하는 자유를 점점 확대시켜 가는 방향으로 나갑니다. 이것이 결국은 인간의 역사가 가는 길이요, 좁게 말하면 민주주의로 가는 길입니다. 모든 민족 사회 전체가 그런 쪽으로 계속 가고 있습니다. 그렇게 가면 선생님이 말씀하신 것처럼 전 지구적인 민주주의가 생겨나는 것입니다. 국경의 벽이 낮아지고, 민족과 민족 사이의 차별이 적어지고 없어져서 서로 국경을 그어 놓고 여기는 우리가 사는 곳이니 너희들은 오지 말라 하는 시대가 점점 없어질 것입니다. 이 지구는 그곳에 살고 있는 사람들의 공동 소유물이라는 인식이 있을 때에 인간 사회가 지향하는 인류의 복지와 평화가 이루어질 것입니다. 물론 거기까지 가려면 아직도 장구한 세월이 필요하다고 생각합니다.

분단국가의 통일의 예

이제 통일 문제로 넘어갔으면 합니다. 제가 보기에 통일 문제는 선생님이 말씀하시는 국가연합과 북한의 연방제와 우리 정부의 남북한 연합이라는 방법론이 모두 어느 시기까지는 두 개의 권력을 유지시켜 가면서 하나로 만들어 간다는 합의가 이루어져 있다는 점에서는 큰 차이가 없습니다. 이전에 통일을 한다는 것은 양쪽 집권층 중의 하나가 없어지거나 아니면 휴전선 때문에 존재하는 두 개의 정권이 모두 없어지고 새로운 제3의 권력이 나오는 그 두 가지 길밖에 없는 상황이었습니다. 그렇기 때문에 저는 실제로 집권 세력이 평화적으로 통일을 한다는 게 실현 불가능한 일이라는 생각을 가진 적도 있었습니다.

그럼에도 불구하고 양쪽 정부가 얼마간 통일 문제에 진전을 보인 것은 남쪽의 경우 또 집권층이 민간 통일운동이 제시해 온 통일의 방법론을 조금씩 수용해 왔고, 그 결과 국가연합이나 남북연합 선까지 왔다고 생각합니다. 선생님은 정치 일선에 계시면서 이른바 재야라고 부르는 쪽에서 벌여 온 통일 운동 내지 통일 방법론에 대해서 어떤 생각을 갖고 계십니까?

김대중 전후에 강제로 분단됐던 나라들이 통합한 케이스를 봅시다. 베트남은 군사력으로 통합했고, 독일과 예멘은 서로 타협을 해서 했는데, 독일은 한쪽이 다른 한쪽을 흡수해서 했고 예멘은 서로 대등하게 했다고 봐야 합니다.

이런 세 가지 모델이 있는데 베트남의 경우는 결국 한쪽이 승리는 했지만 그 후 내부 문제를 볼 때 그런 식의 무력으로 한 통일은 결과가 별로 좋지 못했습니다. 베트남이 다시 서방세계에다 문호를 열면서 도와달라고 한 것은 그런 통일이 성공하기 어렵다는 것을 보여 주는 것입니다. 그리고 남부 베트남에 대해 국법으로 특별조치를 만드는 것도 쉽게 하나로 만들 수 없다는 증거입니다. 정치적 통합이 됐다고 하지만 사회적·경제적으로는 베트남도 통합이 제대로 안 된 것입니다.

독일은 흡수 통일을 한 결과 큰 딜레마에 빠져 있습니다. 경제적으로도 큰 곤경에 처했을 뿐 아니라 정신적으로도 이루 말할 수 없는 갈등 속에 있습니다. 독일이 통일할 때 서독은 우리의 여섯 배 정도의 경제력을 가지고 있었는데도 지금 저런 상태입니다. 서독은 동독에 비해서 면적이 두 배나 됩니다. 우리는 북한에 비하면 20퍼센트가 작습니다. 그리고 서독은 동독에 비해서 인구가 네 배인데, 우리는 두 배입니다. 독일은 서독의 네 사람이 동독의 한 사람을 먹여 살리면 되는데, 우리는 남한의 두 사람이 북한의 한 사람을 먹여 살려야 합니다. 그리고 동서독은 우리같이 전쟁을 한 적이 없습니다. 30년 이상 동안 상대방의 텔레비전을 서로 보아 왔습니다. 왕래도 어느 정도 자유로웠고, 경제 협력도 상당한 수준으로 하였던 것입니다. 서독이 동독을 흡수하게 된 것은 동독 사람들의 서독에 대한 열렬한 동경이 자발적 흡수를 수락했던 것입니다.

이와 같이 여러 가지 여건이 우리보다 월등히 유리한데도 어려운 처지에 놓여 있습니다. 경제 면에서 볼 때 첫째, 엄청난 통일 비용입니다. 처음 통일 비용을 산정할 때는 10년 동안 매년 5백억 마르크씩 5천억 마르크면 되리라고 생각했었는데, 당장 해 보니까 매년 2천억 마르크를 가지고도 모자랍니다. 10년이면 2조가 넘게 들어갑니다. 흑자이던 독일 경제가 이제는 국가 부채가 6천억 마르크를 넘고, 경제 성장은 마이너스 상태입니다. 동독에 대한 투자는 70퍼센트가 동독인에 대한 사회적 비용이고, 겨우 30퍼센트 정도가 경제 건설에 들어갑니다. 서독은 새로운 기술 개발과 산업구조 개편을 위해 엄청난 돈이 필요한데 현재 이것이 모자랍니다. 그래서 외국 자금에 의존해야 하기 때문에 분데스방크는 고금리 제도를 가지고 이를 유인하고 있습니다. 서방 각국들이 금리를 내리라고 아우성치지만 체면 불고하고 고금리를 유지하고 있습니다. 이와 같이 경제적 부담은 참으로 엄청납니다.

베를린 장벽이 무너질 때 서로 얼싸안고 감격의 눈물을 흘렸던 사람들이 이제는 서로 냉담한 입장에서 상대방을 비판하고 거부하고 있습니다. 과거의 동독이나 서독은 없어졌지만 동독인이나 서독인은 엄연히 있어서 한쪽은 이등 국민, 한쪽은 일등 국민 취급을 받고 있는 상태입니다. 과거에는 1민족 2국가였는데, 이제는 1국가 2사회가 되어 버렸습니다. 서독 사람들은 동독 사람들과 언어만 통할 뿐, 나머지 철학이나 사고방식·생활양식 모두 다릅니다. 하지만 프랑스 사람과는 언어만 통하지 않고 나머지는 모두 통합니다. 양쪽 모두 통일을 후회하지는 않지만 통일을 지나치게 서둘러서 한 데 대해서는 후회하고 있습니다. 이 점은 제가 1993년 9월 동독의 마지막 총리이자 동서독의 합병 문서에 조인했던 로타르 드 메지에르를 만났을 때 그는 그러한 성급한 통일을 한 데 대해서 크게 후회하고 있었으며, 같은 기민당이면서도 오늘날 기민당의 내동독 정책에 대해서 큰 불만을 가지고 있었습니다. 흡수 통합의 주역이 이런 상태이니 다른 사람은 가히 짐작할 수 있지 않겠습니까? 제가 사민당의 원내 부총무이자 동독 출신의 국회의원을 만났을 때 그는 이러한 동서독 인간의 갈등을 해소하는 데는 한 세대, 즉 30년은 걸릴 것이라고 했습니다.

이러한 것을 볼 때 결국 전쟁에 의한 무력 통일도, 한쪽의 조급한 흡수 통일도 모두 어렵습니다. 이 점에 있어서는 오히려 예멘의 오늘의 현실이 더 부작용이 적은 것 같습니다. 그러나 예멘에서의 문제는 체제가 다른 양측의 통일을 보다 점진적으로 하지 않는 데 문제가 있는 것 같습니다. 어쨌든 양자 합의에 의해서, 그것도 양자가 지금까지 살아온 바탕이 너무 다르니 점진적으로 서로 이해해 가고 동질성을 회복해 가는 방향으로 가야 합니다. 문제는 통일로 가는 것이 중요한 것이지, 완전 통일까지 몇 해가 걸리는가가 중요한 것이 아니라는 겁니다. 조급하게 하면 부작용을 일으킵니다. 점진적으로 해야 합니다. 미·소가 냉전 상황에서 현상 고착의 족쇄를 물려 놓았는데 그 족쇄에 의해서 움쭉달싹 못 하게 된 우리가 무슨 재주로 통일을 할 수 있었겠습니까? 그런데 냉전도 끝나고 그 족쇄도 풀렸습니다. 이제는 우리가 통일을 하느냐 안 하느냐가 문제이지 과거와 같이 우리의 통일을 막고 있던 장애물은 다 없어졌습니다. 우리 민족이 하나가 돼야 하는 것은 당연한 일이고, 통일을 안 할 이유도 명분도 없습니다. 뿐만 아니라 통일을 안 하면 우리나라는 얼마 못 가서 삼등 국가로 전락하게 될 것입니다.

세계는 지금 경제 전쟁의 시대입니다. 과거에는 군사력과 경제력이 합쳐져서 국력을 상징했지만 지금은 군사력은 큰 관계가 없습니다. 우리의 경쟁국들은 주로 동남아시아였는데 이제 중남미의 국가들도 경쟁자로 등장해서 자꾸 우리를 앞질러 가고 있습니다. 이제 우리의 경쟁 국가들은 국가의 인적·물적 자원을 경제 발전에 총집중하고 있는데 우리만 여전히 남북이 갈라져서 싸우면서 막대한 국방비를 소모하고, 한편으로는 경제적 전쟁을 한다면 머지않아 곧 경쟁 대열에서 탈락하여 삼등 국가가 될 것은 뻔한 일입니다.

그런 예가 아주 많습니다. 아르헨티나 같은 나라도 선진국의 문턱까지 갔다가 삼등 국가로 전락했고, 브라질도 그랬습니다. 우리라고 안 그러리라는 법이 없습니다. 그러므로 우리가 살기 위해서 통일을 해야 한다는 겁니다.

1993년 우리나라의 국방비가 10조가 넘는데, 안기부(현 국가정보원) 예산까지 합치면 12조가 넘을 것입니다. 우리의 총예산의 30퍼센트를 분단 비용으로 쓰고 있습니다. 분단 비용이 경제 건설 비용보다 더 많습니다. 남북이 국가 연합을 하여 평화 공존 체제를 이룩하면 5조-6조의 국방비와 비용을 경제 건설 비용으로 돌릴 수 있습니다. 5조-6조의 비용 중에서 한 1조 내지 2조를 통일 기금으로 준비하고 나머지는 중소기업 육성, 기술 개발, 사회간접자본 확충, 농촌 부흥, 서민 복지와 교육에 쓴다면 보람도 있고 국제경쟁력의 신장과 더불어 국내의 경제적·사회적 안정과 발전에도 크게 기여할 것입니다. 이렇게 통일을 하면 그 당장 이익이 생기는 겁니다.

북한의 노동력은 가장 저렴하고 우수합니다. 북한의 김달현 전 부총리가 1인당 백 달러만 달라고 요구하였습니다. 백 달러면 8만 원입니다. 그런데 우리는 평균 노임이 80만 원 이상입니다. 천 달러 이상인 것입니다. 그러므로 남쪽에서 사양산업, 즉 섬유·신발·완구 등의 시설을 가지고 북으로 올라가면 당장에 국제적 경쟁력이 생겨서 불과 2-3년 안에 한 2백억-3백억 달러 수출을 증가시키는 것은 어렵지 않습니다. 150여 개의 기업들이 북한행을 신청하고 있는데 그것은 이와 같은 전망이 있기 때문입니다. 그리고 중동 지역에서의 건설 공사에 있어서도 북한 노동력을 활용할 수 있습니다. 파키스탄이나 방글라데시 노동자들에 비하면 북한 노동자들은 문화도 같고 말도 통하니 훨씬 유리합니다. 또 북한은 지하자원이 철광석부터 석탄·주석·아연까지 얼마든지 있고, 금강산 같은 세계 최고의 관광자원도 있습니다. 이것을 우리가 합작 투자하면 남북이 서로 많은 덕을 볼 수 있습니다.

이런 말을 하면 어떤 사람들은, 그럼 북한을 착취하라는 얘기냐고 합니다. 그러나 어느 나라건 경제 발전의 초기 단계에서는 노동 집약적인 산업에 의존해야 합니다. 우리도 1960-70년대에는 외국 자본에 착취당했습니다. 그러면서 커 가는 것입니다. 영국의 저명한 좌파 사회학자가 한 말이 있습니다. 착취당할 가치조차 없는 나라는 구제 불능이라고 말입니다. 지금 쿠바나 니카라과에서는 그냥 일을 해 준다 해도 투자할 나라가 없습니다. 북한은 주택·교육·보건 등 거저 주는 국가적 혜택이 많기 때문에 우리나라 노동자같이 엄청난 집세를 부담해야 하는 상황과 같은 기준에서는 비교가 되지 않습니다. 그리고 이렇게 노임이 싸야 외자가 밀려들어 옵니다. 그래야 북한은 경제가 발전됩니다.

이러는 가운데 남북이 서로 정치·경제·사회적 그리고 인적 교류를 해야 합니다. 우리는 자꾸 인적 교류부터 먼저 하자고 하는데 저쪽에서는 이것을 적극 반대합니다. 그들은 말하기를 인적 교류를 하면 남한으로부터 마약이니 매춘·청소년 범죄 등 자본주의의 악의 산물들이 옮겨질 텐데 우리가 왜 하느냐고 합니다. 안 하기 위한 구실인 것입니다. 하지만 북측이 원하는 경제 협력을 먼저 하기 시작하면 인적 교류도 결국은 안 할 수가 없습니다. 우리 쪽에서 그쪽으로 기업인도 가고, 기술진도 가고, 숙련 노동자와 사무원도 가는데 결국은 인적 교류를 안 할 수가 없게 되지요. 또 관광을 하게 되면 북한 사회를 다니면서 구경을 하는데 어떻게 인적 교류가 안 됩니까. 제일 급한 경제부터 접촉하면 그 나머지 학문·문화·사회 그리고 인적 교류는 다 오게 마련입니다. 경제가 첫째이고 가장 효과적인 방법입니다. 한 번 묶어 놓으면 경제는 바꾸기 어렵습니다.

세계는 지금 아시아·태평양 시대로 가고 있습니다. 인류 역사를 보면 지금부터 5천-6천 년 전부터 유프라테스강·나일강·인더스강·황하 유역에 하천

문명이 발생했습니다. 그러다가 연안과 내해를 따라 동남아시아 연안이라든가 지중해라든가 이런 연안과 내해에 문명이 일어났습니다. 그다음 3백-4백 년 동안 대서양 문명이 있었는데, 이제 태평양 문명 시대로 들어가고 있습니다. 지금 동아시아, 즉 동북아시아와 동남아시아 양쪽의 인구가 세계 인구의 약 30퍼센트를 차지하고 있습니다. 그리고 이 지역은 평균 경제 성장률이 6-7퍼센트 이상입니다. 이에 반해 유럽과 미국은 인구는 6-7퍼센트 정도, 경제 성장은 1-2퍼센트 정도에 그치고 있습니다. 1992년의 아시아·태평양 지역과의 무역량이 유럽의 그것에 비해 약 70퍼센트가 더 많은 실정입니다. 그리고 이 격차는 자꾸 커 가고 있습니다. 그러므로 클린턴은 미국을 아시아·태평양 국가라고 선언하고 있습니다. 이렇게 아시아·태평양 시대가 도래했는데 우리는 어떻게 하면 이 새로운 시대에 주역이 될 수 있는가 하는 중요한 도전에 직면하고 있습니다. 그것은 우리가 하루속히 남북이 합쳐져서 북방을 개척하여 경쟁자에게 이겨낼 수 있는 힘을 갖는 것입니다.

우리가 이제 뻗어 갈 수 있는 곳은 북방뿐입니다. 북방으로 가면 지금의 중국의 동북 삼성(만주), 특히 요하 동쪽 옛날 고구려 고토였던 그곳에 굉장한 자원이 깔려 있습니다. 만주는 지금 중국의 산업 중심지 중의 하나입니다. 그다음에 시베리아·연해주·몽골·중앙아시아 이런 데는 지구상에서 마지막 남은 자원 보고라고 일컬어지고 있습니다. 철·비철금속·천연가스·석유·목재·석탄 그리고 금도 있고 또한 풍부한 수산자원이 있습니다. 그리고 만주의 광활한 지역은 농사를 얼마든지 지을 수 있는 상황에 있습니다. 우리의 식량 안보 해결에 큰 도움이 될 것입니다. 지금 만주건 시베리아건 중앙아시아건 우리한테 와서 투자하고 개발해 달라고 적극 요청하고 있습니다. 그런데 이러한 혹한 지역에 가서 일해 낼 수 있는 민족은 동아시아에서 우리뿐입니다. 우리 민족은 중동 같은 열사 지방이나 시베리아 같은 혹한에서도 견뎌 내는 특별한 능력을 가지고 있습니다. 동남아시아 사람도 갈 수 없습니다. 일본 사람도 마찬가지입니다. 어떻게 보면 하늘이 우리에게 기회를 주고 있는 것입니다.

그런데 이것도 통일이 되어야 할 수 있습니다. 통일이 되어야 우리가 북한에 고속도로도 놓고 만주나 시베리아도 북한을 거쳐 고속도로와 철도로 가고, 파이프라인도 묻고, 북한의 부동항도 사용할 수 있습니다. 천상 통일을 해야 하고 이것은 하늘의 명령입니다. 우리가 이 명령을 거역하면 우리 민족은 멸망하게 됩니다. 영국의 어떤 저명한 학자는 이런 말을 했습니다.

"역사는 모든 민족에 대해서 기회를 준다. 그 기회를 사용하고 안 하고는 그 민족에게 달려 있다. 그런데 명심할 것은 그런 기회를 선용하지 않는 민족은 반드시 역사가 준엄한 심판을 한다는 것이다."

지금 역사가 우리에게 기회를 주면서 우리들의 응답을 촉구하고 있습니다. 이제는 더 이상 머뭇거리고 있을 수가 없습니다. 시대가 바뀌고 있습니다. 이제 통일은 당위만의 문제가 아니라 기능의 문제이며 절대 필요의 문제입니다. 통일을 하지 않으면 망하고, 통일을 하면 선진 국가의 대열에 들면서 아·태 시대의 주역이 될 수 있습니다.

통일만이 살아남는 길

김대중 통일은 빨리 시작해야 합니다. 늦으면 늦을수록 통일은 더 어려워지고 경쟁 국가에 더욱더 밀리게 됩니다. 그러나 통일은 빨리 시작하되 그 진행은 단계적으로 해야 합니다. 서독과 같은 시행착오를 다시 되풀이해서는 안 됩니다. 서독 사람들도 졸속한 통일을 후회하고 있습니다. 제가 1993년 9월 폰 바이체커 대통령을 만났을 때 물었습니다. "만일 독일에게 또 한 번 통일의 기회가 주어진다면 그때도 여전히 이번과 같이 흡수 통합을 하겠습니까?" 그러자 폰 바이체커 대통령은 "이번 통일에는 많은 문제가 있었습니다.

다시 기회가 주어지면 매우 신중히 할 것입니다."라고 말했습니다.

우리의 통일은 7·4공동성명을 수용하면서 3원칙 3단계의 통일 방안을 추진해야 합니다. 3원칙은 평화 공존·평화 교류·평화 통일입니다. 그리고 3단계는 1단계 공화국연합제(국가연합), 2단계 연방제, 3단계 완전 통일입니다. 공화국연합제는 남북의 현 정권이 가지고 있는 국방·외교·내정의 권한을 그대로 보유하고 양측에서 동수가 나와서 연합제를 구성합니다. 연합제 운영은 양쪽의 완전한 합의로서만 하기 때문에 어느 쪽도 다수파 공작을 두려워할 필요가 없습니다. 공화국 연합이 하는 일은 평화 공존·평화 교류·평화 통일(연방제)입니다. 평화 공존은 남북의 군비 축소, 기습 공격 방지를 위한 모든 대책, 엄중한 상호 감시 그리고 상대방의 존립에 대한 확고한 보장입니다. 평화 교류는 경제·사회·문화·이산가족 등 모든 분야에서 교류하여 양쪽이 다 같이 발전과 번영을 이룩하는 가운데 상호 이해를 증진시키며 민족의 동질성을 회복하는 겁니다.

우리는 독일하고 다릅니다. 독일은 불과 72년 정도밖에 통일을 하지 못했고, 통일 후에도 각 지역은 철저한 자치를 하는 연방국가였습니다. 그러나 우리는 완전한 중앙집권의 통일을 해서 1,300년 동안 같이 살아왔습니다. 함경도 사람 사고방식이나 목포 사람이나 부산 사람의 그것이 거의 같습니다. 제가 박경리 씨의 소설 『토지』를 읽으면서 놀랐던 것은, 이 작품은 전편에서 하동 평사리의 최참판 댁을 중심으로 그 무대가 전개되는데 거기 나온 인물들의 생각이나 감정이나 행동 양식이 제가 자란 전라도 신안 사람하고 똑같았습니다. 사투리만 바꿔 놓으면 그대로 전라도 신안군 하의면의 이야기가 되는 것이었습니다.

단일민족의 진정한 의미는 피의 단일이 아니라 문화의 단일입니다. 우리 민족은 문화가 완전히 같은 단일민족이기 때문에 공화국연합제 아래 한 10

년만 교류하고 협력하면 민족 동질성은 급속도로 해결된다고 생각합니다. 이번에 베이징에서 남북 언어학자들이 회의를 했는데 다녀온 분들의 얘기를 들어 보면 남북 간의 언어에 있어서 소통이 80퍼센트까진 문제가 없고, 나머지 20퍼센트도 고질적인 것이 아니라 환경과 습관에 의해서 달라진 것일 뿐, 큰 문제가 없더라고 했습니다. 50년이나 분단되어 있었는 데도 이렇습니다. 우리는 인내심을 가지고 한 10년쯤 교류·협력을 해 나가면 남북 간은 크게 접근될 것입니다. 북한은 세계적 조류에 따라서 정치적인 다당제를 받아들이고 자유선거도 받아들이게 될 것입니다. 그때쯤은 김일성 주석도 권력의 자리에서 물러나게 되니 급격한 변화가 올 수 있는 것입니다.

북한이 세계 경제 시장에서 살아남으려면 중국과 같이 시장경제를 받아들여야 합니다. 이런 조짐은 이미 나타나고 있습니다. 최근에 북한의 김일성 주석은 중국의 경제 발전을 굉장히 찬양했습니다. 처음 있는 일입니다. 서방세계가 북한과 수교를 하고 경제적 투자를 하게 되면 북한은 이를 받아들이기 위해서도 시장경제 체제를 수용하지 않을 수 없습니다. 오늘의 중국과 같이 될 것입니다. 경제가 바뀌면 정치도 사회도 급격히 바뀝니다.

민주주의와 시장경제는 동전의 양면입니다. 민주주의가 자유가 있어야 시장경제의 발전, 특히 다가오는 정보화 시대에서의 성공을 기약할 수 있습니다. 시장경제를 하게 되면 민주주의적 자유는 억제할 수 없게 됩니다. 이렇게 되면 제2단계의 연방제를 하더라도 서로 무리가 없이 실행할 수 있습니다. 그러면 국방과 외교 그리고 중요한 내정은 중앙 연방정부가 장악하게 됩니다. 나머지 국민의 일상생활에 관여하는 문제는 북한은 북한대로 남한은 남한대로 아직도 여러 가지 차이가 있을 테니까 남북 양측의 지역 자치정부가 이를 관장하게 됩니다. 남북에 있는 정부는 공화국 연합 때는 완전한 독립정부였지만, 이제는 지역 자치정부로 격하되는 것입니다. 연방제하에서 남북은 급속히 하나가 되어 갈 것입니다. 왜냐하면 그때는 유엔에도 하나로 들어가고 각국과의 외교도 하나로 합치게 됩니다. 그리고 연방이 되면 연방 대통령과 연방의회 의원을 남북 양쪽에서 뽑게 됩니다. 이때에는 오늘의 미국이나 서독 같은 체제로 될 것인데 이렇게 몇 년을 하다 보면 완전 통일은 어렵지 않게 이루어지게 될 것입니다.

나는 이것을 국민이 알기 쉽게 하기 위해서 하나의 부부 관계로 비유하여 설명하겠습니다. 그것은 1945년 당시 한민족이라는 부부가 있었는데 매우 금실이 좋았습니다. 그런데 그해 8월 15일 돌연 외부의 폭력에 의해서 강제로 갈라지게 되었습니다. 처음에는 울고불고하면서 안타까워했는데 시간이 가면서 서로 상대방의 생각을 비난하기 시작했고 마침내 큰 싸움을 치르자 그때부터 철천지원수가 되었습니다. 그러나 한편으로는 다시 결합해서 살아야겠다는 간절한 열망도 가져 보았으나, 둘을 갈라놓은 배후 외세가 두 사람의 덜미를 움켜쥐고 놓아주지 않기 때문에 어떻게 할 도리가 없었습니다. 그러나 이제 배후 두 세력의 움켜쥐던 손은 풀렸고 이제는 마음만 먹으면 다시 재결합할 수 있게 되었습니다. 뿐만 아니라 재결합 외에는 선택의 길이 없습니다. 다른 사람과 재혼할 수도 없고, 그대로 갈라진 채로 살다가는 둘 다 망하게 되어 있습니다.

그런데도 사이가 나쁩니다. 그래서 우리는 그들에게 해결의 길을 제시했습니다. 재결합은 하루빨리 시작하자, 그러나 완전히 하나가 되어서 옛날같이 한방에서 동거하는 생활까지는 단계적으로 나가는 것이 좋다, 두 사람은 먼저 제1단계로 한 집 안에 들어가되 건넌방에서 서로 마주 보면서 완전히 별개의 생활을 하는 것이 좋다(공화국연합제), 어느 쪽도 상대방의 살림에 간섭하지 않는다, 다만 세 가지 원칙은 지켜야 한다, 하나는 절대로 싸우지 않고 평화적으로 공존해야 한다, 둘째는 서로 필요한 것은 합의해서 최대한으로 교류를 확대시킨다, 이렇게 평화 공존과 평화 교류를 하는 가운데 온전한 부부 관계 회복을 위한 제2단계, 즉 제2단계의 준비를 한다(연방제), 제2단계에서는 서로 대청마루로 나와서 보다 밀접한 관계로의 진전을 협의한다, 즉 집을 지키는 일을 같이 참여한 하나의 조직에서 한다(연방정부), 그리고 이웃과의 교섭도 똑같이 한다, 중요한 집안 살림 문제도 그 조직에서 다룬다, 이런 일들을 위해서 그 책임 맡을 사람들을 선출한다(연방대통령·연방국회), 그러나 일상적인 집안 살림 문제는 여전히 각기 자율적으로 한다(지방자치정부), 이러한 과정에서 첫째 단계는 한 10년쯤 걸릴 것이고, 둘째 단계는 4-5년이면 끝날 것으로 본다, 그러한 연후에는 더 이상의 별리가 필요가 없기 때문에 안방으로 들어가서 같이 살림을 한다(완전 통일)는 것입니다.

이렇게 내다볼 때 먼저 우리는 제1단계인 공화국연합제의 실현에 전력을 다해야 합니다. 그런데 왜 국가 연합이 아닌 공화국 연합이냐 하면, 국가 연방이라는 것은 완전한 독립국가가 연합한 것으로서 법률적으로 볼 때 영구 분단을 전제로 하는 것이 될 수 있기 때문입니다. 우리는 서로 상대방을 독립정부로는 인정할 수 있지만 영원히 남이 될 독립국가로는 인정할 수 없습니다. 과거 서독도 동독과의 관계를 완전 독립국가 관계로 하지 않았습니다. 그리고 남북연합이라고 안 하는 이유도 이 연합은 북한의 현 정권과 남한의 현 정권을 그대로 유지하면서 두 공화국이 연합하자는 정치적 의미를 갖고 있기 때문입니다. 어쨌든 현 상태로 빨리 연합으로 들어가야 합니다. 제1단계로 군비 축소와 평화 정착을 유지하고 다른 한편으로는 남북 상호 간에 접촉을 전 분야에 걸쳐서 추진해야 합니다. 정치·경제·사회·문화·이산가족의 교환과 더불어 텔레비전이나 신문도 교환해야 합니다. 그러나 무엇보다도 경제 교류를 적극 추진해서 양측이 다 같이 번영되고 잘살게 되는 것이 제일 중요한 일입니다.

핵 문제는 남북한 일괄 타결해야

김대중 제가 영국에 있을 때 국제전략문제연구소(IISS) 한국 문제 전문가들의 얘기를 듣고 깜짝 놀랐습니다. 그들은 말했습니다. 핵 문제를 해결하는 길은 경제 문제다, 빨리 경제 교류를 해야 한다, 북한도 돈벌이하게 되면 전쟁할 생각을 안 한다, 중국을 보라, 그들이 문화혁명 때에 얼마나 극악했던가, 하지만 경제 개방을 시작한 후부터 저렇게 달라졌지 않았느냐, 최근에 우리나라하고 밀접한 관계에 있는 외국의 지도자들을 만났는데, 모든 서방세계가 북한과 외교를 하는 원칙에 동의합니다. 국교란 동맹도 아니고 우방 국가란 의미도 아닙니다. 현존하는 나라면 체제와 관계없이 서로 인정하고 교류하는 관계를 맺는 것입니다. 1973년 6·23선언으로 우리는 남북한이 세계 각국과 교차승인하자고 제안했습니다. 미국과 서방세계가 모두 이를 지지했습니다. 20년이 지난 지금 대한민국은 전·현 공산국가 등 모든 나라와 국교를 했습니다. 그런데 북한은 그토록 애써도 단 하나의 서방국가와도 국교를 못했습니다. 우리가 북한보고 하자고 했습니다. 우리가 먼저 하자고 해 놓고 북한과 하나도 못 맺은 것은 그쪽에서 볼 때는 매우 불공정한 것입니다. 사람이건 나라건 배부르면 웃고 배고프면 화냅니다. 경제 교류를 해서 북한을 배부르게 만드는 것이 평화와 핵 문제 해결의 근본 대책이 됩니다.

흔히들 말하기를 김일성 주석이 죽기 전에는 절대 아무것도 변하지 않을 것이라고 합니다. 그런데 김일성 주석 생전에 얼마나 큰 변화를 하고 있습니까? 이것을 인정하면 외세가 갈라놓은 분단을 우리가 인정하는 격이 되는 것이다, 이렇게 주장했었습니다. 세 가지 큰 양보가 있었습니다. 첫째 북한은 유엔 동시 가입은 죽어도 못 한다, 이것은 영구 분단이다, 제국주의자들의 음모다, 그렇게 40년을 반대했는데 1991년에 유엔 동시 가입을 했습니다. 교차승인도 절대로 안 한다, 이것도 영구 분단의 음모다, 그렇게 북한은 반대를 했었는데 지금 저들이 미국을 비롯한 서방과 국교하려고 얼마나 몸부림치고 있습니까. 또한 북한은 남한을 합법 정부로 인정하지 않겠다, 이것을 인정하면 외세가 갈라놓은 분단을 우리가 인정하는 격이 되는 것이다, 이렇게 주장했습니다.

세 가지 큰 양보를 한 목적은 온건파의 주장에 의해서 그렇게 하면 서방세계와 국교도 할 수 있고 경제 협력도 얻어 낼 수 있으며 그들이 가장 위협으로 생각하는 팀스피릿 훈련도 중지시킬 수 있다고 기대했기 때문입니다. 그리하여 강경 세력의 조건부 동의를 얻어 낸 것입니다. 그랬는데 아무것도 얻어 내지 못하고 돌아온 것은 팀스피릿 훈련의 재개였던 것입니다. 그리하여 강경 세력이 들고일어나서 핵무기확산금지조약(NPT) 탈퇴 결의를 선언하게 되었고 전쟁 불사를 공공연하게 해서 한반도를 극단적인 긴장 상태로 몰고 가게 된 것입니다. 북한은 지금 팀스피릿 훈련을 중지하고 외교·경제 관계를 맺겠느냐, 아니면 우리는 미국의 고립화 정책에 의해 이대로 죽을 수 없으니 죽든 살든 전쟁으로 끝장을 내겠다, 이런 태도를 보이고 있습니다. 문제는 북한이 무력에 호소할 때 그들도 멸망하지만 우리에게도 치명적인 타격을 줄 수 있다는 것입니다. 이것은 한국의 입장이나 민족 전체의 입장에서 절대로 회피해야 합니다. 경제 제재를 한다 해도 중국이 협력하지 않으면 할 수 없습니다. 그런데 중국은 무조건 제재에는 반대하고 있습니다. 오직 우리 측이 북한의 핵 야망의 포기 대신에 외교·경제의 협력과 팀스피릿 중지를 맞바꾸는 제안을 했는데도 북한이 안 들을 때만 경제 제재에 동의할 수 있는 것입니다. 이렇게 보면 우리는 북한에 대해서 단독으로는 효과적인 압력 수단도 갖지 못하면서 우리와 협력해서 잘해 나가겠다는 온건파만 궁지에 몰고 강경파만 득세하게 만든 졸렬한 정책을 그간 취해 온 것입니다. 『손자병법』에도 적을 몰 때는 퇴로를 열어 주어야 한다고 했습니다. 그러지 않으면 적은 결사 항전을 하게 되어서 수많은 희생자를 내고 오히려 큰 타격을 입을 수 있는 것입니다.

우리가 역지사지해서 지금 대한민국이 북한의 사정事情에 있다고 생각해 봅시다. 전 세계의 자본주의 국가가 다 망해서 미국이며 유럽이며 일본이 전부 새빨갛게 되고 소련은 세계의 유일한 강자로 남아 있습니다. 그리고 북한은 남한보다 경제가 10배쯤 크고 모든 물자가 풍부합니다. 그런데 우리는 백성이 먹지 못해 굶주리고 있고 기름이 없어 전등도 제대로 못 켜고 기차도 버스도 달리지 못합니다. 전차나 비행기의 훈련도 제대로 못 합니다. 그런데 잘사는 북한이 세계 유일의 강국인 소련하고 손잡고 남한 상륙작전의 팀스피릿 훈련을 한다면 우리가 얼마나 겁나겠는지를 생각해 보면 압니다. 이렇게 역지사지해서 생각해 보면 문제 해결점이 나옵니다.

문제 해결점이 무엇이냐 하면 서로 각자의 요구 사항을 동시에 하자는 겁니다. 우리가 북한한테 꼭 받아야 할 것은 두 가지입니다. 하나는 절대로 핵무기 보유를 어떠한 경우에도 인정할 수 없다는 것이며, 둘째는 무력에 의한 남침을 용납하지 않겠다, 이것을 북한이 확고히 보장하면 우리는 두 가지를 줄 수 있다, 하나는 외교·경제 협력 관계의 시작이다, 그다음은 팀스피릿의 중지다, 이렇게 주고받아야 합니다. 나는 북한이 핵무기확산금지조약(NPT) 탈퇴를 선언한 1993년 3월부터 일관되게 이러한 일괄 타결을 주장해 왔습니다. 미국의 카터 전 대통령을 비롯해 조야의 많은 분들이 저의 이 안을 지지했습니다. 그리고 우여곡절 끝에 사태는 이런 방향으로 가고 있습니다. 우리는 하루속히 북한과 외교·경제 관계를 시작해야 합니다. 그래서 북한을 개방의 길로 이끌어야 합니다. 그러면 북한은 제2의 중국이 되어 온건하고 합리적인 방법으로 나오게 됩니다. 그리고 궁극적으로는 민주주의와 시장경제의 방향으로 변할 것입니다.

중국이나 베트남은 지금 공산주의 포기 과정에 있습니다. 공산주의가 자본주의와 다른 것은 생산수단의 국유, 운영의 국영 체제, 경제의 국가 통제에 의한 계획경제인데 중국과 베트남은 이제 생산수단의 사유화와 시장경제 제도를 받아들이기 시작하고 있습니다. 이것은 공산주의로부터의 본질적인 이탈입니다. 그리고 이제부터 진입해야 할 정보지식 산업·우주항공 산업·생명 공학 등 첨단기술 체제로 들어가려면 정보가 물 흐르듯이 흘러야 하고 창의가 솟아야 하는데 이러기 위해서는 민주주의가 절대로 필요합니다. 민주제도만이 그 성공을 보장하는 것입니다. 미국은 2차대전 이후 공산권을 다루는 데 있어서 두 가지의 상이한 정책을 썼습니다. 외교·경제·문화·학문 등 모든 교류를 하고 돈도 많이 빌려주었습니다. 이렇게 해서 공산권 내에 계속 서방의 영향을 침투시키고 그들을 변화시켰습니다. 그 결과 총 한 방 안 쏘고 세계 역사상 가장 강국의 하나였던 소련 제국을 그대로 몰락시켰습니다. 어느 역사에도 그 예가 없는 큰 승리를 한 것입니다.

그러나 북방 정책을 가지고는 완전히 실패했습니다. 베트남에서는 국력을 가지고 싸웠지만 졌습니다. 쿠바에서는 30년 이상 바람을 불어넣었지만 변화를 못 시켰습니다. 북한도 변화를 못 시켰습니다. 이제 우리는 분명히 깨달아야 합니다. 외교·경제 협력을 통해서 북한을 변화시키는 것만이 한반도의 평화와 남북의 화해 협력 그리고 착실한 통일에의 길인 것입니다. 핵 문제의 해결은 줄 것은 주고 받을 것은 받는 일괄 타결의 방법으로 해야 합니다. 줄 것은 외교·경제 관계의 시작과 팀스피릿 훈련의 중지 두 가지입니다. 받을 것은 북한 핵 야망의 완전 포기와 남한에 대한 무력 위협의 종식입니다. 나는 우리 측이 이와 같이 제안할 때 북한은 반드시 받아들인다고 믿습니다. 그리고 중국도 적극 지지할 것입니다.

공화국 연합 통일 방안과 북한 연방제 방안의 차이

강만길 선생님의 공화국 연합 통일 방안과 북한에서 말하는 연방제 방안의 다른 점이 무엇입니까? 그다음 구체적인 방안이 있어야 할 텐데 북한의 연방제에서는 남북의 대표자 외에 해외교포까지 포함한 대민족회의를 두어야 한다고 했습니다. 그렇게 한다면 선생님의 방안에서는 그것이 행정부적인 조직인지 아니면 의회적인 조직인지 하는 문제를 구체적으로 말씀해 주십시오.

김대중 북한의 통일 방안과 저의 통일 방안을 말하면, 북한의 연방제 주장은 저의 3단계 통일 방안 중 제2단계에 해당됩니다. 그러므로 큰 차이가 있습니다. 그리고 북한이 말한 연방제를 당장 실시한다는 것은 현실적으로 불가능한 것입니다. 어떻게 지금 국군과 인민군을 하나로 통합하며 서로의 이해와 입장이 다른데 어떻게 외교를 하나로 통합할 수 있습니까. 그런데 다행히 북한이 최근 몇 년 동안 연방제에 대한 고집을 상당히 버리고 저의 공화국연합제를 긍정적으로 논의할 용의가 있다고 공식·비공식으로 여러 차례 말하고 있습니다. 미국 카네기평화재단 같은 기관에서도 북한에 대하여 연방제의 무리를 지적하고 저의 안을 수락하도록 촉구해 오고 있습니다.

공화국연합제하에서는 행정부적인 조직과 의회적인 조직이 다 있어야 합니다. 남북 양 공화국에서 동수의 대표가 나와서 연합의회를 구성하고 그 연합체의 결의에 따라 일을 집행하는 행정부가 필요합니다. 모든 결의는 만장일치로 행해야 합니다. 양 공화국 정부는 자기 쪽 대표가 거부권까지 행사하여 결의한 일이기 때문에 일을 적극적으로 집행할 것입니다.

연합정부가 하는 일은 평화 공존·평화 교류·평화 통일에 대한 협의와 집행입니다. 군축, 상호 감시, 각 분야의 교류 그리고 제2단계의 연방제에 대한 준비, 이런 것이 연합의회와 연합정부의 소관 사항입니다.

강만길 북한에서 말하는 대민족회의와 다른 것입니까?

김대중 다릅니다. 만일 북한에서 대민족회의를 하자고 하면 남한 내에서 이의를 달고 의심하는 사람들이 생깁니다. 그리고 해외 교포들과 국내 민간

단체들은 통일 문제에 대해서 지원과 협력을 할 수 있지만 정부가 하는 정책이나 행정의 집행에 개입할 수는 없습니다. 그러지 않으면 혼란과 부작용이 생깁니다.

강만길 이런 방법도 있을 것입니다. 남북한은 행정구의 도의 수가 거의 비슷한데 민족 구성원 전체 의견이 합일체라는 의미에서 남북한 각도의 대표와 일정 비율의 해외교포 대표로 구성하여 이것이 양 정부의 위에 있는 의회와 같은 역할을 하고, 그 결의에 따라 양쪽에서 정부에서 나온 대표가 양 정부 위에 구성되는 행정부적인 역할을 하는 기구를 구성하는 이러한 이중구조로서 군사권·외교권과 일부 행정권을 가질 수도 있지 않겠는가, 그리고 나머지 행정권을 차차 합해 갈 수 있지 않겠는가 하는 생각을 해 보았습니다.

김대중 그 방법에는 문제가 있는데, 양 정부는 자기가 원하는 사람을 내보내야 합니다. 그러므로 도 대표나 해외교포를 출석시키는 것은 어디까지나 양 정부가 알아서 할 일입니다. 모든 일은 법적 권능을 가진 양 정부가 책임지고 처리해야 합니다. 다만 이런 법률적 행위 외에 양 공화국별로 또는 합동해서 각계각층의 대표와 해외동포를 망라한 통일 경제 협의기구를 만들어서 국민의 의사를 고르게 반영시키는 일은 꼭 필요하다고 생각합니다. 그러나 여기서 결의된 사항들이 양 정부나 연합기구를 법적으로 구속할 수는 없습니다. 그렇지만 그 영향은 아주 클 것입니다. 한편 양 정부가 통일 방안을 작성할 때나 혹은 남북한 간에 합의했을 때는 국민투표에 부쳐서 국민의 승인을 받는 것은 필요한 일이라고 생각합니다.

강만길 결국은 상층구조가 생겨서 양 정부가 가지고 있는 권한의 상당한 부분이 상층부로 점차적으로 이양되어야겠지요. 사실 통치권을 쥐고 있는 쌍방의 정치권력이 살신성인을 해야 한다는 말이 되는데 현실 정치에서 살신성인을 기대하기는 어려운 일이지요. 지금까지 우리의 통일 문제가 구체적으로 진행되지 못하는 이유도 그 점 때문일 것입니다.

김대중 그런 정도의 권한을 내놓으면서 양측이 제1단계 연합체로 들어가지 않으면 우리나라는 계속 분단되어 있게 됩니다. 그전하고 달라서 계속 분단되어 있으면 앞에서 말한 이유 때문에 남북 모두 국제 조류와 경쟁에서 밀려나서 쇠망의 길을 가게 됩니다. 그렇게 되면 남한은 남한대로 북한은 북한대로 인접 강대국의 지배 속으로 영원히 들어갈 위험이 있습니다. 이것은 결코 상상이 아닙니다. 능히 가능성이 있는 일입니다.

외국의 저명한 학자는 "동아시아에는 앞으로 일본과 중국의 대결장이 되는데 그때는 지정학적 이유로 해서 한반도가 다시 19세기 말과 같은 양자 각축의 장이 될 수 있다. 그러나 이때 한반도가 통일해서 힘을 가지게 되면 양측이 서로 통일 한국의 호의를 살려고 애쓸 것이다."라는 말을 하고 있습니다. 얼마나 중요한 이야기입니까? 우리가 통일해서 힘을 가지면 미·일·중·러 주변 4대국의 구심점이 됩니다. 그러지 못하고 분열이 있으면 다시 조선왕조 말엽같이 주변 4대국이 서로 지배하려고 이리떼같이 덤빌 것입니다. 남북은 단결하고 단계적으로 착실하게 통일의 길을 걸어야 합니다. 그리해야 막대한 군사비를 절약해서 경제를 비약적으로 발전시킬 수 있고 남북 간의 경제 협력으로 다 같이 큰 덕을 볼 수 있으며 북방으로 진출해서 이미 말한대로 세계 선진국의 대열과 아시아·태평양 시대의 주역이 될 수 있습니다. 통일 안 하면 망하고, 통일하면 단군 이래 최대로 일어설 수 있습니다. 단계적으로 하면 어렵거나 위험한 일도 아닙니다. 통일의 시작은 서두르고 진행은 단계적으로 해야 합니다.

강만길 선생님은 공화국연합제를 10년 정도로 잡으셨는데 그 이후에 3단계 통합이 이루어지는 과정도 같다고 생각됩니다만, 언제나 파탄의 고리가 되는 것은 역시 헤게모니 문제이고, 또 그것은 바로 체제 문제로 연결됩니다. 통합

과정에 있어서 우리가 지향해야 할 정치체제와 경제체제는 어떤 것이어야 하는가, 그다음은 국제사회, 특히 동북아시아 속에서의 통일국가는 어떤 대외관계를 가져야 하는가에 대해 구상하신 것이 있으면 말씀해 주십시오.

김대중 제1단계 공화국연합제 아래에서는 외교·국방·내정은 현재의 남북 두 정부가 완전히 장악하는 것입니다. 그리고 공화국연합제에서의 모든 결정은 만장일치로 하기 때문에 헤게모니 싸움은 있을 수 없습니다. 공화국연합제를 한 10년쯤 해 나가면 북한의 절대적인 필요에 의해서 경제체제는 중국과 같이 시장경제 체제로 변화해 갈 것입니다. 그렇지 않으면 이미 말한 대로 정보화 시대·첨단산업 시대에서 더구나 우루과이라운드(UR)가 타결된 마당에 국제 경쟁을 해 나갈 수 없습니다. 정보화 시대를 이겨내려면 정보가 물 흐르듯이 있어야 하고 창의가 솟아야 하는데 이것은 민주체제하에서만 가능합니다. 따라서 북한도 언론의 자유, 여론의 존중, 자유선거, 다당제 등을 받아들이게 될 것입니다. 이것은 누구도 막을 수 없는 대세인 것입니다. 우리는 북한에 대해서 어떠한 체제를 강요할 필요가 없습니다. 강요 안 해도 북한이 세계 각국과 외교·경제의 거래를 하고 남한과 교류하고 김일성 주석이 퇴장하고 나면 자연히 그렇게 변할 것입니다. 그때 우리는 연방제로 들어가는 것입니다. 연방제하에서의 방향은 이미 말했기 때문에 되풀이하지 않겠습니다.

우리 민족은 작은 존재가 아닙니다. 남북한이 합치면 약 7천만의 인구인데, 이는 세계의 180여 나라 중에서 12번째의 대국인 것입니다. 남한의 4,400만만 하더라도 세계 22번째 나라인 것입니다. 남한의 국민총생산(GNP)은 세계 15위고 무역고는 세계 13위입니다. 그러므로 남북이 단합하고 통일의 길로 나가면 동아시아에서 일본·중국과 더불어 지도적 위치를 다투게 될 대국이 될 것입니다. 안보 면에서는 현재의 한·미 관계를 굳게 유지하면서, 먼저 동북아시아의 다자간 안보 체제, 즉 우선은 남북한 정치는 통일 한국과 미·일·

중·러 4대국 간의 6자 혹은 5자 안보 체제를 실현하여 이 지역에서의 평화와 우리 민족의 안전을 확보해야 합니다. 이는 나아가서 동남아시아 국가와도 안보 협력을 발전시켜 나갈 것입니다. 경제적으로는 아·태 지역에서의 경제 협력 체제를 강화시켜 나가야 하는데 우리는 우리의 국익을 위해서나 아시아 지역에서의 특정 국가의 단독 지배를 막기 위해서 미국이 이러한 경제협력기 구에 한 주역으로서 우리가 같이 참가하는 것을 추진할 필요가 있습니다.

남북한 통일에 대한 4대 강국의 입장

강만길 주변 국가들과의 문제도 있습니다. 근대 이후로 한반도의 지정학 적인 위치가 많은 역사 변혁에 하나의 초점이 되어 왔습니다. 예를 들어 일본 은 한반도를 포함한 대륙 쪽의 힘이 강하면 한반도가 자기들의 심장부를 찌 르는 칼로 보이고, 자기들이 강할 때는 한반도가 대륙으로 건너가는 다리로 보인다는 말을 했습니다.

앞으로 우리 민족이 통일이 되는 경우 여러 주변 국가들로서는 인구 7천만 의 대국이 생기는 것이 반드시 좋은 일만은 아닐 것입니다. 특히 일본으로서 는 위협을 느낄 것입니다. 뿐만 아니라 미국의 경우도 그렇습니다. 미국은 1992년 대선에서 문민정권이 들어서리라는 것과 그렇게 되면 대북 관계도 과거의 군사정권보다는 훨씬 잘 풀리는 방향으로 가리라는 걸 알고 있을 것 입니다. 그런데 문민정권이 들어선 이후 갑자기 북한의 핵 문제가 대두되었 습니다. 물론 전에도 그 문제가 전연 없었던 것은 아니지만 그리 표출된 문제 는 아니었습니다. 지금 미국은 핵 문제를 내세워 김영삼 정권의 대북 관계 문 제를 불끈 쥐고 있는 것처럼 보이기도 합니다. 또 현재의 상황이 미국이 북한 하고 직접 교섭을 하고 남한 정부는 완전히 빠진 상태로 전개되고 있기도 합 니다.

우리가 이런 주변 정세를 어떻게 헤쳐 나가야 할지, 주변 국가들, 특히 일본이나 미국과의 관계를 어떻게 이끌어 나가야 할지 그 점에 관해 견해를 말씀해 주십시오.

김대중 통일 문제를 논하는 데 있어 우리는 두 가지를 명심해야 합니다. 통일은 우리의 권리입니다. 우리는 전쟁범죄 국가가 아닙니다. 따라서 독일같이 외부의 눈치를 볼 이유가 없습니다. 그 독일조차 통일했습니다. 왜 우리가 못 합니까? 문제는 남북이 서로 민족적 양심과 공동 운명 의식을 가지고 이제 얼마든지 가능해진 자주 통일의 길을 가는 것에 달려 있습니다. 또 하나는 우리 주변 국가들이 우리의 통일에 대해서 모두 그들의 이해와 일치된 면과 상반된 면의 두 가지를 가지고 있습니다. 우리는 주변 4대국의 이러한 관계를 면밀히 검토하고 슬기로운 정책을 세워서 그들이 한반도 통일이 자신들의 이익과 일치할 수 있다는 것을 확신시켜서 자발적으로 우리의 통일에 협력하도록 이끌어 가야 합니다. 슬기와 인내심과 고도의 외교 능력이 우리 민족에게 요구되는 것입니다.

이제 각국별로 이야기해 보겠습니다. 먼저 일본의 경우를 봅시다. 한국 사람들이 공산주의자건 비공산주의자건 상당수가 일본에 대해 가지고 있는 나쁜 감정이나 경계심을 생각한다면 우리의 통일을 꺼릴 가능성도 큽니다. 하지만 일본은 지금 세계의 대국이 되어 유엔의 상임이사국으로 나가려 하고 있습니다. 영국이나 프랑스 같은 나라들은 과거에 식민지였던 수십 개의 나라들과 지금도 잘 지내고 있지만 일본은 과거의 식민지가 우리하고 대만 두 나라뿐인데도 제대로 잘 지내지 못하고 있습니다. 특히 우리나라하고는 문화의 뿌리도 유사하고 가까운 거리에 있으면서도 관계가 아주 좋다고 할 수 없습니다. 이런 것은 일본이 세계적 지도 국가로 나가는 데 있어서 결정적인 약점이 됩니다.

사실 매사추세츠공과대학교(MIT)의 레스터 서로 교수는 일본이 세계의 대국으로 나가는 데에 결정적인 약점의 하나가 세계적인 문화가 없는 것과 한국·대만 같은 인접 국가와 손잡고 같이 발전해 나가는 협력 체제를 갖추지 못한 것이라고 했습니다. 일본 사람들한테 이 얘기를 했더니 그들도 공감하는 태도를 보입니다. 그러므로 우리는 통일된 한국이 일본과 서로 밀접하게 협력할 수 있으며 4대국 어디에 대해서도, 어느 나라에 대해서도 불리한 태도를 결코 취하지 않을 것이란 우리의 확고한 입장을 설득시킨다면 일본은 우리 통일을 반대하지 않을 것입니다. 다 아는 대로 일본은 우리의 분단에 책임이 있습니다. 그런데 이제 통일까지 방해해서 우리 민족의 원한을 사려고 하지는 않을 것입니다. 우리 민족의 확고한 통일의 의지 그리고 일본과 협력해서 같이 아시아·태평양 시대의 협력 관계를 구축하겠다는 우리의 확고한 입장을 보임으로써 일본의 협력을 얻어 내야 할 것입니다.

　중국 문제도 그렇습니다. 거기에도 양면이 있습니다. 우리나라의 현재의 분단 상황이 제일 유리하다고 생각할 나라가 어떻게 보면 중국입니다. 왜냐하면 친중국적인 북한이 지정학적으로 완충지대 역할을 해 주고 있기 때문입니다. 만일 북한이 남한에 의해서 통합되고 미국이나 일본의 영향력이 우리와 같이 서쪽의 황해 북단까지 가고 압록강까지 간다면 중국으로서는 중대한 위협이 되는 것입니다. 이것이 얼마나 중국으로서는 받아들이기 어려우냐 하는 것은 중국의 6·25전쟁 참전으로 입증되었습니다. 그러나 한반도의 분단에 의한 불이익도 큽니다. 중국으로서도 한반도에 언제 전쟁이 일어날지 모르는 불안정한 상태에서는 중국의 안정과 경제 발전에 지대한 영향을 미치는 것입니다. 그러므로 통일 후의 한국이 우호 관계를 유지할 수 있다는 보장만 있으면, 중국은 한국이 통일되는 것이 자국의 안보와 통일 한국과의 경제적 협력이라는 관점에서 통일은 오히려 바람직한 것입니다.

저는 1993년 10월 미국 워싱턴에서 과거 한국과 중국의 미국대사직을 지낸 제임스 릴리 전 대사를 만났는데 그는 중국의 태도에 대해 이런 이야기를 해 주었습니다. "중국은 북한이 핵을 가지는 것을 절대로 반대한다. 중국은 현재와 같은 불안한 분단 상태보다는 남북한의 통일에 대해서 안정되길 바란다. 물론 통일 한국이 반중국적이면 곤란하다. 그리고 중국은 북한의 김일성 주석이 한 5-6년 더 그 자리에 있어서 대내외 관계를 해결해 놓고 물러가기를 바라고 있다." 나는 릴리 전 대사의 이 말에 일리가 있다고 생각합니다. 중국을 통일에 협력시키는 것은 우리의 슬기와 외교 역량에 달려 있습니다.

역사를 보면 7세기에 당나라가 쳐들어왔던 것을 빼고는 신라 통일 이후 1,300년 동안 중국은 우리를 침략한 적이 없었습니다. 오히려 명나라는 임진왜란 때 우리를 도와주려고 출병했다가 망국을 촉진시켰습니다. 중국은 오랫동안 우리의 우방이었던 것입니다. 이제 우리가 한 가지 주의해야 할 점은 만주가 고구려의 고토였다느니 발해가 어쨌다느니 하면서 마치 옛날의 만주 지배를 다시 바라는 것 같은 인상을 주는 말을 함부로 해서는 안 된다는 것입니다. 중국은 그러한 우리의 태도에 매우 경계를 하고 있습니다. 러시아의 연해주에 대해서도 마찬가지입니다. 괜히 되지도 않을 그런 얘기는 함부로 하지 말아야 합니다. 그런 태도는 상호 협력과 우리의 국익에 전혀 도움이 안 됩니다. 그리고 중국이나 러시아로 하여금 우리의 통일을 경계하도록 하는 역효과만 일으키게 할 뿐입니다. 이 점은 한국 사람이 생각하는 것보다 훨씬 심각합니다. 러시아도 중국과 마찬가지로 통일된 한국이 자국의 국익과 일치될 수 있다고 판단하면 이를 반대할 이유가 없습니다.

그다음 미국 문제인데, 미국이야말로 국익에 있어 우리나라하고 가장 합치할 수 있는 나라입니다. 왜냐하면 아시아의 평화를 위해서는 미국이 담당하고 있는 안보 역할이 중요하기 때문입니다. 예를 들어 소련이 붕괴된 지금에 와서는 북대서양조약기구(NATO)는 강력하게 유지되고 있습니다. 그것은 미국이 있음으로써 영국·프랑스·독일 그리고 러시아를 조정할 수 있기 때문입니다. 그러한 미국의 역할이 유럽 같은 집단 안보 체제가 없는 아시아에서는 더욱 필요한 상황입니다.

우리는 우리의 국익이 무엇인가 하는 것만을 생각해야 합니다. 외교에 있어서 중요한 것은 국익뿐입니다. 이익이 맞으면 협력하고 안 맞으면 따지고 대립하는 것입니다. 친미니 반미니, 친일이니 반일이니 이야기할 필요가 없습니다. 4대국 모두하고 우호 관계를 추진하고, 4대국 모두에 대해서 태도를 취해야 합니다. 그러나 우리는 앞으로도 우리 국익을 위해서 미국과 현재의 특수한 관계를 유지해 나가야 합니다. 미국과의 특별한 협력이 국익을 위해서 필요하다는 것은 최근에 북한의 지도층조차 자기들의 국익을 위해서 공공연히 이야기를 하고 있습니다. 그리고 우리는 민족끼리 협력해서 하루속히 남북한과 미·일·중·러 6자가 동북아시아에서의 다자간 안보 체제를 만들어 서로 침략의 위협 없이 협력할 수 있도록 해야 합니다. 누구든 6자 안보 체제를 깨면 공동으로 제재할 수 있는 것입니다. 다만 이 6자 문제를 한반도 통일 문제하고 혼동해선 안 됩니다. 한반도 통일은 어디까지나 남북 2자가 해야 하는 것으로 나머지 4자는 통일에 협력하는 종속변수가 될 수 있을 뿐 우리의 통일을 좌지우지하는 것이 되어선 안 됩니다. 독일의 경우, 전쟁범죄 국가이고 4개국이 독일의 통일에 대해서 반대하거나 승낙할 권리가 있었기 때문에 2+4가 필요했었지만 우리에 대해서는 그러한 관계를 강요할 권리는 누구도 없습니다. 안보 문제와 통일 문제는 다릅니다.

경제 문제에 있어서는 동남아시아와 동북아시아 각국이 다른 아시아·태평양 국가들과 같이 협력 체제를 강화시켜 나가야 합니다. 이 경우에도 미국이 아·태 지역에서 한 주역의 역할을 하고 이 지역의 경제 협력 체제의 형성에 적극 나서는 것은 아시아의 어느 특정 국가가 지배적 영향을 행사해서는 안 된다는 우리의 입장과도 일치하는 것입니다. 이렇게 미국과의 협력은 통일 전이나 통일 후에도 우리의 국익하고 상당 기간 일치하므로 우리는 국익에 맞지 않는 한·미 관계의 악화를 초래할 태도는 자중해야 합니다.

통일 이후 우리 외교의 기본 노선은 매우 적극적인 것이어야 합니다. 말하자면 4대 강국의 이해관계가 우리의 주도적인 노력으로 갈등이 아닌 협력 체제로 나아갈 수 있도록 되어야 할 것입니다.

다른 나라도 마찬가지지만, 한 가지 미국을 생각할 때 절대로 잊어선 안 되는 것이 미국은 자국의 국익과 일치하지 않는 일은 안 한다는 겁니다. 6·25 전쟁 때도 미국은 우리 한국을 위해 출병했다기보다는 소련과의 냉전 대결에 있어서 미국의 권위와 이익을 위해서 참전했던 것입니다. 그것은 우리의 국익과도 일치했기 때문에 우리는 이를 환영했었습니다. 우리는 4대국 사이에서 모든 나라와 능동적으로 화해하고 협력해야 합니다. 다만 우리의 국익을 따져 볼 때 상당 기간 미국을 중시해야 한다는 것이 제 생각입니다.

21세기는 아시아·태평양 시대가 될 것

강만길 과거 40년 동안 한반도 지역은 미·소의 대립 구도 속에서 분단되어 있었는데 소련이 무너지고 난 지금에 와서는 그러한 대립 구도 역시 무너졌습니다. 오히려 중·일의 대립 구도가 그것을 대신할 가능성이 있다는 것 때문에 오늘날 경제 문제를 얘기하는 사람들은 한반도 지역의 통일과 안전을 위해서는 한·중·일 3국의 지역공동체가 필요하다고까지 말합니다. 물론 미국은 환태평양기구 등을 구상하며 동북아시아 지역에서 발언권을 갖기 위해 노력하고 있습니다. 중·일의 대립 구도로 가는 경우, 한반도 지역이 분단된 채로 있으면 북한은 중국 세력권에, 남한은 일본 세력권에 포함되어 통일이 어려워질 것이며, 동북아시아 공동체를 지향한다 해도 남북한이 통일되지 않은 상태에서의 4개국 공동체는 불가능하다고 생각합니다. 앞으로 21세기로 들어가서 동북아시아 지역의 국제 관계와 공동체 문제 그리고 중·일의 대립 구도 문제와 미국과 일본이 환태평양권에 대한 선생님의 생각을 말씀해 주십시오.

김대중 20세기는 민주주의가 이념적으로나 실제적으로나 전 세계적으로 보편화된 시대였습니다. 이를 위해서 양차대전, 냉전에 의한 세 차례의 격동과 막대한 희생을 지불했습니다. 경제도 1848년 칼 맑스가 「공산당 선언」을 발표한 이래 150년의 대결 끝에 공산 소련은 붕괴하고 시장경제가 전 세계를 지배하게 되었습니다. 약소민족들도 양차대전과 소련 붕괴의 결과로 모두 해방과 독립을 얻었습니다. 그러나 아직도 각국에서의 빈부 격차는 심하고 제3세계는 선진국 수탈의 대상이 되어서 남북 관계는 해가 갈수록 더욱 심각해져 가고 있습니다. 20세기는 인류 역사상 전례가 없이 환경을 파괴했고, 자본주의적 타락은 마약·폭력·매춘·청소년 범죄 등을 만연시켰습니다. 탈자본주의 경향 속에 일어난 격동하는 변화는 세계 사람들을 심한 불안과 갈등 속에 몰아넣고 사이비 종교와 현세 기복적인 타락된 종교들이 사람들의 마음을 사로잡고 있습니다.

21세기는 이러한 20세기의 부정적 유산을 올바르게 처리할 책임을 지고 있습니다. 민주주의는 자국만이 아니라 제3세계 등 모든 사람에게 고르게 그 권리와 복지를 보장해야 할 것입니다. 그리고 우리의 어머니인 지구와 화해해서 동식물과 물·공기·흙 등 자연의 존재들을 보호하고 발전시키는 역할을 해야 할 것입니다. 인간을 위해서만이 아니라 자연을 우리들의 형제와 벗으로 생각하고 더불어 같이 발전해 나가야 할 것입니다. 여기에는 아시아 사람의 자연과의 일체 사상, 불교의 만물 속에 부처님이 있다는 사상 등이 새로운 지구 시대 민주주의의 사상과 이념의 토대가 되어야 할 것입니다. 나는 신인도주의를 주장했는데 이를 토대로 지구적 민주주의까지 발전시켜야 한다는 것은 이미 앞에서도 말한 바 있습니다.

경제는 정보화 시대·지식산업 시대·우주항공산업 시대·생명공학 시대의 새로운 시대로 들어갈 것이고 지금과는 아주 다른 시대가 올 것입니다. 앞으로 문화와 종교가 경제 못지않게 마음을 지배하게 될 것입니다.

21세기를 지배할 나라는 누구인가 하는 문제가 석학들 사이에 논의되고 있습니다. 전 하버드대학 교수 조지프 나이와『제3의 물결』의 저자 앨빈 토플러는 미국은 정신적 활력에 있어서나 자원의 보유에 있어서나 정보산업의 능력에 있어서나 단연코 앞서 있기 때문에 미국의 시대가 온다고 말하고 있습니다. 전 유럽부흥은행 총재 자크 아탈리는 미국의 시대는 가고 일본과 유럽의 시대가 온다, 유럽이 러시아 등 동유럽까지 포함하게 되면 유럽의 시대가 올 것이다, 영국의 금융시장으로서의 기능, 독일의 수출 능력과 높은 생산성, 프랑스와 이탈리아의 산업디자인, 여기에다 러시아의 자원과 기초과학의 힘을 보태면 유럽 시대가 올 것이 틀림없다고 말하고 있습니다. 폴 케네디는 일본·한국 등 아시아 나라와 독일·스칸디나비아 각국 등 무역 강국들의 시대가 올 것이라고 말하고 있습니다. 다니엘 벨은 아시아·태평양과 유럽과 미국의 3국의 시대가 온다고 말하고 있습니다. 그런데 21세기 초에는 이 3자의 경합 시대가 될 것이라는 점에는 모두 큰 이의가 없는 것 같습니다.

저는 21세기는 아시아·태평양의 세기가 될 것이라고 믿습니다. 지금 아·태 지역은 세계 총 국내총생산(GDP)의 50퍼센트를 차지하고 무역량의 40퍼센트를 차지합니다. 특히 동아시아가 그 중심이 되어야 할 것입니다. 21세기의 초기는 3국 관계 시대가 되겠지만, 머지않아서 아시아·태평양 시대가 됩니다. 그리고 이 아시아·태평양 시대에서 큰 역할을 할 나라는 미국·일본·중국입니다. 이들이 상호 협력 속에서 공동 발전을 추구할지, 대립과 갈등으로 치달을지는 아직 확실히 모릅니다. 이 점의 장래는 아시아 집단 안보 체제를 통한 평화의 정착, 그리고 아시아태평양경제협력체(APEC) 등의 기구가 얼마만큼 실질적인 경제협력기구로 나갈 수 있느냐에 달려 있을 것입니다. 중국은 덩샤오핑 사후, 안정을 유지할 수 있느냐의 여부가 그 장래를 좌우할 것입니다. 우리 한국도 통일을 성취하면 이러한 아시아·태평양 시대의 주역의 대열에 진입할 것이고 그렇지 않으면 좌초될 가능성이 큽니다.

민주주의가 자본주의 승리의 근본 원인

강만길 이제 사회주의는 무너지고 자본주의 체제만 남았다 해도 과언이 아닙니다. 어떤 의미에서는 자본주의 체제가 일부 자기 수정을 하면서 오히려 강화될 수 있었던 것은 사회주의의 도전과 그것에 대응하려는 노력 때문이었다고 생각합니다. 그런데 혼자 남은 자본주의 체제가 선생님이 말씀하신 경제적 민주주의와 정치적 민주주의를 해 나가는 자기 정화를 할 수 있는 기능을 유지할 수 있겠는가 하는 의문이 생깁니다. 자본주의가 대단히 좋지 않은 방향으로 가다가 사회주의의 등장으로 오히려 위기의식을 느끼고 케인스 이후로 대응책을 마련해 감으로써 더 오래 살아남을 수 있었다고 봅니다. 또 도전 세력이 없어진 이런 조건 속에서도 자본주의가 재활 내지 재생해 나갈 능력을 가질 수 있겠는가 하는 문제와 오히려 사회주의가 없어짐으로써 자본주의의 모순이 더 격심해질 가능성은 없는가 하는 의문이 생깁니다.

21세기의 세계사를 역사적인 입장에서 보면 자본주의 체제가 무궁하리라고 전망하기는 어려울 것 같습니다. 역사는 늘 변하기 때문입니다. 그런 과정에서 저는 현실사회주의가 아닌 사회주의 본래의 정신이나 체제가 되살아날 가능성은 없는가 하는 생각을 해 보았습니다. 어떤 의미에서 저는 인류가 지금까지 고안한 여러 가지 체제 중에서 적어도 이론적인 면에서는 사회주의가 가장 앞선 것이라고 생각합니다. 사회주의의 원래의 이상은 인간의 해방, 부의 균등화, 사회의 평등화입니다. 그것이 현실 체제화되면서 여러 가지 문제가 생겨 지금에 와서 무너지게 된 겁니다.

앞으로 본래적 의미의 사회주의도 되살아나지 않고 자본주의만의 체제로 계속 있을 수 있을 것인가 하는 이런 문제에 대해 생각한 바가 있으시면 말씀해 주십시오.

김대중 아주 좋은 말씀입니다. 사회주의는 분명히 커다란 공헌을 했습니다. 자본주의가 오늘날 같은 승리를 얻은 데는 사회주의로부터의 자극에 의한 공로가 컸습니다. 그리고 본시 사회주의는 칼 맑스 이전의 로버트 오언, 생 시몽, 샤를 푸리에 등의 공상적 내지는 이상적 사회주의에서부터 퍽 도덕적이었고 정의 지향적이었습니다. 칼 맑스에 이르러 사회주의는 이론적으로 거의 완벽했으며, 철학·정치학·경제학·사회학 등 사회과학 발전에 지대한 공헌을 했습니다. 그런데 여기서 우리는 하나의 의문을 제기하지 않을 수 없습니다. 그것은 자본주의는 사회주의로부터 도전받으며 많은 것을 배우고 또 이에 대해서 효과적으로 대응함으로써 자기 발전을 해 왔는데 왜 공산사회주의는 그러한 훌륭한 이상과 이론을 가지고 있으면서 자본주의나 국민으로부터 온 도전에 제대로 응전하지 못해서 졌느냐 하는 것입니다. 그것은 민주주의를 안 했기 때문에 그렇습니다. 민주주의를 하지 않는 체제는 반드시 독재화하고 부패하고 정의를 경시하게 됩니다. 그런데 공산사회주의는 이러한 잘못에 대해서 밑으로부터 비판과 시정을 요구할 수 있는 피드백 작용이 봉쇄되어 있으며 국민이 원할 때 정권을 바꿀 수도 없습니다. 그러므로 혁명이 일어나거나 아니면 내부적 붕괴로 갈 수밖에 없는 것입니다. 자본주의뿐만 아니라 서구 사회의 사회주의가 성공한 것도 민주제도를 받아들였기 때문에 그렇습니다. 그러므로 자본주의의 오늘의 성공은 공산사회주의의 도전의 덕택이라는 것보다는 그 도전을 민주제도를 통해서 여과하고 수용하는 데 있었다고 보아야 할 것입니다. 결국 민주주의가 자본주의 승리의 근본 원인인 것입니다.

자본주의는 사회주의의 도전만 수용한 것이 아니라 자본주의 자체로부터 오는 도전도 계속 수용해서 오늘날 자본주의가 자본주의를 버리는 탈자본주의 시대로 들어가고 있습니다. 이제 선진국의 대기업들은 주식이 수십만에게 분산되어 주식 소유자는 있어도 자본가는 없습니다. 경영도 자본가 경영이 아닌 주식을 갖지 않는 전문 경영으로 넘어갔습니다. 분배도 대중화되고 자본가의 것이 아닙니다. 그뿐만 아니라, 이제 대기업들은 노동자의 돈이 과반수의 주식을 갖는 예도 많습니다. 이제 기업을 움직이는 주체 세력은 자본이나 노동이 아니고 지식과 정보의 시대로 들어가고 있습니다. 탈자본주의 시대로 들어가고 있는 것입니다. 이러한 변화는 앞으로도 계속될 것입니다. 오직 두 가지만 남고 모든 것이 변할 것입니다. 그것은 정치적 민주주의와 소비자의 기호에 맞춰서 변화하는 시장경제의 두 가지입니다. 이러한 가운데 사회주의 이상은 민주정치의 기능을 통해서 계속 실천되고 확대되어 나갈 것입니다.

강만길 큰 눈으로 보면 역사의 발전이란 정치적 민주주의, 경제적 민주주의, 사회·문화적 민주주의의 발전이라 할 수 있습니다. 다만 자본주의 체제 아래서 그것이 잘 안 되었기 때문에 사회주의 이론과 체제가 등장했습니다. 그러나 현실사회주의도 특히 정치적 민주주의를 크게 제한했고 그 때문에 경제·사회·문화적 민주주의도 제약될 수밖에 없었던 것이 사실입니다. 사회주의의 견제와 도전이 없는 자본주의가 자발적으로 정치·경제·사회적 민주주의를 잘해 나갈 수 있겠는가를 실험하는 시대가 바로 21세기가 아닌가 합니다.

21세기를 담당할 사람들은 바로 지금의 젊은 사람들입니다. 선생님이나 저나 통일을 갈망하고 있습니다마는 사실은 통일 문제를 담당할 사람들은 역시 21세기를 살아갈 젊은 사람들이라는 생각이 듭니다. 통일이 된 후의 그 뒤처리도 역시 그들이 해야 할 것입니다. 사실 어떤 의미에서는 분단의 책임이 없는 그들에게 결국 민족 문제를 마무리 짓는 책임을 떠맡긴 셈입니다. 저도 포함됩니다마는 식민지 시대·분단 시대를 살아온 기성세대로서 그들에게 하시고 싶은 말씀이 있으면 해 주십시오.

신세대들에게 미래상을 제시해 주어야

김대중 제일 어려운 질문인 것 같습니다. 요즘 신세대들은 참 재미있는 세대이지요. 자기 느낀 대로 행동하고, 그 행동에 대해 스스로가 책임을 지려고 하며, 싫고 좋고의 감정 표현이 분명한 점 등은 굉장히 사랑스러운 장점으로 생각하고 있습니다. 이 세대들은 우리하고 달라서 텔레비전 시대, 즉 시각 문화에 젖어 있기 때문에 책을 안 읽는 것 같습니다. 대개 만화나 스포츠신문 같은 걸 읽고 정치에는 관심이 없다고 얘기합니다. 그래서 이런 점을 그 사람들하고 어떻게 해결해 나가야 할지가 중요한 문제인 것 같습니다. 강 교수님께서도 말씀하셨듯이 어쨌든 그 사람들은 앞으로 이 나라의 장래를 맡아서 잘 해 주어야 할 사람들입니다.

저는 이 문제에 관해서 두 가지를 말씀드리고 싶습니다. 하나는 우리하고 다르다고 해서 그들을 부정적으로 보고 비난하거나 경원할 것이 아니라 적극적으로 좋은 점을 평가해 주고 그들을 이해하려고 해야 한다는 것입니다. 물론 이른바 오렌지족처럼 마구 타락해서 마약을 복용하고 난잡한 생활을 하는 것은 비난받아야 합니다. 하지만 신세대 같은 이런 젊은이들에 대해서는 그들과 구별해서 적극적으로 평가해 줘야 한다고 생각합니다. 내가 알기로는 신세대들이 가장 거부감을 느끼는 것은 기성세대들이 무조건 그들을 의심하고 부정적으로 보면서 이해를 해 주지 않는 점이라고 합니다. 그래서 그들은 기성세대들이 싫다고 말합니다. 설사 그들에게 잘못이 있다 하더라도 그들을 그렇게 만든 것은 오늘의 사회인 것입니다. 우리는 책임감을 느끼면서 그들을 이해해야 합니다. 뿐만 아니라 정도의 차이는 있지만 우리의 젊었을 때도 그 당시의 기성세대들이 볼 때 문제가 많았던 것입니다. 그들을 이해하려고 하면 직접적이든 간접적이든, 예를 들면 신문이나 텔레비전이나 잡지 같은 데서 양쪽 세대들이 만나서 얘기하는 장을 자주 만들어 줘야 합니다. 특히 요새는 텔레비전 매체가 있기 때문에 대화를 통한 상호 이해가 훨씬 쉽게 이루어질 수 있습니다. 이 점을 특별히 강조하고 싶습니다.

둘째는 우리가 신바람 나는 민주주의를 펼쳐 나가면서 젊은이들의 신명을 북돋워 주어야 합니다. 각자의 개성을 최대한도로 살려야 합니다. 옛날 우리 시대는 소품종 대량생산의 시대였습니다. 그러므로 그러한 양산 체제에 버금갈 수 있는 평균화된, 약간 몰개성적인 노동자나 사무원의 대량생산이 필요했습니다. 그러나 지금은 다릅니다. 다양화 시대이고 다품종 소량생산 시대이고 개성 있는 제품의 생산 시대입니다. 그러므로 우리 젊은이들도 이에 알맞은 인재가 필요하게 된 것입니다. 신세대의 출현은 이러한 생산 체제와 문화의 다양화에 따른 필연적인 현상일지도 모릅니다. 사실 요즘은 기업들도 과거와 같이 아주 고분고분하고 규격화된 사람이 아니라 개성이 있는 인물을 찾고 있는데, 이것은 모두 신세대와 더불어 경제체제의 도전에 대한 응전이라고 볼 수도 있습니다.

근대 이후는 이성과 합리주의의 시대였습니다. 이것이 너무 지나쳐서 감성과 이미지를 과소평가했습니다. 오늘의 신세대들이 이성이나 합리주의를 거부하고 느끼는 대로 행동하고 본 대로 판단하는 피상적인 태도는 다분히 이러한 근대주의에 대한 반발로 볼 수 있습니다. 나는 양측 모두에 문제가 있다고 생각합니다. 20세기를 살아온 우리의 경험에서 볼 때 인간은 이성 외에 감성이 분명히 있습니다. 이 둘이 조화될 때 인간의 정신은 완전한 균형을 찾을 수 있습니다. 사람은 합리적인 동물이지만 이미지에 의해서 행동하는 감각적인 면도 있습니다. 이 두 가지의 조화가 완전한 인간상을 만들 것입니다.

사실 자세히 살펴보면 지금까지 우리 사회에서는 이 두 가지를 조화하는 사람들이 인간으로서 존경과 높은 평가를 받았습니다. 이순신 장군은 철저한 합리주의적인 전략가이었지만, 한편으로는 시와 문장에도 뛰어났고 백성들을 자식같이 사랑한 풍부한 감정의 소유자였습니다. 링컨도 간디도 모두 뛰어난 현실감각을 가진 지도자였지만 한편으로는 다시없이 아름다운 영혼과 이웃에 대한 애정을 가졌던 분입니다. 나는 우리의 신세대들이 기성 질서에 대한 반발만을 내세울 것이 아니라 한편으로는 이성과 합리의 자세도 아울러 가지면서 이 두 가지를 조화하는, 그러한 인간적 발전을 할 수 있도록 우리 사회가 도와주어야 한다고 생각합니다. 그 가장 확실하고 효과적인 길은 우리가 완벽한 민주주의를 해서 그들에게 신바람이 나도록 해 주어야 한다는 것입니다. 우리는 그들에게 우리가 나아가는 목표를 소화하고 수정하도록 완전히 그 권리를 보장해 주어야 합니다. 그리고 권리 행사를 통해서 책임도 지도록 해야 합니다. 이렇게 해 나가면 앞으로 그들에게 무엇이 돌아온다는, 어떠한 좋은 세상이 온다는 그런 미래상을 제시해 주어야 합니다. 그러면 그들은 신바람이 날 것입니다. 우리가 그들에게 선물하고 그들이 21세기를 보다 좋은 세기로 이끌어 갈 수 있는 길은 신바람 나는 민주주의가 아니겠는가 생각합니다.

강만길 긴 시간 동안 많은 말씀을 해 주셔서 대단히 감사합니다.

마지막으로 제가 느낀 점을 말씀드리자면 짧은 시간의 대화 속에서나마 선생님의 어떤 깊이를 이해할 수 있을 것 같았습니다. 사람 사이의 이해를 돕는 데에는 만나서 대화를 하는 것이 가장 첩경이라고 하는데 사실은 그게 그리 쉬운 일은 아니라고 생각합니다. 얼마만큼 서로 호흡이며 생각이 맞아야 하는데 저는 선생님과의 대담을 진행하면서 호흡이 잘 맞을 수 있는 분이다, 하는 생각을 했습니다.

저는 학생들을 가르치면서 늘 기성세대와 젊은 세대의 생각이 같으면 그 민족 사회는 정체되어 망한다고 말합니다. 두 세대 사이의 생각이 다르다는 것을 전제해 놓고 그다음에 같은 부분을 살려 나가야 한다고 말합니다. 선생님도 두 세대 사이의 차이를 인정하고 그다음에 두 다른 사이에서 얼마나 교감을 가질 수 있는가 하는 것이 중요한 문제라는 말씀을 하셨는데 같은 의미의 말씀인 것 같습니다. 대단히 감사합니다.

김대중 감사합니다.

---

* 이 글은 『나의 길 나의 사상』(한길사, 1994)을 위해 고려대학교 사학과 강만길 교수와 나눈 대담이다.

동양의 사상에는 민주주의 정신과 일치하는 가치관이 있다

대담 필립 퐁스
일시 1994년 5월

필립 퐁스 1945년 일본의 식민통치에서 해방된 이후의 한국 현대사와 당신의 일생은 밀접하게 연결되어 있습니다. 지난 50년 동안 한국사 전개에서 어떠한 교훈을 끌어내는지요?

김대중 지난 반세기 동안의 한국 역사는 세 가지 특징이 있습니다. 민주주의의 점진적 발전, 경제 성장, 그리고 국토의 분할입니다. 우리의 현대사는 또한 식민 통치의 멍에로부터 해방된 이후에도, 친일파에 의한 지배가 특징입니다. 우리의 첫 번째 과제는 그들을 제거해야 하는 것이었습니다. 그런데 일제하의 경찰이 우리의 경찰이 되었고, 일제하의 행정 관료와 친일파들이 대체로 남한의 고위 공무원과 정책 담당자가 되었습니다. 군부도 마찬가지였고 지식인 세계의 일부도 그렇습니다. 한국에서는 친일파의 자손들은 손자 때까지 부유하고 독립운동가의 집안은 3대가 가난하게 된다는 말이 있습니다.

그럼에도 불구하고 이 나라에는 일본이 한국을 보호국으로 만든 1905년 이후 식민통치에 맞서 투쟁하는 민족주의 운동이 있었습니다. 1910년에 한국은 합병되었습니다. 1919년 독립운동이 일어난 후, 상하이에 망명정부가 세워졌습니다. 해방 다음 날 한국민이 세운 한 정당은 친일파들의 권력 장악에 맞서 투쟁했으나, 미국은 안정을 지킨다는 명목으로 친일파들을 지지했으며 그들이 반공이라는 명목으로 민주화운동을 탄압하는 것을 방임했습니다. 이것은 1988년 노태우가 대통령이 될 때까지 탄압의 구실이 되었습니다.

경제 발전으로 말하자면, 확실히 커다란 발전이 있었습니다. 그러나 경제가 발전하면 할수록 빈부의 격차와 도시 농촌과의 격차, 지역 간의 차이가 커졌습니다. 김영삼이 집권한 이후(1993), 군부는 숙청되었고, 이 점에 대해서, 나는 그의 정책에 만족합니다.

그러나 아직 한국에 진정한 민주주의가 있다고 할 수는 없습니다. 역사 자체가 아직도 군사정권의 검열을 받는 포로입니다. 논쟁이 열려야 하고, 교과서를 고쳐야 합니다. 이런 것은 더 위대한 민주주의를 향한 커다란 발전이 될 것입니다.

필립 퐁스 과거의 독재정권들이(이승만, 박정희, 전두환 정권), 한국이 오래된 빈곤에서 벗어나게 하고 북한의 위협에 대처하기 위한 필요악이었다고 생각하나요?

김대중 그것은 변명에 불과합니다. 민주주의를 해야만 공산주의에 반대할 수 있는 명분이 생깁니다. 민주정권이 들어서야만, 우리는 더 정의로운 부의 분배에 중점을 둔 더욱 균형 있고 건전한 경제 발전을 할 수 있을 것입니다. 오늘날 이 나라에서 가장 심각한 문제는 사회정의의 부재입니다.

필립 퐁스 이승만 독재를 무너뜨린 1960년 봄의 학생봉기로 집권한 장면 정권의 경험은 명확한 결론을 내릴 근거가 되지 않나요?

김대중 박정희는 공산당에 의한 국가 전복 가능성, 사회불안, 정부의 부패를 1961년의 5·16쿠데타의 명분으로 삼았습니다. 그런데 장면 정권이 출범한 지 겨우 12일 만에, 박정희와 일부 장교들은 정부 전복 음모를 꾸몄습니다. 그리고 그들은 집권하자마자, 그들이 무너뜨린 정권이 세운 5개년 경제 개발 계획을 활용했습니다. 박정희가 이 나라 경제 도약에 공헌한 점을 나는 인정합니다. 저임금이 경제 성장의 수단인 나라에서 효율성으로 볼 때 억압은 긍정적 효과가 있습니다. 그러나 그러한 정책으로 말미암아 위에서부터 부패하여 온 나라에 퍼지게 되며 또한 사회에 정의가 부재하게 됩니다. 박정희 정권의 유일한 공헌은 국민이 잃어버렸던 자신감을 되찾아 준 것입니다.

필립 퐁스 당신의 정치적, 도덕적 신념은 어디서 나옵니까? 민족 문화유산인가요, 가톨릭 신앙인가요?

김대중 둘 다입니다. 나의 기독교 신앙에서 온 것은 확실합니다. 그러나 역사의 정의에 대한 나의 신념에서 오기도 했습니다. 잠깐 동안은, 한 정권이나 개인이 힘으로 권좌를 유지할 수 있습니다, 그러나 끝내는 벌을 받습니다. 정의와 민주주의의 가치에 집착하는 사람은, 살아 있는 동안에는 패배한다 하더라도, 역사에서는 승리할 것입니다. 내가 전두환 정권에 의해 사형 선고를 받았을 때, 물론 나는 죽음이 두려웠습니다. 그러나 그들이 협조하면 풀어 주겠다고 내게 약속했어도 내 입장을 바꾸지 않았습니다. 그러자 그들은 나를 며칠 안에 처형하겠다고 위협했습니다. 그러나 역사가 나를 심판할 것이라는 나의 신념 때문에 굽히지 않았습니다.

필립 퐁스 당신은 군사정권에 의해서 용공적이라고 종종 비난받았습니다. 당신이 가끔 암시하는 한국의 '민중'(인민, 대중) 개념을 설명할 수 있는지요?

김대중 민중이 프롤레타리아트를 의미하는 것이 아니라 보통 사람을 말합니다. 그들은 정의와 자유를 요구합니다. 이 개념은 한국의 오래된 전통에 뿌리를 내린 것입니다. 13세기 몽골의 침입 당시 정부는 섬으로 피신한 반면 투쟁한 이들은 무명의 가난한 사람들이었고 일제의 침략에 맞서 투쟁한 이들도 그렇습니다. 민중은 국민국가 개념이 도입되기 전에 국민 개념과 합치된 것입니다. 민중은 깊은 소속 의식에서 나오는 것입니다.

필립 퐁스 분단은 한국을 줄곧 사로잡는 문제입니다. 당신은 국가연합을 주장해 왔습니다. 이것은 오늘날에도 현실적이라고 보는지요?

김대중 여전히 그렇습니다. 군사정권하에서는 국가연합 개념이 권력의 관심을 끌지 못했는데 이는 흡수 통일을 목표로 했기 때문입니다. 흡수 통일은 독일통일의 교훈과 흡수 통일이 내포한 위험, 이 두 가지 이유에서 잘못된 길입니다. 흡수 통일을 추구하면 평양은 핵 무장을 할 좋은 구실을 가지게 됩니다. 게다가 중국은 흡수 통일을 결코 용납하지 않을 것입니다. 중국은 조선민주주의인민공화국에 사활적인 이해관계가 있습니다. 지리적으로 볼 때, 이 두 나라는 1000킬로미터가 넘는 국경을 맞대고 있습니다. 게다가 조선민주주의인민공화국은 중국에게 있어 황해로 접근하는 통로이며 만주 지역과 중국 북동부의 신흥 공업지대에 보호 역할을 합니다. 우리가 흡수 통일을 추진하면 중국이 북한에 직접 개입하여 평양에 그들이 원하는 군사 교두보를 구축할 것이라고 나는 확신합니다. 1950년부터 중국은 북한을 보호하기 위해 한국전에 참전했으며 북한은 중국에 있어 매우 중요한 지정학적인 이해를 대변한다는 것을 상기해야 합니다. 미국은 중국 입장을 고려하지 않았습니다. 더군다나 독일의 예는 우리가 점진적인 과정을 밟아야 한다는 것을 일깨워 줍니다.

나의 남북 국가연합 이론에서는 첫 번째 단계로 국방, 외교, 내무 분야를 맡는 두 개의 독립정부가 유지됩니다. 국가연합은 교류, 협력을 촉진할 남북의 대표로 구성된 공동 기구를 만들어 10년 혹은 그 이상의 기간 동안 상호 신뢰를 쌓으면서 연방국가 성립의 길을 엽니다. 북한은 특히 단번에 연방으로 가기를 선호합니다. 그래서 김영남 외교부장을 포함한 책임자들은 나의 제안을 쾌히 논의하겠다고 공언했습니다.

필립 퐁스 평양 정권은 핵 위협 카드를 쓰면서 어떤 목적을 달성하려 한다고 생각합니까?

김대중 김일성 주석의 목적은 핵무기를 보유하려는 것이 아니라, 미국을 비롯한 다른 나라들과의 관계 정상화를 하려는 것입니다. 핵 위협은 흥정의 일부분입니다. 왜냐하면, 좌우간, 김일성 주석이 겨우 하나 혹은 몇 개의 핵폭탄을 가지고 무엇을 할 수 있겠습니까? 조선민주주의인민공화국의 경제 상황은 극히 나쁩니다. 김일성 주석이 외부 원조를 얻지 못하면 경제난으로 인해 정권이 무너질 것입니다. 조선민주주의인민공화국의 국민총생산은 남한의 10분의 1입니다. 앞으로는, 15분의 1, 20분의 1이 될 것입니다. 조선민주주의인민공화국이 군사 도발을 감행하면, 틀림없이 남한의 일부분을 파괴시킬 수는 있겠지만, 승리를 기대할 수는 없습니다. 김일성 주석의 태도에는 논리가 있을 것이며 자살적인 행위는 하지 않으리라 생각합니다. 명예로운 해결 방법을 찾을 것입니다.

조선민주주의인민공화국은 지난 50년간 통일 개념을 세 번 바꾸었습니다. 1953년까지, 평양 정권은 남南을 무력으로 공산화하려 했습니다. 이것은 실패했습니다. 그 이후 소련이 붕괴할 때까지 북한은 남한을 전복시키려 노력했습니다. 이것도 마찬가지로 실패했습니다. 1991년부터 평양 정권은 (40년간 거부해 온) 남북한 유엔 동시 가입을 받아들이는 등 입장을 근본적으로 바꾸었습니다. 그리고 또 1973년부터 박정희 정권은 (미국이 북한을 승인하고, 중국과 소련이 남한을 승인하는) 교차승인을 요구해 왔는데, 북한은 미국과의 관계 정상화를 요구해 왔습니다. 이 교차승인 제안은 실제로는 현재까지는 (러시아와 중국과 관계 정상화를 한) 남한에만 이익을 주었습니다. 서양의 어떤 나라도 북한과 관계 정상화를 하지 않았습니다. 조선민주주의인민공화국이 고립되었다고,

더 나아가 배신감을 느끼는 것은 정당합니다, 왜냐하면 1991년 남북한이 맺은 협정으로 남한을 실질적으로 승인했음에도 불구하고 아무것도 얻은 것이 없기 때문입니다.

나는 평양 당국자들의 입장 변화를 감지합니다.(특히 1993년 9월에 김일성 주석이 중국의 정치 개혁 성공을 공인한 것) 그러므로 북한을 궁지에 몰아넣지 말고 또 다른 중국으로 만들기 위해 그들을 도와주어야 한다고 생각합니다. 무엇보다도 나는 무력보다 설득을 믿습니다. 냉전은 소련을 변화시키지 못했습니다. 반면에 데탕트는 점진적으로 소련을 내부 붕괴의 길로 이끌었습니다. 베트남도 마찬가지입니다. 프랑스와 미국도 (무력으로는) 실패했습니다. 쿠바는 또 다른 예입니다. 중국을 보면, 중국의 변화는 리처드 닉슨이 중국을 승인하면서 시작했습니다. 오늘날, 중국은 전 세계에 더 이상 위협을 주지 않는다고 나는 생각합니다. 이러한 역사의 교훈은 우리가 남북 문제에 변화를 가져오게 하기 위해서는, 더 현실적이고 유연한 방법을 써야 한다는 것을 일깨워 줍니다.

필립 퐁스 현재의 위기를 어떻게 보는지요?

김대중 표면적으로는, 대결 상황입니다. 그러나 (북한의) 목표는 명확하다고 생각합니다. 미국과 국교를 정상화하면 그날로 북한은 핵 개발 계획을 포기할 용의가 있습니다. 미국은 조선민주주의인민공화국이 핵 개발 계획을 포기하여 1995년 핵확산금지조약에 가입하기를 원합니다.

필립 퐁스 몇 달 전부터 미국과 북한과의 협상이 진행되고 있지 않은가요?

김대중 양쪽의 목표와 이득이 충분하고 명확하게 정해지지 않았습니다. 다른 말로 하면, 해결 방법은 정치적입니다. 그런데, 지금까지 미국은 기술적 해결을 목표로 하고 있습니다. 국제원자력기구의 핵 사찰이 그런 것입니다.

필립 퐁스 냉전이 끝난 이후, 전 세계적으로 민족주의가 기승을 부리고, 아시아에서는 서구적 가치의 우월성 같은 것을 논박하는 경향이 있습니다. 이러한 사태 전개를 어떻게 해석하는지요?

김대중 소련의 붕괴 이후로 민주주의—20세기에는 근본적으로는 서양에만 있던—시장경제 그리고 민족주의라는 세 가지 현상이 보편적이 되고 있습니다. 파워 게임에서 군사력의 비중이 감소하는 경향으로, 경제력이 결정적으로 중요한 요소이며 이것이 문화적 또는 종교적 힘으로 나타나기도 합니다. 다음 세기에는 '문명의 충돌'이 올 것이라고 말하는 이도 있습니다.

과거에는 서양이 적은 인구를 가지고도 세계를 지배했습니다. 이러한 시대는 끝났습니다. 동양은 옛날에는 위대한 문명의 중심지였습니다. 그러나 최근 2백 년간 서양의 지배를 받았습니다. 오늘날 우리는 이전보다는 정상적인 균형 상태로 돌아왔습니다. 나는 동양이 서양이 했던 것처럼 세계를 지배할 야심이 있다고 생각하지는 않습니다. 다음 세기의 큰 문제는 두 동서양 간의 협력을 어떻게 이루느냐는 것이 될 것입니다.

민주주의적 가치관이라고 할 수 있는 동양적 전통 혹은 서양의 독점적 표현인 인권을 확인할 수 없는가? 나는 그렇지 않다고 생각합니다. 동양의 사상에는 민주주의 정신과 일치하는 가치관이 있습니다. 우리에게 부족한 것은 이러한 가치를 정치 체계로 제도화하는 능력입니다. 예를 들어 2천여 년 전 중국에서 유학에 큰 영향을 준 맹자와 같은 사상가는 천자天子인 황제는 선정을 할 천명天命이 있다고 했습니다. 그렇지 못하면 백성은 천자를 쫓아낼 권리가 있다고 했습니다. 나에게는 17세기 말 영국의 철학자 존 로크의 '사회계약설'과 통하는 데가 있는 것으로 보입니다. 불교의 가르침인 자비는 인권선언의 용어로는 확실히 옮겨지지 않습니다마는, 이 가르침은 인간의 존엄과 절대 가치를 확인시켜 줍니다. 한국에서 동학東學 종교운동의 창시자는 인내천人乃天이라 하여 사람 섬기기를 하늘과 같이 하라 했습니다. 민주주의와 인간 존중 사상이 동서양 전통에 존재한다고 나는 믿습니다. 큰 차이점은 유럽은 이를 사회 제도화할 줄 알았던 것입니다. 그러나 민주주의 사상은 아시아에도 있습니다.

* 이 글은 1994년 5월의 필립 퐁스(Philippe Pons) 『르몽드』 도쿄 특파원과의 인터뷰로 1994년 5월 17일 자 『르몽드』에 게재되었다.

북한은 상처 입고 쫓기는 짐승, 살길은 열어 주어야 한다

대담 정순태
일시 1994년 6월 13일

'통일 전문가'의 행동 선언

1992년 12월 생애 3번째의 대권 도전에서 실패한 후 정계를 은퇴한 김대중 씨는 그때부터 약 1년 4개월 정도 비교적 평온한 생활을 해 왔다. 그는 그다지 논란을 만들지 않았고 김영삼 대통령 정부에서도 그에 대한 견제나 공세의 말이 별로 나오지 않았다. 와이에스(YS)는 개혁에 몰두했고 디제이(DJ)는 아태재단을 만들어 통일 공부를 다듬는 데 전력했다. 우리 사회 속에 있는 디제이(DJ) 지대는 비교적 평화스러웠다.

그런데 지난 4월 말부터 그 지대에 파도가 일기 시작했다. 여당은 디제이(DJ)가 민주당을 뒤에서 조종해 국회를 파행으로 몰고 가고 있다는 의심을 공개적이고 노골적으로 내놓았다. 소위 디제이(DJ) 사주설이었다. 그는 "신경 쓸 가치가 없다"고 묵살하고 5월 5일 21일간의 미국 방문길에 올랐다. 그가 출국 전에 한 인터뷰에서 남긴 "정치를 다시 한다고 해도"라는 가정법이 디제이(DJ) 정계 복귀설을 낳기도 했다. 그의 미국 체류 중에 파고는 점점 높아졌다.

그에 대한 와이에스(YS) 정권의 불만(어떤 의미에서는 공세)은 그의 통일 관련 발언과 활동에 맞추어졌다. 와이에스(YS)의 침묵을 대신해 제이피(JP·김종필 민자당 대표)는 "여기저기 다니면서 통일류의 얘기를 마구 지껄이는 사람이 있다"는 원색적인 비난도 주저하지 않았다. 이홍구 통일부총리는 일부러 논평을 내서 "정계 원로인 김 이사장이 정부의 입장과 국민의 정서에 맞지 않는 발언으로 여러 가지 문제를 야기하고 있다"고 비난했다.

그는 5월 25일 귀국한 후 26일 기자회견을 갖고 통일 방안 국민투표와 통일 논의의 자유를 주장했다. 그러고 나선 디제이(DJ) 파고엔 별 변화가 없었다. 전체적으로 저울을 달면 디제이(DJ)가 약간 수세에 몰린 느낌이었다. 그런 가운데 북핵 문제는 점점 카운트다운에 가까이 갔다.

그러던 중 디제이(DJ)는 6월 13일 『월간중앙』과 인터뷰를 가졌다. 그리곤 정부·여당에 따졌다. "8백만 표를 받은 사람이 통일 문제를 연구하고 얘기하는 것조차 제한받아서 되겠느냐?" 이는 통일 전문가 디제이(DJ)로서 본격적인 '행동 선언'이었다. 그리고 정부·여당, 그를 공격하는 '일부 보수 세력'에 대한 대반격이었다. 그는 "작년부터 1년 동안 북핵 문제를 해결할 수 있는 아주 간단하고 쉬운 방안을 내가 얘기해 왔는데 그것이 이루어지지 못했다"며 답답하다는 표정을 지었다.

정순태 『월간중앙』 주간과의 2시간의 인터뷰에서 그는 그의 지론을 더욱 강하게 다져 내놓았다. 그는 "우리가 북한에 줄 것은 주고 받을 것은 받아(일괄타결론) 북핵 문제를 해결해야 하며 '전쟁 시 북진 통일' 구상은 6·25전쟁 때 중국 참전의 경험에 비추어 보아도 실현 가능성이 없다"고 주장했다.

인터뷰는 우연히도 미국의 '방북 특사'인 카터 전 미 대통령이 김포공항에 도착하기 6시간 전부터 시작됐다. 그는 지난 5월 12일 미국 내셔널프레스클럽 기자회견에서 카터의 김일성 면담을 제안했었다. 성과가 어떻든 이 일은 그의 식견을 부분적으로 입증한 것은 틀림없다.

정순태 카터의 방북은 어떤 의미가 있다고 생각합니까?

김대중 의의가 매우 크지요. 지금 세계의 관심을 집중시키고 세계를 흔들고 있는 북핵 문제가 미국과 북한 사이에서 논의되고 있습니다. 그런데 우습게도 우리의 운명을 좌우하는 이 일이 어떤 선에서 논의되고 있습니까? 미국의 국무차관보(갈루치)와 북한의 외무차관(강석주) 아닙니까? 장관이나 총리, 대통령이 아니에요.

북한에선 김일성 주석이 유일 절대한 존재예요. 북핵은 그가 결단을 내려야 해결될 수 있어요. 그런데 차관 정도가 그에게 "이제 우리가 양보해야 합니다." 라고 말할 수 있습니까? "미국의 진의가 이렇다."라고 얘기할 수 있습니까?

그래서 내가 카터 전 대통령의 방북을 제안하고 김영삼 대통령더러 김일성 주석을 만나라고 얘기하는 겁니다. 물꼬를 틀 사람은 김영삼 대통령과 김일성 주석밖에 없어요. 미국도 김일성 주석과 맞상대하려면 카터 같은 전직 대통령이 가야 합니다.

카터 전 대통령의 방북으로 이번에 처음으로 미 대통령의 생각이 중간을 거치지 않고 김일성 주석에게 전달되는 겁니다. 미국도 처음으로 김일성 주석의 생각을 클린턴 대통령이 똑바로 듣게 되는 거고요. 한국으로 봐서도 김대통령이 북한에 대해서 어떻게 생각하느냐가 처음으로 김일성 주석에게 전해지고 그쪽 말도 중간의 여과 없이 듣게 되는 거죠. 이것만 가지고도 카터 전 대통령의 방북은 굉장한 의의가 있지 않습니까? 우리의 운명을 좌지우지하는 사람들이 지금까지 서로 상대방의 진심을 모르고 지내 온 것이지요.

김일성 주석이 카터 전 대통령을 빈손으로 보내진 않을 것

정순태 그런 의의에도 불구하고 어떤 성과가 있을지는 속단하기 어렵지 않습니까?

김대중 이번에 북한은 큰 잘못을 저질렀어요. 북한은 자신들이 절대로 보여 줄 수 없다고 버티던 방사화학실험실을 국제원자력기구(IAEA) 사찰단에 보여 주는 양보를 하고도 다른 잘못 때문에 이의 생색을 낼 수 없게 되었지요.

국제원자력기구(IAEA)는 연료봉 문제에 대해 굉장히 합리적인 제안을 내놓았어요. 당장 연료봉을 검사하는 게 아니라 나중에 북·미 회담이 잘된 후에 샘플링으로 검사할 수 있도록 일단 10개씩 묶어 3백 개를 따로 관리하자고 한 것이지요. 북한이 이마저 반대한 것은 용납될 수가 없어요. 북한은 이 일 때문에 세계적으로 비판을 받고 있고 중국마저도 "너무하지 않느냐"고 하고 있지요.

그래서 김일성 주석은 지금 역풍 속에 놓여 있어요. 그런 환경에서 김일성 주석이 카터 전 대통령을 초청했다는 것은 뭔가 해결의 실마리를 내놓는다고 볼 수 있지요. 빈손으로 보낼 사람을 초청할 리는 없지요. 나는 뭔가 성과가 있을 것으로 기대하고 미 국무부에서도 그런 것 같습니다.

정순태 우연이랄까, 김 이사장께서 미국에서 카터 전 대통령 방북을 제안하고 얼마 되지 않아 그 방안이 실현됐습니다. 사전에 그와 어떤 협의나 교감이 있었습니까? 경위가 무척 궁금합니다.

김대중 하나도 감출 것이 없으니 사실대로 말씀드리지요. 내 생색낼 일도 아니고……. 이번 일은 어디까지나 카터 전 대통령의 결단이에요. 그는 진작부터 북한으로부터 초청을 받아 놓고 있었죠. 재작년에도 그는 남북한을 다 방문하고 싶어 했고 그의 보좌관이 서울에 와서 나와 상의했으나 성사되지 못했어요.

작년 10월 나는 미국에 갔을 때 애틀랜타에 있는 그의 사무실을 방문해 북핵에 관해 여러 가지 얘기를 했지요. 내가 북한에 줄 것은 주고 받을 것은 받는 일괄타결안을 설명했더니 그는 "그 이상 좋은 방법이 없다. 내가 백악관과 국무부의 고위 관리들에게 이를 설명해 주겠다"고 하더군요.

그리고 카터 전 대통령은 북한 방문을 저하고 논의했습니다. 저는 여러 가지 생각을 말해 주었고 그에게는 상당한 참고가 된 듯하였습니다. 그는 헤어질 때 "내가 만일 북한에 가게 되면 사전에 당신하고 의견을 교환하고 싶다"고 하더군요.

그러고 나서 이번에 미국에 갔을 때 기자회견 바로 전날인 5월 11일 오후에 내가 그에게 전화를 했지요. 그때는 우리 재단과 미국 선거에 관한 얘기만 주고받았어요.

다음 날 나는 회견에서 예정된 원고에 따라 "미국의 국가 원로, 즉 시니어 리더(senior leader)가 북한에 가서 김일성 주석을 만나는 게 바람직하다. 그런데 그럴 때에는 한국 정부와 충분한 논의를 거쳐야 한다. 그렇지 않으면 북한이 미국과 우리를 이간하려 할지 모른다"는 의견을 밝혔지요. 한국의 협력이 없으면 성공할 수 없다는 얘기까지 했어요.

그런데 나중에 "시니어 리더라고 했는데 누가 좋겠다고 생각하나?"라는 질문이 나왔어요. 내가 "그런 거까지 얘기하면 당신네 나라가 내정간섭이라고 나를 쫓아내면 어떻게 하느냐"고 해서 웃음이 나왔지요. 나는 잠시 후 "생각해 보면 카터 전 대통령이 좋겠다"고 했어요. 그 얘기만 하고 돌아왔는데 나중에 신문에서 보니까 그가 북한에 간다고 하더군요.(김 이사장은 회견에서 답변을 통역 없이 자신의 영어로 했다.)

김일성 주석의 미국 방문도 수용해야

정순태 카터 전 대통령은 평양으로 가기 전 서울에 와서 김 이사장을 만나기 원했는데 김 이사장께서는 왜 만나지 않았습니까?

김대중 사실 카터 전 대통령이 서울에 도착하기 며칠 전 미 대사관의 고위 관계자가 집에 찾아와서 그런 얘기를 하더군요. 나는 "어디까지나 카터 전 대통령은 한국 정부와 잘 협의해서 일을 추진하는 것이 중요하다. 나야 미국에 가서 만나도 되니 굳이 여기서 만나야 할 이유는 없다"고 말해 주었어요.(김 이사장의 재단 비서관은 나중에 그가 정부의 정책 추진에 차질을 준다는 불필요한 오해를 피하기 위해 카터를 만나지 않았다고 설명했다.)

정순태 김 이사장께서 어떻게 생각할지 모르지만 동북아의 평화를 위협하면서 벼랑 끝에 걸쳐 있는 북핵 문제가 카터 전 대통령의 방북으로 중요한 돌파구를 찾는다면 카터 전 대통령하고 김 이사장이 노벨평화상에 추천될 수도 있지 않습니까?

김대중 (겸연쩍다는 표정을 지으며) 아이고, 그런 거하고 그 일이 무슨 상관이 있습니까?

정순태 김 이사장께서는 카터 전 대통령의 방북과 비슷한 맥락에서 김일성 주석의 미국 방문을 미국이 적극적으로 수용하고 활용해야 한다는 주장이고 이를 내셔널프레스클럽의 기자회견에서 역시 밝힌 적이 있습니다. 구체적으로 피력해 보시죠.

김대중 내가 미국이라면 이 기회를 활용하겠습니다. 미국이 그를 초청할 필요도 없어요. 기자회견에서도 나는 초청 부분은 언급하지 않았어요. 김일성 주석은 유엔 회원국 대표 자격으로 미국에 갈 수 있습니다. 다만 뉴욕에 한해서 머물 수 있지만…….

김일성 주석은 50년 동안 미국이 둘도 없는 나쁜 나라라고 비난해 왔습니다. 그런 그가 미국을 찾아온다는 사실 하나만으로도 미국으로 보면 승리 아닙니까? 또 우리로서도 미국이 김일성 주석을 설득해 남북 간에 돌파구를 만들면 좋은 일 아닙니까?

정순태 북핵으로 인해 한반도의 정치적·군사적 긴장의 파고가 무척 높아지고 있습니다. 신문에서는 '전쟁'이라는 단어가 부쩍 늘고 있고요. 김 이사장이 가지고 있는 가장 효과적인 해결 방안은 무엇입니까?

김대중 이는 내가 작년부터 1년 동안 이야기해 온 것인데 지극히 간단하고 효과적이며 분명합니다. 먼저 북한이 핵을 가지고 무엇을 노리는지를 알아야 합니다. 북한은 일관되게 이렇게 주장하고 있어요. "우리는 핵무기를 제조할 의사도 능력도 없다. 우리의 유일한 목표는 미국을 비롯한 서방국가들과 외교를 트는 것이다. 그래서 경제 협력과 안전 보장을 받아 내는 것이다."

북한은 개방을 준비하고 있다

김대중 북한은 지금 말도 못 할 정도로 경제 사정이 악화되어 있어요. 얼마 전까지만 해도 우리와 그들의 국민총생산(GNP)이 11대 1이었는데 지금은 17대 1이라고 한국은행이 발표했습니다. 이렇게 가면 얼마 안 가서 20대 1, 30대 1로 벌어집니다. 이러니 북한으로서는 외국으로부터 경제 협력을 받는 게 초미의 관심사죠.

그런데 소련은 망해 버렸고 러시아나 옛날의 동맹국들은 있으나 마나 하잖아요. 도움을 받을 수 있는 곳은 미국 등 서방뿐인데 외교 승인도 못 받고 있습니다. 김일성 주석은 지금 82세여서 자기가 내일 죽더라도 아들에게 안심하고 국가를 넘겨주어야 하는데 걱정인 거죠. 국제적 고립에서 벗어나는 것은 북한에는 생존의 문제예요.

정순태 북한이 개방을 감내할 수가 있을까요?

김대중 외교 관계가 수립되어서 서방 외교관이 들어가고 경제가 들어가면 북한 체제에 영향을 미칠 것은 틀림없죠. 북한도 이를 각오하고 있는데 영향을 최소화하기 위해 여러 방법을 구상하고 있어요. 외국 기업을 경제특구 속에 봉쇄시키고 관광사업도 특구를 만들어 외국 사람 외에는 접근을 못 하게 하는 거죠. 북한은 나라가 작아서 통제가 비교적 쉽습니다. 그러나 경제와 사람의 교류라는 것은 일단 풀어놓으면 아무리 울타리를 쳐 놓아도 뚫고 들어가게 되어 있어요. 이것은 나중의 얘기고 아무튼 북한은 대對서방 외교를 원하고 있어요. 그러니 우리는 외교 부분을 주고 핵 투명성을 보장받아 내는 겁니다.

정순태 북한이 개방에 대해 얼마나 준비를 하고 있다고 알고 있습니까?

김대중 개방의 영향을 두려워해 왔지만 북한은 최근에는 자신감을 얻기 시작했어요. 북한은 중국이 개방을 시작했을 때 중국이 곧 망할 거라고 했었잖아요. 경제도 망하고, 자본주의의 독소 때문에 사회주의도 망할 거라고 그랬죠. 그런데 뜻밖에도 중국이 경제도 발전하고 사회적으로도 망하지 않은 걸 본 거예요.

김일성 주석은 지난해 9·9절에 처음으로 중국의 개방을 대대적으로 찬양했어요. 그리고 그때부터 경제 관료와 기업체 간부, 경제 담당자들을 대거 중국에 보내 중국을 배우도록 했지요. 북한은 현재 외자 도입, 경제 협력을 위한 법률을 22개 가지고 있는데 6개는 10년 이전에 만든 것이지만 16개는 최근 2년 사이에 마련했지요. 내가 국내 어느 대기업이 운영하는 경제 연구소의 북한 담당 간부에게 들었는데 북한의 그런 법률이 오히려 중국보다 더 개방적인 부분이 있다는 겁니다.

줄 것을 주고 북을 시험하자

정순태 나름대로 좋은 정보를 얻을 수 있는 소스를 가지고 계시는군요.

김대중 우리가 서울에 앉아 생각하는 거하고 북한의 실제 변화는 많이 달라요. 솔직히 말해 우리가 북한에 대해 가지고 있는 정보라는 게 안기부 산하 내외 통신에서 주는 걸 듣고 있는 것 아닙니까? 그래서 정보가 한쪽으로 기울어져 있지요. 북한은 두만강 개발 계획에 의해 나진·선봉을 개방하겠다는 것 외에 청진항을 중국에 50년 동안 빌려주겠다는 겁니다. 원산·금강산 지역도 개발한다고 해 우리의 모 종교단체가 북한과 협의해서 설계도까지 만들었어요. 나도 그 설계도를 직접 봤습니다. 호텔·콘도미니엄·사냥터·낚시터·골프징까지 다 있더라고요. 그 단체는 설계도를 정부에도 제출한 것으로 알고 있어요. 북한은 남포·신의주도 개방하겠다는 것 아닙니까? 북한은 이렇게 개방에 대해 상당한 준비를 하고 있는 게 사실이에요.

정순태 북한이 개방 준비를 한다고 해서 그들의 핵 개발이 단지 대對서방 외교를 얻어 내기 위한 도구만으로 볼 수 있습니까? "우리는 핵무기를 개발할 의사도 능력도 없다"는 말을 어떻게 믿느냐는 의견이 많습니다.

김대중 내 얘기는 그런 얘기를 믿자는 게 아니라 북한에 기회를 주고 테스트하자는 겁니다. 북한이 원하는 대로 해 줄 테니 핵 투명성을 보장하라는 요구를 하는 거죠.

그들이 들으면 좋고 안 들으면 지금까지 거짓말한 것으로 판명되는 거죠. 이때 우리는 중국을 붙잡고 말해야 합니다. "당신들이 요구한 대로 외교까지 보장했는데 북한은 듣지 않는다. 이제는 당신들이 나설 차례. 당신들이 북한을 설득해 내든지 아니면 경제 제재에 동참해야 한다. 북한이 핵을 가지면 일본이 핵 강국이 될 가능성이 있으니 당신들도 곤란하지 않으냐."라고요. 이렇게 되면 우리는 북한이 우리의 제안을 받든 안 받든 불리할 것이 없으며 시간도 끌 필요가 없이 목적을 달성할 수 있는 겁니다.

중국은 지금 이런 입장이에요. "우리도 북한이 핵을 가지는 것은 절대 반대한다. 그러나 제재에는 동참할 수 없다. 북한은 남북한 교차승인, 유엔 동시 가입, 남한 정부 인정 등 그들이 오랫동안 반대하던 문제들을 양보했다. 우리는 북한과 혈맹 관계라고 하면서도 당신네(남한)들과 수교했는데 미국은 북한과 수교를 안 해 주고 있다. 그러므로 북한에 대해 우리는 발언권이 서질 않는다. 어떻게 우리가 경제 제재에 동조할 수 있겠는가?"

작년에 외국에서 북한으로 들어간 원유 1백20만 톤 중 80만 톤, 식량 71만 톤

중 50만 톤이 중국으로부터 갔습니다. 70퍼센트 정도에 해당하는 거지요. 따라서 유엔의 대북한 제재라는 것은 따지고 보면 중국의 제재라고 볼 수 있습니다. 그러니 중국에 명분을 주어야 합니다. 우리가 북한에 외교까지 내준 후에도 북한이 말을 안 들을 때에는 중국도 더 이상 거부권을 행사할 수가 없어요.

강경 세력을 신랄히 비판

정순태 그래도 북한은 믿을 수 없으니 섣불리 그들의 요구를 다 들어줄 수는 없다는 지적도 만만치 않은데요.

김대중 북한이 전쟁을 도발하고 아웅산 테러를 저지르고 대한항공(KAL)기를 격추시켰다는데 그들을 누가 믿겠느냐는 불신이 많지요. 그러니 북한을 믿으라는 게 아닙니다. 다만 핵 문제를 해결하려면 외교와 핵 투명성을 맞바꾸는 타결을 하자는 거죠.

정순태 과거도 과거지만 현재도 그들의 적화 의도가 문제 아닙니까?

김대중 북한이 변했다는 것은 정부도 인정하고 있어요. 북한은 1953년까지는 남한을 무력으로 적화하려고 했지요. 그러다가 실패해서 휴전협정을 맺은 것 아닙니까? 1991년 소련이 망할 때까지는 남한 내부에서 공산혁명을 일으켜 적화시킨다는 전략을 썼죠. 소련이 망하니까 남한의 적화가 문제가 아니라 자신들이 위험하게 됐어요. 국제적으로 고립되고 경제는 피폐해져 국민들에게 밥도 제대로 못 먹이고 전깃불도 마음 놓고 켤 수 없는 상황이 된 거죠.

그래서 북한은 자신들이 그렇게 하고 싶어서가 아니라 사정에 의해서 적화 정책을 포기한 겁니다. 이것은 내 얘기가 아니라 정부에서 운영하는 외교안보연구원의 보고서에 나와 있는 내용입니다. "북한은 이제 남한 적화의 야욕을 버리고 공존으로 가려고 한다. 다만 일차적인 대화 상대로 미국을 정하고 남한은 종속변수로 생각하는 것이 문제다."라고 그 보고서는 말하고 있습니다. 보고서는 우리가 어떤 정책을 취해야 하는지에 대해 세 가지를 얘기했지요. 첫째, 북한과 공존공영해야 한다, 둘째, 국제적 경제 협력의 틀 속에 북한을 끌어들여 개방시켜야 한다, 셋째, 남북한과 미·일·러·중 6자로 구성된 다자간 안보협력 체제를 만들어 북한이 안심하고 평화에 협력할 수 있도록 해야 한다는 것이었죠.

인터뷰가 시작된 지 1시간쯤이 흘렀다. 그는 마치 수개월 치 하고 싶은 얘기를 저축해 두었다가 한꺼번에 이를 소비하는 것 같았다. 그는 북한의 변화를 무척 강조하고 싶어 했고 우리가 이를 수용해 그들의 요구를 받아들여야 한다는 논리를 주장했다. 그는 인터뷰 처음에 보리차를 조금 마신 후 한 번도 컵에 입을 대지 않았다. 그의 집중력은 변함없이 탁월했으며 타고난 성대의 지구력도 여전했다. 그는 이 무렵쯤에서 한 모금으로 목을 축인 후 얘기를 계속했다. 그는 우리가 부드럽게 북한을 감싸 안아야 한다면서 남한 내의 강경 세력을 비판했다.

김대중 우리는 해방 이후 50년 동안 정부로부터 일방적인 얘기만을 들어 북한과 북한을 둘러싼 국제사회의 변화에 대해서 잘 모르고 있어요. 내가 볼 때 소련 패망 후 북한은 고립과 경제적 파탄으로 쫓기고 상처 입은 한 마리의 짐승이 되어 있어요. 그 짐승은 절망감에서 걸리는 대로 물어뜯습니다. 북한은 한국과 미국에 대해 "내가 죽게 됐으니 내 살길을 열어 주지 않으면 너 죽고 나 죽자"는 식으로 하고 있는 겁니다.

제재는 군사 충돌을 부른다
김대중 북한이 전쟁을 일으켜 일방적으로 승리할 수는 없습니다. 그러나 우리에게 치명적인 피해를 입힐 수는 있지요. 지리적 상황이라든가 여러 가지를 볼 때 남한은 취약점이 너무 많아요. 우선 휴전선과 가까운 수도권에 2천만 명이 몰려 있고 유사시 공격을 받으면 위험한 원자력발전소가 많이 있잖아요. 북한처럼 산업이나 군수 시설을 지하에 집어넣지도 않았습니다.

비교 우위로 볼 때 북한이 거의 모든 면에서 남한에 뒤져 있는데 유일하게 우월한 것이 군사 분야예요. 『손자병법』도 내 강점을 가지고 상대의 약점에 부딪치라고 했습니다. 우리가 자신과 인내심을 가지고 외교와 경제 협력, 그리고 인적 교류 등으로 북한과 접촉해 나가면 북한을 제2의 중국으로도 만들 수 있고 공산주의를 포기하게도 할 수 있습니다. 공산주의는 이제 종말을 고했습니다. 역사의 흐름도, 시간도 우리 편입니다.

정순태 북한은 국제사회의 제재 움직임에 대해 전쟁 위협으로 대응하고 있습니다. 국제원자력기구(IAEA) 제재도 선전포고로 간주한다고 선언했죠. 만약 국제적인 경제 제재가 단행되면 북한이 군사적 행동에 나설 가능성이 있다고 봅니까?

김대중 경제 제재는 단계적으로 강화되는 것 아닙니까? 2단계로 가면 자연히 해상과 공중의 봉쇄로 이어지는데 그러면 미국이나 한국의 군함·전투기가 출동해서 이 봉쇄 작전을 수행해야겠죠. 북한으로서는 항복하느냐 싸우느냐는 선택밖에 없어요. 전쟁으로 연결되는 것이 거의 필연적이에요. 극단적인 경제 제재는 이런 위험이 있을 뿐만 아니라 중국이 동참하지 않는 한 효과도 적습니다.

정순태 일본은 한반도 유사시에 자신들도 상황의 당사자라고 생각하고 있습니다. 일본에서도 제재에 적극적이어야 한다는 목소리가 많은데요.

김대중 북한에 돈을 보내 북한 경제에 영향력을 미치는 사람들은 일본이 당사자라고 주장하는 우파가 아니에요. 그들은 좌익인 조총련입니다. 일본

정부가 북한에 대한 직접 송금을 막으면 이들은 홍콩이나 스위스 등 어느 곳을 통해서도 돈을 보낼 수 있어요. 일본은 외환 자유가 있기 때문에 이를 막을 수가 없죠.

또 일본이 북핵 문제에 대해서 반대한다고 하지만 일본에는 북핵을 빌미로 궁극적으로는 자신들도 핵을 가지려는 세력이 날로 커지고 있습니다.

정순태 나라 안이나 밖의 강경론에 대해서 매우 못마땅하신 모양이군요. 김 이사장께서는 지난 4월 2일 제주대 교수협의회 초청 강연에서 "한반도에서 긴장을 강화시키려는 미국과 한국 내의 강경 세력을 경계해야 한다"고 했는데 이는 구체적으로 어떤 이들을 가리킨 겁니까?

김대중 미국에는 북한에 대해 무력 제재를 해야 한다고 주장하는 사람들이 참 많이 있습니다. 우리 7천만 민족이 죽고 사는 것을 너무 간단히 생각하는 것 같습니다. 그래서 나는 미국 회견에서도 "미국에서는 툭하면 전쟁 얘기가 나오는데 한국인들은 이를 경계하고 있다. 사태를 평화적으로 해결하는 데 최선을 다해야 한다"고 지적했어요.

'전시 북진 통일'은 현실성 없어

정순태 김 이사장께서는 또 "전쟁이 일어나면 무력에 의한 북한 통일의 기회로 삼겠다는 것은 전혀 현실성이 없고 위험천만한 발상"이라고 비판했는데 그렇게 생각하는 근거는 무엇입니까?

김대중 중국이라는 존재 때문입니다. 우리와 미국이 군사적으로 북한을 점령하면 중국이 개입하게 됩니다. 중국은 그대로 있질 않아요. 이것은 이미 6·25전쟁 때 경험한 일 아닙니까? 만일 한국과 미국이 북한을 점령하면 중국은 만주 산업지대, 발해만 산업지대, 수도 베이징이 위협받게 됩니다. 중국은 절대로 그대로 있을 수가 없는 것입니다.

6·25 전쟁 때도 한·미연합군이 인천에 상륙했을 때 중국은 인도를 통해 "우리가 지금 정권을 만든 지 1년밖에 안 됐지만 만약 당신들이 삼팔선 이북으로 밀고 올라오면 우리는 개입하지 않을 수 없다"는 얘기를 해 왔어요. 그런데도 맥아더가 그대로 밀고 올라갔다가 그렇게 혼난 것 아닙니까? 지금은 중국이 그때보다도 경제·군사적으로 훨씬 커졌습니다. 우리가 북한에 대해 단계적으로 이기는 길이 있는데 왜 그렇게 군사적 위험이 크고 사실상 불가능한 일을 하려 합니까?

정순태 제주대 강연에 대해 한 가지만 더 물어보겠습니다. "패트리엇 미사일의 배치를 이해할 수가 없다. 재고해야 한다"고 주장했는데 그 근거는 무엇입니까?

김대중 패트리엇이 반드시 방어용만은 아니라는 전문가들의 견해가 있어요. 그리고 우리 정부도 처음엔 배치에 반대했고요. 또 그 성능에 있어서도 문제가 많은 것 아닙니까. 남북이 핵 문제를 해결하는 협상 과정에서 그것을 들여오는 것이 협상에 도움이 되지는 않는다는 점도 있습니다. 미국은 패트리엇의 배치가 아니라 판매가 목적이라는 견해도 국민 사이에 널리 퍼져 있습니다.

내가 그 무기를 들여오는 것 자체를 전면적으로 반대하는 것은 아닙니다. 그럴 필요성이 있다면 국회 국방위의 여야 토론이나 국민 여론을 수렴하는 절차를 거쳐 결정해야 합니다. 가능하면 핵 문제 타결 이후에 결정하는 게 바람직합니다. 내가 스위스에 있을 때 들었는데 미국 전투기 50대를 구입하는 문제를 놓고 국민투표를 하더라고요.

내년 초 남북연합 6개 테마 연구 발표

정순태 김 이사장께서 이미 20여 년 전에 제시했던 '3원칙 3단계 통일 방안'의 의미와 내용은 이제 꽤나 광범위하게 소개가 되고 있는 것 같습니다.

그리고 아시아태평양평화재단이 설립된 것도 그 통일 방안을 실천 가능한 액션 프로그램으로 옮기기 위한 실질 기구로 간주할 수 있을 것으로 봅니다. 구체적으로 진행되고 있는 부분이나 작업이 있습니까?

김대중 그 3단계 중 내가 공화국연합체라고 칭했던 1단계 남북연합에 대해 지금 6개 파트로 나눠 연구 작업을 벌이고 있는 중입니다. 총론, 정치적 공존, 군사적 공존, 경제와 환경 문제의 교류, 문화·교육 문제의 교류, 사회·여성 문제의 교류 등입니다. 약 10명에 달하는 박사급 연구위원이 전문 교수 60-70명 이상에게 자문하며 연구를 진행 중입니다. 구체적인 연구 결과는 내년 1월 재단 창립 1주년을 기념해서 국민 앞에 발표할 것입니다.

정순태 혹시 그런 작업에 앞서 진짜 통일은 논리에 의해서가 아니라 태풍처럼 급속히 다가올 가능성이 있다는 점을 생각해 보셨습니까? 무슨 말인고 하면 통일이 대화·협상에 의해 가능한 것인지, 아니면 어느 날 갑자기 한쪽에서 발생한 문제로 인해 흡수 통일이란 예기치 못한 양상이 발생할 것인지를 감안하고 있는지가 궁금합니다.

김대중 남북한 두 정부, 그리고 저희 재단 모두 상대방을 말살시키면서 일방적으로 이뤄지는 통일은 바람직하지 않다는 점에서 일치하고 있습니다. 우리 현 정부가 내세우고 있는 남북연합, 북한 입장에서 보면 연방제가 바로 그런 공식적 입장을 반영하고 있는 셈이지요.

남북연합의 경우 기존의 남북한 정권이 독립정부로서 외교·국방·내정에 대한 권한을 그대로 갖고 공화국연합 형식의 통일에 응하자는 것입니다. 게다가 남북연합은 남북한 동수의 대표에 의해 구성되고 안건은 만장일치로 결정을 하도록 돼 있어 안전판 역할이 가능합니다.

정순태 그렇다면 이 단계에서 기대할 수 있는 효과 같은 것은 상당히 구체적으로 정리가 돼 있을 것으로 보입니다만.

김대중 그렇습니다. 남북연합 단계에서는 세 가지 과제를 수행하게끔 돼 있습니다. 첫째는 평화 공존입니다. 군비 축소·상호 감시 그리고 기습 공격을 할 수 없도록 하는 비무장지대(DMZ) 확대 등 여러 가지 조치 등을 취해야 합니다.

다음이 남북 교류입니다. 물론 그 분야는 정치·문화·사회 등으로 다양하지만 역시 이산가족 결합과 경제 분야가 핵심이 되겠지요. 경제는 순수 상업 차원에서 행해지게 됩니다. 서독과 달리 우리는 북한의 짐을 떠맡을 필요가 없습니다. 자기 살림은 자기가 하는 거죠. 평화 공존과 평화 교류가 약 10년간 계속되면 북한에는 김일성 정권 대신 다른 새 정권이 들어서게 될 것이고 남북한 화해나 민족 동질성 회복 등에 있어 상당한 진전이 있을 것 아닙니까. 이렇게 되면 북한은 중국과 같이 시장경제 체제가 자리를 잡게 될 것입니다. 그리고 복수 정당 제도·자유선거 등의 발전도 가능하다고 봅니다. 민주주의와 시장경제는 소련과 동유럽 공산권 국가도 거역하지 못했던 역사의 대세인 것입니다.

북한은 북방 자원 지대로 가는 길목

김대중 평화 공존과 남북 교류는 결국 제2단계 연방제와 3단계 완전 통일을 향한 토대가 될 게 분명합니다. 오랫동안 갈라졌던 부부가 제1단계로 우선 한집에 들어가서 따로따로 살림을 하는 것이고, 2단계는 대청마루에 나와서 큰살림은 같이하고 작은 살림은 그대로 따로 챙깁니다. 이렇게 1단계 10년, 2단계 5년 정도 되면 완전히 화합해서 같이 손잡고 안방으로 들어갈 수 있게 될 것입니다.

정순태 말씀을 들다 보니 언젠가 한 강연회에서 김 이사장께서 거론하신 표현이 생각납니다. 북한을 일컬어서 "북방으로 가는 길목"이라고 했던 것 말입니다. 남북 교류, 그중에서도 특히 경제 교류에 무게를 싣고 계시는 이유를 바로 그런 차원에서 이해하면 될까요?

김대중 결론부터 말하면 우리에게서 통일은 세계 5-6번째 선진 강국으로 떠오르느냐, 아니면 삼류 국가로 전락하느냐의 갈림길 같은 것입니다. 지금 세계적인 경제 전쟁에서 살아남으려면 기술 개발, 첨단시설 건설, 기술과학, 사회간접자본 확충에 막대한 투자를 해야 합니다. 그런데 지금처럼 국가 예산의 30퍼센트를 안보기관과 국방비에 쓰게 되면 이런 투자는 불가능합니다. 남북이 협력하면, 또 북한은 우리의 사양산업을 다시 일으킬 수 있는 값싸고 질 좋은 노동력을 제공해 줍니다. 남북한 양측 기업이 합작하면 모두가 이익을 보는 '포지티브섬 게임'을 할 수 있는 셈이지요. 무려 1백50개가 넘는 남한의 기업이 국토통일원에 경제 협력 신청서를 제출해 놓고 있는 게 바로 그 증거가 아닐까요?

그것뿐만이 아닙니다. 방금 정 주간께서 지적하신 대로 북한은 자원의 보고인 만주·연해주·시베리아·몽골·중앙아시아 등으로 나아가는 길목이 됩니다. 얼마 전 몽골대사를 만났을 때 다시 확인했던 것이지만 그곳에는 천연가스·석유·석탄·철·비철금속·목재 등이 엄청나게 있습니다. 우리 국민은 경쟁국인 동남아시아와 달라서 혹한 지역에서도 견뎌 낼 수 있으므로 남북한과 현지 국가 등 3자가 협력해서 개발하면 한국은 엄청난 경제적 부를 얻을 수 있습니다. 통일 한국은 미·일·중·독과 더불어 세계 5대 강국의 대열에 들어가는 것도 가능한 것입니다.

정순태 소위 흡수 통일의 최대 걸림돌은 무엇입니까? 우리가 그것을 원하든 원치 않든 그런 상황이 발생할 여지는 충분히 있어 보입니다.

절로 이기는 시간이 오고 있는데……

김대중 흡수 통일은 결과적으로 사전 준비 단계 없이 곧바로 '1민족 1국가 1정부'의 완전 통일을 의미하게 됩니다. 우선은 우리 경제가 그 충격을 흡수할 수 있을 정도로 강력하지 못하다는 점이지요. 독일의 경우도 당초 1년에 2백억 마르크씩 10년간 2천억 마르크를 통일 비용으로 투입하면 될 것으로 예측했습니다. 하지만 요즘 와선 연 5백억 마르크씩 10년간 5천억 마르크를 쏟아부어도 어려운 상태입니다. 경제뿐 아니라 정신적 갈등이 더 큰 문제입니다.

그런데 지금 당면해서 더 우려되는 것은 북한의 무력 사용입니다. 경제력은 17대 1로 우리가 우세합니다. 그러나 군사력은 남북이 거의 대등한 수준에 있습니다. 상황이 이런지라 북한으로선 "너 죽고 나 죽자" 식의 군사행동을 선택할 가능성은 충분합니다.

어느 전직 국방 책임자는 전후 복구가 2050년이나 가야 가능할 것으로 내다볼 정도입니다. 왜 그런 결과를 초래할 무모한 흡수 통일을 우리가 추진할 필요가 있습니까?

정순태 싸우지 않고서도 이기는 손자병법을 놔두고 모험을 선택할 이유가 없다는 점은 인정합니다. 다만 남북한은 이미 전쟁을 치렀고 지금도 이념은 다릅니다. 그렇다고 해서 지금 양측이 신뢰를 구축해 놓고 있는 것도 아닙니다. 이 문제는 앞에서도 얘기했습니다만 북한은 여전히 우리 측을 타도 대상으로 간주하고 있는 등 불성실한 접근을 계속하고 있습니다. 남북 예멘이 최근 얼마간의 통일 상황을 끝내 깨뜨리고 있는 것도 그런 신뢰나 성실성 결여에서 비롯된 게 아닐까요?

김대중 그래서 3단계 통일 방안이 제시돼 있는 겁니다. 말하자면 약 10년간의 공화국연합 동안 양측의 이질적 요소를 제거해 나가자는 것이지요. 예멘의 경우는 그런 단계를 거치지 않고 조급하게 나아갔기 때문에 지금 같은 파탄을 겪고 있는 것 아닐까요?

정순태 물론 북핵 문제 해결을 전제로 한 것이었지만 김 이사장께서는 작년까지만 해도 1995년에 공화국연합이 가능할 것이라고 했는데 지금 와서 보면 어떻습니까? 아무래도 그 가능 시점은 더 늦추어지는 것이겠지요.

김대중 그건 비단 저의 기대만은 아니었습니다. 국토통일원 장관도 그런 희망을 표시한 바가 있습니다. 지금 사정은 상당히 어렵고 불투명한 국면에 빠져 있습니다. 남북한 관계가 너무 심각해져 버렸습니다. 그러나 핵 문제가 해결되고 남북 정상이 만나서 화해의 물꼬만 튼다면 남북연합의 실현은 결코 어려운 문제가 아닙니다.

정순태 그런 와중에 '안보 불감증'이란 신조어까지 등장했습니다. 실제로도 이번 한반도 긴장 국면에서 우리 국민은 너무 태연한 모습을 보인 반면, 해외 쪽에선 긴장을 심각하게 받아들이는 것으로 여겨집니다. 한국 쪽을 거래선으로 하고 있는 해외 바이어들의 상황 문의가 기업 측에 빗발쳤고 실제로 신용장을 취소하는 사태도 많이 벌어졌습니다. 왜 그런 이율배반적인 일이 생겨난 것일까요? 하기야 일부에선 그것을 우리 국민의 성숙도 지표로 간주하는 견해도 있었습니다. 식량·생필품 사재기 현상 같은 게 생기지 않아 경제 운용은 훨씬 수월했다는 지적도 있더군요.

김대중 그것은 역대 군사정권이 남긴 후유증 중의 하나입니다. 해방 후 6공까지 40여 년 동안 집권자가 얼마나 안보를 악용했습니까? 언론의 편파 보도도 그러한 국민적 불신과 무감각을 초래한 원인입니다. 조금만 의견이 다르면 "용공이다. 국론 분열이다."라고 매도하는 매카시즘이 사라져야만 국민의 자발적인 참여에 의한 강력한 안보가 성립될 수 있습니다.

정순태 일부에선 김 이사장께서 북한의 인권 문제에 대해 언급이 없다는 점을 지적하고 있습니다. 어떤 견해를 갖고 계십니까?

김대중 북한은 전 세계에서 인권이 가장 열악한 나라입니다. 20만 명에 달한다는 정치범도 그렇지만 남북 이산가족의 접촉을 지금과 같이 막고 있는 것 또한 심각한 인권 유린이라고 할 수 있습니다. 하지만 그 인권 문제를 우리 측이 정치적으로 악용하는 것은 피해야 합니다. 가령 지난 1992년 남북총리회담에서 이산가족 접촉과 교류를 남북이 합의해 놓고도 우리 측이 그것을 무산시켰습니다. 심지어 대통령의 지령까지 위조하는 등 갖은 농간을 부렸습니다. 그것은 이산가족의 교류가 행해지면 12월 대통령 선거 때 야당 후보에 대한 색깔 논쟁을 할 수 없기 때문에 그랬던 것입니다.

북한 인권 최악, 정치 이용은 말아야

김대중 또 우리는 북한의 인권 상황을 정확히 파악할 길이 없는 게 문제입니다. 20만 명 정치범을 거론하지만 아무도 실상을 알 수는 없습니다. 제대로 알고 영향을 주기 위해서라도 우리가 외교·경제적 수단을 통해 북한으로 뚫고 들어가야 합니다. 자유의 바람은 북한 체제를 변화시킬 것이고 인권 개선에 결정적인 영향을 줄 것입니다.

옛 소련이 무너지고 중국이 개방 노선을 채택했던 것도 모두 미국이 강경 일변도의 봉쇄 정책을 버리고 데탕트 또는 핑퐁외교 같은 적극적인 접촉 정책을 폈기 때문입니다. 반면 미국은 베트남에 대해 초강경으로 폭풍우를 휘몰아 넣었지만 끝내 패배하고 물러났습니다. 쿠바에 대해서도 마찬가지입니다. 35년간의 바람몰이가 여전히 먹히지 않고 있으니까요. 북한에 대해서도 마찬가지입니다. 우리는 미국이 소련·중국에 한 방식으로 북한의 변화를 유도해야 한다고 봅니다.

정순태 북한 측은 "서울 불바다", "서울은 녹는다"는 식의 강경 발언을 계속하고 있습니다. 어떻습니까? 제아무리 이해를 하려 해도 그들의 존재는 우리에게 너무 위협적이지 않습니까?

김대중 저 역시 동감입니다. 우리 재단이 제일 먼저 "그런 발언의 무모함을 용납하지 않는다"고 성명을 냈던 것도 다 그 때문입니다. 북한에 대해 제가 그런 발언을 하는 것은 의미 있는 것이거든요. 왜냐하면 북한에 대해서도 의미 있는 비판을 했다는…….

　이 부분에는 약간의 설명이 필요할 것 같다. 사실 북한에 대한 비판을 거론할라치면 그보다 훨씬 발 빠르게 목청을 높이는 사람이 많다. 그러나 김 이사장은 자신의 비판을 다른 차원에서 보고 있는 것이다.

　지난 1991년 박준규 국회의장 초청 만찬장, 이 자리에는 당시 김대중 총재와 남북총리회담차 서울에 와 있었던 연형묵 총리가 함께 자리를 했다. 이때 김 총재는 연 총리에게 이렇게 따져 물었다. "나는 한국의 국가보안법이 문제가 있다고 주장하는 사람이다. 그런데 당신네들 형법을 보면 우리 국가보안법보다 더 가혹한 인권 제한 조항을 담고 있다. 그리고 노동당 규약 전문에 보면 남북한을 통틀어 사회주의 해야 한다는 문구도 나온다. 그래서야 평화공존이니 상호 내정간섭 배제 등을 주장할 수 있겠는가?"

　이 얘기에 연 총리는 제대로 답변을 못 했다. 김 이사장이 자신의 대북 비판에 의미를 부여하고 있는 것은 이런 차원이다. 막무가내의 반공 논리가 아니라 그들 주장의 모순점을 들춰내는 것 말이다.

　정순태 얼마 전의 대학생 한총련 출범식에선 "생활도 투쟁도 학문도 주체의 요구대로"라는 문구가 등장했습니다. 김 이사장께서 그냥 침묵하고 계시기보다는 무언가 그들에게 한마디 충고를 하셔야 할 것으로 봅니다만…….

　김대중 저는 아직 한 번도 그런 일에 입을 다물고 있었던 적이 없습니다. 최근에도 여러 강연에서 비판했지만 언론에 의해서 취급되지 못한 것뿐입니다. 학생운동이 과격해질 때마다 저는 그들에게 소위 '삼비三非', 즉 비폭력·비용공·비반미 등을 주지시켰습니다. 또 강경대 군 사건 때도 선거에 의하지 않은 정권 교체는 안 된다고 공개적으로 단호히 충고했고요. 지금 지적

되는 일부 학생들의 태도는 참으로 잘못된 것이라고 생각합니다. 그들은 국민으로부터 외면당하고 있고 통일을 원치 않는 세력에 의해 악용되고 있습니다. 참으로 한심하고 우려스러운 일입니다.

정순태 통일론을 중심으로 말씀을 나누다 보니 얼핏 이런 생각이 납니다. 김 이사장께서는 기회 있을 때마다 "정치는 안 한다"고 강조하셨습니다. 혹시 오해가 생겼을 경우 다른 해명과 아울러 '정치 포기'를 누누이 밝히셨고요. 그런데 정작 이 통일 문제를 거론하는 것 자체가 가장 예민한 정치 행위를 하고 있는 것은 아닙니까? 그리고 통일 문제에 관해선 국민들에게 영향력을 미치고 싶어 하는 김 이사장의 뜻도 밝혀져 있고…….

김대중 광범위하게 보면 『월간중앙』도 정치 행위를 하고 있는 셈입니다. 정치에 영향을 미치는 기사를 싣고 있으니까요. 하지만 상식적 의미에서 정치 활동은 정당을 관리하거나 선거에 나가는 등의 정치 행위를 지칭하는 것입니다. 대신 통일은 정치 행위라기보다 국민적 과제입니다. 지난 1월 27일 아태재단 발족 때 정부·여당까지 축하해 줬던 것도 그런 의미를 인정한 것으로 보고 싶습니다.

팔겠다던 경찰 안가安家 철거하는 이유

김대중 저는 지금까지 그 테두리 내에서 움직여 왔습니다. 통일 문제는 이미 20년이 넘도록 관심을 기울여 왔던 테마입니다. 그리고 당시엔 도외시됐거나 심지어 정치 박해의 명분으로 악용됐던 저의 통일 방안이 나중엔 거의 정부 정책으로 채택되는 일이 벌어졌습니다. 8백만 국민의 지지를 받은 사람이 민족적·애국적 견지에서 통일 문제를 연구하고 얘기하는 것조차 정치 행위로 이야기해서는 안 될 것입니다.

정순태 지금 열중하고 계시는 최고의 정치 행위 '통일 작업'이 다음 대통령 선거에 나설 수 있는 명분이나 계기가 될 것으로 생각하진 않으십니까? 한마디로 정계 복귀 가능성을 묻고 싶습니다.

김대중 이미 할 말은 다 했습니다. 더 할 말이 없군요.

정순태 지금도 김 이사장 측근에선 자금이나 행사 일정, 사람 만나기 등에 감시가 상존하고 있고 견제도 계속된다고 불평하고 있습니다. 어떻습니까? 여전히 보이지는 않지만 길을 가로막아 서는 그 무엇이 있습니까?

김대중 언급하고 싶지 않습니다. 지금도 불편하지 않다고는 말할 수 없습니다. 여기저기서 괴로움을 당하고 있습니다. 아직도 전화를 마음 놓고 걸지 못하고 있습니다. 물의를 빚었던 저의 동교동 집 뒤의 경찰 안가의 경우 평소 나와 가깝게 지내던 분이 사겠다고 나섰는데 경찰은 지금 그 집을 허물고 있습니다. 처음 문제가 제기됐을 때 근처 네 군데 안가를 모두 팔겠다고 했거든요. 하지만 유독 바로 뒷집만 철거하는 겁니다. 모르긴 해도 국회 조사위원들의 말을 들어 보면 그 집에 장치된 도청·감시 등을 위한 고도 전자장치 등을 은폐하기 위해 그렇게 하는 것으로 의심할 만합니다.

정순태 김영삼 대통령과의 만남이 한두 차례 불발된 것으로 아는데 공개할 만한 배경이 있습니까?

김대중 두어 차례 면담 계획이 잡혔다가 무산됐습니다. 제가 미국에 갔을 때도 그런 질문이 나왔는데 이런저런 오해 소지도 있었던 것 같습니다. 제가 바쁜 김 대통령을 굳이 만날 이유는 없습니다. 그러나 대통령께서 통일 문제에 대해 조언이나 듣자며 요청을 하면 제가 안 갈 이유가 없지요.

이때 배석했던 장성민 공보비서가 잠시 말을 가로막아 섰다. "이제 남은 질문은 모두 국내 정치 현안에 관한 것입니까?" 아마도 장 비서는 "그런 질문이라면 더 이상 답변하기 곤란하다"는 이야기를 건네려는 것 같았다.

정순태 조금 지난 얘기입니다. 정부·여당이 흘려 문제가 됐던 '디제이(DJ)

사주론'에 대해 혹시 할 말씀이 있으십니까?

김대중 여러분이 더 잘 알고 있을 얘기를 구태여 언급할 게 있을까요? 그런 말은 말을 한 당사자도 믿지 않고 있을 겁니다.

정순태 상무대 국정조사가 현재 표류 중입니다. 이에 대해선 어느 매듭을 풀어야 할 것으로 보이십니까?

김대중 국민의 안목이 다 있는데 제가 무슨 해법을 따로 내겠습니까?

정순태 말씀을 꺼리시는 국내 정치 부문의 질문을 하나 더 보태겠습니다. 이번에 신기하 의원이 원내총무가 된 것을 놓고 민주당 역학 구도 변화의 시발점으로 보는 시각도 있습니다. 민주당원의 한 사람으로 역시 그렇게 보시는지요?

김대중 제가 민주당 당적을 갖고 있는 것은 국민 상당수 지지를 받은 제가 이 당에서 차지하는 상징성 때문입니다. 김대중이도 우리 당원이다라는 식의 위안 같은 것이지요. 그 외엔 아무 이유도 없습니다. 이번 총무 경선에 단 한마디 말이나 입김을 불어넣은 적이 없는 것도 그런 이유로 보면 됩니다. 개인적으로 신기하 의원과 저는 친합니다. 선거를 치르고 난 뒤 신 의원이 한 번 찾아왔더군요. 뭐 불편한 게 있으시면 말씀하시라, 뭐든지 도와드리겠다고 말하길래 고맙다고 대답했습니다. 신기하 의원이 원내총무가 됐다고 해서 불만이 있을 수도 없고 더구나 이젠 누가 이기고 지는 일 자체가 저와는 연관이 없습니다.

정순태 북핵 등을 포함, 현 정부의 외교력을 몇 점 정도 점수를 주시겠습니까?

김대중 답변을 안 할 줄 예상하는 질문으로 알고 그냥 받아넘기겠습니다.(웃음) 다만 지금 외교가 가장 중요한 시점인 만큼 성공적으로 잘하길 바랍니다.

정순태 김 이사장께서는 이제 국회의원도 공직자도 아니어서 재산 공개를 해야 할 의무는 없습니다. 그래도 혹시, 일거수일투족 주목받는 공인의 자격으로 재산을 공개할 의향이 없는지요?

김대중 그럴 필요를 느끼지 못하고 있습니다. 어디 뒷거래를 통해 받은 돈이 있어야지요. 제 처지가 그랬기 때문에 누구로부터도 떳떳하지 못한 돈은 한 푼도 받은 적이 없습니다.

정순태 지난번 미국 출국 전에 김영삼 대통령 차남 현철 씨 문제에 대해 언급하신 적이 있습니다. 동양적 정서상 너무 집요하게 물고 늘어지기 어려운 부분이 있다고 말씀하신 것 말입니다. 사석에서 하셨던 말이 언론에 보도됐던 것으로 알려져 있더군요. 그래도 의혹이 되는 부분은 야당이 문제 삼아야 되는 것 아닙니까?

통일론·북핵 등 시험 더 치러야

김대중 그때 얘기가 조사하지 말라는 의미는 아니었습니다. 국회 해당 상임위원회도 있는데 국정조사권부터 발동하면 너무 언론에만 민감해지는 게 아니냐는 점을 지적하고 싶었던 것이지요. 동양적 통념이나 정서도 분명히 있습니다. 지금도 그 말은 옳았다고 생각을 합니다.

정순태 요즘 읽고 계시는 책을 좀 소개해 주십시오. 또 통일·북핵 말고는 어떤 분야에 새로 관심을 쏟고 계십니까?

김대중 요즘 거의 책을 못 읽고 있어 제 자신도 불만입니다. 솔즈베리의 『새로운 황제들』을 막 읽기 시작했습니다. 그리고 언제나 관심사인 경제·경영에 관련된 피터 드러커의 『미래 기업』, 김성훈·김태홍·심의섭 공저의 『동북아 경제권』, 이항구의 소설 『김일성』을 읽고 있습니다.

두 시간의 인터뷰에서 김 이사장은 몇 가지 의지를 뚜렷하게 나타냈다. 우선 그는 자신이 정치에 개입한다는 소리를 들을 소지는 아예 남기지 않겠다고 마음먹은 듯하다. 국내 정치와 통일 문제 사이에 확실히 선을 긋고 있는 것으로 인식되기를 그는 원했다.

그리고 디제이(DJ)는 통일 문제에 있어선 정부·여당, 보수 세력이 뭐라고 하든 3단계 통일 방안과 '북핵 일괄타결론'을 더욱 굳게 쥐면서 이를 널리 알리려 하고 있었다. 그는 미국과 한국 등 서방 진영이 추진하고 있는 대북 제재라는 방식보다는 북한의 변화, 중국의 입장에 대한 이해의 폭이 더 넓은 것 같았다.

정부의 대북 정책은 북한 전문가·학자·관료라는 비교적 두터운 집단에 의해 추진되고 있다. 디제이(DJ)는 '감히' 여기에 비판과 부분적 반대라는 도전장을 들이밀고 있는 것이다.

인터뷰가 끝난 지 반나절도 채 못 돼 북한은 국제원자력기구(IAEA)를 탈퇴한다고 선언했고 일은 점점 더 꼬여 들어가고 있다. 그가 주장하는 대로 서방이 북한에 제대로 줄 것을 주지 않은 탓인지, 아니면 북한이 핵 무장의 출구를 보존하기 위해 계속 복잡한 전술에 의존하는지는 속단할 수 없다.

김대중 씨의 통일론과 북핵 해결 방안은 시험을 치러야 할 부분이 적지 않다. 하자가 많다고 단정하는 것이 아니라 그런 시험을 거쳐야 국민의 이해가 가능하기 때문이다. 인터뷰는 어쨌거나 그가 통일 얘기를 계속 왕성하게 하리라는 확신을 남겼다.

* 이 글은 1994년 6월 13일 서울 창천동 소재 아태재단에서 당시 정순태 『월간중앙』 주간이 인터뷰하여 허의도·김진 기자가 정리한 것이다. 1994년 7월 호 『월간중앙』에 게재되었다.

통일 철학을 듣는다

대담 김승국
일시 1994년 9월 5일

북한과 미국의 관계가 빠른 속도로 진전되고 있다. 북한이 핵 투명성을 보장하면서 미국이 경수로 지원을 약속한 것이다. 많은 사람들은 북·미 관계가 발전하면서 남북 관계도 급변할 것으로 예측하고 있다. 바야흐로 세계는 한반도를 중심으로 거대한 지각변동을 시작하고 있다. 김대중 아시아태평양평화재단 이사장을 9월 5일 서교호텔에서 만나 최근 국내외 정세에 대한 진단과 전망을 들어 보았다.

김대중 아태재단 이사장이 정말로 정치를 떠났는가, 그렇지 않으면 나중을 기약하며 재기를 준비하고 있는가를 따지는 것은 매우 소모적인 일로 보인다. 왜냐하면 그것은 지금 국내 정치의 쟁점 사항도 아니며 많은 사람들의 관심을 끄는 문제도 아니기 때문이다. 그러나 이것보다 더 중요한 이유가 있다. 지금의 주변 정세는 김대중 씨가 정치를 하느냐 마느냐를 따지는 것보다 훨씬 더 큰 폭으로 전개되고 있고 앞으로 더욱 그럴 것이다. 김 이사장은 그런 의미에서 통일의 선구자라고 할 수 있다. 통일 시대가 다가오면서 그가 더욱 돋보이는 이유는 바로 '통일 문제' 때문이다. 그는 지금 정치는 꼭 '대권'을 잡아야만 할 수 있는 것이 아니라는 것을 증명해 보이고 있다. 본인은 동의하지 않겠지만 김대중 이사장은 분명 정치를 포기하지도 않았고 포기할 생각도 없는 것 같다. 그가 통일이라는 이 시대의 거대한 요청을 달갑게 수용하고 있기 때문이다.

'정치가 김대중'에서 '통일 연구가 김대중'으로 꾸준한 변신을 시도해 온 김 이사장은 이제 '김대중 선생님'이라는 말이 더 어울릴 정도로 통일 문제와 국제 정치 분야에서 남다른 안목과 식견을 보여 주고 있다. 그가 세계사적인 변혁기에 한반도가 나갈 방향을 진지하게 고민하는 인물이라는 점에서 그는 진보적이다. 그의 평형감각을 잃지 않는 '중용의 통일학'이 역사를 '진보'의 방향으로 이끌기를 기대한다.

공안 정국은 일시적인 '꽃샘추위'

김승국 건강이 매우 좋아 보이십니다. 오늘 대담의 본주제인 남북 관계와 통일 문제로 들어가기 전에 최근 국내외 정세부터 짚고 넘어가도록 하지요.

김대중 지금은 인류 역사상 전례가 없는 격변의 시기입니다. 냉전이 종식되면서 20세기를 지배하던 이념 대결의 시대는 끝났습니다. 한반도와 동아시아는 냉전 이후 처음으로 평화와 통일의 시대를 맞이하고 있습니다. 이것은 누구도 거역할 수 없는 역사의 흐름입니다. 최근에 국내에서 있었던 공안 소동 같은 것은 이러한 세계사적인 흐름에 당황한 세력들이 벌이는 '꽃샘추위' 같은 일시적인 저항이지 기본적인 것이 될 수 없습니다. 이런 방향에서 지금 한반도 정세도 변화하고 있습니다.

김대중 이사장을 처음 만나 본 사람들은 세 번 놀란다고 한다. 나이답지 않게 정력적인 얼굴과 카랑카랑한 목소리에 놀라고 여러 분야에 걸친 해박한 지식에 놀라며 정확하고 유창한 말솜씨에 놀란다는 것이다. 그는 준비하고 있었던 듯 특유의 달변으로 세계 정세를 개괄하는 '모두 연설'로 인터뷰를 시작했다.

김승국 김일성 주석 사망 이후 난항이 예상되던 북·미 관계가 제네바회담의 성과로 한 단계 진전을 보았습니다. 회담 이후 경수로 문제가 초미의 관심사로 떠올랐는데 이를 가장 효과적으로 해결하는 방식은 무엇이라고 생각하십니까?

김대중 경수로 문제와 관련해서 가장 중요한 것은 불필요하게 북한을 자극하지 말아야 한다는 것입니다. 경수로를 받는 쪽은 북한이고 주는 쪽은 미국입니다. 나중에 그것을 누가 맡아서 하느냐, 누가 돈을 내느냐 하는 것은 별도의 문제입니다. 그러니까 우리는 미국하고 얘기하면 되는 것입니다. 거기다가 조건을 붙여도 미국이 붙이지 우리가 붙이지 말아야 합니다. 북한이 핵을 포기하면 경수로는 필수적으로 주어야 하는데 그 문제에 대한 책임은 전적으로 미국에 있으니까 나머지 문제는 미국하고 우리하고 협의하면 되는 것입니다. 그러면 아무 문제가 없습니다.

김승국 북한이 한국형 경수로를 거부하는 이유는 무엇이라고 생각하십니까?

김대중 잘 모르겠습니다만 그 전에 남한에서 경수로를 가지고 여러 가지 조건을 붙이지 않았습니까? 특별 사찰 안 하면 안 준다는 얘기를 해서 북한을 자극한 데 원인이 있다고 생각합니다. 북한의 강석주 대표는 제네바에서 "경수로 지원의 열쇠는 미국이 가지고 있다"는 의미 깊은 말을 했습니다. 앞으로 우리가 남북 관계를 더 이상 악화시키지 않는다면 미국이 한국형 경수로를 북한에 건설하는 데 큰 어려움이 없을 것이라고 봅니다.

북·미 관계 당사자 원칙에 맡겨야

김승국 정부가 특별 사찰을 고집하면서 미국보다 더 강경한 태도를 보이고 있는데 본질적인 이유가 무엇이라고 생각하시는지요? 미국이 오히려 유연한 태도를 보이고 있는데 이런 현상은 전에 없던 일 아닙니까?

김대중 한국은 당사자는 아니지만 이해관계가 있기 때문에 말을 할 수는 있지만 그것이 당사자들의 권한을 넘어서는 것이면 곤란합니다. 자꾸 간섭하는 듯한 인상을 주면 효과도 없고 오히려 부작용만 생길 수 있습니다. 그것이 문제가 생기니까 최근에는 한국 정부도 특별 사찰 문제를 고집하던 태도를 바꾸지 않았어요? 북한 핵에 대해서 확실히 할 수 있는 방안만 있으면 좋겠다는 현실적인 입장으로 돌아서고 있습니다.

김승국 김 이사장은 북한 핵 문제 해결을 위해서 평소 '중국활용론'을 주장했는데 그 근거는 무엇입니까?

김대중 북한의 입장에서 보면 중국은 아시아에서 유일한 사회주의 동맹국가입니다. 현실적으로 중국 없는 북한의 존립이라는 것은 상상할 수도 없습니다. 그런 중국이지만 북한의 핵 보유만큼은 절대 찬성하지 않습니다. 만일 북한이 핵을 가진다면 중국도 미국 못지않게 반대할 것입니다. 북한은 중국에 핵을 만들지 않겠다는 보장을 했습니다. 그러므로 중국이 북한 핵을 반대하는 입장은 절대 믿어야 합니다. 그런데 북한의 핵 투명성을 보장하는 데서 중국의 입장은 미국과 조금 다릅니다. 중국은 "핵 문제는 어디까지나 대화로 해결해야 한다." 그리고 "줄 것은 주어야 한다"는 것이 원칙입니다. 그래서 유엔이 제재하려고 하면 동조하지 않는 것입니다. 북한과 중국 관계는 절대적인 관계입니다. 이것이 제가 '중국활용론'을 주장한 핵심입니다.

김승국 최근 중국이 정전위원회에서 대표를 소환하기로 했는데 평화협정의 '일괄 타결' 방안은 없을까요?

김대중 앞으로 북한과 미국이 외교 관계를 맺으려면 먼저 적대 관계가 해소되어야 합니다. 그런 의미에서 평화협정을 체결하는 것은 필수적인 일입니다. 그러나 그것은 어디까지나 합리적이고도 현실적으로 해야 합니다. 북한이 주장하듯 "휴전협정 서명 당사자끼리 하자"는 것은 이치에 맞지 않습니다. 왜냐하면 휴전협정은 북한과 중국 그리고 유엔 3자가 맺었기 때문입니다. 전쟁에 참가한 나라는 남한·북한·미국·중국 이렇게 네 나라입니다. 남한은 전쟁에 참가한 비율이 압도적으로 높은 전쟁 당사자입니다. 이런 남한을 제외시킨다는 것은 북한이 민족 문제는 민족 구성원끼리 자주적으로 해결하자고 요구하는 것과도 맞지 않는 일입니다. 이 문제를 원만히 푸는 길은 피 흘리며 싸운 네 나라가 다 모여 논의해서 결정하고 필요하다면 불가침 협정도 체결하는 것입니다.

우리 민족의 운명은 자주적으로 결정해야

김승국 북한 핵 문제가 해결된 다음 단계에서 무엇을 해야 하는지 구체적인 구상이 있으면 말씀해 주시지요.

김대중 북한 핵 문제 해결 전이나 후나 우리에게 절대적으로 중요한 두 가지 자세가 있습니다. 하나는 우리 민족의 문제는 우리 민족끼리 서로 화해와 협력 속에서 자주적으로 푼다, 우리 운명은 우리가 결정한다는 것입니다. 둘째는 이것과 병행해서 한·미·일 공조 체제를 확고하게 유지해 나가야 한다는 것입니다. 이번 제네바회담을 통해서 관계국들이 다 큰 덕을 봤습니다. 북한은 앞으로 김일성 주석 때부터 일구월심 추구하던 세 가지 목표를 이룰 수 있게 되었습니다. 미국과 국교를 맺는 것, 국교를 통해서 경제 협력을 받는 것, 국교를 맺어서 안전을 보장받는 것이 그것이었습니다. 그리고 미국도 엄청난 이득을 보고 있습니다. 먼저 핵 문제가 해결되면서 핵확산금지조약(NPT)을 항구적으로 연장하는 데 성공하게 되었습니다. 그리고 미국은 내심 가장 걱정하던 일본의 핵 강국화의 길을 막아 버렸습니다.

또한 미국은 남한뿐만 아니라 북한에까지도 영향력을 미치게 되면서 중국과 러시아에 대해서도 견제 역할을 하게 되었습니다. 그리고 우리 한국도 굉장한 이득을 얻었습니다. 카터 전 대통령 방북 전의 전쟁 위기 때 부탄가스 사고, 라면 사고 난리를 쳤던 전쟁 공포로부터 해방되었습니다. 그리고 한국은 북한과 경제 협력을 하면 사양산업도 살리고 북한 개발에서 오는 이득도 얻고 북방으로 진출하는 길도 열리게 됩니다. 그렇게 되면 통일의 대로가 열리게 되는 것입니다. 그리고 우리가 무엇보다도 수치스럽게 생각하던 것, 같은 민족의 문제를 가지고 큰 나라를 쫓아다니며 애걸하던 치욕의 역사가 사라지게 되는 것입니다.

국가보안법 되도록 빨리 폐지되어야

김승국 통일 시대가 다가오면서 국가보안법 문제가 현실적인 장애로 나서고 있습니다. 예컨대 경수로를 지원한다고 해도 많은 장비와 물자, 인력이 북한 땅에 들어가야 하는데 국가보안법이 걸림돌입니다.

김대중 국가보안법은 기본적으로 이 시대에는 맞지 않는 법이고 심지어 우리 우방인 미국도 폐지하도록 권고하고 있는 법안입니다. 이 법은 세계 민주국가에 유례가 없는 법입니다. 그래서 나는 야당 당수로 있을 때부터 국가보안법을 폐지하고 필요한 부분만 '민주질서수호법'으로 대체해야 한다고 주장했습니다. 국가보안법은 가능한 한 빨리 폐지되어야 합니다.

김승국 북·미 관계는 앞으로 어떻게 변화될 것 같습니까?

김대중 앞으로 핵 문제가 해결되면 북·미, 한·미, 남북 관계 모든 방면에서 지각변동 같은 커다란 변화가 옵니다. 남북 간에 군사적 긴장은 대폭 사라지고 이제 북한과 경제 협력을 하게 됩니다. 그렇게 되면 자연히 미국 자본가들도 투자를 하게 될 텐데 이미 상당수의 미국 대기업들이 북한과 협상하고 있다고 합니다. 이것은 사실입니다. 앞으로 미국하고 북한이 "언제 그랬냐" 할 정도로 가까워질 가능성이 있습니다. 이젠 정말로 외교가 국력인 시대가 옵니다. 외교 잘하는 것이 국력입니다. 19세기 말에 비스마르크가 러시아와 프랑스를 동맹국으로 만들던 그런 외교 솜씨가 필요해요. 가장 기본적인 것은 역시, 남북이 하나가 되어서 민족적 단결을 하고 그러고 나서 주변 국가들과 공조 체제를 유지하면서 경쟁하고 협력해 나가는 것이 중요하다고 생각합니다.

김승국 얼마 전 김정일 비서가 카터의 방북을 다시 요청하는 등 정상회담을 성사시키기 위한 노력을 보이고 있는데 우리 정부는 어떤 준비를 해야 한다고 보십니까?

김대중 카터 전 대통령이 북한에 갈 가능성이 있다고 봅니다. 북한이 초청을 했고 그걸 고려하고 있다고 보는데 먼저 미국 정부와 협의를 해야겠지요. 필요하다면 한국 정부와도 협의해야 하고. 이번에 카터 전 대통령이 북한에 간다면 주요 현안은 핵 문제가 아닐 것입니다. 그건 이미 끝난 문제고, 아마 앞으로 북·미 협력의 큰 테두리, 즉 거대한 규모의 경제적 협력 방안을 논의할 것입니다. 제가 알기로는 지난번에 평양에서 카터 전 대통령과 김일성 주석이 만났을 때 중국이 대외적으로 발표하지 않은 깊은 얘기를 가지고 있고 이 얘기를 클린턴 대통령한테 전달해서 제네바회담을 적극적으로 추진했다고 합니다. 이건 절대 헛소리가 아니고 실제적인 얘기인데 어느 정도인지는 중국도 모르지요. 이번에 가면 더 깊은 얘기가 될 가능성이 있고 아버지하고 하던 일을 다시 확인하고 발전시키는 그런 선이 될 것으로 봅니다.

워싱턴에서의 남·북·미 3자회담 바람직

김승국 정상회담을 위해서 정부가 혹시 김 이사장에게 특사 제안을 한다면 방북할 용의가 있습니까?

김대중 그건 제가 적임자도 아니고 수락할 자신도 없습니다.

김 이사장이 논점을 피하는 대목이 있다. 바로 김영삼 정부와 만나게 되는 지점이다. 민감한 사안이 나오면 피해 갔다. 그러나 그 방식이 교묘하다고 느껴지지 않는 것은 그가 살아온 세월의 무게가 그것을 뒷받침해 주기 때문인 것 같았다.

김승국 9월 17일 미국을 방문하여 카터 전 대통령을 만나면 그에게 어떤 구상을 전달하실 생각입니까?

김대중 카터 전 대통령이 북한에 간다면 북·미 관계를 직접적으로 개선시키는 게 바람직하지만 동시에 남북 관계 개선과 병행되어야 한다고 요청할 것입니다. 그런 얘길 적극적으로 하면서 카터 전 대통령이 이미 남북 문제 중재를 시작했으니까 절반만 성공시키지 말고 나머지 절반도 성공시키는 그런 노력을 해야 한다는 방향에서 서로 상의를 해 보겠습니다.

김승국 최근에 김 이사장은 클린턴 대통령이 남북 문제의 중재자로 나서야 한다는 발언을 했는데 어떤 생각에서 하신 말씀입니까?

김대중 미국은 세계의 분쟁 문제를 해결하기 위해 여러 차례 중간 조정자 역할을 한 바 있습니다. 이스라엘과 팔레스타인해방기구(PLO) 문제도 그랬고 이번에 이스라엘과 요르단 때도 그랬습니다. 그러나 한반도 문제에서 미국은 반당사자이면서 동시에 반중재자입니다. 그런 의미에서 워싱턴 같은 곳에서 남·북·미 3자가 모이는 것이 바람직하다고 생각합니다.

김승국 현실적인 가능성이 있다고 보십니까?

김대중 북·미 회담이 9월에 성공하면 나머지 분야는 남북 문제입니다. 필요성도 있고 가능성도 있지요.

김승국 정부의 대북 정책이 일관성이 없고 대세의 흐름을 제대로 읽지 못하며 수구 세력에 밀린다는 지적이 많이 있습니다. 왜 그렇다고 보십니까?

김대중 저의 일관된 태도는 정부가 하는 일은 비판하지 않는다는 것입니다. 비판은 언론이나 다른 사람에게 맡기고 저는 그저 도와줄 일이 있으면 도와주는 게 좋겠다고 생각합니다. 다만 김일성 주석 사망 이후 어떻게 보면 처음으로 북한에 대해서 압도적일 수 있는 좋은 조건이었는데 대응에 미흡한 점이 있었다고 봅니다. 그런 좋은 기회에 세계사의 흐름과 민족의 운명 그리고 국제적 역학 관계를 고려해서 종합적인 계획과 일관성 있는 정책을 수립했어야 합니다. 그런데 나는 그 점에서는 국회가 할 일을 제대로 못 하고 있다고 봅니다. 이런 문제에 대해서 여당은 물론 야당도 아직까지 종합적인 안을 내놓은 것이 없습니다. 여당은 아주 편협하고 시대에 맞지 않는 사고방식을 가지고 안이한 태도로 시국에 대처하고 있습니다. 여당 지도자라는 사람들이 어떤 나라 대통령을 잘 뽑았느니 못 뽑았느니 이런 소리까지 하면서 말입니다. 참으로 놀라운 일입니다. 나는 여야 간 정말로 허심탄회하게 중요한 문제를 논의해서 국민들에게 공동의 국론을 제시해야 한다고 생각합니다.

"린드버그 알아요?" 김 이사장의 머리카락이 흘러내렸으므로 바로잡아 달라는 사진기자의 주문에 웃으면서 반문한 말이다. 그러면서 그는 대서양을 최초로 횡단한 비행사 린드버그가, 사진기자들이 하도 괴롭히니까 사진기를 내던졌다는 일화를 소개했다. 바로 이런 점 때문에 그를 인터뷰한 기자들이 혀를 내두르게 되는 것이었다. 어느 사안에서든 막힘이 없는 것이다.

언론의 공정 보도 없이 통일 논의 불가능

김승국 언론의 권한이 과거 어느 때보다 막강해지면서 국정에도 커다란 영향을 미치고 있습니다. 그러나 좋은 영향만 주는 것 같지는 않습니다.

김대중 언론이 잘해야 합니다. 지금 나라의 일을 이토록 어렵게 만든 데는 상당 부분 언론의 책임도 있다고 생각합니다. 언론이 잘못된 방향으로 마구 몰아대면서 숨도 못 쉬게 하고 있습니다. 그런 것이 어디 한두 건입니까? 조금만 다른 의견을 얘기하면 아주 역적같이 취급하고, 제가 항상 주장하는 것은 언론이 양쪽 모두를 공정하게 보도해 주라는 것입니다. 그런 다음에 비판은 사실에 따라서 해라, 이것입니다. 그런데 왜 보도까지 안 하느냐는 겁니다. 예를 들면 과거에 광주에서 학생들이 기차를 세운 일이 있지 않습니까? 물론 기차를 세운 일은 잘못이지요. 그러나 학생들이 기차를 세운 것이 나쁘다고 보도하는 동시에 경찰이 불법적으로 기차를 타지 못하게 막은 것, 그래서 학생들이 어쩔 수 없이 기차를 세웠지만 나중에 요금은 제대로 지불했다는 것, 이런 것들도 다 같이 국민한테 알려 주어야 합니다. 그다음은 그래도 법을 어겨서야 되겠느냐, 이렇게 사설을 써서 비판하는 것은 별도 문제예요.

김 이사장이 단단히 마음먹고 나온 한 가지 주제는 바로 언론에 대한 것이었다. 최근 신공안 정국을 조성하는 데 앞장선 언론에 대한 비판을 매우 강도 높게 많은 시간을 할애하였다.

김대중 앞으로도 그렇습니다. 우리나라에서 통일 문제가 제대로 풀리고 국민적 합의를 이루려면 먼저 통일 논의의 자유가 보장되어야 합니다. 모두가 자유롭게 논의를 하고 그 과정에서 결론이 추진되어 국회의 결의라든가 혹은 정부의 정책을 결정해야 합니다. 이렇게 되는 것이 진짜 국력입니다. 그렇게 하지 않으니까 정부가 바뀌면 통일론도 바뀌는 것입니다. 이 정권 들어서서 통일론이 벌써 두 번 바뀌었어요. 그러니까 국민들이 정부의 통일 정책이 무엇인지 모릅니다. 뿌리박지를 못해요.

주사파와 분명한 선 그어야

김대중 여기서 한 가지 첨가할 것은 소위 주사파들이 건전한 통일 세력과 민주 세력의 입장을 참으로 어렵게 만들었다는 것입니다. 정말로 문제가 심각합니다. 우리 국민 중에서 누가 주사파를 지지하고 남한에서 북한의 체제가 실현되는 것을 지지합니까? 우리는 남북이 서로 평화적으로 공존하면서 서로 잘되고 서로 접근해 가면 어느 땐가 하나의 체제로 갈 수 있지 않으냐 이것이지, 지금 당장 북한의 체제를 우리에게 강요해도 안 되고 우리 체제를 북한에 강요해도 안 됩니다.

김승국 이사장의 3원칙 3단계 통일 방안은 각론이 부족하다는 지적도 있는데 통일 방안의 구체화 방안을 말씀해 주십시오.

김대중 아태재단의 통일 방안은 3원칙 3단계론인데 각론이 부족한 게 사실입니다. 아주 좋은 지적을 했습니다. 그래서 우리는 현재 6개 분야로 나누어 약 1백 명의 대학교수들이 참여해서 구체화 작업을 하고 있습니다. 이달에 1차 시안이 완성되고 이것을 검토해서 2차, 3차까지 여러 전문가의 검증도 받고 세미나도 해서 내년 1월 아태재단 창립 1주년 기념식 때 발표할 예정입니다. 거기에는 아주 구체적으로 "군축과 상호 감시는 어떤 식으로 할 것이냐", "기습 공격을 막는 방법은 무엇이고 경제 협력은 어느 정도 규모로 할 것이냐", "이것이 우리에게 주는 이익과 북한에 주는 이익은 무엇이냐" 하는 등의 전반적인 내용이 다 들어갈 것입니다.

김승국 북한이 주장하는 연방제와 재야의 연방제, 이사장의 연방제는 어떤 차이점과 공통점이 있습니까?

김대중 북한은 연방제를 제1단계로 주장합니다. 그다음에 완전 통일입니다. 우리는 연방제가 제2단계입니다. 제1단계로 남북 공화국연합제, 이걸 한 10년 하고 나서 조건이 성숙되면 2단계로 들어간다는 겁니다. 이렇게 단계에서 차이가 있습니다. 또 북한의 연방제는 2체제 2정부론입니다. 우리는 1체제 2지역 자치정부예요. 이 점에서 상당한 차이점이 있습니다. 그리고 재야의 느슨한 연방제하고도 차이가 있습니다. 재야는 느슨한 체제를 제1단계로 주장하는 것 아닙니까? 그게 우리는 제2단계고 실질적인 통일이에요.

내년 1월 아태재단 통일 방안 구체안 발표

김승국 미국의 연방제와 비슷하다고 볼 수 있습니까?

김대중 그렇지요. 어떻게 보면 미국하고 같아요. 미국같이 외교·국방 등, 중요 내정의 권한은 중앙정부가 가져요. 다만 지역 자치를 하는 데 50년 동안 상이한 환경 속에서 살아왔기 때문에 한꺼번에 합치면 주민들 생활에 혼란이 오거든요. 그래서 그것은 점진적으로 풀어 간다는 것입니다. 그 전에 공화국연합제는 외교도 따로 국제연합(UN) 가입도 따로 하지만 연방제로 들어가면 외교도 하나, 국제연합(UN) 가입도 하나로 하는 겁니다. 그런데 하나 중요한 것은 김일성 주석이 카터 전 대통령하고 만났을 때 남한 정부안이나 김대중 씨의 공화국연합제나 어느 것이든 논의할 용의가 있다고 말했어요. 남북연합은 하려고만 마음먹으면 언제든지 할 수 있습니다. 이렇게 되면 양쪽이 다 안심할 수 있기 때문이에요. 셋째로 이렇게 한 10년쯤 가면 남북이 접근할 수 있으니까 그때 연방제로 넘어가는 것이지요. 이렇게 되면 실질적 통일이 되는 것이지요.

통일 전문가답게 막히는 대목 없이 금방금방 명쾌한 대답이 나왔다. 앞으로 통일 준비와 관련해서 아태재단의 역할이 더욱 커질 것이라는 생각이 들었다. 그만큼 구체적인 준비를 하고 있는 듯했다.

김승국 재야만 통일운동 하던 시대는 지나갔다는 의견에 동의합니다. 이 사장께서 좀 더 광범위한 국민들이 참여할 수 있는 민간 통일운동을 주도할 생각은 없는지요?

김대중 앞으로 정치는 정치가, 노동운동은 노동자, 농민운동은 농민, 이렇게 각자 분야에서 책임 있는 분들이 할 일이지 재야 운동권이 모든 것을 다루던 시대는 지나갔어요. 군사독재 시절에는 그런 것이 불가능해서 모두가 하나로 집결했지만, 통일 문제도 정말로 통일에 헌신할 생각이 있으면 정당에도 들어가고 국회의원도 돼서 일하는 것이 바람직하다고 생각합니다.

운동이나 정치 활동에 개입 않겠다

김승국 계기가 주어지고 분위기가 조성된다면 범재야와 함께 통일 문제와 관련하여 새로운 길을 모색해 볼 생각은 없는지요?

김대중 나는 실질적인 운동이나 정치 활동은 어느 쪽도 개입하지 않을 겁니다. 지금과 같이 연구 단체를 운영하는 것이 내가 국가나 민족을 위해 기여하는 길이고 이런 입장에서 건전한 통일 공간을 이루는 것이 도와주는 것이라 생각됩니다. 직접 개입하는 것은 내 역량의 한계를 넘어 바람직하지 않다고 생각합니다. 나는 주사파 사람들 미워하지 않습니다. 그렇게 될 수밖에 없는 이유를 생각할 때 때로는 측은하게도 생각하고 시대의 '슬픈 희생자'라는 생각도 가지고 있어요. 다만 더 중요한 것은 국민입니다. 내가 항상 학생들에게 얘기했지만 모든 운동은 국민의 지지를 받아야 합니다. 청년운동이건 노동운동이건 학생운동이건 통일운동이건 무슨 운동이든지 마찬가지입니다.

국민이 외면하거나 국민이 납득하지 못하는 일은 하면 안 됩니다.

학생운동이 '마녀사냥'의 표적이 되어 있는 가운데 학생운동을 지지하는 사람이든 그렇지 않은 사람이든 학생운동이 거듭나야 한다는 데는 인식을 같이하고 있다. 김 이사장의 복안은 무엇일까.

김승국 최근 학생운동의 부분적인 좌 편향에 대한 지적이신데 구체적인 해결 방안이라도 있는지요?

김대중 운동과 진리 추구는 다른 것입니다. 예수님같이 진리를 추구하는 사람은 십자가에 못 박히고 제자들이 다 도망가도 혼자 남아서 합니다. 소크라테스는 독배를 마시면서 진리를 주장했어요. 그러나 운동은 그렇지 않습니다. 국민과 같이해야 합니다. 국민이 이해 못 하면 서서 기다려야 하고 국민이 따라오지 않으면 고민해야 하고 국민과 함께 손잡고 반 발짝 앞으로 가야 합니다. 국민보다 1백 보, 2백 보 앞서가면 오해받고 배척받게 됩니다. 저는 우리나라의 학생운동이나 재야운동이 훨씬 더 성숙해야 된다고 생각합니다. 이제는 완전히 새로운 시대가 왔다고 생각하면서 중산층을 굉장히 중요하게 생각해야 합니다. 중산층까지도 긍정적으로 지지할 수 있는 그런 운동을 하지 않으면 절대로 성공하지 못합니다. 세상이 변하고 따라서 국민도 변하고 있습니다. 우리가 이것을 바로 알고 해야 합니다. 학생운동권이 쓴 책을 강남의 중산층이 읽을 수 있을 정도까지 가야 합니다. 그것을 받아들일 수 있는 선까지 가야 운동이 승리할 수 있습니다.

국민 지지 없는 운동 승리 못 한다

김 이사장은 다시 재야와 학생운동에 대해 따가운 비판을 하였다.

김승국 주체사상과 주사파 문제는 다른 문제 아닙니까?

김대중 물론 다를 수 있지요. 주체사상을 사상적 입장에서 연구하는 사람들을 우리가 얘기할 필요 없습니다. 사상을 지지하지 않으면서 연구도 할 수 있는 일이거든요.

김승국 북한의 개혁 개방 노선이 주체사상에서 나왔다는 말도 있고 남한의 주사파 문제의 본질은 이것을 악용하려는 세력들에 의해 지나치게 과장되거나 왜곡된 측면이 있다고 보는 의견도 있습니다.

김대중 김정일 비서가 개혁 개방 쪽에 아버지보다 더 적극적이고 결국 장래에는 주체사상도 상당히 달라질 것으로 생각합니다. 그 점은 나도 인정합니다. 내가 볼 때 주체사상은 악용당하고 있고 또 이것을 악용하려는 사람들이 있어요. 그러나 악용을 한두 번 당해야지 계속 당하면서 똑같은 일만 하면 됩니까? 그게 문제지요. 10년 이상을 되풀이하는 일을 언제까지 할 겁니까? 이제 세상도 많이 바뀌었는데 우리나라의 수구 세력은 세상 바뀐 걸 모르고 있고, 주사파도 세상 바뀐 걸 모르고 있고 양쪽 극단이 똑같아요.

김승국 미국에 대한 태도도 여러 가지입니다. 김 이사장의 대미관은 과연 어떤 것입니까? 이사장이 주장하는 이른바 '비반미'라는 말은 대단히 애매한 표현 아닙니까?

김대중 분명히 말하지만 저는 친미를 주장하지 않아요. 하지만 우리의 국익을 위해서 미국이 상당 기간 필요하다는 생각은 하고 있어요. 이제는 북한조차도 미국에 접근하려는 시대가 왔습니다. 앞으로 동북아시아가 중심이 되는 아시아·태평양 시대가 옵니다. 중국은 2002년이면 국민총생산(GNP)이 9조 8천억 달러가 되어서 미국의 9조7천억 달러를 앞지르게 됩니다. 이것은 세계은행의 추계예요. 현재 아시아·태평양 지역이 세계 국민총생산(GNP)의 50퍼센트에 도달하고 있고 무역량의 40퍼센트에 도달하고 있는데 그중 많은 부분을 동북아시아가 차지하고 있어요. 여기에는 세계적인 거인이 둘 있어요. 바로 중국하고 일본입니다. 그런데 그 어느 쪽도 우리에게 안심이 되지 않아요. 그래서 견제를 해야 하는데 우리 힘만 가지고는 어려워요. 그래서 미국이라는 존재가 필요한 겁니다. 우리는 유럽처럼 나토(NATO)도 없고 유럽안보협력회의(CSCE) 헬싱키조약 같은 다자간 안보 체제도 없어요. 미국이 있어야 우리는 안심을 하고 군비 축소를 하여 이를 사회나 경제에 돌리면서 발전해 나갈 수가 있어요. 그런 의미에서 제가 '비반미'를 주장하는 겁니다.

'비반미' 입장 변함없다

김승국 이사장은 북한 개방과 관련하여 '햇빛론'을 주장하였습니다. 그런데 『월간중앙』(7월 호)과의 인터뷰에서 북한을 "상처 입고 쫓기는 짐승"이라며 표현을 바꿨는데 북한관에 변화가 있어서 그런 겁니까?

김대중 하나도 달라진 것이 없습니다. 현재 북한의 처지를 "상처 입고 쫓기는 한 마리 짐승"이라고 표현한 것은 거칠기는 하지만 정확한 표현이라고 봐요. 북한에는 이제 소련도 없고 동유럽도 없습니다. 그리고 강대국들에게서 여러 가지로 타격을 받고 있어요. 국민들 먹여 살리는 것도 어렵고 핵 문제로 압력을 받고 있고, 이런 것만 봐도 몰리고 있다고 봐야지요. 궁지에 몰린 거예요. 북한은 시대의 변화에서 상처를 입은 거지요. "생존이 위태롭게 되었다." 이 말이에요. 그런데 구석에 몰리니까 누구든지 물고 달려들 수도 있는 강박관념이 있을 수 있지요. 이래서 북한을 안심시켜야 한다는 거예요. "강한 바람을 불어서 너를 없애려는 것이 아니라 따뜻한 햇빛을 주어서 너를 도와주려고 하니까 안심하고 나와라." 이런 정책을 써야 한다는 거지요. 북한에 대해서 나쁜 의도를 가지고 얘기한 것이 아닙니다.

미국과 북한에 대한 김 이사장의 입장은 확고하다. 미국은 상당 기간 한반도에 필요하다는 것이고 북한은 민족의 일원이며 통일의 동반자라는 것이다.

김승국 미국과 국내 수구 세력이 마찰을 빚는 듯한 인상인데 미국의 대한對韓 억지력이 약화되었다고 봐야겠습니까? 아니면 수구 세력이 시대 흐름을 제대로 파악하지 못해 일어나고 있는 일시적인 현상으로 파악해야 합니까?

김대중 수구 세력들은 시대의 변화를 제대로 알고 과거의 낡은 태도를 바꿔야 합니다. 그러한 변화를 인정하지 않고 냉전 시대처럼 생각하고 밀어붙이면 결국 거대한 물결 속에서 밀려나고 말아요. 클린턴 정부의 정책은 한반도에서 힘의 대결보다는 북한에 살길을 열어 줘 개방하자는 것이에요. 그는 봉쇄 정책으로 일관하는 공화당에 대해서 집권 이전부터 비판적이었어요. 그러니까 클린턴 정부는 원래 정책대로 하고 있는 것이지 일시적으로 그런 것이 아니에요. 수구 세력들은 한국은 물론 미국에서도 강력한 저항을 했고 또 지금도 하고 있습니다. 그렇게 했지만 미국에서는 국민들 다수의 의식이 바뀌었고, 앞으로 한국에서도 힘을 못 쓰고 물러날 날이 올 거예요. 나는 그렇게 봅니다.

시대의 등불인 『말』지 높이 평가

김승국 이번 10월 호로 우리 『말』지가 1백 호가 됩니다. 『말』지를 어떻게 생각하십니까?

김대중 『말』지의 역할을 알려면 우선 "우리 시대에 『말』지가 없었다면 어떻게 되었을까?" 하는 가정을 해 보면 됩니다. 우리나라의 많은 국민들, 특히 시대와 더불어 올바른 진로를 찾고자 생각하는 사람들에게 그야말로 눈앞에서 등불이 사라진 것처럼 막막하지 않았겠습니까? 이것만 봐도 『말』지가 얼마나 소중한지 알 수 있습니다. 『말』지가 그동안 어려운 길을 걸어온 노고와 역할에 대해서 대단히 높이 평가합니다. 다만 충고를 좀 하자면 앞으로는 모두가 격변하는 시대 변화를 따라가야 한다는 것입니다. 그래서 『말』지가 과거의 운동권적 타성에서 탈피하는 일에 차질이 없도록 해야 합니다. 이런 의미에서 『말』지도 시대의 전환에 적응하는 것을 조금이라도 주저하면 안 됩니다. 근본 원칙이 변하지만 않는다면 방법은 바꿀 수도 있다고 생각합니다.

김승국 오랜 시간 좋은 말씀 고맙습니다.

---

* 이 글은 『말』지 100호 발행 기념 특별 인터뷰다. 1994년 9월 5일 서교호텔에서 당시 김승국 『말』지 편집국장이 질문하고 김경환 기자가 기록·정리하였다. 1994년 『말』지 10월 호에 게재되었다.

정도 위에서 원칙을 지키며 성공하겠다

대담 조갑제
일시 1994년 12월 9일

해방 50년의 정통성 문제

조갑제 올해가 바로 해방 50년이 되는 해입니다. 우리가 지금 당면하고 있는 문제는 조국의 선진화와 통일입니다. 이것을 이룩하기 위해서 역사에서 무엇을 배울 것인가 하는 교훈 문제를 여쭤보고 싶습니다.

1995년은 해방 50년이 되는 해, 북한에서 부르짖는 통일이 되는 해, 한·일 국교 정상화 30년이 되는 해 등 여러 가지 상징적 의미가 겹쳐 있습니다. 이러한 해를 맞아 김 이사장님은 지난 해방 50년의 역사를 총체적으로 어떻게 보십니까?

김대중 저는 우선 우리 민족이 가능성을 보였다는 걸 높이 사고 싶습니다. 민주주의, 경제 발전, 세계 진출 등에서 무한한 가능성을 보여 주었습니다. 한국이 국민총생산(GNP)에 있어서 세계 1백80개국 중 13위, 무역량 세계 12-13위, 인구로도 세계 25위입니다. 이것은 우리 국민들이 가지고 있는 저력에서 비롯되었다고 생각합니다.

그러나 저력은 크게 보였으나 내실 있는 업적에 있어서는 별로 성공하지 못했습니다. 그 이유는 민족 정통성을 내세우는 데 있어서 실패했기 때문입니다. 해방된 조국이 해방을 위해 투쟁한 사람, 일제에 희생된 국민들에 의해서 운영되는 것이 아니라 일제에 협력한 사람들에 의해 경찰·사법부·검찰·행정기관, 문화·교육기관이 지배당했습니다.

이렇게 되다 보니 독립운동을 하면 삼대가 망하고 친일하면 삼대가 흥한다는 말이 생겨나게 되었습니다. "잘살아 보세. 잘살아 보세." 하면서 신나게 일했던 결과가 돌아오지 않으니 무엇 때문에 일하겠느냐는 생각이 팽배하게 되었습니다.

이 땅에 피 흘리는 자가 따로 있고 권세 누리는 사람이 따로 있는 모순의 역사가 생겨난 것이 바로 해방 50년의 산물입니다. 여기에는 미군정의 과오가 큽니다. 군정 3년을 친일파 수중에 맡기다시피 하여 그들이 계속 힘을 유지하게 만든 것입니다. 무엇보다도 이승만 대통령이 민족정기를 세우는 일에 역행했습니다. 전부가 그런 것은 아니지만 여당, 야당 할 것 없이 친일파가 지배적 역할을 했습니다. 그러다가 일제에 가장 충성하던 군인인 박정희가 정권을 잡았습니다. 이러한 것이 민족 정통성을 세우는 데 실패한 원인입니다.

그리고 우리는 민주 정통성을 세우는 데도 실패했습니다. 이 둘은 서로 연관이 있습니다. 냉전 대결에서 오는 긴장과 민주주의를 사갈시하는 친일 세력의 세포와 군사통치가 민주주의의 싹을 막아 버렸습니다. 그리고 공산당의 파괴와 잘못된 진보 세력들의 과격한 투쟁 등도 반민주 세력에게 독재를 자행하는 절호의 구실을 주었던 것입니다.

이러한 현상이 해방 50년 동안 역사 속에서 일관되게 보여지고 있습니다. 우리 국민의 보수성은 이 나라를 지키는 데는 큰 도움이 되었으나 개혁하는 데는 큰 장애가 되었습니다. 우리 역사를 통해 개혁하려던 사람은 거의 다 목숨을 잃었습니다.

법적 정통성은 부인 못 해

조갑제 한국 50년을 요약해서 말씀을 잘해 주신 것 같습니다. 우선 정통성 문제인데, 한 국가의 정통성 문제는 종합적이고 큰 덩어리이기 때문에 부분을 가지고 전체를 말하기는 어렵다고 봅니다. 그래서 친일파가 국정의 요소 요소에 박혀서 정국을 이끌어 갔다는 것에 앞서서 저는 본질적으로 더 중요한 것은 유엔의 승인하에 자유선거를 통해서 출발한 정부라는 점입니다. 그것은 친일파를 청산하지 못한 것을 덮을 만큼, 더 본질적인 정통성의 출발점이라고 생각합니다.

김대중 그것은 법적 정통성이고 내가 말한 것은 정신적·도덕적 정통성을 말하는 것이지요. 사람은 법률의 지배를 받지만 양심의 지배도 받지요.

조갑제 그러나 정통성이 없다고 말하기보다는 정통성의 정도가 떨어졌다고 표현하는 것이 맞지 않겠습니까?

김대중 도덕적으로는 제대로 안 섰다고 보아야 하지만 법적 정통성을 부인해서는 안 되지요.

조갑제 우리나라에서는 개혁을 한 사람들은 목숨을 잃었다는 말씀을 김 이사장님께서 자주 하시는데 그렇다면 박정희 대통령이 한 조국 근대화는 개혁 중에 가장 큰 개혁 아닙니까. 그 개혁을 성공한 개혁으로 보시지는 않습니까?

박정희의 공과

김대중 역사를 전진시키는 개혁을 한 것이 아닙니다. 민주정부를 뒤엎은 군사쿠데타를 한 사람이 어떻게 개혁자라고 불릴 수 있겠습니까? 그는 경제적 성장 면에 있어서 근대화의 개혁을 한 것은 사실입니다. 그러나 국민의 민주적 권리의 보장, 성장에 참여한 노동자·농민·중산층에 대한 공정한 분배, 약자를 위한 사회보장 등의 진정한 개혁의 실현에는 실패한 것입니다.

노동조합을 사실상 금지하고 농민운동을 탄압하며, 수많은 민주 인사와 통일 세력을 용공으로 조작한 정치가 개혁으로 불릴 수는 없습니다. 현재의 김영삼 대통령이나 제가 바로 독재정치의 희생이 아니었습니까?

개혁에 있어서 경제까지 포함하여 가장 중요한 것은 지방자치였습니다. 지방자치를 했더라면 지방이 약화되고 대립이 생기는 일이 줄어들었을 겁니다. 그러나 자신이 원하는 지역만 지원해 편파적인 발전이 이루어졌습니다. 결국 집중 투자를 한 곳이나 그렇지 않은 곳이나 다 시름을 앓고 있어요. 집중 투자를 한 곳은 공해와 교통 문제를 겪고 있으며 대중 생활도 더 나을 것이 없습니다. 부가 편중되기 때문입니다. 대구경북(TK) 시대 때 대구가 6대 도시 중에 국민소득이 제일 낮았어요. 또 어음 부도율이 가장 높았고요. 지금은 부산이 그래요. 전신에 피가 흘러야지 한쪽만 피가 흘러서는 안 됩니다.

박정희 대통령의 공로 중 가장 큰 것은 우리도 하면 된다, 우리도 일어설 수 있다는 의지를 심어 준 것이지요. 그래서 전 국민이 잘살아 보자는 새마을 노래에 고무되어 열심히 일했습니다. 의지에 불타 경제가 외적 상태로는 성공했지만 공정 분배에 실패함으로써 기대 속에서 신명이 났던 국민을 배신감과 절망 속으로 몰아넣은 것입니다. 국민 전체가 참여한 만큼 국민 모두가 그 대가를 받고 그래서 이 사회에 희망을 갖고 정을 붙이고 살 수 있도록 하여 일체감을 조성했어야 하는데 그게 안 됐지요.

조갑제 박정희 대통령의 일에 대한 우선순위는 빵 다음에 자유가 온다는 생각이 아니었을까요. 역사에 욕을 먹더라도, 자신의 무덤에 침을 뱉는 사람이 있더라도, 그것을 각오하고 자기 임기 중에 부국강병을 이루겠다는 의지가 아니었을까요?

그러다 보니 경제가 안정되면서 소득이 늘어 자연히 중산층이 50퍼센트를 넘어서게 되고, 그 중산층이 민주와 자유를 요구해 민주화운동이 폭발되어 그 자신의 죽음의 원인이 되었습니다. 그런 의미에서 저는 박정희 대통령에 대해 "자기 성공의 희생자"라는 표현을 쓰곤 합니다.

박정희 시대를 딱 잘라 놓고 볼 때 경제는 성공을 했지만 민주주의는 탄압을 받았다는 말이 성립됩니다. 하지만 오늘날 우리의 민주주의는 박정희 시대가 만들어 놓은 중산층의 육성과 경제의 안정을 바탕으로 된 것 아닙니까. 넓게 보면 박정희의 민주화에 대한 역할도 부정하기 어렵습니다.

김대중 함께 출발한 대만과 한국을 비교해 봅시다. 두 나라는 똑같이 일제의 식민지였고 대만도 우리 못지않게 엄청난 국방비 부담을 안고 있습니다. 대만은 중앙집권이 아닌 지방자치를 실시했습니다. 그것이 민주주의의 주춧돌이 됐습니다. 또 농업 발전 기초 위에서 공업 발전을 이루었습니다. 그래서 농촌이 튼튼합니다. 중소기업과 중산층 육성에 주력하다 보니 대기업이 취약한 점도 있지만 사실 아시아 사람들이 선진국을 상대할 때는 중소기업이 훨씬 유리합니다.

대만은 9백억 달러라는 세계 최고의 외환 보유고를 자랑하고 있습니다. 타이베이(臺北) 시장에 야당이 당선되었다는 것은 기초가 튼튼하기 때문입니다. 우리나라는 정반대입니다. 하고 있던 지방자치를 없애고 농민을 완전히 파멸시켰습니다. 우리나라의 대기업은 다른 선진국과는 달리 중소기업과 튼튼하게 연결되어 있지 못합니다. 일본이나 독일은 재벌들이 중소기업에게 자금·기술·판로까지 알선해 대기업과 중소기업이 일체감을 이루고 있습니다. 그러나 우리는 중소기업에 어음을 주고 안 팔리는 물건만 맡깁니다. 기술 지원은커녕 잘되는 품목은 일가친척 시켜서 하고 잘되는 중소기업 있으면 주식을 사 흡수해 버립니다.

박정희 대통령이 분명히 경제 성장에는 성공했습니다. 그러나 빈부 격차, 도농都農 격차, 대기업·중소기업 격차, 지역 격차를 만들어 결국 한을 품은 사람만 양산했습니다. 이러한 성장이 무슨 소용이 있습니까? 우리 국민도 뭔가 해낼 수 있다는 자신감을 불어넣은 것은 대단합니다. 그러나 일으켜 세운 사람들이 실망하게 만들어 오늘날까지 신명을 회복하지 못하게 한 것은 대단히 큰 과오입니다.

농촌부터 일으켜 세웠어야

조갑제 박정희 대통령이 농촌의 근대화보다 공업화를 먼저 한 후 새마을 운동을 통해 농촌으로 번지도록 한 것은 공업화를 통해 부를 축적하고 그 부를 근거로 농촌에 투자한다는 전략을 내세운 것이라고 생각합니다. 자본 축적이 없었던 한국으로선 불가피한 선택이었습니다.

김대중 일본이나 대만은 농촌부터 일으켜 세우고 성공을 했어요.

조갑제 우리나라가 농촌이 도시보다 좀 못한 것 같지만 사실 농촌 소득이나 도시 소득이나 큰 차이가 없습니다. 중소기업을 먼저 육성하느냐, 대기업을 먼저 육성하느냐 하는 점에 있어서도 우리나라가 세계적인 중화학 공업을 만들었고 이것이 지금 우리 산업을 주도하여 연 8퍼센트 성장의 원인이 되었습니다. 또 국민총생산(GNP) 랭킹 13위에 올라선 것도 중화학 공업 덕분입니다. 그에 비해 중소기업이 떨어지기는 하나 단숨에 시간을 줄여 압축 성장을 하다 보니 그런 결과가 나온 것 아닐까요. 대기업이 잘되면 중소기업이나 샐러리맨이 잘되고 전략적으로 중화학 공업 우선 정책을 쓴 결과, 그 소득이 넘쳐서 사회로 흘러나오는 거지 대기업에서 돈 번 것이 대기업에만 남아 있는 건 아니지 않습니까?

소득 격차를 말씀하셨는데 통계상으로는 지니계수를 보면 거의 일본에 육박할 정도로 분배가 잘되는 것으로 나타나고 있습니다. 분배 격차 문제라든지 도시와 농촌의 문제가 10대 5 정도라면 분명 문제가 되지만 10대 9 정도밖에 안 됩니다. 이런 걸 가지고 박정희 대통령의 국가 근대화와 경제 성장 전체를 악평할 수는 없지 않을까요? 그런 문제가 10-20퍼센트 차지하지만 전체 평점은 70-80점 정도 주어야 하지 않을까요.

복수 노조 허용해야

김대중 경제 발전을 하는 데 중화학 공업에 치중한 건 문제가 있습니다. 중화학 공업이 중소기업을 바탕으로 발전을 했다면 좋은 일이지요. 그러나 중소기업을 육성하지 않았습니다. 농촌을 보세요. 50세 이하인 사람이 없어요. 몇 년 안 가 농사가 없어집니다. 식량 자급도 겨우 40퍼센트입니다. 전쟁 났을 때 대한해협 막아 버리면 미국에서 식량을 못 갖고 옵니다. 식량 자급 못 하면 장래에 큰일이 일어납니다.

노동자 중에서 현실에 만족하는 사람이 없습니다. 무조건 옹호하는 것이 아닙니다. 노동자가 사 측에게 대등하게 권리를 주장할 수 있어야 합니다. 복수 노조 못 하게 하는 이유가 뭡니까? 어용 노조가 생기면 진짜 노조가 들어설 수 없어요. 기업가는 전경련 만들면서 노동자가 조합 만들면 처벌합니다. 세계 어디에 노동조합이 정당 지지하는 것을 막는 나라가 있습니까?

우리나라 노동자의 근로 시간이 세계에서 제일 많습니다. 노동자는 생산성 향상 범위 내에서 요구하고 기업가는 자발적으로 분배해야 합니다. 양쪽이 무리한 요구를 하면 국민이 심판할 것입니다.

국민이 관심 있게 보기 때문에 노동자가 무리한 요구를 해도 받아들여지지 않습니다. 3-4년 전에 지하철 노조가 임금투쟁을 하려 할 때 지하철 직원들의 임금이 많다는 신문광고가 나가자 국민들의 여론이 뜨거워 파업을 못 했습니다. 모든 것은 국민과 함께해야 합니다.

일본 나리타공항은 주민들의 반대로 10년이나 개항 못 했습니다. 그러나 국가가 인내심 발휘해서 참아 줬습니다. 그러다가 언제 경제 발전 하나 했지만 지금 세계 최고입니다. 개항한 것은 국민들의 여론이 뜨거워져서입니다.

도쿄대학에서 적군파가 난동을 부릴 때 1년간 대학이 문을 안 열었습니다. 그러나 경찰이 대학 내에 난입하지 않았고 결국 대학과 국민의 여론이 이를 해결했습니다.

국민의 부담이 되지 않고 이득을 주는 기업이 돼야

조갑제 우리 현대사의 공과를 농민·중소기업·노동자 위주로만 보시는데 이것은 야당 지도자로서의 시각이기도 합니다. 문제는 야당적인 시각도 필요하지만 대기업·기업인 쪽에서도 봐서 종합적으로 판단해야 한다고 생각합니다.

김대중 노동자·농민·중소기업인이 우리 국민의 90퍼센트입니다. 그러니 이 기반을 안 볼 수 없지요. 기업가의 역할을 무시한 것은 아닙니다. 기업가가 국가 발전에 공헌한 것은 사실입니다. 그러나 권력과 결탁한 기업은 발전하고 권력에 소외된 사람은 망했습니다.

국제 그룹을 보십시오. 독재체제 아래서는 기업들이 노예적인 취급을 받아 왔습니다. 그런 의미에서 기업가들은 행복하지 않습니다. 어느 나라에서 10대 그룹에 들어간 기업을 집권자 마음대로 파멸시킨 일이 어디 있습니까? 민주주의 안 하면 독재자와 영합한 특혜받은 사람만 성공합니다. 그러나 그런 사람도 한 번 잘못하면 곧 망합니다.

조갑제 그러나 큰 기업을 정부에서 없앤다든가 하는 문제점이 있었음에도 불구하고 경제가 양적으로는 세계 10-15위이고 조선공업 수주량은 세계 1위, 자동차 공업은 5위, 반도체 분야에서 메모리 분야 수출은 세계 1위입니다.

김 이사장님의 시각과 논리대로라면 우리 국가 지도자는 잘못했지만 결과는 잘 나왔습니다. 지도자도 잘하고 국민도 잘했다는 화해의 공식으로 업적이 설명이 되는 것이 아니라 지도자는 나라를 망치려고 했는데 다행히 국민이 잘해서 성공했다는 이상한 논리가 성립되지 않습니까?

김대중 지도자나 재벌들이 성장해서 성공한 것은 사실입니다. 다만 성공한 과실을 적정하게 배분을 안 시킨 점과 중소기업·노동자·농민과 더불어 성장하지 않아 부작용이 크다는 것입니다. 그 가운데서도 성장한 것은 우리 국민의 역량·근면·능력이 받침이 되었습니다. 기업이나 국가가 성장 과정에서 보인 역할은 높이 평가합니다. 다만 경제 전반을 조화롭고 건전하게 발전시키는 데 실패했다는 것입니다.

조갑제 양적인 발전을 우선하면 나중에 자연스럽게 질적인 성장으로 가는 것이기 때문에 양적인 성장이 성공했다면 80퍼센트 이상 성공한 거 아니겠습니까?

김대중 그러나 양적인 성장을 한 사람들은 문어발식 확장만 했지 공정 분배를 하지 않는 것은 물론, 국제경쟁력을 갖춘 제품을 만드는 데는 거의 성공하지 못하고 있습니다. 이 말은 국민의 희생 위에 부의 축적만 했지, 세계시장 속에서 승리해서 국가에게 이익을 가져오는 데는 별로 성공하지 못했다는 뜻입니다.

지금까지 우리 기업들은 온갖 특혜를 독점적으로 누려서 오늘의 부를 이룩한 것입니다. 국민의 부담이 되는 기업이 아니라, 국민에게 이득을 주는 기업이 되도록 편달하고 감시해야 합니다. 경제 발전의 목적은 다수 국민의 행복에 있기 때문입니다.

우리 국민은 보수적인가

조갑제 김 이사장님은 우리 국민들이 보수적이라고 말씀하시는데 그건 해방 전까지는 해당됐습니다. 그러나 해방 이후에 우리 국민은 혁명적으로 바뀌었습니다. 그 증거로 철저히 주자학적인 국가에서 인구 4분의 1이 기독교를 받아들였으며 1962년부터 실시한 가족계획이 세계에서 가장 성공을 거두었어요. 통계를 보면 낙태 비율이 기독교 신자, 특히 구교에서도 비非신자와 비슷할 정도로 실용적인 나라가 됐어요.

왜 해방을 기점으로 우리 국민들이 개혁적으로 바뀌었나 따져 보니 첫째 분단으로 남한이 섬이 되면서 해외로 나가지 않으면 생존할 수 없다는 절박감에서 해양 정신을 갖게 되었다는 점이었습니다. 또 하나는 전쟁과 함께 과거의 기존 관습이 폐허화가 되었고 나라를 지키려다 보니 군사 문화 중에서 효율성·획일성·생산성이 우리 사회에 유입되었습니다. 이제 민족성의 정의가 새로워져야 합니다.

김대중 어느 시대든지 보수와 개혁은 공존했습니다. 가족계획의 성공은 사실입니다. 그러나 크게 보면 보수적인 것만은 틀림없습니다. 기독교의 예를 보더라도 보수 교단이 압도적으로 우세합니다.

정권을 주는 일에 있어서도 과거에 일본군이었던 박정희 대통령을 정통성이 없는데도 대통령을 시켰습니다. 다른 군 출신도 계속 대통령을 시켰습니다. 강제로 한 면도 있지만 투표로 한 면도 있습니다. 그런 면에서 보면 우리는 보수성이 너무도 강합니다.

지금 우리나라에서는 많은 사람들이 통일 문제에 관여하기를 주저하고 외면합니다. 또 사상적으로 의심받기를 두려워할 뿐 아니라 현상 타파도 두려워합니다. 그런데 가장 중요한 지방자치를 30년 동안 방치해 두고 있습니다. 지금도 지방자치를 낭비로 생각합니다. 아프리카에서도 하는데 우리만 안 한다니 말이 됩니까?

톱다운식 민주화의 공과

조갑제 지방자치가 절대선이다 하는 것도 도그마 아닙니까? 대만이 지방자치부터 시작하여 우리나라보다 민주화에 성공했다고 하셨는데 저는 반대입장입니다.

우리나라는 대통령직선제를 통해서 먼저 민주화를 하고 지방자치로 가는 톱다운(top-down)식인데 이런 민주화도 한국 모델로서 가치가 있다고 봅니다. 이것이 대만보다 못하다고 보지 않습니다. 대만은 계엄령에서 해제된 지 10년도 못 됐고 정권 교체가 선거로 이루어진다는 보장도 없습니다. 그런데도 우리나라가 대만보다 민주화에 있어서 뒤떨어졌다는 데 대해서는 이견이 있습니다.

김대중 나는 우리나라 민주주의가 대만보다 뒤져 있다고 말하지는 않습니다. 그러나 민주 발전이 제대로 되어 있다고도 보지 않습니다. 우리나라도 선거해서 정권이 여당에서 야당으로 넘어간 예가 없지 않습니까?

조갑제 그러나 가능성은 있습니다.

김대중 그건 대만도 있습니다. 미국도 지방자치부터 시작했습니다. 어느 나라든 지방자치는 기본이 되고 있습니다. 밑에서부터 올라오는 풀뿌리 민주주의가 진정한 민주주의입니다. 위에서부터 내려가는 민주주의는 안 됩니다. 더구나 우리는 하던 지방자치를 말살했습니다. 박정희 대통령이 지방자치를 없앤 것은 절대로 잘한 일이 아닙니다.

지방자치를 안 한 결과 지방의 재정 자립도가 떨어지고 특색 있는 발전도 못 하고 비호받은 지역만 비대해지고 비호 못 받은 지역은 쇠퇴하고……. 고르게 발전하고 말단에 있는 사람까지 고루고루 혜택받으려면 지방자치를 해야 합니다. 임명하면 일 안 합니다.

선거해서 군수가 되고 시장이 되면 골목골목 다니며 일하게 됩니다. 부천, 인천 같은 도세盜稅 사건이 일어날 수 없습니다. 국민의 고른 발전을 위해 반드시 지방자치를 해야 합니다.

나는 박정희 정권 전 기간을 통해서 지자제를 위해서 싸웠습니다. 노태우 정권하에서도 싸웠습니다. 5공 청산의 대가로서 이를 쟁취했었습니다. 그러나 3당 합당이 이후 노태우 정권은 실정법을 안 지키면서 지자제 선거를 실시하지 않았습니다.

나는 12일간의 단식을 하면서도 싸웠습니다. 결국 정부가 굴복해서 1991년과 1992년에 각기 지방의회와 지방자치단체 선거를 하기로 법을 재개정했습니다. 그런데 겨우 의회 선거만 하고 자치단체장 선거는 다시 위법적으로 사보타주한 것입니다. 만일 지방자치가 계속 실시가 되었다면 역대의 대통령 선거가 언제나 여당의 승리로 귀착될 수는 없었을 것입니다.

밑으로는 통반장까지 임명하는데, 야당이 어떻게 집권을 합니까? 그것은 미국에서도 불가능하고 영국에서도 불가능합니다. 일부에서 다시 지자제를 하지 않으려는 데 대해서 큰 경각심을 가지고 지켜보고 있습니다.

조갑제 지방자치에 대해 김 이사장께서 집념을 갖고 연구를 많이 하셔서 오늘날 지방자치가 가능하도록 커다란 역할을 하신 것에 대해 잘 알고 있습니다. 1991년 초 단식 직후의 초췌하던 모습이 생각납니다. 저는, 우리가 현재에는 엄격하고 미래에는 정열을 가지고 과거의 문제에는 가능하면 애정을 갖고 봐야 하는데 과거의 정권이 잘못했다는 시각으로만 보는 것은 무리가 있다고 봅니다. 약간의 문제가 있었더라도 당시는 당시대로 대안이 없지 않았을까요?

우리가 열등감에서 벗어나게 되었으나

김대중 박정희 대통령의 개발 정책이 잘못됐다는 것은 아닙니다. 성장을 한 것은 사실입니다. 가장 중요한 것은 사람이기 때문에 신명 나게 일하게 해주어야 합니다. 이 나라가 나의 권리를 지켜 주고 있다는 믿음을 주는 것은 대단히 중요합니다. 박 대통령이 우리가 열등감에서 벗어나게 한 것은 대단히 훌륭합니다. 그러나 그 후속 조치가 병행되지 않았습니다. 다 나쁘다는 건 결코 아닙니다.

조갑제 1963년 박정희와 윤보선의 대결을 군인 출신과 민간인 출신의 대결이라기보다 근대화 세력과 수구적 양반 정치의 대결이라고 보는 시각도 있습니다. 우리 정치 문화에는 이씨조선 때 공리공론, 위선적인 명분론으로 권력투쟁을 일삼아 국가 전체의 발전이 저해되고 민중의 삶이 도외시되어 온 엘리트 정치의 전통이 지금까지 내려오고 있다고 봅니다. 이 점에 대해 어떻게 생각하십니까?

김대중 당시 박 대통령이 보수 수구 세력에 대해 국가 개혁론을 주장하지 않았어요? 그런 문제에 대해 국민들의 관심이 있었어요. 당시 보수 귀족과 개혁파의 대립이었다고 보는 시각이 있었어요. 윤보선 씨가 그때 실수한 것은 박정희 씨를 빨갱이로 본 것입니다. 미군정 3년 동안 무고하게 빨갱이로 몰린 사람들, 특히 전라도 사람들이 반발해서 박 대통령을 밀어주었어요.

윤보선 후보는 서울, 경기, 강원, 충북, 충남에서 이겼어요. 남쪽에서만 졌지요. 경상도는 박정희 대통령 고향이라고 하지만 전라도에서 35만 표나 더 나왔어요. 그때 윤보선 씨에게 15만 표차로 이겼는데 산술적으로 보면 전라도 표가 박 대통령을 만들어 준 거죠. 그러나 대통령 되자마자 전라도를 차별해서 우리나라를 이 꼴로 만들었어요. 박 대통령 전에는 전라도 사람들이 부산, 대구, 상주에서 국회의원에 당선되고 경상도 사람도 목포에서 당선됐어요. 그때까지 분리가 안 됐는데 그 후로 갈라졌어요.

김구의 실수

조갑제 김 이사장님 책에서 재미있는 대목을 발견했습니다. 김구 선생을 존경하지만 현실 정치인으로서 김구 선생의 판단은 잘못됐다고 쓰셨더군요. 신탁통치에 찬성하든지 아니면 대통령으로 출마하든지 해서 이승만 대통령에게 정권이 넘어가지 않도록 할 수 있었는데 단독선거에도 반대, 신탁에도 반대, 결국 반대만 하다가 끝났다고요. 그렇다면 상대적으로는 이승만 대통령의 단독정부 수립 노선을 상당히 높게 평가하는 걸로 보이는데요.

김대중 그건 아니죠. 김구 선생은 통일을 해야 한다는 분이거든요. 그때는 신탁통치 외에는 미·소가 합의해 줄 길이 없었습니다. 신탁통치를 받아서 5년 이내에 통일이 되게 하든지 아니면 남한만의 선거에 참여해서 대통령이 되어서 다시 북한과의 통일의 길로 나아가든지 둘 중에 하나를 했어야 한다는 것입니다. 그에 비해 이승만 박사는 남한만의 대통령을 하겠다면서 근본적으로 통일에 관심이 없었습니다.

조갑제 통일에 관심이 없었던 것이 아니라 현실적으로 소련군에 의해 북한에 꼭두각시 정부가 세워지는 걸 보고 공산주의의 실체를 봤기 때문에 더 현실적인 판단을 했다고 생각하지는 않습니까?

김대중 그렇게도 볼 수 있습니다. 그래도 민족 양심상 노력을 했어야지요. 미·소와 공산당에 대해 조건을 내세우고 이렇게 하면 우리도 참여하겠다고 제시해야 하는데 무조건 보이콧하고 남한 단독정부를 주장했어요. 그분은 1946년 2월에 정읍에서의 발언을 통해서 단독정부를 주장했던 것입니다.

조갑제 김 이사장님도 당시에 신탁통치에 반대하셨는데 신탁통치를 받아들였으면 분단을 막을 수 있었다고 생각하십니까?

김대중 그렇게 보지는 않아요. 나도 처음에 신탁통치를 반대했지요. 그러나 그 후로 달라졌습니다. 곧 좌우 합작이 있었고 미·소공동위원회가 설립됐습니다. 당시 이승만 박사와 김구 선생이 전부 참여하여 총력적으로 선거를 했더라면 어떻게 되었을지 모르겠습니다.

그러나 나는 공산당을 믿지 않아요. 이미 그때 스탈린은 자기네가 공산화한 지역을 하나도 내놓지 않겠다는 생각을 갖고 있었기 때문에 통일을 기피했을 가능성도 큽니다. 그러나 할 수 있는 데까지 해 봤으면 공산주의 정체를 더 잘 알 수 있었을 것입니다. 그리고 이러한 노력은 우리가 당연히 바쳐야 할 정성이자 의무라고 생각합니다.

이승만에 대한 평가

조갑제 이승만 대통령이 정치인으로서 두 가지 뛰어난 부분이 있다고 생각합니다. 첫 번째는 1945년 이전부터 공산당의 본질을 정확히 꿰뚫어 공산당과 합작하면 공산화의 길밖에 없다는 것을 정확히 알았다는 점입니다.

또 하나는 냉전의 본질을 빨리 알아 어차피 미국과 소련의 양대 구도로 가니까 남한만의 단독정부를 세우는 수밖에 없다는 이론을 가지고 있었다는 점이죠. 이렇게 세계관이 뚜렷했다는 것이 당시 김구 선생을 비롯한 다른 정치인들과 다른 점이라고 보는데요. 김 이사장님께서 이승만 대통령에 대해 평가하신 것을 본 적이 없습니다. 이 기회에 생각을 말씀해 주시죠.

김대중 이승만 대통령의 독립투쟁의 역사라든가 탁월한 외교적 시야는 높이 평가합니다. 공산주의와의 타협 없는 투쟁도 그 당시로서는 아주 필요했다고 생각합니다. 그분은 누구보다도 공산주의를 잘 알았습니다.

사실 6·25전쟁 때 겪어 보니 전까지는 많은 남한 사람들이 공산주의를 제대로 알지 못했던 것입니다. 그렇다면 이승만 박사는 국민을 계몽하고, 국민과 더불어 운영해 나갔어야 했습니다. 또 냉전의 추세를 재빨리 파악하는 능력이 있었습니다. 그러면 공산주의의 정체를 국민에게 알리고 모든 것을 국민을 중심으로 운영했어야 하는데 친일 세력을 중심으로 운영했습니다.

공산주의에 대한 무조건적인 반대는 성공하지 못합니다. 이승만 대통령은 무조건 탄압 일변도로 나갔습니다. 미국은 소련과 데탕트하고 유럽안보회의 도 개최하면서 접촉하여 거대한 나라를 일거에 무너지도록 했습니다. 중국과도 처음에는 대결을 했지만 핑퐁 외교를 통해서 덩샤오핑이 나타나도록 만들었습니다.

미국이 베트남전에 진 것과 쿠바와 37년간 강력하게 대치한 것은 다 미국의 강경한 정책 때문이었어요. 그러나 요즘 북한에 대해 유연한 정책을 쓰니까 제네바회담 이후 북한이 친미적으로 변하고 있습니다. 공산주의에 대한 반대 원칙은 확실히 세워 놓되 정책은 유연하게 집행했어야 한다는 면에서 잘못됐다고 생각합니다.

덧붙여서 얘기하면 미국은 북한에게 확실한 태도를 취해야 합니다. 북이 한국과 미국을 이간시키려고 하면 남한에게 잘할 때 우리도 잘해 주겠다는 것을 북에 대해 확실히 해야 합니다. 미국은 남한과 협력하면서 삼각 외교를 펼쳐 나가야 합니다.

이번에 중국에 갔을 때 중국이 한국에 대단히 호감을 보인다는 걸 깨달았습니다. 리펑(李鵬) 총리가 제주도에 왔을 때 귀국 직전에 한반도 평화조약에 중국과 한국도 참여해야 한다는 말을 한 것과 아시아태평양경제협력체(APEC)에서 장쩌민(江澤民) 총리가 김영삼 대통령과 회담하고 북한이 한국 기업만 상대하지 말고 정부와 협력해야 한다고 말한 것은 북한에게 대단한 충격이지요.

이제는 외교의 시대입니다. 미국이 혈맹이라는 생각에서 기대려고만 해서는 안 됩니다. 일본과 중국, 러시아와 활발한 외교를 펼쳐야 합니다. 특히 러시아를 토라지게 해서는 안 됩니다.

국민의 기대에 못 미치는 국회

조갑제 1994년 봄에 외무부에서 1950년대 외교 문서를 공개한 적이 있는

데 정리를 맡았던 대사의 인터뷰를 본 일이 있습니다. 당시에 이승만의 주된 외교적 관심은 미국의 원조를 받아 북의 남침을 저지하도록 하려는 것이었는데 그 일에 혼신의 힘을 기울인 것을 보고 감동을 받았다고 했습니다. 대통령이 이 문제에 이 정도로 관심을 가졌다면 다른 경제 문제에는 관심을 기울일 시간이 없었겠다는 생각이 들면서 이승만의 대미 외교에서 배울 점이 있다는 지적이 있었습니다.

특히 휴전 직전에 반공 포로를 석방해 미국을 깜짝 놀라게 한 후 미국의 코를 걸어 상호방위조약을 맺고 국군의 현대화를 이룩했으며 미군을 주둔하게 한 것은 그 뒤 우리 경제를 발전하도록 하는 큰 울타리를 만들었다는 생각이 듭니다. 그런 이승만의 대미 자주 외교를 지금 시점에서 평가해 보면 상당히 배울 점이 많은데 김 이사장님께서는 어떻게 생각하십니까?

김대중 이승만 박사의 반공 포로 석방이라든가 휴전협정을 끝까지 반대하여 한·미방위조약을 체결한 것은 국가를 위해 큰 이익을 남긴 일이고 역사에 남을 일입니다. 그것은 이 박사 같은 큰 인물이 오랫동안 독립운동을 하면서 쌓은 관록에서 나온 것이지 아무나 할 수 있는 일이 아닙니다.

정치 우선 시대가 아니라 경제 우선 시대이기 때문에 좀 다르지만 지금도 역시 이승만 박사의 태도를 본받아 미국과 자주적으로 경쟁해서 줄 것은 주고 받을 것은 받는 외교를 취하는 것이 필요하다고 봅니다.

조갑제 국방이나 북한 핵 문제가 우리 정치권의 큰 이슈가 되어야 하건만 현재 분위기는 전혀 그렇지 못합니다. 그러니까 정치가 안보나 외교를 중심으로 돌아가야 하는데 우리 정치는 지엽적인 것을 문제 삼는 일에 관심을 쏟고 있습니다. 그것은 우리 정치인들이 국방은 미국 사람들이 맡아 준다는 의타심에 너무나 오랫동안 젖어 있기 때문인 걸로 생각됩니다. 안보나 외교는 국가 생존에 관계되는 절체절명의 명제라는 절실한 인식이 없다고 보는데 김 이사장님은 어떻게 보십니까?

김대중 그런 면이 부족하지요.

조갑제 특히 북한 핵 문제가 이렇게 크게 대두되는데 국회에 특위 하나 없지 않습니까?

김대중 국회가 그런 문제에 있어서 국민의 기대를 충족시키지 못하고 있어요. 통일 문제도 그렇습니다. 자유롭게 의견을 개진하고 청문회도 여는 등 주동적인 역할을 해야 하는데 안 하고 있어요.

조갑제 아까도 말씀드렸습니다만 문민정부라는 말속에는 양반 지식인에 의한 정치라는 뜻이 담겨 있습니다. 우리나라에는 전통적으로 내려오는 양반 정치 문화가 존재하는데 그런 잔재가 아직도 남아 있는 데가 야당이 아니냐는 생각을 합니다만······.

김대중 글쎄 그 문제에 대해서는 깊이 생각해 보지 않았어요. 다만 여당에는 군사 정치 문화가 남아 있는 게 사실이고 야당에도 개선해야 할 점이 많습니다. 되도록 국내 정치에 대해 말을 안 하고 싶습니다.

국가 지도층의 자주정신 결여

조갑제 지금까지 지난 50년을 되돌아보는 입장에서 말씀해 주셨는데 앞으로 전망과 우리가 어떻게 살아야 할 것인가에 대해 말씀해 주십시오.

김대중 세계사를 살펴보면 이제 아시아·태평양 시대가 오는 것이 틀림없습니다. 우리나라가 중국과 일본 사이에 있어서 작아 보이지만 실제로는 대단히 큰 나라입니다. 남북이 합하면 당장에 세계 10위권 내에 들어갑니다. 상호 협력하면 대단한 힘이 생기지요. 우리 국민들은 통일하면 손해 보는 줄 알지만 오히려 양쪽이 크게 발전합니다.

남북이 하나가 되어 나가면 2010년에 이르러 세계 5위권으로 진입하리라고 봅니다. 현재의 지세븐(G7) 국가 중에서 우리를 앞서갈 나라는 미국·일본·중국·독일 정도밖에 없습니다. 우리나라는 위치가 매우 좋습니다. 일본·중국·러시아 사이에 위치해 있어 약할 때는 수탈을 당하지만 강할 때는 부채꼭지처럼 중심이 됩니다.

우리나라에 대해 주변국에서 몹시 신경을 씁니다. 이번에 중국에 갔는데 중국에서 나를 국빈 대접했어요. 항시 경호가 붙고, 경찰차가 에스코트를 하고, 주요 요인들이 성의껏 대해 주었습니다. 이것이 다 우리나라의 중요도 덕이지요. 중국은 북한에 대해 신경을 많이 씁니다. 필요할 때마다 북에 한국 카드를 내밉니다. 우리도 북한에 중국 카드를 이용하면 됩니다.

일본도 우리나라에 몹시 신경을 씁니다. 우리나라가 중국과 항공 부문에서 협력을 하자 신문 사설에서 중국과 가까워질까 봐 우려하는 소리가 쏟아져 나왔지요. 남북이 화해하고 협력하여 운명을 개척해 나가면서 주변 국가를 컨트롤해 나가야 합니다. 해외에 있는 5백만 우리 동포들도 큰 힘이 될 것입니다.

조갑제 생존 차원이 아니라 강대국 사이에서 번영하려면 대한민국의 정치를 이끄는 사람, 지식인층 등 엘리트들이 자주정신을 가져야 한다고 생각합니다. 우리는 과거 구한말 때 찬스가 있었지만 기회를 놓쳐 한반도를 강대국들의 각축장으로 내주지 않았습니까?

정치 엘리트들이 외국의 힘을 빌려 개혁하려다 오히려 이용만 당했습니다. 그 결과 식민지가 되고 분단되었습니다. 지금도 우리가 힘이 있으면서도 북한에 항상 끌려가는 것은 정치권의 자주정신 결여 때문이라고 생각합니다.

이 문제에 관해 김 이사장님을 비판적으로 보는 시각이 있습니다. 카터 전대통령같이 주한 미군의 철수를 주장했고 남한에 대해 그렇게 좋은 인상을 남기지 않은 사람들을 남북 문제에 끌어들일 필요가 있었나, 그거야말로 비자주적인 일이 아니냐는 얘기도 있습니다.

김대중 카터 전 대통령이 자신이 주한 미군을 철수한 일에 대해 잘못했다고 얘기합니다. 그 당시 나는 카터 전 대통령에게 주한 미군을 철수해서는 안 된다고 편지를 한 적도 있습니다. 물론 카터 전 대통령이 잘했다는 것은 아니에요. 남북한이 꽉 막혔으니 조정자가 필요했고 그 적임자를 카터 전 대통령이라고 생각했습니다.

우리나라는 독일과 달리 전쟁을 치렀고 극도의 증오심을 가지고 있기 때문에 정상회담이 꼭 필요합니다. 나는 물꼬를 트는 데 있어서 카터 전 대통령이 간 것이 괜찮은 일이었다고 생각합니다.

1994년 9월에 미국에 갔을 때 미국의 관계자가 카터 전 대통령을 북한에 가게 한 것을 대단히 높이 평가할 일이라고 말하더군요. 중국에서도 카터 전 대통령을 안 가도록 했으면 김일성이 죽었을 때 한반도가 어떻게 되었을지 알 수 없다며 나에게 감사하다고 말했습니다. 여러모로 생각해 볼 때 결과는 나쁘지 않다고 봅니다.

북핵 문제, 일괄 타결 외엔 방법이 없었다

조갑제 김 이사장님께서 북핵 문제를 일괄 타결해야 한다고 주장하신 것이 1993년 봄 영국에 계실 때부터였는데 많은 사람들이 그렇게 되지 않으리라고 예측했습니다. 전문가들도 비관적으로 보고 저도 비관적으로, 또 비판적으로 봤는데 결과적으로는 이사장님 예측대로 됐습니다. 특별한 정보라도 있었습니까?

김대중 정보는 없었습니다. 당시에 북한은 수교를 해 달라, 그러면 핵을 포기하겠다는 입장이었고 우리는 핵을 포기하면 외교를 주겠다는 입장이었죠. 그러니 협상이 되게 되어 있었죠. 다만 서로 속으면 어떡하나 걱정하고 있었죠. 그러니 해결책은 일괄 타결밖에 없었어요.

당시 미국은 하늘이 무너져도 해결해야 할 입장에 놓여 있었어요. 1995년 4월에 핵확산금지조약(NPT)을 항구적으로 연장하는 것은 미국의 국익상 절대적인 일이었죠. 미국은 경제력으로 세계를 지배하는 나라가 아니라 군사력과 핵으로 지배하고 있는데 연장이 안 되면 일본이 핵을 가지게 되고 그러면 일본은 초강대국이 됩니다. 미국 국익이 중대한 타격을 입게 되죠.

미국은 반드시 해결해야 했고 북한은 경제가 파탄에 이르렀기 때문에 미국과 손을 잡지 않으면 살길이 없었습니다. 그러니 해결될 수밖에 없죠. 이일에 물꼬를 튼 사람이 카터 전 대통령인데 카터 전 대통령이 일을 만든 게 아니라 되게 되어 있는 일을 한 것뿐입니다.

조갑제 그때 혹시 북한과 미국 정보기관이 일괄 타결을 추진한다는 사실을 알고 있었던 것 아닙니까?

김대중 아닙니다.

국가 자존의 문제

조갑제 그때 김 이사장께선 일괄 타결 조건으로 북한은 남한에 대해 대남 적화를 포기해야 한다는 조건을 적시했는데 대남 적화 포기는 일괄 타결에서 빠지지 않았습니까?

김대중 빠졌죠. 나중에 보니 문제가 어려워지니까 단순화되어 가더군요. 기본 핵심은 외교와 핵 포기의 교환이라고 생각했습니다. 그러나 핵 타결은 대남 적화 포기와 직결됩니다. 북한이 가장 중요한 핵 부분을 포기하고 미국과 외교 관계가 이루어진다면 북한이 남한을 공격할 수 없습니다.

한편 미국은 이번 핵 문제 해결로 막대한 이득을 얻었습니다. 첫째, 전쟁 재발을 막았고 둘째, 일본 핵 재무장을 막았고 셋째, 핵확산금지조약(NPT)의 항구적인 연장의 길을 열었고 넷째, 북한에 진출해서 중국과 러시아에 큰 영향을 미치게 되었고, 다섯째 시베리아 등 북방 자원 지대 진출의 발판을 얻은 것입니다.

조갑제 제네바 미·북회담에 있어서 많은 사람들이 그 결과가 현실적으로 최선의 선택이라고 말합니다. 하지만 그것은 미국 쪽으로 봐서 그렇고 한국 입장에서 보면 한국은 국가 자존의 문제가 손상됐습니다.

당장 벌을 받아야 할 북한에게 20억 달러를 들여 경수로를 지어 주면서도 당당히 주는 것이 아니라 미국을 통해 납품하는 형식을 취한다는 것은 말이 안 됩니다. 더구나 한국형이냐 아니냐를 놓고 애걸복걸하면서 저자세로 원조하는 것은 국가 자존의 문제입니다.

김대중 그런 면에서 외교를 좀 더 잘했어야 한다고 생각합니다. 1993년 5월에 북한의 김용순 노동당 서기를 만났는데 제일 중요한 것이 경수로라고 했습니다. "미국 것은 국내법에 제약이 있어 제공받을 수 없고 일본 것은 받기가 싫다. 남한 것이라면 좋겠다"는 얘기를 했습니다. 이것은 신문에 보도되어 있습니다. 그러던 것이 조문 파동 등으로 꼬이게 된 것입니다.

조갑제 문제는 경수로를 지어 주면서 개방 보장을 받을 수 있나 하는 것인데 우리 기술진 수백 명이 자유롭게 왔다 갔다 할 수 있겠습니까?

김대중 보장을 안 하면 진전이 안 되는데요.

조갑제 과연 믿을 수 있을지 모르겠습니다.

김대중 일단 경수로 시작하면 저쪽이 약해집니다. 저쪽은 빨리 만들어야 하니까요. 우리만 약한 게 아니에요. 상대방도 약점이 있는 겁니다.

조갑제 아까 말씀드린 대로 정치 엘리트의 자주 문제가 대단히 중요하다고 생각합니다. 우리나라가 민주는 어느 정도 했다고 봅니다. 제대로 된 나라는 국가의 자존심, 또 국가가 지켜야 될 의무 사항에 대한 투철한 정신을 길러야 한다고 생각합니다. 우리는 그 점에 실패해 과거에 식민지가 되었습니다.

우리 기자가 남태평양의 인구 10만밖에 안 되는 통가라는 나라의 뚜뽀라는 왕을 인터뷰한 일이 있는데 어떻게 독립국가를 유지했는가 하고 물으니 대수롭지 않게 "우리 안에 내분이 없었기 때문"이라고 말했습니다. 타이(泰國)가 식민지가 안 된 것도 국민들이 단합했기 때문입니다.

우리가 앞으로 강대국의 영향력을 이기기 위해서는 적극적으로 자주를 이루어야 하는데 그러려면 국론 분열이 없어야 하고 지배층과 국민의 사이가 좋아야 합니다. 자주 국방을 이루어야 자주 외교가 이루어집니다.

특히 권력 엘리트의 자존심이 문제입니다. 국내 문제를 외국에 가지고 나가 해결해 달라고 하는 것이 아니라 스스로 해결하려는 자존심이 있어야 한다고 생각합니다.

협력적 자주

김대중 자주는 협력적 자주여야 해요. 배타적 자주는 국익에 도움이 안 됩니다. 이승만 시대 때의 외교와는 또 다릅니다. 한국 사람들은 식민지 때문에 사대주의에 대한 센시티브한 감정을 가지고 있습니다. 지나치게 신경질적인 반응을 보이기도 합니다. 또 형식적 자주에 매달리는 경우도 있습니다. 특히 미국에 대해서는 거의 체면이 없을 정도로 수용하고 순응하는가 하면, 다른 한편은 무조건 배격을 합니다.

둘 다 옳지 않습니다. 우리는 친미도 반미도 할 필요 없습니다. 오직 국익에 따라 협력도 하고, 또 시비를 따지기도 하면 되는 것입니다.

가장 중요한 것은 협력적 자주예요. 국익에 도움이 되는 자주를 해야 합니다. 민족이 합심하여 자신 있고 여유 있는 자주를 해 나가되 주변국과 협조가 있어야 합니다.

조갑제 그걸 어떤 사람들은 열린 자존, 개방적 자존이라고 말하더군요.

김대중 좋은 표현입니다.

조갑제 역사적으로 봐서, 붙어 있는 나라 중에서 한쪽은 북한처럼 못사는 나라가 있는데 잘사는 나라가 못사는 나라에게 계속 눌려 지냈던 경우가 몇 군데 있었어요. 중국의 송나라와 금나라, 요나라의 예를 봐도 그렇습니다. 송나라는 문화는 발전했으나 상무 정신이 약해 금나라나 요나라가 침략해 오면 배상금으로 해결하려 했어요. 그래서 결국 인질을 보내다가 황제가 포로가 되어 망하고 양자강 밑으로 가서 남송이 되었습니다.

이탈리아 도시국가 중에서도 피렌체라는 나라가 주변 국가에게 돈을 뜯기는 형편이었습니다. 피렌체의 마키아벨리가 쓴 책에 재미있는 내용이 있어 메모를 해 놓았습니다.

"한 나라의 국력을 계산하는 방법 중 하나는 인접 국가와 어떤 관계가 성립되어 있는지 알아보는 것이다. 만약 어떤 나라가 우호 관계를 지키는 조건으로 이웃 나라로부터 돈을 받는다면 그 나라는 강국이다. 반대로 약체국일 수밖에 없는 이웃 나라인데도 불구하고 그 나라에 대해 돈을 주어서 좋은 관계를 유지하려는 나라가 있다면 이는 약하다고밖에 볼 수 없다."

이 글을 읽으면서 지금의 남북한 관계를 잘못 해석하면 돈을 주고 평화를 사는 관계가 되지 않나 하는 생각이 들었습니다. 우리나라 정치하는 분이나 우리 국민들이 자주 국방 의지가 없을 때 그럴 위험이 있다고 봅니다. 북한에서 '전쟁 불사'로 나올 때 우리도 전쟁 불사로 나가야 게임이 되는데 우리는 전쟁 불가로 나옵니다.

김대중 그런데 그것과 다른 것은 우리는 군사력이 강하다는 점이에요. 우리가 국방비를 훨씬 많이 씁니다. 북한이 국민총생산(GNP)의 25퍼센트를 쓴다고 하지만 국민총생산(GNP) 총량을 보면 차이가 커요.

이번에 핵 문제가 해결된 이면에는 중국의 북한 핵에 대한 단호한 반대 표시가 큰 역할을 하고 있습니다. 중국은 북한이 핵을 만들지 않겠다는 다짐을 받았고, 실제 북한이 핵을 아직 만들지 않았다고 믿고 있습니다.

국내의 단합을 바탕으로 외교하면 잘된다

조갑제 그 정보는 누구에게서 들었습니까?

김대중 중국에서 들었습니다. 심지어 중국 지도자가 북한에 핵이 있으면 우리가 먼저 치겠다는 얘기를 하더군요. 뭐든지 맘대로 안 돼요.

아까 타이(泰國) 문제를 얘기했는데 대단히 좋은 지적입니다. 타이가 독립을 유지한 건 국내 단합과 외교의 승리예요. 당시 영국이 인도에서 미얀마를 침공했고 프랑스가 인도차이나 3국을 차지했어요. 태국이 그 사이에 끼이게 되었어요.

그때 태국이 두 나라를 설득했어요. "당신네 두 나라는 강대국이다. 둘 사이에는 완충지대가 필요하다. 우리를 놔둬라. 그러면 완충지대 역할을 잘하겠다."

그래서 독립을 보장받은 것입니다. 그런데 19세기 말에 있어서의 우리 조선왕조는 당시 러시아의 남하를 두려워한 서구 열강이나 일본이 중립 국가로서의 위치를 보장하겠다고 했을 때 이를 거절했습니다. 청나라는 우리의 대국인데 속국인 우리가 중립을 말할 수 없다는 것이 이유였습니다. 이러자 청일전쟁이 일어나고 우리는 급속도로 망국의 길로 가게 되었습니다. 외교에서 한 수를 놓치게 되면 이처럼 비참한 결과를 가져오게 된다는 쓰라린 교훈을 주는 사례입니다. 독일의 비스마르크도 외교에 성공하여 통일도 하고 나라를 지켰지요. 그러나 카이젤이나 히틀러는 외교에 실패해 협공을 당했지요.

우리가 살아나가는 데 미국이 상당히 중요합니다. 미국이 한국에 있음으로 해서 북한의 남침을 막는 것은 물론이고 일본의 군사적 위협을 막는 데 중요한 역할을 합니다. 미국이 물러가면 군사적 진공상태가 생기게 되고, 일본과 중국이 서로 각축전을 벌일 가능성이 있습니다. 뿐만 아니라, 미군의 철수는 동북아시아의 안정을 불안하게 합니다. 우리는 외교력을 동원해서 미·일·중 삼자가 누구도 패자가 되지 않도록 세력균형을 이루어야 합니다.

요즘 싱가포르의 리콴유(李光耀) 총리와 논쟁을 벌이고 있지만 그분하고 딱 하나 합치되는 것이 바로 이 점이에요. 아시아에 미국이 있어야 한다, 이 점에 있어서는 북한의 의견도 같습니다. 북한의 김용순도 "우리는 미군이 나가는 것을 바라지 않는다"고 말했어요. 북한도 일본을 두려워하고 있다는 증거죠.

신라가 통일에 성공한 것은 중국과의 거리 때문

조갑제 통일 문제에 있어서 통일의 주도권을 잡으려면 그 국가의 분위기나 엘리트들의 자세가 특출해야 한다고 생각하는데 그런 면에서 우리 역사에서 최초의 통일을 이룬 신라에 대해서는 어떻게 생각하시는지요?

북한은 단군릉을 조작해서 고구려와 연결하고 다시 김일성으로 연결해 마치 한반도 전체 역사의 정통성이 북한에 있는 것처럼 조작하려 하는데 어떻게 생각하십니까?

김대중 고구려에 정통성이 있다는 것은 말도 안 되는 소리입니다. 신라가 백제와 고구려를 멸망시키고 하나의 왕조를 세운 것은 사실입니다. 그러나 불완전한 통일이었으며 최선의 통일이 아니었습니다. 신라 통일은 평양 이남만 통일했으니 삼국 판도의 3분의 1도 안 되게 통일한 것에 불과했지요.

사람들은 신라가 아니라 고구려가 통일했더라면 좋았겠다는 생각을 합니다만 나는 그렇게 보지 않습니다. 고구려의 20대 장수왕은 왕이 된 후 바로 도읍을 평양으로 옮겼습니다. 그것은 곧 대륙 국가의 포기를 의미합니다. 평양 천도가 기원 427년이었는데 고구려가 망한 것은 668년이었습니다. 후퇴한 것은 고구려의 기상이 꺾인 증거입니다.

신라도 통일을 했으면 수도를 북쪽으로 옮겼어야 했습니다. 영국의 런던, 프랑스의 파리, 중국의 베이징, 미국의 워싱턴은 다 왕과 귀족이 피 흘려 싸우던 격전지에다 수도를 정한 예입니다.

그러나 신라는 통일해 놓고 수도를 북쪽으로 옮기지 않았습니다. 고려도 고구려 부활을 주창해 놓고 묘청이 평양 천도를 주장하니까 죽였습니다. 조선왕조는 어디가 백성을 지키는 데 필요한가 따지기 이전에 나침반을 들고 풍수지리설에 따라 이씨왕조가 오래갈 곳을 찾아 계룡산에서 왕십리로 북악산으로 옮겨 다니기만 했죠.

신라가 통일에 성공한 이유는 중국과 거리가 멀어서였습니다. 중국과 교류하려면 늘 백제가 막고 있으니까 목숨을 걸고 지금의 수원인 당항성으로 가서 중국 가는 길을 텄고 그로 인해 철기 문명과 최신무기를 받아들이게 됐죠. 또 중요할 때마다 신라 백성은 뭉쳐서 싸워 이겼어요. 당시 백성이라면 모두 농민인데 전쟁에 이겨서 돌아와 보니 땅은 엉뚱하게도 귀족들이 차지해 버렸지요. 신라는 불완전하나마 통일까지는 성공했으나 통일 후 국정이 문란해졌습니다. 통일신라 임금 중에 제대로 목숨을 유지한 임금이 반도 안 됩니다. 신라 통일은 그런 면에서 볼 때 역사에서 썩 자랑스럽지 않습니다.

다만 신라 통일에 있어서 평가해야 할 점이 있습니다. 그것은 김유신이 당나라 군대를 쫓아낸 결단입니다. 김유신은 당나라가 백제와 고구려를 멸망시키는 데 온 힘을 보태 주었음에도 불구하고, 신라의 전 국토를 삼키려 하자, 감연히 일어서서 이를 평양 북방으로 몰아냈습니다. 어려운 여건하에서 큰 결단이었다고 하겠습니다. 그나마 안 했던들 오늘 우리 민족이 존재하지 않을 수도 있다고 생각됩니다.

김유신이 당나라를 몰아내지 않았더라면

조갑제 역사적인 인물 중에서 김유신 장군을 높게 평가하시던데 김유신 장군에 대해 연구를 많이 하셨나요?

김대중 유신 장군의 조부 김무력은 가락국이 신라에 통합되었을 때 신라의 장군으로 등용되었습니다. 그리고 그 아버지인 김서현 장군은 신라의 변방을 지키는 장수로 충북 진천에 주둔하고 있었는데 김유신 장군은 거기서 태어났습니다.

당시 김유신 장군이 당나라를 몰아내지 않았더라면 지금 우리나라가 중국의 한 성이 됐을지도 모릅니다. 당시 신라 조정은 사대주의에 젖어 있었고 왕도 당나라 옷을 입고 있는 실정에서 김유신 장군의 자세를 높이 평가해야 합니다.

특히 김유신 장군의 개인적인 면도 좋아합니다. 아들 원술랑이 패전에서 살아 돌아오자 남의 자식들은 전사했는데 홀로 살아온 내 자식을 용납할 수 없다 하며 죽는 날까지 만나 주지 않았습니다. 이러한 그의 태도가 신라인으로 하여금 목숨을 걸고 통일에 참여하는 의욕을 불러일으키게 했다고 생각합니다.

조갑제 요즘 저는 『삼국사기』 원전을 읽고 있는데 『삼국사기』에서 어느 개인에 대한 기술로는 김유신에 관한 내용이 제일 깁니다. 당나라가 신라를 왜 치지 못했느냐에 대해 『삼국사기』에 나와 있습니다.

소정방이 본국으로 돌아가 천자天子에게 포로를 잡아 바치니 왜 신라마저 치지 않았냐고 물었습니다. 그러자 소정방이 "신라는 임금이 어질고 백성을 사랑하며 신라가 충성으로 나라를 섬기고 아랫사람이 윗사람 섬기기를 부형 섬기듯 하니 비록 나라는 작지만 범할 수 없었습니다."라고 기술되어 있습니다.

그런 걸 보면 당시 엘리트와 백성의 단합이 잘 이루어진 것 같습니다. 당시 당나라에 대한 일대 격전 논의가 분분할 때 왕은 당나라가 우리의 적을 멸해 주었는데 어떻게 치느냐고 유화론을 편 반면 김유신은 "개는 그 주인을 두려워하지만 주인이 다리를 밟았을 때 무는 법입니다. 어찌 어려움을 당한 우리 자신을 구하지 않겠습니까?" 하면서 주전론主戰論을 주장했습니다.

김대중 그게 우리가 긍지를 가질 수 있는 대목이죠. 그때 안 했더라면 당에 흡수되었을지도 모르죠.

조갑제 신라 통일을 할 수 있었던 것은 무사 집단으로서 화랑도가 있었기 때문인데 화랑도는 일종의 엘리트 양성 사관학교였습니다. 화랑도에 관해 연구하는 민속학자들은 화랑도가 놀이집단으로서의 성격도 있다고 하였습니다.

천하를 주유하면서 시도 짓고 풍류를 즐겼으며 임전무퇴 정신으로 전쟁에 나갔습니다. 이 양쪽 정신이 양립한 것이 매우 매력적입니다. 군사 문화와 문화적인 면이 한 조직에 통합된 것이 이 조직을 튼튼하게 했습니다. 이런 문무文武의 조화는 바로 신라의 사회 분위기이기도 했습니다.

이것이 바로 김 이사장님이 어느 책에서 주장하신, 완성된 인간이 되려면 감성과 이성을 함께 가져야 한다는 내용과 상통하는 것 같습니다.

김대중 당시 화랑정신에는 불교 사상이 크게 영향을 주었습니다. 그래서 인생은 찰나다, 조금 먼저 죽는 것은 중요한 게 아니다, 인생에 있어 바르게 사는 것이 중요하다는 생각을 가졌죠.

당시 불교가 폭발적으로 영향력을 미쳤는데 중국의 「위지동이전」이나 『한서지리지』를 보면 우리나라 사람이 굉장히 용감했다는 사실이 드러납니다. 이것은 바로 높은 경지의 불교 철학이 젊은이들을 크게 격동시켰기 때문입니다.

조갑제 강대국 사이에서 독립을 하려면 내부적으로 단합을 잘하고 그 바탕

아래서 외교를 잘해야 한다고 말씀하셨는데 그런 의미에서 본다면 신라가 통일하는 데에는 『삼국사기』에 나와 있듯이 단합도 잘했지만 당나라의 힘을 빌릴 수 있었다는 것은 국제 정세를 정확히 읽었다는 뜻 아니겠습니까?

김대중 요새 이런 말 하면 인기 없는 소리지만 당시 상황을 요즘 민족주의로 보면 안 됩니다. 당시는 민족주의가 없었어요. 인종적 통합체라기보다 정치적 통합체였습니다. 민족주의 역사는 불과 2백-3백 년밖에 안 됩니다. 앞으로 민족주의는 더 약해집니다.

신라 시대에는 3국이 같은 민족이라는 의식이 없었습니다. 당시는 통일국가가 없었기 때문이죠. 그렇기 때문에 당나라를 크게 다르게 생각하지 않았어요. 요새 민족주의로 과거를 재단하면 안 됩니다. 당나라 힘을 빌려 통일했는데 국토의 3분의 2를 포기했다는 것과 수도를 옮기지 않은 것이 아쉽지만 당나라를 쫓아낸 것은 자랑스러운 일입니다. 당나라를 이용해서 통일하고 쫓아낸 것은 전략적으로 아주 훌륭합니다.

원효의 업적

조갑제 통일과 맞물려 원효의 역할은 어떤 것이었습니까?

김대중 원효의 역할 중 하나는 신라 불교를 크게 일으켰다는 점입니다. 그의 불교에 대한 학문적 경지는 당나라의 그것을 압도할 지경이었습니다. 그는 당나라 유학은 포기하고, 우리 한국적 특색을 띤 불교를 세운 것입니다.

두 번째로는 전쟁 때문에 고통받고 실의에 빠진 민중에게 용기를 주어 통일 후 사회 안정에 기여했다는 점입니다. 또 하나 원효가 지배층이면서 민중의 편에 서서 친구가 되었다는 것도 굉장히 높이 살 만한 점이지요. 백제와 고구려 유민을 화합시킨 업적도 있습니다.

조갑제 그러나 융합이 잘 안 됐던 것 같습니다. 잘됐으면 후삼국이 일어나지 않았을 텐데, 3백 년 후에 분열되지 않았습니까?

김대중 제일 큰 실패의 원인은 전쟁이 끝난 후 성과를 피 흘려 싸운 국민들에게 분배하지 않고 오히려 수탈로 몰고 간 데 있습니다. 그로 인해 사회적 불안이 야기되고 결국 정치적 불안으로 이어져 분열이 되었습니다. 어느 시대든지 민중의 지지를 받지 못하는 정치는 성공할 수 없습니다.

아시아의 민주주의를 위해서

조갑제 김유신을 읽으면서 『플루타크 영웅전』에 나오는 시저와 비슷하다는 생각을 했습니다. 전장에서 일반 병사와 동고동락하고 패전한 아들 원술랑과 부자의 연을 끊어 버리는 등 공인 의식이 대단히 투철했다는 것을 느꼈습니다. 나중에 그 부인도 아들을 만나 주지 않았습니다.

김대중 스파르타 시대를 연상시키죠. 신라 사람들은 자기 개인을 희생하고 엄격한 규율 밑에서 국가에 헌신하는 정신이 굉장히 팽배했어요.

김유신은 원래 가야국 출신으로 진천에서 출생해 지금도 진천에 사당이 있습니다. 김유신은 기생 천관녀에게 가지 않기 위해 말의 목을 자르는 절도 있는 면, 아들에 대해 대단히 엄격한 점, 병사들과 함께 생활한 면이 모범이 되어 칭송을 받은 것 같습니다. 또 자주정신으로 당나라를 쫓아낸 점은 높이 살 만하지요.

조갑제 김유신의 자주통일 정신이 오늘날 우리가 민족공동체로 살 수 있는 하나의 경계선을 확보해 주었다는 생각이 드는군요. 저는 요새 로마사를 읽고 있는데 거기에 통일이나 개혁에 참고가 될 만한 사례가 나옵니다.

로마 호민관 그라쿠스 형제가 개혁을 하려다 실패해서 죽임을 당했습니다. 그 뒤를 이은 마리우스란 사람이 쿠데타를 일으켜 정권을 잡고 그라쿠스가 못 한 개혁을 집정관으로서 해냈습니다. 호민관으로서는 안 되던 개혁이 권력을 잡고 나니까 되더라는 역설적인 사실을 깨달았습니다.

김 이사장님께서도 모든 포부를 이루시려면 정권을 잡아야 하는데 정계 은퇴를 약속해 버리셨으니……. 앞으로 김 이사장님의 역할을 어떻게 정의 하시겠습니까?

김대중 정치를 하지 않아도 민족과 국가에게 봉사할 길은 얼마든지 있으 며, 또 세계 사람들을 위해서 할 일도 많습니다. 그 한 예로 저희 아태평화재 단이 지난 1년 우리 통일 문제의 방향을 잡는 데 상당히 기여를 했다고 생각 합니다. 국민들은 이제 통일 문제가 나오면 저희의 생각에 주목을 합니다.

북핵 문제의 해결에 있어서 상당한 역할을 했다는 것은 이제 국제적으로 인정되고 있습니다. 저는 1993년 3월 북한이 핵확산금지조약(NPT) 탈퇴를 선 언했을 때 영국 케임브리지 대학에서 연구 생활을 하고 있었는데, 그때부터 일관되게 세 가지를 주장했습니다. 일괄 타결, 중국의 역할 중시, 카터 전 대 통령의 방북이었습니다. 그리고 결과는 그렇게 되었습니다.

그리고 이제 '민족의 3단계 통일론' 이라는 가제로 1백여 명의 교수·학자 들의 협력을 얻어 통일 방안을 작성하고 있습니다. 금년 초에는 이것을 작성 하여 국민 앞에 내놓을 예정입니다.

금년 일 년 동안에는 주로 아시아 민주화를 위해 노력할 생각입니다. 아시 아 민주화의 가능성이 아주 커졌습니다. 이번에 우리 재단에서 주도해서 창 설한 아시아태평양민주지도자회의(FDL-AP)는 자타가 공인하는 큰 성과를 올 렸습니다. 세계 각국의 민주 지도자가 대거 참여했고, 유엔 사무총장과 10여 개국의 현직 집권자들이 축하 메시지를 보내왔습니다.

이제 한국은 아시아 민주화운동의 본거지가 되었고 아시아태평양민주지 도자회의(FDL-AP)는 아시아 민주 공동체로서의 위치를 세웠습니다. 아시아 각국 대표에게 이의 없이 인정받고 전 세계로부터 인정받아 설립하게 된 것입니다. 우리나라 국위를 위해서도 굉장히 자랑스럽습니다.

조갑제 한국이 경제 발전뿐 아니라 민주화에 있어서도 아시아의 구심점이 되고 모델이 되었다는 말씀입니까?

김대중 그것이 목적이 아니었는데 결과적으로 그렇게 됐습니다. 앞으로 아시아 각국에 지부도 만들고 훈련도 시킬 예정입니다. 미얀마의 민주주의가 가장 부당한 상황인데 그걸 변화시키면 아시아 민주주의가 훨씬 수월해질 것입니다.

올해는 아시아를 위해 일하고 국내 문제는 되도록 멀리할 생각입니다. 3단계 통일 방안책을 내놓으면 일단 할 일은 했으니까 그다음은 국가가 집행할 일이니 두고 보겠습니다.

차라리 정계 복귀 선언해야

조갑제 지금 김 이사장님이 현실 정치, 특히 민주당에 영향력을 행사하는 것은 실체로서 인정하지 않을 수 없는 일입니다. 차라리 정계 복귀를 선언하고 정직하고 당당하게 정치에 참여하기 바란다는 압력이 작용하게 되리라고 보는데 어떻습니까?

김대중 생각해 본 일 없습니다. 내가 정치에 개입한다는 것은 언론의 과장 보도 때문입니다. 이번에 문제가 된 기사도 주간지가 민주당은 원내로 돌아가라고 타이틀을 붙였기 때문입니다. 기사에도 그런 내용은 없었어요.

내가 말한 것은 대통령이 야당 당수 만나는 것은 의무다, 대통령이 강자니까 강자가 양보하라는 얘기와 함께 야당도 원내를 지키면서 싸우라는 원칙론을 이야기했을 뿐입니다.

이것은 국민으로서, 당원으로서 당연히 할 수 있는 일이지, 이것이 정치 활동이라고 할 수 없습니다. 정치 활동이란 직접 정치 조직 속에 참여하고 공직

선거에 관여하는 것을 말하는 것입니다.

조갑제 정치를 안 한다는 것은 구체적으로 말하면 정당 활동을 안 하신다는 겁니까?

김대중 그렇습니다. 정당 활동 하지 않고 출마도 하지 않습니다. 그러나 국민의 한 사람으로서 이번같이 막중한 때에는 의견을 말할 수도 있는 것입니다. 세계 각국의 은퇴한 정치 원로들도 모두 하고 싶은 말을 하고 있지 않습니까?

조갑제 차기 대통령 출마는 정말로 포기하셨습니까?

김대중 안 합니다.

조갑제 그러나 정치인은 상황의 요구에 따라야 할 의무도 있는데 너무 단정적으로 말씀하시는 건 어렵지 않습니까?

김대중 그래요. 그러나 내가 볼 때 상황의 변화가 있다고 볼 수도 없고 내가 바꿔야 한다는 생각도 안 합니다.

민주주의와 시장경제를 지지

조갑제 그래도 좀 여운을 남겨 두시는 게 좋을 것 같은데요. 그러니까 정치적 발언은 국민으로서 안 할 수 없지만 정당 활동은 안 하겠다는 말씀입니까?

김대중 그 부분에 관해 오해를 풀어야겠는데 정치적 발언을 하겠다는 것이 아니라 때로는 그럴 수도 있다는 겁니다. 그것이 바로 정당 활동이고 바로 대통령에 나가는 건 아니지 않습니까? 나라에 문제가 있을 때 필부도 걱정하는 말을 하는 건데 그런 말이 어떻게 정치 활동이 될 수 있느냐 이겁니다.

조갑제 정치 관측자들은 현실 정치의 주도권이 오히려 김 이사장님 쪽으로 넘어가고 있다고 말합니다. 그 이유는 지역적으로 경남·북의 균열, 김영삼 대통령의 개혁에 대한 찬성과 비판 세력의 균열 등 우리나라 보수층 안에서 균열 현상이 일어나고 있는 점 때문입니다.

최근에 어느 잡지에서 대구 지역에서 좋아하지 않는 정치인으로 김영삼 대통령이 1등으로 꼽혔고 김 이사장이 오히려 낮았습니다.

김대중 네 번째로 되어 있더군요.

조갑제 그런 걸로 봐서도 정치판에 구조적인 변화가 일고 있음을 알 수 있습니다. 이 때문에 지금의 고정 지지 세력을 기반으로 해서 보수층을 확보할 수 있는 틈이 생겼다고 보는 것입니다. 더구나 1995년이 지방자치제 선거니까 김 이사장님께 정치적 부하가 많이 가해지리라는 얘기가 있습니다.

김대중 나는 원래 중도 우파 정도의 보수주의자입니다. 공산주의를 반대하고 자유민주주의와 자유시장경제를 지지한 사람인데 왜 진보적으로 보이냐 하면 사회복지를 주장했기 때문입니다.

외국의 어느 학자가 자기는 정치적으로는 보수고 경제적으로는 시장경제주의자이고 사회적으로는 진보라고 하는 말을 들었는데 나의 입장도 그와 유사한 것입니다. 우리나라 정치 풍토가 통일을 이야기하고 노동자·농민을 위하는 말만 하면 그냥 색채를 이상하게 보는 풍조가 있습니다. 게다가 역대 정권에 의해 이상하게 몰렸던 것입니다.

사상적으로는 나같이 철저하게 세탁당한 사람이 없습니다. 중앙정보부에 김대중과(KT과)를 설치해 놓고, 나에 대해서 온갖 조사와 음모를 꾸몄던 것입니다. 심지어 지난 대선 때는 북한이 나를 지지한다고 허위 발표를 하고, 이선실 사건을 조작해서 누명을 씌웠습니다. 그들은 단 한 번도 나에게서 문제점을 발견하지 못했습니다.

조갑제 몇 년 전 기자회견 때 보수주의자로 불러도 되겠느냐고 하니까 민주당은 중도정당이라고 말씀하셨습니다.

김대중 중도 우파라고 했습니다. 보수·혁신·중도로 나눌 때는 중도이긴

하지만 나 자신은 중도 우파이다, 그러나 우리 당 내에는 중도 좌파도 있다고 말했습니다.

조갑제 김 이사장님은 역사의 인물 중에서 신돈이나 묘청같이 역사의 패배자들을 좋아하신다는 느낌이 들었습니다. 정치인은 결과로 판단하는데 역사의 패배자에 대한 동정심과 이해심이 있으면 정치인으로서 성공하는 데 사고적으로 장애가 되는 거 아닙니까?

김대중 개혁하려는 사람들이 어려움을 겪었다는 것이지 그 사람들을 좋아하는 것은 아닙니다. 그러나 그런 사람이 있었다는 것은 귀중한 일입니다. 「홍길동전」이 얼마나 보배롭습니까. 보수적인 책도 중요하지만 개혁적인 책도 중요합니다. 특히 봉건시대에 그런 책이 있었다는 건 자랑스러운 일입니다.

공인은 후세를 위해서도 살아야

조갑제 오늘로써 김 이사장님과 여섯 번째 인터뷰를 하는데 느끼는 게 참으로 많습니다. 정치라는 것은 리얼 폴리틱스(real politics)로서 권력 속성을 정확히 꿰뚫어 보고 권력의 비정함에 대해 현실적인 접근을 하는 것 아닙니까? 역사에 어떤 식으로 기록될 것이라든지, 도덕성을 많이 강조하시는 면을 보고 혹시 목표로 했던 정권을 잡아서 포부를 펴 보려 하다가 안 됐을 때를 대비해 자기변명을 만들려는 거 아니냐, 정치인으로 마음이 약해지신 게 아닌가 하는 인상을 받았습니다.

김대중 이런 거예요. 나는 정치인이니까 정치로 성공하고 싶다, 구체적으로 말해서 대통령이 되고 싶다, 그래서 대통령이 될 때를 대비해서 일생 동안 정책을 연구했습니다. 외교·국방·정치·경제·사회 모든 분야에 대해 대비하고 준비하여 지금 누구를 만나도 대화가 됩니다.

그런 면에서 본다면 결코 현실 정치를 포기한 것이 아니죠. 그러나 나는 정도 위에서 원칙을 지키면서 성공하겠다, 원칙을 포기하는 성공은 하지 않겠다는 것이 내 생각입니다. 그렇기 때문에 목숨을 몇 번 내놓을 뻔했습니다. 공인은 내 자신의 시대만 사는 것이 아니라 후세를 위해서도 살아야 합니다.

안중근 의사는 사실상 처참한 실패자였어요. 이순신 장군은 해군 참모총장밖에 못 했어요. 그러나 그분들은 결코 실패자가 아닙니다. 우리 민족의 스승이자 소중한 재산입니다.

나는 원칙을 지키는 가운데 대통령이 되려 하였습니다. 그래서 3당 합당 당시 노태우 대통령이 직접 당을 같이 하자고 권했지만, 분명히 거부했습니다.

1980년 김대중 내란음모사건 때 신군부는 자기들과 협력하면 살려 주고, 대통령 빼놓고는 무엇이든지 시켜 주겠다, 아니면 반드시 죽이겠다, 재판은 요식행위다, 이렇게 회유하고 협박했지만 그것이 내가 사는 정치적 원칙과 배치되기 때문에 거부하고 죽음의 길을 택했던 것입니다. 물론, 굉장히 살고 싶고 죽음이 두려웠지만 말입니다.

정치인 중에는 나같이 사는 사람도 필요한 것 아닙니까. 요즈음 나에 대한 동정심이나 애석한 심정을 가진 국민들이 다시 정치에 나오기를 바라는 말을 하기도 하지만 나의 태도를 바꿀 수는 없습니다.

이러한 여론 때문에 언론이 민감해져서 모든 것을 나의 정계 복귀와 연결해서 해석하고 과장하기 때문에, 요즈음은 참으로 말 한마디 하기가 힘듭니다. 정계 은퇴하면 좀 편하고 자유스러워질 줄 알았는데 그렇지 않습니다.

조갑제 은퇴라고 하면 드골식 은퇴를 많이 생각합니다. 고향에 칩거, 파리에 올라오지 않고 두문불출하고 있는 은퇴 말입니다.

김대중 그것은 아주 예외이지, 일반적인 일은 아닙니다. 어느 나라건 은퇴한 정치인들도 자유롭게 현실에 대해 이야기합니다. 드골도 시골에 있었지만, 자기 지지자들과 자주 접촉하면서 정치 현실에 대해서도 이야기했던 것입니다. 더구나 나는 아태평화재단을 창립해서 남북통일·아시아 민주화·세계 평화의 3대 과업에 매달려 있기 때문에 일산에 은거해 있지만 시내에 안 나올 수도 없습니다.

조갑제 정의를 내리자면 김 이사장님은 정당 활동은 안 하지만 정치적 활동은 하며 정계로부터 은퇴했지 정치로부터는 은퇴하지 않았다는 결론이 됩니까?

김대중 앞에 말한 대로입니다.

서울시장에 정치인이 더 적합

조갑제 서울시장은 어떤 사람이 나오면 좋겠습니까?

김대중 그건 잘 모르겠는데요. 다만 시장이나 자치단체장이 반드시 행정 능력이 있어야 한다는 것은 잘못된 생각입니다. 정치가나 사회 활동가 출신이 되는 것이 바람직합니다. 레이건 전 대통령이나 카터 전 대통령, 클린턴 대통령은 다 행정 경험이 없지만 일급 주지사를 지냈습니다. 일본도 마찬가지입니다.

행정은 부시장이나 부군수를 시키면 됩니다. 시장 같은 자치단체장은 상상력과 창의력을 가지고 내가 맡은 지역을 어떻게 발전시킬 것인가, 관광 개발, 적합한 산업 유치, 주민의 복지 증진, 그리고 주민의 자치행정에 대한 민주적 참여 등의 비전을 가져야 합니다. 이를 위해서는 정책도 연구하고, 외국이나 대도시에서 투자도 유치하는 활기찬 지도자가 필요합니다.

조갑제 통일에 관해 말씀을 나누어 보겠습니다. 그동안 통일 방안과 전략이 많이 나왔습니다만 제일 중요한 것은 왜 통일을 하려 하느냐 하는 가치관이라 생각합니다.

김유신을 읽으면서 왜 신라가 통일하려는 의지가 생겼나에 대해 생각해 봤습니다. 통일하기 1백 년 전부터 신라가 백제와 고구려에게 협공을 당해 피를 피로 씻는 혈전이 계속됐는데 김유신과 김춘추가 이런 식으로는 백성이 못 견디겠다는, 근본적으로 백성들에 대한 연민에서 통일 의지가 일어났으리라고 추측됩니다.

왜 우리가 북한을 개방시켜 통일을 해야 하는가 하는 것은 북한 주민들의 참상에 대한 연민의 정, 정의감이 바탕이 되어야 하고 그 사람들을 못살게 만드는 김정일 노동당 지배 세력에 대한 증오심, 이 두 가지를 잊으면 통일에 대한 가치관과 목표·방안이 이상하게 될 겁니다.

김 이사장님은 입장도 있고 해서 말씀하시기 어렵겠지만 누군가는 이런 통일의 가치관에 대해 적극적으로 말씀해 주서야 할 것 같은데요. 그렇지 않으면 우리 국민들이 통일하면 내가 손해 본다는 공포심 때문에 이기적으로 행동할 가능성도 있다고 봅니다.

대중 관계 슬기롭게 진전시켜야 한다

김대중 아주 귀중한 지적입니다. 신라가 통일한 것은 안 하면 내가 죽기 때문에 한 겁니다. 고구려나 백제도 마찬가지 입장이었죠. 당시 우리 국토는 세 나라가 공존하기에는 너무 좁았어요. 남북도 마찬가지예요. 주변 4개국은 날마다 강대해지는데 세계 격변 속에서 이대로는 못 삽니다. 냉전도 끝났는데 무슨 명분으로 통일을 안 합니까.

남북 관계에 대해서는 다음의 몇 가지가 중요합니다.

첫째, 우리는 모든 정성과 노력을 다해서 남북이 서로 이해하고 협력해서 민족·민주의 기반 위에 우리 운명은 우리끼리 해결하는 자주적 민족공동체를 구성해 나가야 합니다. 둘째, 우리의 통일을 단계적으로 해 나가야 합니다. 서두르면 일을 그르칠 수 있습니다. 제가 20년 이상 주장해 온 3단계 통일 방안을 가장 합리적인 방안이라고 생각합니다. 셋째, 이제부터는 외교가 중요합니다. 4대국과 다각적인 외교가 벌어집니다. 한 수 잘못 놓으면 엄청난 국익의 손상을 봅니다. 우리는 제네바 북핵 협상의 과정과 김일성 주석 조문 파동을 통해서 이를 뼈저리게 실감했습니다.

요약해서 말하면 이렇습니다. 상당 기간 한·미 공조를 확고히 유지하도록 탁월한 외교 역량이 발휘되어야 합니다. 이제 미국은 남북을 같이 상대하기 때문에 달라질 가능성이 있습니다. 그리고 무엇보다도 중국과의 외교를 슬기롭게 진전시켜야만 합니다. 미국 못지않게 중요시해야 합니다.

일본과의 공조 체제도 물론 중요하고 러시아와의 관계를 결코 소홀히 해서는 안 됩니다. 나는 최근 러시아를 가 보고 러시아가 차츰 우리에 대한 태도를 소원히 해 가는 것을 보고 걱정하고 있습니다.

북한이 이제 개방을 안 할 수 없어요. 세계시장에 나가려면 세계무역기구(WTO) 규칙을 지켜야 하기 때문입니다. 중국의 중산층이 지금 2억-3억이라고 하는데 북한도 중산층이 생길 테고 그렇게 되면 복수 정당을 요구할 것이고 다음으로 여야 정권 체제로 가게 되겠죠. 중국도 머지않아 복수 정당 체제가 나옵니다. 북한은 중국을 따라가게 마련입니다. 그렇게 되면 우리는 아주 자신 있게 나갈 수 있습니다.

조갑제 한편에서는 남북이 이념 간의 대결이 아니라 두 개의 권력 간의 대결이라고 보는 시각이 있습니다. 북한이 부를 증진하면 권력은 안 내놓고 남한에 대해 더욱 공세적일 것이라는 견해가 있는데 이는 양보할 수 없는 권력 관계이기 때문에 그렇게 보는 것입니다.

그러므로 북한이 개방하면 남북이 가까워져서 통일의 길로 가리라는 것은 희망 사항이 아니냐는 시각이 있습니다.

김대중 북한이 개방하고 부를 축적하려면 국제사회에 참여해야 합니다. 국제사회에 나오면 남한의 힘이 얼마나 크다는 것을 알게 될 것입니다. 우리나라가 만만한 나라가 아닙니다. 북한에 중산층이 생기면 그들의 요구에 따라 개방경제가 이루어지고 외국에서 온 사람들이 들어오면 속았다는 것을 알게 됩니다. 그러면 지금까지처럼 손아귀에 넣고 거짓말을 할 수 없게 됩니다.

자신을 가지고 나가야

조갑제 그렇게 되면 북한의 권력 통제가 약화되리라고 봅니까?

김대중 당연히 약화되지요.

조갑제 대남 적화 의지도 같이 약화되리라고 보나요?

김대중 중국을 보십시오. 폐쇄적인 문화대혁명 때와 개방적인 덩샤오핑 시대가 얼마나 다릅니까. 남북은 앞으로 서로 교류 협력하게 되고 같이 합작 투자하게 되어서, 한반도 내에뿐 아니라, 시베리아, 중동 등 같이 진출해 나갑니다. 서로 손잡고 신나게 돈벌이하면서 싸우는 사람은 없습니다. 우리는 힘도 북한보다 강하고 튼튼한 우방도 있습니다. 자신을 가지고 나가야 합니다. 자유·번영·복지의 국내 정치를 잘하면 됩니다. 우리는 적어도 미국과 군사동맹을 맺고 있지만 북한은 중국이 군사적으로 도와주지 않습니다.

조갑제 장시간 여러 가지 분야에 대해서 폭넓게 좋은 말씀 많이 해 주셔서 정말 고맙습니다. 새해에 복 많이 받으시길 바랍니다.

---

* 이 글은 『월간조선』 1995년 1월 호에 게재된 특별 인터뷰다. 당시 조갑제 『월간조선』 부장이 인터뷰하였다.

2020년대 안에 통일 확신

대담 최학래
일시 1995년 1월 1일

『한겨레신문』은 새해를 맞아 김대중 아태재단 이사장과 특별 인터뷰를 갖고 광복 50돌에 이르는 우리 역사에 대한 평가와 최근의 남북 문제, 현 정부의 개혁 문제 및 다가오는 21세기에 대한 전망 등 광범위한 주제를 놓고 의견을 나누었다. 이 대담에서 김 이사장은 정계 복귀 등 자신의 정치적 거취 문제를 포함한 현실 정치에 관한 질문에 대해서는 구체적인 언급을 회피했다.

최학래 1995년은 일제로부터 해방된 지 50주년이 되는 해입니다. 지난 50년간 우리 민족은 많은 어려움을 겪는 가운데서도 물질적·정신적으로 크게 발전한 것이 사실입니다. 그러나 아직도 우리 민족은 분단 상태를 벗어나지 못하고 있고 남북한 양쪽에 많은 문제를 안고 있는 것도 부인할 수 없는 사실입니다. 우리가 민족의 대계를 올바로 세우려면 지난 반세기를 정확하게 평가해야 한다고 생각합니다만.

김대중 지난 50년간은 북한에서는 공산독재가 지배하는 시대였으며, 남한에서는 좌절과 전진이 교차한 시대였습니다.

남한에서는 크게 보면 좌절이 많았지요. 그 이유는 민족 정통성 확립에 실패했기 때문입니다. 나라를 위해 희생한 사람이 영광을 받지 못하고 오히려 민족에 해를 끼친 사람들이 이득을 차지했습니다. 이렇게 민족 정통성이 실현되지 못하니까 민주주의도, 공정분배도, 사회정의도 뒤틀리고 만 것입니다.

그러나 우리 국민은 결코 포기하지 않았고 투쟁을 멈추지 않았습니다. 좌절에도 불구하고 정치, 경제 각 분야에서 불사조같이 싸워 왔습니다. 이런 정신을 그대로 밀고 나가면 21세기의 전망은 밝지 않겠는가 생각합니다.

민간 차원 교류가 첫걸음

최학래 남북 문제가 대외적 조건만 보면 낙관적이지만 남북한 정부 차원에서는 상당히 교착상태에 빠져 있습니다. 특히 지난해 김일성 주석 사망 이후 남쪽의 강경 기류와 북쪽의 반발이 상승작용해 상황이 더욱 악화하고 말았습니다. 올해는 이런 교착상태를 풀고 남북 관계를 진전시키기 위해서 남북의 권력 담당자들이 허심탄회하게 민족 문제를 논의해야 한다는 게 국민 여망인 것 같습니다.

김대중 한반도에서는 북한 핵 문제의 해결과 더불어 지난 50년간의 역풍의 시대가 지나고 순풍의 시대가 왔습니다. 따라서 시간은 걸리겠지만 남북 간은 대립에서 평화로, 분단에서 통일로 가는 새로운 시대에 들어서게 되었습니다. 우리는 북한에 대해서 경계도 해야겠지만 기본적으로는 자신을 가져야 합니다. 이제 공산주의의 위협은 끝났습니다. 북한도 궁극적으로는 개방경제의 길로 갈 수밖에 없다고 봅니다.

문제는 남북한이 서로 상대방의 위협을 안 느껴야 하는데, 북한은 아직도 남한이 흡수 통일을 하려 한다고 생각하고 있고, 남한의 일부 세력도 북한이 공산화의 야욕을 버리지 않았다고 느끼고 있는 것 같습니다. 이런 의심이 해소되는 것이 급선무입니다.

우리는 지난번 김일성 주석 사망 당시 북한을 껴안을 수 있는 좋은 기회를 놓쳤는데 앞으로는 이런 전철을 되풀이해 밟아서는 안 됩니다.

북한에 비해 남한은 비교할 수 없을 정도의 강자입니다. 사회적 안정 면이나 정치, 특히 경제 면에서는 월등하게 우월합니다. 무엇보다도 흡수 통합의 위협이나 돈 자랑하는 것 같은 인상을 주어서 북한의 감정을 건드리지 말아야 합니다. 서독이 이러한 신중하고 너그러운 태도에서 성공한 역사에서 우리는 배워야 합니다.

경수로 문제에 대해 우리 사회 일각에서는 우리가 돈만 내고 북핵 문제는 미국이 멋대로 한다고 생각했는데, 그런 생각에는 문제가 있습니다. 물론 그런 면이 없는 것은 아니지만 경수로는 거저 주는 것이 아니라 돈을 받고 주는 것이며, 많은 이득을 보고 주는 것입니다. 그리고 이것은 북한에 대해서 경제 · 사회적으로 커다란 영향을 주게 됩니다.

최학래 우리 역사를 되돌아보면 약 50년 단위로 큰 전환을 했습니다. 1894년의 동학농민전쟁, 1945년의 해방과 분단, 이제 또 1995년은 세계무역기구 출범 등 세계사가 대전환하고 있습니다. 21세기를 전망해 보면 어떻습니까?

김대중 21세기는 우리에게 새로운 희망의 시대가 될 것으로 확신합니다. 제 생각으로는 21세기의 1/4분기 안에는 반드시 민족 통일을 완수할 것 같습니다. 그것은 앞서 말한 대로 이제 한반도를 둘러싼 역사의 흐름이 2차대전 이후 처음으로 대립에서 평화로, 분단에서 통일로 힘차게 흐르게 될 것이기 때문입니다. 또 한국이 아시아 민주화의 구심점이 될 것으로 확신합니다. 한국인만큼 민주주의를 위해서 줄기차게 싸운 경우도 많지 않습니다.

경제적인 면에서는 현재도 남한이 국내총생산(GDP)과 무역 규모 면에서 세계 13번째인데, 남북이 협력한다면 세계 5강 진입도 능히 바라볼 수 있습니다. 마지막으로 문화가 지배하는 21세기에는 우리가 문화적으로 세계적인 강자가 될 수 있다고 생각합니다. 이것은 우리 민족이 중국 문화를 수용하면서 그들에게 동화되지 않고, 이를 재창조·발전시킨 데서도 알 수 있습니다.

최학래 우리나라가 선진국으로 진입하기 위해서는 김영삼 정부가 개혁을 철저히 해야 한다고 믿는 국민들이 많습니다. 그러나 집권 초기에는 대다수 국민들이 개혁 드라이브에 공감하고 지지를 했지만 지금은 더 이상 개혁을 기대하기 어렵지 않나 하는 회의론이 우세한 실정입니다. 특히 개혁이 후퇴하면서 김영삼 대통령이 수구 세력과 제휴하거나 포위당한 상태라는 분석도 나오고 있습니다.

김대중 지식인층을 중심으로 걱정도 있는 것으로 알지만 저는 개혁이 꼭 실패했다고 보지 않습니다. 여러 난관에 부닥쳐 있기는 하지만 상당한 성과가 있었다고 봅니다. 군의 정치 개입 차단이라든지 금융실명제, 정치개혁법 등은 평가해 주어야 합니다. 물론 이런 개혁이 완전한 것은 아니고 국가보안법과 노동관계법, 그리고 중소기업 육성과 사회보장 확대 등 아직 해결해야 할 과제도 많은 것 또한 사실입니다.

'조문 파동' 전철 밟지 말길

김대중 현 정부의 개혁의 난관은 3당 합당에 보다 근본적 원인이 있다고 봅니다. 그러므로 현 정부가 출범할 때 두 가지 중 하나를 분명히 선택했어야 한다고 생각합니다. 첫째는 5·6공 세력과 허심탄회하게 대화를 가져 개혁의 방향과 내용을 설명해 주고 그들이 과거를 과감하게 청산하고 새롭게 태어나서 자기들의 장래에도 희망을 갖고 적극적으로 협력하도록 하는 것입니다. 둘째는 그것이 안 되겠으면 아예 이들을 제거해 버리고 새로운 수혈을 받아 가며 개혁을 추진해 나가는 것이었다고 생각합니다.

오늘의 현실이 일부 사람들에게 실망을 주기도 하지만 그래도 우리는 지금까지의 과정에서 교훈을 얻은 김영삼 대통령이 제2의 개혁을 성공적으로 추진하기를 바랍니다.

최학래 현재 우리에겐 해결해야 할 과제가 산적해 있습니다. 이 가운데서도 공정한 분배, 사회복지의 확충, 국민의식의 전환, 경제력 집중 완화, 통일에 대비한 의식과 제도의 정비, 자주적 대외 관계 정립, 인권 존중과 시민운동의 활성화, 노동 소외의 극복과 인간 중심의 생산 체계 구축 등을 주요 과제로 꼽는 학자들이 많습니다.

김대중 가장 중요한 것은 국민의 신명입니다. 방금 말씀하신 여러 사항이 중요하긴 하지만 국민이 신명이 나서 협력하지 않으면 이뤄지지 않습니다. 신명이 나려면 첫째 철학과 목표가 분명해야 하고, 둘째 국민 각자에게 돌아갈 몫이 확실히 보장되어야 하고, 셋째 이에 따른 국민의 참여 의욕이 일어나야 합니다. 이것이 삼위일체로 제시돼야 신명이 일어납니다. 그렇게 되면 지금 제시하신 모든 문제가 성공적으로 해결될 것입니다. 이러한 국민의 신명이 일어나게 하려면 언론이 국민을 위해서 올바른 비판과 권익의 주장에 앞장서 주어야 합니다.

최학래 김 이사장께서는 최근 '글로벌 데모크라시'라는 개념을 내놓았습니다. 이 개념 속에 김 이사장의 철학과 사색이 융해돼 있다는 느낌을 받는데요.

지구 전체를 생명 공동체로

김대중 우리가 통상 말하는 민주주의는 서구 민주주의인데, 서구 민주주의가 완전한가 하면 그렇지 않습니다. 서구 민주주의는 국민국가 내에서의 민주주의일 뿐 한 발 나가면 약소민족을 마구 짓밟고 수탈했습니다. 자연환경도 멋대로 파괴해 오늘날 지구 존폐의 문제까지도 야기했습니다. 지금 제3세계의 빈곤은 극에 달했고, 남북 격차도 날로 커지고 있습니다.

우리는 지구 전체를 하나의 공동체로 삼아 제3세계의 사람들도 선진국과 똑같이 자유·번영·복지를 누리는 새로운 민주주의로 나아가야 합니다. 그리고 인간만이 아니라 모든 동식물과 자연의 존재들이 지구라는 어머니 품에서 안전하게 존재하고 성장하게 해야 합니다. 환경 보존 문제도 환경이 파괴되면 인간이 파멸한다는 이기주의적 관점이 아니라 환경 자체를 우리의 형제자매로 여겨야 합니다. 오염된 물, 떼죽음을 당한 물고기, 그리고 썩어 가는 땅은 얼마나 고통스러울까 하는 연민과 긍정의 차원에서 보살펴 주는 민주주의가 필요합니다. 그러한 사고의 바탕은 유교·불교 등 아시아의 철학과 신앙 속에 풍부하게 존재합니다. 나는 이러한 민주주의를 '지구적 민주주의'라고 칭하면서 이번 『포린어페어스』 11·12월 호에 기고했는데, 지금까지 많은 공감을 얻고 있습니다. 금년에는 이를 본격적으로 연구해서 체계적으로 발전시키고 책으로도 내 볼 생각입니다.

최학래 이사장께서 말한 글로벌 데모크라시(global democracy)와는 다른 측면에서 글로벌라이제이션(globalization)이라는 새로운 개념이 급작스럽게 강조되고 있습니다. 이 개념은 국가 경영 전략 또는 국가의 목표로 제시되고 있습니다만 어느 면에서는 통치 이데올로기화하는 측면도 엿보입니다. 또 이 개념에 대해서 많은 사람들이 상당히 혼란스러워하고 있는 것도 사실입니다.

김대중 제가 말하는 글로벌 데모크라시란 철학적인 면을 말한 것입니다. 지금 말씀한 세계화는 기능적인 측면이 강하다고 생각합니다. 이즈음 경제가 세계화하고 있는 것은 사실입니다. 더욱이 세계무역기구 체제가 되면 국가가 제한할 수 있는 영역이 크게 사라집니다. 저는 우리 국민의 창의와 자발적으로 일을 처리해 나가는 역량을 볼 때 오늘의 세계화의 시대를 도약의 기회로 만들 수 있다고 봅니다. 정부는 불필요한 규제를 풀고 기업이나 국민이 신명 나게 뛸 수 있도록 도와주어야 할 것입니다.

노동·인권부터 세계화를

최학래 거기에는 우려되는 부분도 없지 않은 것 같습니다. 세계화가 갑작스럽게 정치적 슬로건 비슷하게 되면서 재벌에 대한 규제 완화 쪽으로만 흐르는 감이 없지 않습니다. 사실 재벌의 소유 집중에 대해서는 규제를 더 강화하고 하부 경쟁을 저해하는 부분에 대해서는 규제를 완화해야 하는데, 최근의 몇 가지 사례를 보면 오히려 재벌의 집중력을 강화하는 조건을 만드는 구실로 쓰이고 있지 않나 하는 느낌마저 들고 있습니다.

김대중 그 문제에 대해서는 저도 똑같이 걱정하고 있습니다. 제 생각으로는 진정한 세계화를 이루려면 다음과 같은 몇 가지 조건이 충족돼야 한다고 봅니다. 첫째 특혜를 받아 성장하는 기업이 없어져야 하고, 둘째 부가 재벌에 집중돼서는 안 됩니다. 부가 공정 분배되어야 합니다. 셋째 국내부터 세계화해야 합니다. 경제뿐 아니라 정치·노동·인권·공해 등 다른 분야도 세계화돼야 튼튼하게 발전합니다. 경제 분야만의 세계화는 절름발이 세계화여서 성공할 수 없습니다. 넷째 선진국처럼 대기업들이 중소기업과 운명 공동체 관계 속에 하나가 되는 세계화가 돼야 합니다.

최학래 최근 여러 여론조사에 따르면 김 이사장의 정계 복귀 가능성을 점치는 사람들이 늘어나고 있습니다. 또 정계 개편설, 5·6공 세력의 신당설 등도 광범위하게 유포되고 있는데, 이런 것이 모두 김 이사장을 축으로 한 것이라는 관측이 많은데요.

김대중 대선이 끝난 뒤 정치에서 떠날 때의 심정이 지금도 변함없습니다.

---

* 이 글은 『한겨레신문』 새해 특집 인터뷰로 당시 최학래 『한겨레신문』 편집국장이 인터뷰하고 김종구 기자가 정리하였다.

나중에 국민들이 그때 김대중이가 참 잘했다 그럴 겁니다

대담 조유식·안철홍·김경환
일시 1995년 8월 9일

원래는 총선 이후 국민이 절실히 원할 때 복귀할 생각

정계 복귀 선언 이후 김대중 새정치국민회의 창당준비위원장의 얼굴은 한 껏 밝아 보인다. 자신의 선택에 대한 확신으로 가득 찬 얼굴이다. 그러나 과 연 그럴까. 그는 현실적으로나 역사적으로나 승자로 기록될 수 있을까. 창당 준비로 눈코 뜰 새 없이 바쁜 그를 『말』지의 젊은 기자들이 만나 보았다. 인 터뷰는 8월 9일 오전 7시 30분부터 2시간 30분 동안 마포의 한 호텔에서 진 행됐다.

조유식·안철홍·김경환 정계 복귀 최종 결심은 언제 했습니까? 지방선거 직전까지만 해도 전혀 그런 언급이 없었고 당시의 인터뷰에서는 "현재까지 내 뜻에 변함이 없다. 현재로서는 내게 하늘의 뜻이 없다는 생각에 변함이 없 다"고까지 했는데요.

김대중 정계 복귀를 해야겠다고 생각한 것은 지자제 선거 전후예요. 그 전 까지는 정계 복귀 안 하겠다는 생각이었고 그래서 일산에 집도 지었던 거죠.

정계 복귀 결심을 한 데는 솔직히 얘기해서 두 가지 동기가 있습니다. 하나는 이번 선거를 해 놓고 보니 국민들이 정말 이 정권을 지지하지 않는다는 것, 이 정권이 설 자리가 없더라는 것입니다. 또 하나는 이기택 총재가 이종찬 씨를 경기도지사로 밀면 서울뿐만 아니라 수도권까지 다 휩쓸 것이 뻔한데 자꾸 고집을 해서 당에 큰 손실을 가져왔다는 것입니다. 경기도지사 후보로 이종찬 씨를 추천했을 때 나는 이기택 총재 쪽에서 쌍수를 들고 환영할 줄 알았어요. 그런데 그쪽에서 나오는 말이 "이건 김대중 씨가 수도권까지 다 장악해서 정계 복귀하려고 그러는 거다.", "서울을 김대중 씨에게 줬으니 경기도는 내가 차지해야겠다"는 거였어요. 내가 깜짝 놀라서 이기택 총재 측근인 강창성 의원과 박은태 의원을 불러, "추호도 그런 생각이 없다. 나는 당권에 도전하지 않고 일절 개입하지 않겠다"고 공개적으로 약속했어요. "이기택 총재가 경기도 아니라 서울까지 다 가져라." 그리고서 "어떻게 해서든 선거에서 이기자"고 했어요.

당시 선거 상황이, 서울에서도 박찬종 씨에게 뒤지고 있고 해서 아주 절박한 심정으로 매달렸어요. 그때 이기택 총재가 받아들였으면 내가 나올 리 없는 거지요. 이렇게 나랏일이나 당 일을 제대로 펴 나가지 못하는 위기를 보고, 내가 정계를 물러나겠다는 약속에만 매달릴 수 없지 않으냐, 또 내가 볼때 뚜렷이 대안이라 할 만한 인물도 없다, 그렇다면 다소 비난을 듣고 내 자신도 그렇게 내키지 않지만 나갈 수밖에 없다, 그렇게 생각한 거지요.

조유식·안철홍·김경환 그러나 내심으로는 오래 전부터 정계 복귀를 예상하고 준비해 온 것 아닙니까? 그동안 정계 복귀를 시사하는 발언을 단계적으로 강도를 높여 가며 해 온 것은 의도를 갖고 해 온 일 아닙니까?

김대중 자기 뜻을 못 이룬 정치인이 가능하면 정계 복귀를 하고 싶어 하는 것은 자연스러운 일입니다. 드골과 닉슨도 그랬고 김영삼 대통령도 1980년에 정계 은퇴를 선언했다가 복귀했습니다. 나는 정계 복귀 시기를 언제로 봤느냐 하면 적어도 내년에 국회의원 선거가 끝나고 국민 여론이 정말로 김대중이가 필요하다 해서, 이것이 누가 보든지 인정할 수밖에 없을 만큼 절실할 때 복귀를 하고 그렇지 않으면 아태재단이라도 잘해 나가겠다는 것이 계획이었어요.

조유식·안철흥·김경환 질문의 의도는 김 위원장의 정계 복귀가 그 어떤 불가피한 상황에 의해 이뤄진 것이 아니라 오래 전부터 의도를 가지고 그런 상황을 만들어 온 게 아니냐 하는 것입니다. 동교동 핵심 측근 의원들은 오래 전부터 "선생님은 꼭 복귀하신다. 다음에 꼭 나오신다"는 이야기를 사석에서 해 왔습니다.

김대중 그런 얘기를 하는 사람은 자기 소원을 가지고 얼마든지 그런 이야기를 할 수 있어요. 충성심이라 할까 그런 것이 강하면 강할수록 위에서 뭐라 하든 "우리는 반드시 다시 모셔야겠다." 이런 것 얼마든지 있을 수 있어요. 그건 내 의도일 수도 있고 아닐 수도 있어요. 난 이런 건 변명 안 해요. 나는 아까 말한 그대로예요. 대통령 선거가 임박해서 상황이 내가 나갈 수 있게끔 되고 또 나가야겠다 싶어지면 결정해 보겠다는 생각은 있었어요. 그러나 그 시기가 지금은 아니었다는 거예요. 그랬는데 상황이 이렇게 됐다는 거지요. 난 변명할 생각은 없어요.

조유식·안철흥·김경환 정계 복귀를 하더라도 꼭 민주당을 깨고 나와 신당을 창당하는 방법으로 해야 했습니까?

김대중 이번에 국민들이 가장 이해 못 하는 것이 왜 안에서 안 하고 밖에 나가서 따로 하느냐는 것, 그걸 제일 이해 못 하는 거예요. 그런데 이게 아주 복잡한 내부 문제이기 때문에 외부 사람이 잘 이해할 수가 없습니다. 민주당 내에서는 당을 개혁할 길이 없어요. 민주당은 아시다시피 파벌이 워낙 많아

한 지붕 열 가족입니다. 당은 없고 파벌밖에 없어요. 또 수십억씩 풀지 않으면 총재가 될 수 없어요. 거기다가 우리에게는 여권의 공격이 들어오고 하니까 훨씬 더 사태가 복잡해져요. 이기택 총재가 백의종군하지 않으면 전당대회를 원만히 치른다는 보장이 없어요. 왜 그러냐, 민주당 원외 지구당 위원장 중에서는 다음 총선에 나가면 당선 가능성 있는 사람이 20퍼센트도 안 돼요. 나머지는 지구당 위원장직을 생계 수단시하는 사람이 대부분이에요. 중앙당에서 돈 나오고 계보에서 돈 나오고 이게 완전히 먹이사슬과 마찬가지예요. 그런데 이기택 총재는 이런 사람들을 다 봐주겠다고 합니다. 그러니 우리가 봐주겠다고 하지 않으면 그 사람들이 우리를 밀어주겠어요? 그렇게 되면 개혁이 안 되는 거예요. 그러니 돈 풀어야 되고, 봐줘야 되고, 그럴 바에야 뭣하러 하느냐는 겁니다.

그리고 왜 7월에 했느냐, 8월 말에 전당대회가 있기 때문에 7월 중에 지구당 개편을 합니다. 개편하면 2년 동안 임기가 보장됩니다. 또 전당대회에서 임원을 선출해 버리면 그 사람들도 바꿀 수 없어요. 그리고 나서는 정기국회에 바로 들어가야 되니까 당을 개혁하고 있을 시간이 없어요. 이런 기술적 문제를 국민들이 이해해 줄 리가 없어요. 그렇지만 워낙 긴급사태니까 일단 일부터 벌여 놓고 나서 우리 행동을 통해 국민들로부터 이해받는 길밖에 없다, 그렇게 생각한 겁니다.

조유식·안철홍·김경환 김 위원장은 "내 인생의 목표는 무엇이 되느냐가 아니라 어떻게 사느냐다."라고 말한 적이 있습니다. 그리고 "이완용같이 부귀영화를 누리기보다는 안중근같이 깨끗하고 당당하게 살겠다"고 덧붙였습니다. 신당 창당 선언 이후 많은 사람들이, "김 위원장은 어떻게 사느냐보다 무엇이 되느냐에 관심이 더 많은 사람"이라고 생각하지 않겠습니까?

김대중 허허, 그렇게 말하는 사람도 있을 수 있겠지요. 그런데 무엇이 된다는 것은 대통령이 된다거나 부자가 되는 것만 말하는 게 아니라 명예를 갖는 것도 무엇이 되는 것에 드는 거예요. 그런데 내가 정계 복귀해서 명예가 많이 떨어졌어요. 정치가나 공인에게는 명예가 가장 소중한 거예요. 그런데도 명예 실추를 무릅쓰고 복귀한 거예요. "공개적인 적과 싸우는 것도 용기지만 내가 사랑하는 국민들로부터 오해받으며 싸우기는 더 어렵다"고 했어요. 링컨이 남북전쟁 이후 남부를 처벌하지 않겠다고 하니 북부 사람들이 그를 두고 '사기꾼', '거짓말쟁이', '살인자보다는 조금 나은 자' 이렇게까지 모함했어요. 그래도 링컨은 끝내 태도를 바꾸지 않았어요. 링컨의 결단이 없었으면 오늘날 미국은 둘로 갈라졌어요.

내가 볼 때 민자당은 지금 완전히 말기 현상이에요. 야당이라도 제대로 해야 하는데 야당도 제구실을 못 해요. 이런 상황에서 국민으로부터 8백만 표를 얻은 사람으로서 아무런 위기감을 못 느낀다면 그건 애국심이 없는 사람이지요. 사람이란 그런 때가 있어요. 후일에 인정을 받기 위해서 당장의 비판을 감수해야 할 때가 있어요. 그것이 진정한 용기고, 그것이 어떻게 사느냐를 중시하는 태도라고 믿고 있습니다.

국민이 원한다면 대선 출마 긍정적으로 생각

조유식·안철홍·김경환 신당에서 당원들이 원한다면 네 번째 대권에 도전할 계획입니까?

김대중 당원들이 원하는 게 아니라 국민이, "이제 네가 한번 나와 봐라." 할 때는 나도 긍정적으로 생각하겠지만 지금은 때가 아니에요. 내년에 국회의원 선거가 끝나고 내년 말이나 내후년 들어가면서……

조유식·안철홍·김경환 국민이 원하는지 안 원하는지는 총선 결과로 판단합니까?

김대중 총선 결과도 있고 일반 국민 여론도 있고.

조유식·안철홍·김경환 국민 여론은 어떻게 판단합니까?

김대중 여론조사 방법도 있고 귀를 기울이는 방법도 있고 그런 것 아닙니까?

조유식·안철홍·김경환 김 위원장은 "내가 대통령이 되었으면 오늘날 남북 관계가 건설적으로 진전되었을 것이다. 노사 관계도 화합과 협력이 크게 진전되었을 것이다. 국민에게 훨씬 큰 희망을 주고 지역 대결도 없어졌을 것이다."라고 말한 바 있습니다. 만일 기회가 주어져 대통령이 된다면 국민에게 어떤 희망을 줄 수 있다고 생각합니까?

김대중 지역 문제 해결에 최고 적임자는 나입니다. 왜냐하면 30년 지역차별의 최고 희생자가 나 아닙니까? 피해자는 화해를 주장할 수 있어요. 이번 지방선거 결과도 지역 갈등 해결에 큰 도움이 될 겁니다. 이제 한 지역이 다른 지역의 희생 위에 군림하는 지역 패권주의가 불가능해지고 지역 등권주의 시대가 오게 되었어요. 남북 문제도 1973년 중반부터 내가 평화 공존·평화 교류·평화 통일의 3단계 통일을 하자고 했어요. 그러다가 "공산당하고 무슨 평화 통일이냐." 해서 용공으로 몰리기도 했지만 이제는 남도 북도 다 3단계 통일을 지지해요.

오늘날 한국에서 통일론이라 하면 3단계 통일론을 생각 안 하는 사람이 없습니다. 노태우 정부 시절 이홍구 통일부 장관이 국회에 나와서 "이건 가장 좋은 통일 방안이다. 통일 문제 연구하는 사람은 누구나 연구해 봐야 한다"고 했고, 작년 6월 카터 전 대통령이 김일성 주석을 만났을 때에도 김 주석이 "김대중 씨의 남북연합 방안을 정부와 검토할 용의가 있다"고 했어요.

우리에게는 지금 다른 길이 없어요. 이 길은 사형 선고받고 감옥 가면서까지 개척해 온 것이 우리 당의 특징이에요. 이 기회에 한마디 하자면 우리 당에는 민주주의를 위해서 감옥까지 갔다 온 사람이 많아요. 그 대표적인 사람이 김근태 씨죠. 김상현 씨나 권노갑 씨도 그렇고. 저희가 앞으로 집권하게 되면 이렇게 피가 통하고 눈물과 땀이 서려 있는 정책을 취할 것입니다.

조유식·안철홍·김경환 노사 문제에 대해서는 어떤 생각입니까?

김대중 한국에서는 엄밀히 말해 노사 문제가 아니라 노정勞政 문제입니다. 사使는 제쳐 놓고 정부가 뛰어나와서 별짓 다 하잖아요. 김영삼 대통령이 한국통신 노조 문제를 두고 국가 전복 음모라고 했잖습니까. 대통령이 국가 전복 음모라는데 누가 노조하고 협상을 하려 하겠어요. 그런데 한국통신 노조는 어디 못 하나 빼먹은 것 없고 전깃줄 하나 끊어 먹은 것 없어요. 세상에 이런 국가 전복이 어디에 있어요. 이래서 근본적으로 노정 문제라는 거예요.

또 이제는 소품종 대량생산 체제에서 다품종 소량생산 체제로 전환하고 있습니다. 정교한 물품을 만들어 내야만 세계시장에서 팔리는 세상이 되었어요. 국산품 애용은 더 이상 애국이 아닙니다. 이런 시대에 적응하려면 노사가 하나 되어 정교한 물건을 만들어야 해요. 노동자들이 공력을 들여야지 그냥 기계를 빙빙 돌리면 안 돼요. 그러려면 신명이 나야 돼요. 신명이 나려면 첫째, 우리가 어디로 가는지 목적이 뚜렷해야 하고 둘째, 지도자가 앞장서서 모범을 보여야 하며 셋째, 노력한 만큼 몫이 돌아가야 합니다. 이 세 가지가 합치될 때 신명이 나요.

이제 "노동자를 착취할 수 있다.", "노동운동은 악이다."라는 생각은 버려야 합니다. 말로만 노사 협력이 아니라 실질적으로 노동자를 위하고 정치적 자유를 줘야 해요. 또 노동운동도 비건설적인 건 절대 안 돼요. 그런 시대는 지났어요. 이제는 노동자도 자본가도 힘이 약해지고 있어요. 전부 사양화되고 있어요. 이제는 지식을 가진 사람이 최고예요. 이런 상황에서 구태의연한 투쟁식 노동운동을 하면 같이 망할 수밖에 없어요. 앞으로 우리나라는 중소기업 중심 체제와 노동자와 기업가의 신명 나는 협조 체제로 가야 합니다. 노동자와 기업가가 공존공영 하느냐 못 하느냐에 우리나라의 장래가 달려 있습니다.

조유식·안철홍·김경환 김 위원장의 신당 창당은 결국 자신 이외에는 대안이 없다는 현실론에 입각한 것인데, 그것이 국민을 위한 대안입니까, 계파를 위한 대안입니까?

김대중 그런데요, 세대교체론이 우리나라에서는 근본적으로 잘못돼 있어요. 세대 교체는 인위적으로 되는 게 아니에요. 인위적으로 하려 했던 것이 박정희 씨가 군사쿠데타 해서 세대 교체하려다가 실패했어요. 내가 내 얘기를 해서 미안하지만, 여러분도 보셨듯이 이번 지방선거에서 내가 연설하는 곳에서는 수천, 수만 명씩 모였어요. 내가 세대 교체 대상이면 오라고 그래도 사람들이 안 와요. 수만 명이 와서 환호하고 연설을 받아들이고 하는데 나를 세대 교체 대상으로 모는 것은 국민의 뜻과 맞지 않아요.

세대 교체는 나이 갖고 하는 게 아니란 말이에요. 세대 교체라는 것은 나이 먹었다고 물러가라는 것이 아니고, 민주주의 한 자와 민주주의에 역행한 자 사이에, 개혁을 하려는 자와 개혁을 반대한 자 사이에, 통일을 하려는 자와 통일을 거부하고 이를 용공으로 매도한 자 사이에, 지방자치를 하려는 자와 못 하게 하려던 자 사이에 이루어져야 하는 거예요. 그런데 민주주의 하고 개혁하고 통일하고 지방자치 하려는 사람을 "너 나이 먹었으니 나가라." 그 반대인 사람은 "너 젊으니까 그대로 해라." 하는 식의 이런 세대 교체가 어디에 있습니까? 이러니 우리나라에서 세대교체론은 근본적으로 잘못되었다는 거예요.

젊은 사람도 건강이 나쁘면 못 하는 거고 옛 서독의 아데나워 같은 사람은 73세에 총리가 돼서 87세까지 했어요. 문제는 능력과 국민의 신망이지 나이가 문제가 아니에요. 세대 교체는 국민이 선거를 통해 하는 거지 줄 그어 놓고 의무적으로 하는 게 아니에요. 특히 젊은 세대 중에서도 그런 소리를 한다는 것은 젊은 사람답지 않은, 참 순수하지 않은, 일부 정치 음모가들의 계략에 넘어가는 결과밖에 되지 않는다고 생각합니다.

그래서 요새 말하는 세대 교체는 내 일이라서 반대하는 것이 아니라, 그러면 안 되는 거예요. 김영삼 대통령도 과거에 군사정권이 세대 교체 주장할 때는 자기도 맹렬히 반대하더니 지금은 자기도 똑같은 소리를 하고 있어요. 그리고 속된 말로 우리 둘이 민주주의 하느라고 고생했는데, 어떤 의미에선 내가 훨씬 더했는데, "네가 한번 하라"고 말은 못 할망정 왜 그 양반 자신이 스스로 나서서 세대 교체를 주장해야 하느냐, 인정으로 보더라도 그런 얘기는 안 하는 게 좋다고 생각합니다.

내가 대통령 못 해서 아쉬운 것 하나도 없어요

조유식·안철홍·김경환 연령적 세대 교체가 아니라 정치 세력 사이의 세대 교체여야 한다는 말에 공감합니다. 그러나 김 위원장의 정계 복귀를 지지하지 않는 유권자들도 상당히 존재하는 현실을 고려하여, 차세대에서 가장 나은 사람을 적극 밀어주는 후견인이 된다면 정치 세력의 세대 교체를 할 수도 있지 않을까요?

김대중 그런데요, 한 나라 대통령이라는 사람이 남이 밀어주고 후견이나 해 줘야 된다면 그 사람은 그것부터 자격 없어요. 내각책임제에서 총리는 밀어줄 수가 있어요. 일본도 그러지 않아요? 그러나 대통령은 민심을 얻어야 하는 거예요. 그런데 그것은 자기밖에 할 수가 없어요, 자기밖에. 나는 지금까지 몇몇 분들에게 여러 가지 기회를 줬습니다. 그런 사람들은 당직을 맡은 기회를 잘 활용해서 스스로 부각돼야 해요. 그런데 그런 게 잘 안 되고 있단 말이에요. 여러분이 "그러면 누구를 밀어주면 되지 않소." 하고 거명할 만한 사람이 없다는 거예요. 누구라고 거명은 안 하겠습니다만 기회를 줘도 사람이 그렇게 쉽게 나오는 게 아니더라고요. 문제는 여기에 있습니다.

나는 누가 커 나오는 것을 절대 방해하지 않아요. 그리고 내가 꼭 해야 한다고도 생각하지 않아요. 내가 여기서 분명히 얘기하지만 내가 걸어온 40여 년 인생, 민주주의와 통일 그리고 정의로운 사회를 위해 헌신하고 목숨까지 걸었던 인생, 그런 인생을 나중에 20세기 역사를 쓰는 사람이 무시하지 않는다고 생각해요. 누구나 오늘날 민주주의가 여기까지 오는 데 김대중의 힘도 있었다고 생각하지, 없었다고는 생각 안 해요. 나는 이미 내 인생에서 성공한 거요. 아쉬움이 있는 것이지 대통령 했다 해서 꼭 역사에 위대하게 남는 것은 아닙니다. 우리의 과거 대통령을 보면 알 수 있잖아요. 사실 나는 대통령 못 해서 아쉬운 것 하나도 없어요.

조유식·안철홍·김경환 지난번 서울시장 선거에서 조순 후보를 지지한 표 중 상당수는 신당을 지지하지 않을 것이라는 예상입니다. 솔직하게 말해서 "조순 후보는 지지해야겠는데 김대중 씨의 정계 복귀를 도와주는 결과가 되지 않을까 염려스러웠는데 결국 이렇게 됐다"는 사람이 드물지 않습니다. 아까 8백만 표 얘기를 했는데 다음 총선이나 대선에서 그보다 표가 덜 나올 가능성이 있지 않겠습니까?

김대중 그야 있지요. 그런데 그에 앞서서 나에 대한 오해에 대해 얘기하고 싶습니다. 이번 지자제 선거에 나온 사람들이 참 부러운 점이 하나 있었어요. 그분들은 예닐곱 번 텔레비전 토론을 할 수 있었어요. 만일 1992년 선거 때 내가 김영삼 후보하고 텔레비전 토론을 그렇게 여러 번 할 수 있는 기회가 있었으면 내가 지지 않았을는지도 몰라요. 내가 진 것은 주로 국민의 오해 때문에 진 거예요. 나는 6·25전쟁 때 공산당에 잡혀갔다가 죽기 직전에 탈옥한 사람입니다. 그러기에 나는 공산주의에 대해 어떤 생각을 하고 있는가에 대해 1950년대 중반에 이미 "공산주의는 망한다"고 『동아일보』나 『사상계』에 썼어요. 그러나 동시에 동족상잔이 또 있어서는 안 되겠다는 것이 내 체험에서 확신이 됐어요. 이런 것이 내가 용공으로 몰린 이유가 됐어요. 나는 이제까지 이런 오해를 풀 길이 없었어요. 앞으로 텔레비전을 통해서 나를 공격할 사람은 자유롭게 공격하고, 질문할 사람은 질문하고, 나는 답하는 과정이 중계된다면 나에 대한 오해를 풀 수 있다고 생각하고 있어요. 국민이 나를 모르니까 오해하는 겁니다.

득표 얘기를 다시 한다면, 지금 국민이 민자당한테 표 주게 돼 있습니까? 또 우리도 한계가 있지만 자민련도 한계가 있어요. 그래도 가장 지지 기반이 두터운 쪽이 우리예요. 자민련은 분명 보수정당이고, 또 혁신정당이 있을 거고, 이에 비해 우리는 중산층 정당, 서민의 정당이에요. 우리나라 국민의 80퍼센트가 자기가 중산층이라고 생각하고 있어요. 또 지역 기반도 우리는 호남과 수도권을 장악하고 있어요. 지금 제일 철저한 지역 정당이 민자당입니다. 부산만 확실하게 장악하고 있을 뿐이에요. 인천하고 경기도는 우리가 실수해서 내준 것일 뿐이에요. 민주당은 장래가 있다고 보지 않고요. 결국 모든 여건으로 봐서 우리 당이 가장 유리하다고 봅니다. 이제부터 잘해서 국민들이, 아 저렇게 하려고 신당을 만들었구나, 이렇게만 생각해 주면 이길 수 있다고 봅니다. 우리는 앞으로 우리 행동을 통해 지지를 얻을 겁니다.

조유식·안철홍·김경환 당의 정책보다는 김 위원장 개인이 너무 부각되는 것이 신당의 문제라는 지적도 있습니다. 지난 서울시장 선거에서 조순 후보 측이 김 위원장 측의 합동 유세 제의를 받고도 거부했던 것으로 아는데 왜 그런 일이 있다고 생각합니까?

김대중 나는 합동 유세 제의한 적이 없어요. 나는 처음부터 나는 나대로 유세하고 조순 후보는 조순 후보대로 유세하자고 했어요. 그리고 나는 조순 후보를 도와주기는 했지만 아무것도 요구한 것이 없어요. 지금도 아무것도 요구하는 것이 없어요. 나는 서울시장 선거에서 이긴 것으로 족합니다. 그런 훌륭한 후보를 추천해서 당선에 이르게 한 것을 내 스스로 자랑스럽게 생각할 뿐입니다.

새로운 정당 논의하는 사람들 기성 정당 과소평가

조유식·안철홍·김경환 지금 얘기되는 세대 교체에는 두 가지가 있습니다. 하나는 김영삼 대통령이 말하는 세대 교체고 다른 하나는 청년들이 주로 말하는 세대 교체입니다. 지난번 청년 1백50인 선언에서도 나타났고 앞으로 또 1천인 선언도 계획되고 있는데, 신당 창당 선언 이후 청년들의 김 위원장에 대한 인상이 과거보다 나빠지지 않았나 생각합니다. 박지원 대변인은 1백50인 선언을 친親김영삼 대통령계 인물들의 정치적 목적을 가진 행동으로 단정 지었는데 김 위원장도 그렇게 생각하고 있습니까?

김대중 1백50인 선언을 한 사람들은 청년들 사이에서 그렇게 비판받고 있어요. 앞으로 1천인 선언한다는 것이 바로 그런 비판을 한 사람들이 하는 겁니다. 이번에 하는 사람들은 정말로 청년 지도자로서 객관적으로 크게 평가받는 사람들이 하고 있는 것으로 알고 있어요. 청년들이 어느 정치 세력에 이용당해서는 안 된다는 것이 그들의 주장이에요. 물론 그 사람들 중에는 순수한 사람들도 있어요. 그러나 순수하다고 해서 정당하다는 것은 아니에요. 아까도 말했듯이 청년들이 나이 갖고 얘기하는데, "그러면 당신은 누구를 지지하느냐?" 하면 답변 못 하는 사람이 대부분이에요. 문제는 그렇게 특정인을 놓고 인위적으로 하면 안 돼요. 청년들이 세대 교체를 주장하려면 국민들에게 호소해서, "민주주의를 안 하고 통일을 안 하고 부패한 자들을 제거해야 한다." 이런 식으로 얘기해야지 특정인을 두고 얘기해서는 아무리 순수한 의도를 갖고 해도 오해받게 되는 것입니다.

조유식·안철홍·김경환 지금 제도 정치권 밖에서 시민운동·재야·청년층 등이 기존 제도 정당의 개혁적 인사들과 결합해 3김 시대 이후를 겨냥해 모색하고 있는 새로운 정당 논의는 잘되리라고 봅니까?

김대중 가능성이 없다고까지는 안 하겠지만 쉽지는 않아요. 그 분들은 기성 정당을 너무 과소평가하고 있어요. 지난 13대 국회 때 한겨레민주당이 나와서 우리 평화민주당보다 의석을 더 얻을 거라고 했는데 그 사람들 한 석도 못 얻었어요. 또 민중당이 나와서도 한 석도 못 얻었어요. 자기들 바람만 가지고, 국민들이 지지하는 정치인들이 상당수 포함되어 있는 기성 정당을 매도한다고 해서 되는 게 아니에요. 내가 그런 분들에게 권하고 싶은 것은 기성 정당에 들어와서 자리를 차지하라는 것입니다. 그동안 야당에도 재야에서 여러 번 들어와서 자리를 차지하고 국회의원도 많이 내고 성공하지 않았습니까? 한겨레민주당이나 민중당에서 불과 2천-3천 표를 얻던 사람들이 여기 와서는 6만-7만 표 얻어서 당선됐어요. 이런 국민의 민의를 무시하고 무슨 정치를 하느냐는 말이에요.

조유식·안철홍·김경환 3김 시대가 끝나고 판이 완전히 다시 짜여지는 상황이 되면 국민들의 투표 행태도 달라지지 않겠습니까?

김대중 내가 볼 때는요. 우리 국민들이 굉장히 보수적이에요. 우리 역사를 통해서 개혁하려다가 제대로 성공시키거나 목숨을 부지한 사람이 참 드물어요. 분단 50년이 더욱 국민성을 보수 내지 수구로까지 만들었어요. 이런 현실을 무시하면 안 돼요. 운동이라는 것은 진리 추구하고 달라서 아무도 안 따라오는데도 혼자 할 수 있는 게 아니에요. 국민들의 손을 꽉 잡고 딱 반 발만 앞서가야 돼요. 손 놓으면 그만이에요. 손 놓으면 민주주의 안 하고 통일 안 하려는 세력에 의해 공격당하게 돼요. 그래서 운동은 이상을 가지고 해야 하지만 현실을 이상화해서는 안 돼요. 김근태 씨 같은 사람이 들어오는 게 다 그런 이유 때문 아닙니까? 내가 볼 때 언제 올지도 모르는 그런 세상을 기다리면서 청춘만 보낸다는 것은 무의미한 일이라고 생각해요.

또 하나 그런 분들에게 권하고 싶은 것은 과격 세력하고 손을 끊어야 한다는 것이에요. 주체사상을 주장한다든지, 공산당과의 즉각적인 통일을 주장한다든지, 자본가를 적대시한다든지 이런 세력하고는 손을 끊어야 해요. 시대가 너무 바뀌어버렸는데 시대를 못 따라가다 보면 과거에 제일 개혁적이던 사람이 제일 보수적인 사람이 돼 버립니다. 지금 러시아에서도 제일 보수적인 사람들이 공산주의자예요. 나는 그런 분들을 정말 걱정해서 하는 이야기인데 국민한테 배우고 국민을 설득하며 같이 가야 합니다. 단계적으로 앞으로 가야지 한꺼번에 가려 하면 국민들은 떨어져 나가는 성향이 있어요. 그러면 그 사이에 이간질시키려는 세력이 들어서고 참 위험해져요. 나 같은 사람이 그렇게 용공으로 매도당하고도 이제까지 살아날 수 있었던 것은 이렇게 조심스럽게 살아왔기 때문에 가능했던 거예요.

조유식·안철홍·김경환 신당이 정말 성공하리라는 확신이 있습니까?

김대중 책상 위에 앉아 그리는 것하고 실제 대중하고는 달라요. 나도 그래요. 지난번 지방선거 유세에 처음 나갈 때 2년여 만에 나가니까 사람들이 얼마나 나올지 상당히 걱정도 하고 그랬는데 신도림동 앞에서 딱 해 보니까 적어도 2만5천 명 이상의 사람들이 모이는 것을 보고 그제야 알겠더라고요. 서울 전체가 그렇더라고요. 그런 유세를 서울에서 이십여 차례 했어요. 그러니까 싹 뒤집어지더라고요.

내가 1971년 대통령 선거 이후 지금까지 20여 년 동안 그런 지지를 받아올 수 있었던 것은 언제나 국민과 몸을 부비면서 그 체취를 느끼며 국민들의 생각을 흡수하려고 노력한 덕택입니다. 나는 중요한 시기에는 몸에 오는 감각이 있어요. 박정희 대통령이 유신을 하려 할 때도 남들이 "뭐 그러겠느냐"고 할 때 "총통제 한다"고 예상했어요. 북한 핵 문제에 대해서도 일괄 타결과 카터 방북을 추진하자고 한 것이 뭔가 몸에 오는 게 있어서 얘기한 건데 대성공을 했어요. 지금도 몸에 오는 감각이 있어요. "이렇게 하면 반드시 성공한다." 그런 감 같은 것이 옵니다.

조유식·안철홍·김경환 신당의 노선과 관련하여 앞으로 5·6공 세력과 손잡는다는 추측이 나도는 등 개혁적 입장에서 우려하는 사람이 많습니다.

김대중 그런데 그게요. 언론이 악의는 아니겠지만 오해예요. 나는 "아니다" 하고 그러는데도 언론이 자꾸 그렇게 써요. 그런데 지금 보세요, 내가 5·6공하고 손잡은 게 무엇이 있나. 이번에 새로 영입하는 인사에서도 문제가 되는 사람은 의식적으로 배제했어요. 수구 세력이나 5·6공 인사는 우리도 안 받아들이고 있어요. 우리도 배제할 것은 배제하고 있습니다. 그 대신 내가 볼 때 언제나 재야분들 사고방식에만 영합해서는 국회의원 선거고 대통령 선거고 이길 수가 없어요. 왜냐하면 시대가 바뀌었기 때문이에요. 지금 우리 국민의 80퍼센트가 자기가 중산층이라고 생각하고 있어요. 그런데 중산층 정서에 안 맞추고 선거를 어떻게 해요. 4년 전에 강경대 군 사건이 있었을 때 내가 재야분들한테 정권 타도 같은 걸로 나가지 말고 구속자 석방이나 사면·복권 등의 문제로 나가라고 애써 얘기했는데 그렇게 잘 나가는 것 같더니 하루아침에 돌아서서 정권 타도로 나가 버렸어요. 그러니 국민이 싹 외면해 버리고 그다음부터 한마디 말도 못 하고 싹 몰락해 버리지 않았습니까? 내가 재야분들에 대해 걱정하는 것은 그동안 그렇게 기막힌 희생을 하고 애석한 고생을 하고 가족의 고통을 감수했는데, 이제 와서 과거의 타성에서 벗어나지 못해 자꾸자꾸 낙오해 간다는 것입니다.

한 열흘 전에 당사에 나갔더니 서울대생들이 왔어요. 그들을 만났더니 다짜고짜 한다는 얘기가 "5·18 진상 규명을 왜 제대로 안 하고 권력하고 손잡고 정권이나 잡을 생각이나 하느냐"는 식으로 얘기를 해요. 그래서 내 수첩을 꺼내서 "자네들 이거 좀 보게. 여기 광주특별법 제정, 특별검사제 이런 게 오늘 내 일정에 있지 않으냐"고 보여 줬어요. "나만 애국자고 너는 아니다, 나만 광주 생각하고 너는 아니다, 그런 식으로 하니까 당신들이 고립된 거다. 과거에 서울대에서 집회를 하면 1만 명이 모였는데 지금 얼마나 모이느냐. 기껏 모이면 수백 명밖에 더 모이느냐. 이런 식으로 하니까 고립된 거다. 조금 마음에 안 맞으면 매도하고 단죄하는 사고방식, 이런 건 버려야 한다"고 얘기했어요. 그런데 나중에 알고 보니까 그 학생들이 당사 복도에 "권력과 야합해서 정권 잡으려고 하는 김대중 물러가라." 하고 플래카드를 써 가지고 왔더라고요. 이런 행동을 하니 어떻게 친구가 생길 수 있겠습니까? 참 걱정입니다.

나는 확실합니다, 나는 대통령제요

조유식·안철홍·김경환 박철언 전 의원을 영입하려 했던 것은 5·6공과의 결합을 생각한 것 아닙니까?

김대중 박철언 전 의원을 영입하려 했던 적은 한 번도 없어요.

조유식·안철홍·김경환 그것도 오보입니까?

김대중 신문이 오보 많이 하는 것 알잖아요. 박철언 전 의원은 내가 좋게 평가하는 점이 딱 하나 있어요. 그 사람이 6공 시절에 남북 대화를 하려고 몹시 애썼어요. 그때 그런 일 하면 미움받고 의심받고 참 어려움이 많았어요. 그래서 내가 야당이면서도 공개적으로 그 사람을 지지해 줬어요. 그리고 그 사람이 간혹 말로라도 "우리 영남 사람만 집권하려는 생각을 가져서는 안 된다." 하고 공개적으로 말하고 다녔어요. 그런 점은 평가했지만 이번에 온 것은 감옥에서 나와서 순전히 인사 온다고 하니까 만난 겁니다.

그리고 박준규 전 국회의장하고는 원래 나하고 가깝고 아태재단 만들 때도 와서 격려해 줬고 지난번 대통령 선거 전에도 모스크바대학에서 명예 박사학위 받을 때 와서 지나치게 축사를 해서 당시 김영삼 민자당 대표에게 미움받은 적도 있어요. 그래서 평소 친구니까 식사 한 번 같이 한 거요. 그것뿐이오. 나는 지금 뭐 그렇게 서둘러서 5·6공하고 손잡을 생각도 없고 차별성이라는 점을 생각할 때도 별 도움이 안 돼요.

조유식·안철홍·김경환 신당의 정치 노선과 관련하여 중도라는 표현도 쓰고 중도 우파라는 표현도 썼는데 스펙트럼이 넓지 않은 우리 정치 현실에서는 상당한 뉘앙스 차이가 있습니다. 보다 정확히 신당의 정치적 색깔에 대해 밝혀 주십시오.

김대중 우리는 중도정당이라고 생각하고 있어요. 보수정당과 혁신정당 사이의, 중산층과 서민을 위한 정당이지요. 계층적으로는 중소기업을 중심으로 한 경제체제를 지향합니다.

조유식·안철홍·김경환 중도 우익에서 우익이라는 데 방점을 찍었던 것 아닙니까.

김대중 우익이라는 것은 공산주의 정당이 아니라는 면에서 우익이라는 표현을 했겠지만 우리의 공식 입장은 중도정당이에요.

조유식·안철홍·김경환 사람들은 김대중 씨가 대통령 선거에서 이길 것 같으면 대통령 선거를 하고 질 것 같으면 내각제로 갈 것이라고 하는데 본심이 무엇입니까? 자민련은 내각제로 당론을 정했는데요.

김대중 나도 확고해요. 나는 대통령중심제요. 다만 이번 총선에서 내각제를 들고나온 정당이 압도적 지지를 받았다고 합시다. 그런 경우에는 국민의 의사가 내각제 지지인 것으로 알고 그 의사를 존중해야지요. 왜냐하면 내각 중심제도 민주주의고 대통령제도 민주주의입니다. 국민이 어느 쪽을 바라느냐가 중요하지 어느 한쪽이 안 된다는 것은 없어요. 나는 바뀐 일이 없어요. 그러나 지금 내각제 지지 여론이 상당히 높아졌다고 하니까 총선 때 한번 볼 거예요. 그때 마지막 결정을 할 거예요.

조유식·안철흥·김경환 원론적으로야 어느 쪽이 더 옳다고 말할 수 없겠지만 지금 우리나라에서 내각제를 하면 수구 세력의 기반을 강화시켜 주는 결과가 되지 않을까요?

김대중 그건 양면이 있어요. 통일을 해 나가는 데 있어서 국내 정치의 안정을 유지해 나가는 데는 대통령제가 문제가 없다고 보고, 그건 누구나 인정할 겁니다. 그런데 우리나라처럼 재벌의 힘이 강한 데서는 비자금 몇백억, 몇천억이고 동원해 의원들을 매수하면 국회의원이 전부 다 재벌에 소속된 의원이 될 수도 있어요. 내각제는 국회의원들이 자질이 높고 정당정치가 뿌리내렸다고 판단될 때 할 수 있는 건데 현재 우리나라에는 뿌리내렸다고 할 만한 정당이 없다시피 하잖아요. 그러니 내각제를 하면 정당이 오늘내일 뒤죽박죽되고 정국은 만성적 불안 상태가 될 것이고 그러다 보면 군사쿠데타를 불러올 수도 있고, 그렇기 때문에 그 문제는 신중해야 합니다.

조유식·안철흥·김경환 중·대선거구제로의 선거법 개정 문제에 대해서는 어떤 의견입니까?

김대중 중·대선거구제는 다당제를 가져옵니다. 그리고 당내 파벌을 가져옵니다. 일본이 바로 중·대선거구제로 하다가 다당제와 당내 파벌의 폐해를 느껴 개혁한다는 게 바로 소선거구제잖아요. 남이 안 되겠다고 버린 것을 우리는 이제 하려고 하는 거예요. 그리고 통합선거법 만든 게 엊그제인데 한 번도 안 해 보고 또 고쳐요. 그건 말이 안 돼요. 그런 생각이 있으면 이번 선거에서 그런 주장을 내걸고 국민의 표를 많이 얻으면 얘기해 볼 수 있는 거지요.

호남 현직 의원 물갈이는 없을 것

조유식·안철홍·김경환 3김 시대 청산 주장의 합리적 핵심은 보스 중심의 구정치 행태, 지역주의 등을 극복하자는 건데, 모든 당원들이 당비를 내고 총재건 평당원이건 당내 주요 정치 결정에서 동등한 한 표를 행사하고 지연이 아닌 최소한의 이념에 따라 지지 당을 선택하는 일이 어떻게 가능하다고 봅니까?

김대중 첫째, 당비에 의해 당을 운영할 겁니다. 일정 기간 계속해서 당비를 낸 사람만 대의원 자격을 주고 그렇지 않은 사람은 대의원 자격이나 당직을 주지 않을 생각도 갖고 있습니다. 지금까지는 중앙에서 지구당 조직책에게 돈을 줬는데 이제는 지구당 정도는 스스로 꾸려 나갈 수 있는 사람에게 조직을 맡길 겁니다. 중간 위치에 있는 시·도 지구당을 지방자치 시대에 걸맞도록 중앙당에 못지않게 강화하고 중앙당의 부서는 11개에서 5-6개 정도로 줄이고 인원수도 줄여 힘을 밑으로 내려보내 상당히 차이 나게 운영할 것입니다.

그리고 아까 리더십을 얘기했는데, 민주주의를 천 번 하더라도 리더십이 필요해요. 많은 사람들이 오해를 하는데 우리 당은 모든 것이 회의를 통해 결정돼요. 나는 과거에 혼자 총재에 출마해도 꼭 찬반 투표를 했어요. 두 번 해봤는데 다 나를 지지하는 줄 알았더니 20퍼센트 이상의 반대가 있더라고요. 그래서 정말 "투표가 필요하구나." 하고 생각했어요. 나 혼자 좌지우지한다는 것은 정말 만들어 낸 도그마에 불과해요. 지금 우리 당에는 김상현·정대철 의원처럼 차기 당수를 노리던 분들이 들어와 있어요. 이종찬 의원도 있고요. 그런데 그분들이 잡음 하나 없이 협력하고 있잖아요. 억압해서 그렇게 되겠어요? 충분히 토의하고 충분히 납득하고 그렇게 해 나가니까 지금 김상현·정대철 같은 분들이 나보다도 더 열심히 외부 인사 영입 작업을 하고 있지요. 참 희생적으로 하고 있어요. 밖에서 생각하는 것하고 달라요. 지금 민자당이건 민주당이건 자민련이건 신당만큼 잡음 없는 당이 없어요. 그런데 머리 큰 사람들은 여기 제일 많이 있거든요. 당내 민주주의를 안 해 가지고 어떻게 이것이 가능하겠어요?

그런데 우리나라 사람들은 민주적 리더십을 이해할 줄 몰라요. 조금 권위만 있으면 독재 운운하는데 지도자는 카리스마가 없으면 안 돼요. 그것이 민주적 카리스마냐, 억압적 카리스마냐가 문제지 카리스마는 있어야 돼요. 민주적인 카리스마는 적극 권장돼야 해요. 그런 카리스마가 없는 정당은 정당도 아니고 아무것도 안 돼요.

조유식·안철홍·김경환 어제 박지원 대변인이 "신당에서 현역 의원은 전원 지구당 조직책을 보장하겠다"고 했는데 호남 같은 경우 자격 미달 의원이 꽤 많다는 여론입니다. "말뚝만 박아 놔도 당선된다"는 말이 있을 정도로 말입니다.

김대중 말뚝을 박아서 당선된 예는 호남만 있는 게 아니잖아요. 경상도도 있고 충청도에도 있었잖아요. 호남만 유별나게 그런 것같이…….

조유식·안철홍·김경환 호남이 유별난 건 사실이지요.

김대중 부산도 야당이 하나도 안 됐잖아요.

조유식·안철홍·김경환 어쨌건 처음 신당 창당이 불가피한 근거로 자격 미달 의원들의 물갈이 필요성을 얘기하던 데서 완전히 후퇴한 것 아닙니까.

김대중 아니요. 그러니까 조직책은 다 주고…… 그리고 나서 공천이 있죠. 그렇다고 공천할 때 갈아 치운다는 이야기는 아니고요. 여러분이 앞으로 보면 알 거예요. 기존 국회의원들도 많이 주지만 호남도 지금 빠져나간 사람들 자리가 있잖아요. 그리로 많이 들어갈 거예요. 서울도 많고. 우리 당에 앞으로 좋은 사람들이 많이 들어올 겁니다. 지금 좋은 분들이 내락을 해 놓고도 직장 잔무 처리 등의 이유로 연기하고 있는 경우도 많이 있어요. 다음 선거에서는 인재 면에서도 우리가 앞서갈 것입니다.

정계 복귀 자랑스럽게 생각

조유식·안철홍·김경환 재야 운동권에서도 추가 영입이 있을 예정입니까?

김대중 예, 들어옵니다. 앞으로도 재야의 건전한 세력들, 운동권이 아니더라도 기업에 있으면서 자기들끼리 조직을 가지고 나랏일 걱정하고 참여하는 사람들 참 많습니다. 그들이 진짜 중요한 사람들이에요. 그래서 재야 출신 중에서도 실력 있고 신망 있는 과거 지도자들과 연대해 나갈 겁니다. 그리고 일부 젊은 사람들 사이에 오해가 있는 것도 사실인데 이런 것도 앞으로 해명할 기회가 생기면 해명이 됩니다.

내가 이화여대에 가서 강연한 적이 있는데, 요즘 학생들이나 젊은 사람들이 우리를 별로 안 좋아하고 나에 대해서도 거부감이 있다는 말을 듣고 상당히 조심하면서 갔어요. 그런데 이화여대 강당에 들어가니까 1천여 명의 학생들이 소리를 지르며 환호하더군요. 2시간 강의하는데 굉장히 열광적으로 박수 치고 폭소하고 질문하려고 줄을 서고 굉장히 분위기가 좋았어요. 끝나고 나서 거짓말 안 하고 5-6백 명이 사인받으려고 줄을 섰어요. 그 사람들이 대개 중산층이고 프라이드가 강한 신세대들이에요. 이번에 유세장에서도 젊은 사람들이 참 많이 왔습니다.

여러분들에게 권하고 싶은 것은 절대로 앉아서 생각한 것을 현실이라고 생각해서는 안 된다는 거예요. 우리 기자들은 현장에 가서 몸으로 부딪치는 게 부족해요. 그래서 여러분들 몸에서 서민들이나 청년들의 냄새가 나야 해요. 그래야 진짜 언론인이 될 수 있습니다. 정치인들도 마찬가지예요. 항상 현장을 중시해야 돼요. 내가 길을 걸어가면요, 얼굴 맞부딪치는 열 사람 중에서 일고여덟 사람은 나를 보고 인사해요. 이번 신당 창당을 31퍼센트가 지지하고 61퍼센트가 반대했다고 나오지 않았어요? 그런데 솔직한 얘기로 지금 김영삼 대통령 지지율이 22-23퍼센트예요. 31퍼센트면 높은 거예요. 거기다가 5, 6퍼센트만 높이면 무슨 선거든지 당선권이에요. 61퍼센트를 민자당과 자민련과 우리가 나눠 갖는다고 생각해 보세요. 31퍼센트가 얼마나 큰가.

그리고 분명히 말하는데 나는 대통령병 환자가 아니에요. 나는 이번 일에 대해 굉장히 자랑스럽게 생각하고 있습니다. 이런 역풍을 헤치면서 그동안 얻어 났던 나에 대한 많은 존경심이나 좋은 평이 부분적으로 많이 깨진 걸 알고 있습니다. 그러면서도 "이건 내가 해야 할 일이다. 여당도 이 모양, 야당도 이 모양, 나라가 어떻게 되나. 누가 이 나라를 지킬 것이냐. 네 체면만 생각하고 명예만 생각하고 그러면서 은둔자적 태도만 취하는 것이 옳으냐. 훌륭하다, 안 훌륭하다는 평가는 역사에서 받아야지 왜 현실에서 받으려고 하느냐. 대통령 안 나오겠다는 약속, 그것은 네가 대통령 하기 싫어서 안 나오겠다고 한 것이 아니라 대통령 하고 싶어서 세 번이나 나왔는데 국민이 당선을 안 시켜 주니까 할 수 없이 더 이상 안 나오겠다고 한 것 아니냐. 그런데 지금 대통령 제쳐 놓고 필요한 일이 있으니까 자기가 나서야 한다." 이렇게 생각하면서도 "욕 얻어먹기 싫다. 자신이 한 말에 구애받는다." 이런 것이 옳으냐. 나는 내 자신에 대해 거울 속의 내 눈을 보면서 떳떳해요.

그렇지만 이런 변명을 누구한테 가서 하겠어요. 그래서 아무 말 않고 사과했어요. 긴말할 필요 없으니까. 그 대신 앞으로 내 행동으로써, 당 활동으로써, 국민이 볼 때 "아 그때 김대중이 참 잘했구나. 이러려고 그랬구나." 이건 내가 해내겠다 이거예요. 내가 지금 정계 복귀한 것이 누구한테 피해를 준 것도 아니고 재산상의 손해를 준 것도 아니지 않습니까. 잘하면 국민들에게 도움이 되는 것이고 못하면 내가 책임지는 것이죠.

솔직하게 얘기해서 여러분이 볼 때도 민주당을 그대로 둬서 되겠어요? 되질 않아요. 누가 어떻게 끌고 나가겠어요. 구당파도 있지만 잘되리라고 보지 않습니다. 저로서는 마이너스 되고 욕 얻어먹고 희생하는 것을 다 알지만 알면서도 한 겁니다. 일시적인 고통이나 명예 손실을 감수하면서도 할 일 하는 것이 행동하는 양심의 삶이라고 생각합니다. 지금 이해받으려고 애쓰지 않아요. 그래서 뭣 하겠어요. 강요하면 이해해 주지도 않아요. 시간이 해결해 줄 겁니다. 앞으로 내 행동으로 여러분에게 보여 주겠습니다.

* 이 글은 『말』지 1995년 9월 호에 게재된 인터뷰다. 당시 『말』지 조유식, 안철흥, 김경환 기자가 인터뷰하고, 그중 조유식 기자가 정리하였다.

김 대통령은 리더로서의 덕성에 문제……
그가 나를 불러냈다

대담 조갑제
일시 1995년 8월 13일

8월 13일은 스물두 번째 생일

8월 13일, 광복 50주년 기념일을 이틀 앞둔 세종로와 태평로 일대는 평소보다 어수선했다. 국립중앙박물관은 8월 15일 첨탑을 철거하는 기념행사를 앞두고 얼룩덜룩한 막을 두르고 있었다.

이날 오전 7시 30분, 김대중 새정치회의 창당준비위원장(71)이 서울 광화문의 코리아나호텔 일식당에 도착했다. 인터뷰를 하기에는 다소 이른 시각이었지만 김 위원장은 감색 양복을 말쑥하게 차려입고 활기찬 모습으로 나타났다.

"오늘이 김 위원장님의 스물두 번째 생일이지요?"라는 물음에 그는 환한 얼굴로 이렇게 대답했다. "안 그래도 오전 11시에 성당에서 미사를 드린 후 관련 인사들과 함께 점심 식사를 할 예정이에요. 벌써 20년도 넘었지요. 매년 이 모임을 갖게 된 게…….

1973년 8월 8일, 김대중 씨는 도쿄의 그랜드팰리스호텔에서 건장한 청년

5-6명에게 납치되었다. 민주통일당 당수 양일동 씨와 김경인 의원을 만나고 나오는 길이었다. 그들은 화물 포장용 테이프로 김대중 씨의 얼굴을 가리고 손발을 묶은 후 그를 어떤 배에 실었다. 그는 이 배 안에서 아슬아슬하게 죽을 고비를 넘겼다고 한다. 그리고 닷새 만인 8월 13일, 김 씨는 동교동 자택에 돌아오게 된 것이다.

이날 인터뷰의 첫 번째 화제는 국립중앙박물관 철거 문제였다. 김대중 위원장은 곧 당 차원에서 이 문제를 다룰 생각이라고 했다.

김대중 박물관을 옮기더라도, 새 박물관을 먼저 지어야지요. 문화재를 보존하는 데는 온도·습도·통풍 등을 조절하는 것이 매우 중요하다고 하던데 일의 선후를 바꿔 가면서 저렇게 서둘러야 하는 이유가 뭔지 모르겠습니다.

중앙박물관 철거 문제는 두 가지로 그 의미가 요약될 수 있어요. 우선 일제 잔재를 없앤다는 의미에서 철거할 수도 있지요. 그러나 일제를 극복한다는 의미에서 그대로 사용할 수도 있는 겁니다. 문제는 국민들의 의견 수렴 과정을 거치지 않고 정부가 일방적으로 하고 있다는 데 있습니다. 언론에서도 제대로 대응을 하지 못하는 것 같습니다. 국립중앙박물관 건물에는 1948년의 초대 대통령 취임식 이래 제헌국회, 9·28 수복 등 많은 역사가 담겨 있습니다. 그런 긍정적인 부분을 충분히 논의한 뒤에 철거를 결정해야 하는 것 아닙니까? 정부 단독으로 결정을 하는 것은 있을 수 없는 일입니다.

첨탑만 제거하고 새 박물관 지을 때까지 철거는 보류해야

조갑제 '선先박물관 건설, 후後철거'는 논쟁의 대상이 되는 일이 아니라 상식의 문제이지요. 어떻게 전쟁이 나지도 않은 나라에서 국립박물관 수장품을 수년간 임시로 전시합니까?

김대중 이제 첨탑 부분을 철거했으니까 상징성은 확보한 것 아닙니까? 그 후에는 새 박물관을 지을 때까지 철거를 보류하는 것이 옳다고 생각합니다.

조갑제 안타까운 것은 정치권에서 이 문제를 그런 방향에서 제대로 다루지 못했다는 점입니다.

김대중 못했지요. 이제 저희 당에서 다뤄 보려고 합니다.

조갑제 새 박물관을 건립할 장소가 용산가족공원인데 그곳은 습기가 많은 지역이라 전문가들이 박물관을 지을 자리가 아니라고 반대를 하고 있습니다. 습기는 오래된 유물에는 최대의 적이라고 합니다.

김대중 민주주의 국가에서는 국민의 참여가 중요합니다. 링컨이 "국민의(of the people), 국민을 위한(for the people), 국민에 의한(by the people) 정부"라고 했는데 "국민의(of the people)" 정부라고 하면 국민주권의 문제라는 점에서 이미 하고 있는 것이고, "국민을 위한(for the people)"이라는 측면은 사실 세종대왕 때도 이미 했던 것 아닙니까?

그렇다고 해서 세종대왕이 민주주의를 했다고 말하는 사람은 없어요. 결국 "국민에 의한(by the people)", 이것이 민주주의의 핵심입니다. 저는 국립중앙박물관 철거 문제처럼 국민들이 토론하기 좋은 주제도 없다고 봅니다.

국민들이 모두 참여하여 자신의 의견을 말하고 토론하는 과정은 국가 통합에도 매우 중요한 기여를 할 겁니다. 그리고 마지막 결정을 할 때는 국민투표를 할 수도 있는 겁니다. 아마 스위스였다면 분명히 국민투표를 했을 겁니다. 스위스는 전투기 몇 대 사는 문제 가지고도 국민투표에 부치니까요.

이런 문제에 국민을 참여시키는 것은 국민을 신나게 하기 위해서도 매우 중요합니다. 한국인의 특성이 한, 멋, 신명 아닙니까? 일본이나 독일 국민들은 수직적으로 내려오는 것을 잘 받아들여요. 그러나 한국인의 특성은 자신이 납득을 하지 못하면 안 한다는 겁니다. 수평적 사고방식입니다. 그리고 이러한 특성은 자발적인 21세기에 아주 적합한 기질입니다. 이탈리아 사람들이 그렇지요.

21세기는 피라미드식이 아닌 자발적 참여의 오케스트라형 구조의 시대입니다. 지휘자는 한 사람뿐이고 나머지 사람들은 다 수평적 관계를 유지하면서 자신의 일은 스스로 알아서 하는 거지요.

박물관 철거보다는 그 결정을 위한 국민 참여가 중요

조갑제 결국 국립중앙박물관을 허문다는 것보다도 허물기 위한, 또는 허물지 않기 위한 결정을 내리기까지의 토론이 더 중요하다는 말씀이시군요.

김대중 그렇지요. 과정이 중요하지요. 국민들이 다 신이 나서 백가쟁명百家爭鳴식으로 자신의 의견을 말하고 조율해 가는 과정, 그것이 정치의 멋이고 국민들이 정치를 즐기는 방법이 되는 것이지요.

조갑제 경복궁을 복원하기 위해 중앙박물관을 허무는 것에 대해서는 어떻게 생각하십니까?

김대중 의미는 있다고 생각합니다. 그러나 비전문가의 입장에서 이야기할 수 있는 것은 복원은 하되 꼭 박물관을 허물어야 되느냐 하는 것이지요.

조갑제 강원용 목사가 중앙박물관 철거 반대 운동에 앞장서고 계시는데 이분 말씀이 이렇습니다. 경복궁 복원은 결국 세트, 즉 가짜의 복원이기 때문에 가짜를 복원하기 위해서 살아 있는 역사를 허문다는 것은 말이 안 된다는 겁니다.

김대중 정치하는 사람들은 표가 무서우니까 함부로 말을 못 해요. 문화계나 언론에서 논의의 장을 만들어야 합니다.

김대중 위원장은 박물관 철거 문제에 대해 이야기를 하면서 아침 식사를 끝냈다. 그는 밥 한 그릇과 된장국, 생선 한 토막과 채소가 놓은 그릇들을 아주 달게 그리고 재빨리 비웠다.

김대중 장수 비결이 소식다동小食多動이라고 하니까, 적게 먹고 많이 움직여야 돼요. 옛날에 궁중에 있던 어느 요리사가 임금이 음식을 너무 좋아하니까 "폐하, 식사하시는 것은 거북이나 학에게서 배우십시오."라고 말했답니다. 그래서 왕은 "그게 도대체 무슨 뜻이냐"고 물었지요. 그러자 요리사가 "장수하기로 유명한 거북이나 학을 아무리 요리해 봐도 배를 갈랐을 때 위가 차 있는 경우가 없습니다."라고 말하더라는 겁니다. 이렇게 이론으로는 다 아는데 실천은 잘 안 되지요.

김 위원장은 음식을 가리지 않는다고 한다. 못 먹는 음식도 없고 싫어하는 음식도 없다고 한다. 그러나 고급 음식보다는 그저 설렁탕이나 된장찌개류를 즐기고 "소화가 안 돼서 걱정을 해 본 적이 없다"고 했다.

조갑제 그것은 김 위원장님이 스트레스를 덜 받는 성격이라는 의미이기도 한데요.

김대중 스트레스는 별로 안 받아요. 스트레스를 받더라도 오래 갖고 있지는 않지요. 이번처럼 어려운 일이 닥쳤을 때는 종이를 내놓고 줄을 그어 세 칸을 만듭니다. 먼저 제일 첫 칸에는 부정적인 문제점을 쓰고 그다음 칸에는 그 문제의 긍정적인 측면을 씁니다. 그리고 그 두 가지를 비교하여 세 번째 칸에 결론을 내리지요. 이렇게 하면 정리가 아주 잘 됩니다. 포기할 것은 포기하고 밀고 갈 것은 밀고 가지요. 세상에는 완전히 좋은 것도 없고 완전히 나쁜 것도 없거든요. 그러니까 마지막에 좋고 나쁜 것을 비교해서 결정하는 것은 자신의 몫이지요.

조갑제 상황을 객관화시키는 과정이로군요. 상당한 수준의 마인드 컨트롤이 필요하겠습니다.

김대중 기자들이 기사를 쓸 때 어떤 육감이 있듯이 저도 살아오면서 직관 같은 것을 갖게 되었습니다. 어떤 느낌이 몸으로 먼저 옵니다. 이렇게 해야 하지 않나 하는……. 그리고 나서 이론이 따라오지요.

1970년 1월 3일 자 『대한일보』에 1971년 선거에서 정권 교체가 되지 않으면 총통제 쪽으로 간다는 내용의 글을 쓴 일이 있습니다. 그 글에서 저는 박정희 씨가 총통제를 하는 구실로서 안보 위기나 정반대의 통일 문제를 내세울 것이라고 적었습니다. 1971년 대선에서 저는 계속 "이번에 정권 교체를 못 하면 총통제가 온다"고 주장했었습니다.

1972년에 7·4공동성명이 나오기에 국민들은 통일이 되는 것으로 생각했지요. 저도 환영했습니다. 그러나 저는 외신기자클럽에서 한 연설에서 "박정희 씨가 이것을 이용해서 총통제를 할 가능성이 있다"고 이야기했습니다. 3개월 후에 정말 그렇게 되었습니다. '10월유신'이라는 독재가 왔던 것입니다.

정계 복귀 검토 시기, 1996년 말이나 1997년 초로 생각

조갑제 이번에 검찰의 5·18 관련 발표 전문을 보니 김 위원장님과 관련해서 이런 표현을 했습니다. "수사 기록 어디를 봐도 김 위원장이 광주사태를 선동했다는 자료 자체가 없다. 다만 그때 나온 대對언론 발표문에는 오해의 소지가 있는 부분이 있더라"는 것입니다.

김대중 그 일은 있을 수가 없어요. 1980년 5월 17일 밤에 제가 체포됐고 5월 18일에 광주시위가 일어났는데 그들이 내건 슬로건이 첫째 "김대중 석방하라", 둘째 "계엄령 철폐하라", 셋째 "전두환 물러가라"는 세 가지였습니다.

1980년 3월께 전남대 복학생이었던 정동년 씨가 우리 집에 왔다가 제가 없으니까 방명록에 이름을 쓰고 돌아갔습니다. 그런데 조사를 하는 과정에서 이것을 발견하고는 정 씨를 잡아다가 온갖 고문을 한 겁니다. 그래서 내린 결론이 정동년 씨가 우리 집에 와서 나에게 1천만 원을 받아다가 광주항쟁을 선동했다는 것이지요. 처음에는 그가 받은 돈을 1천만 원이라고 했는데 나중에는 그 액수가 5백만 원으로 줄었습니다. 조사관이 상부로부터 학생에게 1천만 원은 너무 많다고 5백만 원으로 줄이라는 지시를 받았던 겁니다.

조갑제 이번 발표문은 "김 위원장님이 광주항쟁과는 무관하다"는 것을 공문서로써 명백하게 해 준 것이니 상당히 중요한 자료라고 생각합니다.

김대중 저는 하도 억울한 일을 많이 당해서…….

조갑제 직감에 대해서 이야기하셨는데 이번 6·27선거를 앞두고 민주당 후보들을 공개적으로 지원하기로 결정하셨을 때도 그 느낌이 왔습니까?

김대중 사실대로 말씀드리지요. 저는 그렇게 빨리 선거에 개입할 생각도 없었고 물론 정치에 개입할 생각도 없었어요. 제가 일산에 집을 지은 것도 이제 정치를 그만두었으니까 거기서 아내와 조용히 살겠다는 생각을 했기 때문입니다.

제가 가지고 있는 올해 수첩에는 제일 첫 번째로 "금년 정치 불개입"이라고 쓰여 있어요. 물론 다른 면도 있었습니다. 영국에 갔다 온 후에 사람들이 저에게 "이제 제발 정치 그만둔다는 소리 좀 하지 마라. 사람이 없지 않으냐. 지난 선거 때 잘못 판단했었다"고 그래요. 물론 저 듣기 좋으라고 한 소린지 모르지만 저로서도 제 포부를 다 못했으니 마음에 뭔가 남아 있었습니다. 특히 핵 문제를 정부가 잘못 다루고 있는 것을 보고 걱정이 이만저만 아니었습니다.

그래서 "만일 1996년 말이나 1997년 초까지 가 봐서 정말 국민들이 나를 필요로 하면 그때는 내가 생각을 해 볼 필요가 있다." 하는 생각은 제가 가지고 있었습니다. 그러나 이렇게 빨리 나올 생각은 정말 없었습니다.

정계 복귀를 앞당기게 한 건 이기택 씨

그는 자신의 정계 복귀를 앞당긴 것은 이기택 민주당 총재였다고 했다.

김대중 제가 마음이 변하기 시작한 이유는 이렇습니다. 작년 12월 이기택 대표가 12·12사태를 구실로 2개월 동안이나 국회에 등원하지 않았습니다. 그것을 구실로 당권을 독점적으로 거머쥐려고 한 것 같은데……

그래서 3백 명이나 되는 국회의원들이 정기국회에 나가서 일을 하지 않게 된 겁니다. 그것은 의회정치를 정면으로 거부하는 것이었고 여당을 결정적으로 도와준 셈입니다. 예산 심의를 제대로 하지 못했고 곡가 문제도 못 다뤘고 야당 의원들이 각 상임위원회에서 준비했던 법률 개정안도 나중에 일괄 타결로 다 빼 버렸고. 인천, 부천, 도세盜稅 사건도 그냥 지나가고 성수대교 붕괴 문제도, 아현동 가스 폭발 사고도 제대로 못 다뤘던 겁니다.

그때 이기택 총재가 하도 기세등등하게 나가기에 저는 밖에 있으면서 말 한 번 제대로 못 하다가 중간에 있는 사람에게 말을 전했어요. "이래서는 안 된다. 이것은 의회주의에 어긋난다. 왜 병행 투쟁을 하지 않느냐. 원내 투쟁을 위주로 하고 12월에는 날씨가 추워 대중 투쟁은 어려우니 상징적으로 하라." 그랬더니 곧 신문에 반발이 크게 나고 "오너 행세를 한다"느니 하면서 말이 많았어요. 그러다가 정기국회는 완전 실패였고 정부 여당만 기쁘게 해 주었어요.

2월이 되니 이기택 씨가 "나를 당수로 확인해 주지 않으면 당을 뜨겠다"고 당에 1주일 이상 나오지 않고, 그런 일이 있었지요. 그때는 차라리 그가 당을 떠나기를 바랐습니다. 그러나 결국은 떠나지도 않더군요.

그러다가 결정적인 문제가 된 것은 경기도지사 공천 건이었습니다. 저는 서울과 경기도 지역에 좋은 후보를 내세우지 않으면 안 되겠다는 생각이 들어 이종찬 의원을 2개월 이상 설득을 해서 간신히 승낙을 받았습니다. 그래서 서울과 경기도에 조순과 이종찬이라는 환상의 콤비를 내세우기로 결정하게 된 겁니다. 그렇게 되면 인천까지 포함해서 수도권을 완전히 장악할 수 있다고 생각한 것이지요.

비난은 나중에 잘함으로써 회복하자

김대중 나는 이종찬 의원의 승낙을 얻고 나서 빨리 이기택 총재에게 이야기하라고 했어요. 이기택 총재가 쌍수를 들어 환영할 것이라고 기대했습니다. 그런데 그의 대답이 "노(No)"예요. "서울이 김대중 씨 차지라면 경기도는 내 차지다." 이런 식으로 생각하며 장경우 씨를 민 겁니다. 그래서 제가 이 총재의 측근인 강창성 의원 등을 오라고 해서 "나는 절대 당권에 개입하지 않겠다. 내가 공개적으로 선언을 할 수도 있다. 그러니까 안심하고 서울이든 경기도든 다 차지해라. 그러나 조순·이종찬 콤비로 하지 않으면 서울도 위태롭다"고 제발 그렇게 하라고 했어요.

한편 저는 장경우 의원까지 만났어요. 제가 그에게 "당신이 지금 무리하고 있는데 당신은 지금 나오면 떨어지고 나중에 국회의원까지 하기 어렵게 된다"고 설득했어요. 그런데도 도저히 안 되는 겁니다. 마지막에는 제가 항복하는 심정으로 장경우 씨를 받아들였어요. 하루빨리 당 내분을 해소해서 서울이라도 살려야 되기 때문이지요.

그런데 서울에서도 얼마나 어려웠는지 몰라요. 조순 후보가 계속 서울에서 뒤지는 겁니다. 조순 대 박찬종의 지지 비율이 20 대 40으로 나오는데 마지막 주에 가서야 조순 후보의 선전과 박찬종 씨의 거짓말 때문에 서서히 변화가 나타나기 시작했습니다. 처음엔 30대 후반이 그리고 30대 전반, 이어서 20대 후반과 20대 전반의 젊은 층이 돌았습니다. 정말 기가 막히게 힘든 선거였어요. 개표가 끝날 때까지 마음을 놓을 수가 없었으니까요.

그때 "이기택은 안 되겠다고"고 생각했습니다. 당보다 자기 자신을 우선하는 것 같았습니다. 게다가 선거를 해 보니까 국민들이 전혀 김영삼 정부를 지지하지 않는다는 것을 알게 되었습니다. 국민들은 김영삼 정부가 우리나라를 오늘의 위기 상태로 만들었다고 생각하는 겁니다. 거기다가 야당은 전혀 기대가 안 되고. 한 지붕 열 가족 파벌의 나눠 먹기식 운영과 비판과 견제 그리고 대안 제시라는 야당 본연의 기능을 상실한 채 표류하고 있고 당내 개혁의 가능성도 전혀 없었습니다.

그래서 제가 비난과 그 모든 것을 각오하고 결단을 내렸습니다. "그 길밖에 없겠다." 생각한 겁니다. "하면 9월 정기국회 전인 지금 이때 해야 한다." 그리고 "비난은 나중에 잘함으로써 회복하자." 이렇게 결단을 내린 겁니다. 이번에도 아까 말한 그 느낌이 온 겁니다.

6·27선거에서 민주당이 성공한 이유

조갑제 6·27선거에서 민주당이 대승한 원인은 무엇이라고 생각하십니까?

김대중 제일 큰 원인은 반사이익이라고 할 수 있습니다. 김영삼 정권이 실패한 데 대한 반사이익이지요. 두 번째 원인은 민주당의 차별성입니다. 그것은 이제 신당으로 옮겨 왔는데, 민주당은 민주주의를 위해 수십 년 동안 싸우고 그러다가 감옥에 가기도 했던 사람들이 모인 정당입니다. 그러면서도 일부 재야나 학생들의 극단주의를 반대하고 의회주의를 고수했습니다. 또한 지난 20년간 평화적·단계적 통일 논의를 착실하게 발전, 정착시켜 마침내 남북 양쪽의 정권조차 수용 내지는 공감하게 만든 정당입니다.

조갑제 반사이익이란 김영삼 대통령을 지지하던 보수 중산층이 김 대통령에게 실망하여 민주당 쪽으로 표를 던진 것이지요. 이런 경향이 다음 총신에도 지속되리라고 보십니까?

김대중 그럴 것이라고 생각합니다. 김 대통령은 아직 패배의 교훈을 제대로 배우지 못했습니다. 같은 실패를 되풀이할 가능성이 큽니다.

조갑제 김 대통령이 패배의 교훈을 제대로 배우지 못했다는 증거로 어떤 것을 들 수 있겠습니까?

김대중 김 대통령이 국민들에게 가장 불안을 주는 분야는 통일 정책입니다. 어떤 때는 초강경으로 나갔다가 어떤 때는 초저자세로 나아갑니다. 저자세를 넘어서 굴욕적인 것이 이번 쌀 문제를 둘러싼 일련의 태도입니다. 예를 들어 제가 북핵 문제 일괄 타결과 카터 방북을 주장했을 때 김 대통령은 끝까지 반대했습니다. 그러나 제네바에서 북·미 합의가 이뤄지자 사흘도 못 가 수락을 했어요. 결국 국가적 위신과 위치만 약화시키고 계속 수세로 몰리는 겁니다.

그동안 핵 문제를 다루면서 우리나라가 북한 외교에 판판이 졌어요. 그쪽 사람들은 한자리에서만 5-10년씩 일한 전문가이고 그동안 중·소 사이에서 줄타기 외교를 하면서 익힌 노하우도 만만치 않습니다. 깔봐서는 안 됩니다.

북한을 다룰 때는 서두르지 말아야 합니다. "북한은 개방하지 않을 수 없다. 개방하지 않으면 망한다. 그러니 하고 싶으면 하고 말고 싶으면 말라"는 식으로 느긋하게 대하면서 미국과 일본과의 협조만 유지하면 됩니다. 즉 남북 협력 없는 북·미 관계도 북·일 관계도 개선될 수 없다는 원칙만 확실히 하면 되는 겁니다. 조건은 우리에게 유리한데 왜 이를 제대로 활용하지 못하는지 걱정입니다.

제일 위험한 것은 통일을 국내 정치로 이용하고 있다는 인상을 북한에 주는 것입니다. 그렇게 되면 북한에 약점을 잡히게 됩니다. 그렇기 때문에 우리 쌀 주면서도 한국산이라는 표시도 못 하고 15만 톤이나 되는 쌀을 주면서 뺨을 맞아야 하는 상황이 된 겁니다. 너무나 걱정스럽습니다.

우리나라가 지리적으로는 작은 나라일지 몰라도 지정학적으로는 큰 나라입니다. 지금 남북 합해서 7천만의 인구이면 세계 15위입니다. 경제 규모는 남한만 가지고도 12위입니다. 세계에 1백80개 국가가 있다는 것을 감안하면 우리가 얼마나 큰 나라입니까? 남북통일이 이뤄지면 21세기 초반에는 아마 세계 5대 국가 안에 들게 될 겁니다. 지금은 민족의 상승기입니다. 자신감을 가져야 해요. 저는 우리 민족의 장래에 대해서 바른 정치만 하면 다 잘될 것이라고 낙관하고 있습니다.

북핵 문제, 괜히 끼어들어 경수로만 떠안은 꼴

조갑제 지난 1994년 가을, 미국과 북한 간의 제네바합의가 이뤄졌을 때 우리 정치권의 반응을 보면 야당은 쌍수를 들어 환영하고 여당은 반론을 제기할 입장이 아니니 아무 말도 하지 못하고 그냥 지나갔습니다. 언론에서만 문제를 제기했지요. 그리고 1년도 지나지 않아 당시 언론의 우려가 현실로 나타나고 있습니다. 이런 경우에는 야당이 의무적으로 반대를 해야 정부의 입지가 오히려 강화되는 것 아닙니까?

김대중 북한 핵 문제는 법적으로는 유엔과 북한 사이의 문제입니다. 미국은 유엔을 대표하여 북한과 회담을 한 것입니다. 그리고 국제원자력기구(IAEA)가 기술적으로 관여하고 있지요. 미국은 북핵 문제를 통해서 장래의 핵 문제, 즉 핵확산금지조약(NPT) 연장과 핵 강대국의 지위를 보장받으려 하고 있습니다. 무엇보다도 일본의 핵 제조를 우려한 것입니다. 미국은, 우리가 관심을 갖고 있는 과거의 핵 문제, 즉 북한이 핵을 한두 개 가졌느냐, 그렇지 않으냐 하는 문제에는 관심이 없어요.

결국 우리는 본질적으로 미국이 주도하고 있는 북핵 문제에서 당사자가 될 수 없었던 겁니다. 북한이 핵 협상 당사자가 된 것은 우리와 달리 핵확산금지조약(NPT)을 안 지키고 핵을 가지려 했기 때문입니다. 따라서 우리는 그 문제에서 주도권을 쥐려고 노력할 필요가 없었습니다. 그냥 놔둬도 미국은 그 문제를 해결하기 위해 노력하게 되어 있고 그러다 보면 미국이 북한에 경수로를 주게 되거나 상당한 부담을 지게 되어 있었던 겁니다. 그런데 우리가 괜히 끼어들어 당사자 노릇도 못 하면서 경수로만 떠안게 된 겁니다.

우리가 할 수 있는 것은 남북합의서에 의해 만들어진 핵통제위원회를 통하여 북의 과거 핵을 따지는 문제입니다. 정작 할 일은 안 하고 남의 이야기만 한 겁니다.

조갑제 1993년 8월 25일에 김 위원장님이 저와 인터뷰를 하셨습니다. 1993년 10월 호 『월간조선』에 실린 그 인터뷰에 제가 후기를 썼습니다. 얼마 전에 읽어 보니 이런 내용이 있더군요. "김 위원장은 정계를 은퇴한 것이지 정치를 은퇴한 것은 아니다. 8백만 표를 얻을 수 있는 사람은 숙명적으로 정치를 떠날 수 없다. 김영삼 대통령의 실패가 김대중 씨를 정치로 불러낼 것이다. 김대중 씨가 정계로 돌아오는 시점은 1995년 지방자치제 선거 전후일 것이다. 그것은 지자제地自制에 대한 김대중 씨의 평소 집념으로 보아……"

결국 김 위원장께서 저의 입장에서는 "예측 가능한 정치"를 한 셈입니다. 요즘 인터뷰를 할 때마다 기자들이 "정치를 안 한다더니 왜 약속을 어겼느냐"는 질문을 하지요. 그때마다 김 위원장께서는 드골 전 프랑스 대통령과 닉슨 대통령 그리고 1980년 10월 김영삼 대통령의 정계 은퇴 선언을 예로 드시면서 합리화를 하려고 하시던데, 김영삼 대통령의 경우 정계 은퇴를 발표한 것은 상당히 강압적인 분위기에서 행해진 것 아닙니까?

김대중 우리들은 다 잡혀가서 감옥살이하고 고문당하고 사형 선고를 받을 때, 그럴 때 그 양반은 신변 보호를 위해서 정치를 떠나겠다는 선언을 했거든요. 보통 정치인도 아니고 지도자인데……. 그러나 한 가지 강조할 것은 저는 정계 은퇴의 약속을 못 지킨 것을 분명히 사과했습니다. 여기에는 변명이 없습니다.

한 인간으로서의 도박

조갑제 김 위원장님의 이번 정계 복귀는 인간으로서 큰 도박이라고 생각합니다. 그동안 "행동하는 양심"이라는 평가를 받기를 원하셨고 "무엇이 되는가보다는 어떻게 사는가"가 중요하다고 하지 않으셨습니까?

이번에 성공한다면 정치의 논리에 의해 위약을 하신 것도 다 용납이 될 수 있을지 몰라도 이것이 실패했을 때는 한 인간으로서도 굉장한 비판을 받지 않을까 하는 생각이 듭니다만.

김대중 이번 일에 있어서는 정말 고민도 많이 하고 주저도 많이 했습니다. 그러나 마지막에는 제 소신으로 결단을 내렸습니다. 때로 비난받고 욕을 먹고 일생을 망칠 우려가 있다 해도 국민과 민족을 위해서 해야 할 일이라면 한다는 겁니다. 무엇이 되느냐 하는 것, 즉 국민들에게 존경받고 좋은 말 듣고 명예를 갖는 것도 중요하지만 그 명예를 후세에 맡기고 결단할 것은 결단해야 한다는 것이지요. 이것이 바로 어떻게 사느냐의 또 하나의 단면입니다.

이런 결정을 내리기까지 저에게 가장 큰 교훈을 주고 참고가 된 것은 링컨 대통령이었습니다. 링컨 대통령은 미국의 남북전쟁을 승리로 이끌었습니다. 처음에는 남쪽을 철저히 응징하고 규탄하겠다고 했지만 승리가 다가오면서 링컨의 판단은 달라졌습니다. 남쪽이 진 후에 남쪽을 철저하게 응징하면 결국 남쪽은 미국에서 떨어져 나가 적국이 될 수밖에 없다는 사실을 깨달은 것이지요. 링컨은 국민들에게 남쪽을 용서해야 한다고 설득을 했지요. 그때 그가 자주 한 말이 "모든 사람에게 자비를, 그러나 악의는 누구에게도 갖지 말라"(charity for all, Malice to none)였지요.

국민들과 링컨의 공화당은 일제히 그를 비난했습니다. 링컨을 가리켜 거짓말쟁이, 사기꾼이라고 했지요. 링컨은 자신의 본심을 몰라주는 것이 너무 안타까워 게티즈버그에 사는 친구에게 긴급히 상의할 일이 있으니 빨리 오라고 했습니다. 그러나 그 친구가 링컨을 만나러 갔을 때 링컨은 앉으라는 말 한마디 없이 한 시간 반 동안 방 안을 걸어 다니면서 억울하다는 이야기를 했습니다. 링컨도 그렇게 고통을 느꼈던 겁니다. 그래도 결단을 했던 겁니다.

후세의 사가들은, 그때 링컨이 그 비난을 감수하면서 결단을 내리지 않았으면 미국이 두 개로 나누어졌을 것이라며 그의 결단을 높이 평가하고 있습니다. 지금 여당이 제 역할을 하지 못하고 있고 김 대통령이 국민들에게 실망을 주고 있습니다. 앞으로 2년 반을 모두 걱정하고 있습니다. 그렇다면 야당이라도 잘해야 하는데 이미 말한 대로 그럴 가망이 전혀 없습니다. 그렇다면 대안이 필요한 것입니다. 신당 출현의 필연성이 여기 있습니다.

김 대통령이 내 노리개를 다 빼앗아 갔다

조갑제 한국 정치는 지금 구조적으로 해체 과정에 있다고 봅니다. 예를 들어 과거의 기본적인 구도가 호남 대 비호남이었다면 이제는 부산경남(PK) 대 비부산경남 구도입니다. 이제는 한 정당이 과반수를 넘는 헤게모니를 잡는 것이 어려워지고 다수의 정당이 생기는 식으로 지역이 세분화됐습니다. 그중에서도 충청남북도를 김종필 총재가 통일했다든지, 보수층이 지난 6·27선거에서 김 위원장 쪽을 지지했다는 것 등이 새로운 현상인 것 같습니다.

김 위원장께서는 오늘의 정치 상황을 어떻게 보시고, 앞으로 이런 정치 상황을 어떤 방향으로 유도해 나가려고 생각하는지 장기적인 관점에서 말씀해 주십시오.

김대중 여與건 야野건 부자연스러운 통합에 문제가 있었다고 봅니다. 또 하나는 여야 모두 그러한 정치 상황에 적응하지 못하면서 스스로 해체 과정을 밟고 있다는 점입니다. 그리고 마지막으로 한국 정치 전체의 구심점이나 방향타가 되는 대통령이 제대로 역할을 못 하고 있습니다. 이 세 가지 점이 오늘의 정치가 이렇게 된 원인이라고 봅니다.

첫째 부자연스러운 통합에 대해서 말하면 김영삼 정부가 들어선 이후로 3당 야합이 삐거덕거리기 시작했습니다. 정권을 잡고 나니까 누가 더 몫을 차지하느냐가 문제가 돼 공화계가 떨어져 나가고 민정계도 내부적으로는 분리되고 있습니다. 이미 대구경북(TK) 지역 사람들의 마음은 떴고 이제 부산경남(PK) 국회의원들만 남아 있습니다. 3당 구조는 사실상 끝난 셈입니다. 정권을 잡기 위해 무리하게 야합을 한 결과지요.

야당도 마찬가지입니다. 과거의 신민당과 민주당이 통합했는데 무리한 통합이었어요. 7석밖에 안 된 정당에 60여 석 가진 정당이 당명도 양보하고 공동대표 해 주고 동수同數의 집단 지도 체제를 해 주며 대야당의 당수가 되도록 도와줬는데 결국 화학적 통합이 못 되고 모래알처럼 분열되는 과정을 거쳤어요. 내가 사력을 다해서 이기택 총재를 밀어 당권을 잡도록 했는데, 자기 계보의 이익을 위해서 경기도지사를 양보 못 한다는 데서 결정적으로 갈라지는 계기가 된 것입니다.

야당은 수권 정당이 돼야 하는데 "한 지붕 열 가족"이 돼 총재 한 명, 부총재 아홉 명이 당직을 하나씩 갈라 먹습니다. 작년에 하위 당직 하나 결정하는 데 7개월이 걸렸어요. 파벌은 있어도 당은 없습니다. 심지어 말단 당원까지 계보를 갖고 있어요. 당선 가망 없는 조직책은 갈 길도 없습니다. 이러니 개혁은 전혀 불가능합니다.

세 번째는 김 대통령의 리더십인데, 리더로서의 덕성이 제대로 발휘되지 못했어요. 자기 당내에서는 민정계와 공화계를 하나로 품어 안는 포용력을 보여 주지 못했고 야당이나 정적政敵에 대해서도 너무 협량했습니다. 특히 나와 아태재단에 대해서는 갖은 방법으로 방해를 합니다.

다른 때 같으면 8월 13일이나 8월 14일에 해야 할 광복절 사면복권 발표를 우리가 창당 발기인 대회를 하는 날에 하는 것 보십시오. 이런 일이 한두 번이 아니에요. 대통령이 이 정도로 반대파에 대해서 여유가 없습니다. 언론에 대해서도 우리에 대해 제대로 보도하지 못하게 합니다. 도청, 감시, 파괴 공작을 군사정권 때보다도 실제 더합니다.

사람은 살아 있는 동안 가지고 있는 시간을 보낼 '노리개'가 있어야 하는데 나에게서 그걸 다 빼앗아 버린 겁니다. 그러니 내가 살기 위해 할 수 없이 다시 정치를 하게 된 면도 있습니다. 어떻게 보면 나를 정치에 다시 끌어온 것도 김영삼 대통령이라고 볼 수 있습니다.

솔직히 말해 지난번 6·27선거 지원에 나가서 연설하면서 하고 싶은 말 다 하니까, 좀 과장해서 말하면, 십 년 묵은 체증이 다 내려가더라니까요.

대선 이후, 김 대통령과 한 번도 못 만났다

조갑제 그런데 그동안 김 대통령과는 몇 번 통화하셨습니까?

김대중 한 번도 안 했어요. 선거 끝난 직후 축하 전화한 것 이외에 한 번도 없었어요. 아마 그때도 제가 전화를 했을 겁니다. 그리고 영국서 돌아온 다음에 두 번 만나자고 약속해 놓고 그쪽에서 다 취소했어요.

제가 외국 나가서 가장 곤란한 질문이 "당신 김 대통령과 그동안 몇 번 만났느냐"는 것입니다. 거짓말은 할 수 없어서 "못 만났다"고 하면 모두 놀라면서 "그 이유가 뭐냐"고 또 물어요. 그러면 "잘 모르겠다"고 얼버무려요. 이럴 땐 정말 국민으로서 수치를 느껴요.

조갑제 앞으로 우리 정치가 재정립되기 위해서는 주제가 있어야 한다고 봅니다. 이 중 중요한 이슈 중의 하나가 내각제 아니겠습니까? 그런데 이에 대한 김 위원장의 입장은 "지금은 대통령직선제를 지지한다. 그러나 다음 총선 때, 결과를 보고 국민들이 압도적으로 내각제를 지지한다면 따라가겠다"
는, 어떻게 보면 상당히 기회주의적인 자세를 취하는 것 같습니다.

정치는 그런 것은 아니지 않습니까? "나는 이렇게 주장한다"고 한 다음 그
쪽으로 가든지 아니면 국민을 설득하든지 해야지요.

김대중 그렇게 볼 수도 있고 안 볼 수도 있습니다. 과거 유진오 박사가 이
렇게 말하더라고요. "나는 내각제 신봉자다. 그러나 대통령제를 할 수밖에
없다. 왜냐하면 국민이 바라기 때문에"라고. 저도 동감합니다.

내각제와 대통령중심제가 하나는 악惡이고 하나는 선善이라면 제 태도가
기회주의라고 말할 수 있을 겁니다. 하지만 그런 건 아니지 않습니까? 민주주
의를 위해서 이쪽도 좋고 저쪽도 좋은 거예요. 중요한 것은 운영이지 제도가
아니에요.

민주주의 원칙에서 보면 똑같은 선인데 어느 쪽을 택하느냐는 국민의 뜻
에 따라 선택할 수밖에 없습니다. 그러나 내 의견은 있습니다. 저는 선거 때
대통령중심제가 좋다고 할 거예요.

내각제 하려다 재벌중심제 될 수도

조갑제 그러면 다음 선거에서 새정치연합이 제1당이 된다면 그건 대통령
중심제를 원한다고 봐야 합니까?

김대중 그것은 이번에 당의 정책을 세워서 나가게 될 것입니다. 개인으로
서는 대통령중심제를 가지고 나가지만 당이 정할 문제니까 제가 꼭 혼자서
말할 수는 없지요.

조갑제 내각제가 과거의 대통령직선제처럼 국가가 진행하는 방향과 맞아
떨어져 대세가 될 가능성은 있다고 보십니까?

김대중 그렇게 크게는 안 봅니다. 내각제에 대해서 제가 걱정하고 경계하

는 것이 세 가지 있습니다. 첫째는 남북 대결이 완화된다고 해도 상대의 강력한 지도자와 협상이 필요한데 강력한 리더십 없이 흔들려서야 되겠느냐 하는 것입니다.

둘째는 내각제를 하면 안정되고 전통 있는 정당과 성실하고 책임감 있는 의원 한 사람 한 사람이 중요한데, 과연 내각제를 할 수 있을 만큼 의원과 정당이 하루아침에 성숙해지겠는가 하는 것입니다.

마지막으로 가장 중요한 것은, 내각제가 되면 의원이 재벌에 예속될 가능성이 있다는 것입니다. 외국은 주식이 분산돼 회장이나 사장이 모두 재산이 없는 전문 경영인입니다. 그러나 우리 재벌은 회사 돈 외에도 자기가 쓸 수 있는 비자금을 수백억 가지고 있고, 이들이 국회의원을 살 가능성이 있습니다. 꼭 그렇게 된다는 것은 아니지만.

일제시대 때 일본에 미쓰이와 미쓰비시 두 재벌이 있었는데 당시 양대당兩大黨으로 있던 민정당과 정우회 두 당을 이들 두 재벌이 좌우했어요. 우리나라가 지금 그런 상태입니다. 재벌이 국회의원 매수하는 것은 문제없잖아요. 이 세 가지가 내각제 하는 데 가장 경계해야 할 점이라고 생각합니다.

조갑제 잘못하면 대통령중심제 없애려고 하다가 재벌중심제가 될 가능성이 있다는 말씀인데……

김대중 그렇습니다.

조갑제 정치의 주제가 뭐가 되어야 하느냐가 나라의 분위기를 만들어 가는 데 중요하다고 말씀하셨습니다. 김 위원장처럼 큰 정치가일수록 국민들이 일상적으로 식탁에서 무엇을 주제로 얘기하도록 하느냐, 말하자면 어젠다(agenda)를 만드는 역할이 중요하다고 생각합니다. 앞으로 우리 정치의 주제를 뭐로 만들어 가실 생각입니까?

김대중 하나는 지역 간의 화해입니다. 군사정권 34년 동안 산산이 갈라놓은 감정을 하나로 합해야 합니다. 이번 선거 결과가 과거 차별받던 지역이 뭉치는 식으로 나왔습니다. 호남, 충청, 대구경북(TK), 강원 말입니다. 서울이나 경기도는 지금까지 큰 차별을 안 받았기 때문에 패권주의에 대한 반감이 없지만 다른 곳은 안 그랬습니다.

그러나 이제 지방자치를 통해서 지방 등권 시대가 왔습니다. 과거처럼 중앙정부가 특정 지역만 비호하고 나머지는 차별하기가 어렵게 되었습니다. 지방정부는 서로 협력하면 득이 되고 할거주의를 하면 손해이므로 지방정부는 지방정부대로 대등한 관계에서 상호 협력하게 됩니다. 인접 시도市道끼리 하천의 관리, 공해 대책, 관광 등 협력할 일이 많습니다. 정부도 이렇게 유도해야 하고 이렇게 될 것이라 생각합니다.

이런 화합을 기초로 해서 남북 화합으로 가야 합니다. 남한 내 화합 없이 남북 화합이 있을 수 없습니다. 여기에는 '참여'가 중요합니다. 정치라는 것은 아무리 대통령이 정치를 잘해도 국민이 참여하지 않으면 사상누각이고 오래가지 못합니다. 김영삼 정부의 개혁이 실패한 가장 큰 원인은 국민과 함께 가지 않은 데 있습니다. 옛날 군주정치는 임금이 혼자 한 것이지만 민주주의는 백성이 주인이니까 참여시켜야 해요.

지역 간의 화합과 국민 참여, 이 두 가지가 지금 우리 정치에 있어 가장 급선무라고 봅니다. 여기서 계층 간의 화합, 여야 간의 화합도 나오고 국민의 총 참여에 의한 국정의 운영이 가능합니다. 이렇게 함으로써 남북 문제도 자신 있게, 그리고 북에 대해서도 당당히 추진해 나갈 수 있다고 봅니다.

21세기는 중소기업 시대

김 위원장은 대화합 이외에 통일과 중소기업 중심의 경제, 그리고 문화를 중요한 이슈로 꼽았다.

김대중 통일 문제에도 국민을 참여시켜야 합니다. 통일 정책을 수립하고 집행하는 것은 정부 앞으로 창구를 일원화해야 하지만 남북 접촉은 창구 다원화를 해야 합니다. 그래야 힘이 나옵니다.

앞으로 우리 경제가 중소기업 시대로 가야 한다고 봅니다. 보호 육성 차원이 아니라 중소기업 체제가 경제의 중심이 되어야 합니다. 20세기는 소품종 다량생산의 대기업 시대였지만 21세기는 다품종 소량생산의 중소기업 시대입니다. 이제는 소비자가 획일적이 아닌 다양한 물품을 찾습니다. 대량생산은 못 하게 됩니다.

예를 하나 들면 미국의 어떤 세계 최대의 전기 기기 제조 회사는 한 기업을 1천3백 개 중소기업으로 갈랐습니다. 전부 회계가 다릅니다. 학자들은 새로운 경제 아래서 사회는 최고로 전문화돼야 하고 기술은 최고로 정밀화돼야 하며 생산은 최고로 차별화되어야 하는데, 이 차별화는 중소기업만이 효과적으로 할 수 있다고 합니다.

20세기는 경제와 군사력이 국력이었는데, 21세기는 경제와 문화가 국력입니다. 문화가 과거와 같이 정신적 가치를 높이는 것뿐 아니라 대단한 경제적 가치를 갖고 나옵니다. 미국의 스필버그 감독이 제작한 영화 「쥬라기공원」이 우리 자동차 1백50만 대 수출에 맞먹는 8억5천만 달러를 벌어들이지 않았습니까?

북한 개방시키면 우리가 이기는 것

조갑제 지금까지 말씀하신 정치의 이러한 큰 주제가 잘되려면 그 전제 조건으로 우리의 안보가 튼튼해야 합니다. 그러나 오늘의 남북한 상황을 굉장히 위험하다고 보는 시각이 있습니다. 주로 주한 미군 쪽에서인데, 한반도의 전쟁 위험이 앞으로 1, 2년 사이에 가장 높아질 것이라는 겁니다. 그 이유는 북한의 재래식 군사력과 관계가 있습니다. 북한 군사력은 지금 피크에 도달해 있는데 앞으로 2, 3년 지나면 그 부품 공급이 제대로 안 된 것이 누적돼 힘이 급격하게 떨어질 것이다, 북한으로서는 전쟁을 하려면 지금이 마지막 찬스라는 겁니다.

북한의 김정일 체제로서는 개방이 불가능하고 그래서 탈출구가 없다는 것입니다. 이 경우 선택은 전쟁이냐, 자체 붕괴냐인데, 이 때문에 전쟁에 더 유혹을 느낄 겁니다. 여기에다 권력층 안에서 어떤 내분이 일어나 김정일이 자기 입장이 불리하다고 느낄 때 전쟁을 선택할 가능성이 있다는 점입니다.

또 앞으로 2년 사이 한국의 정치권력 게임이 피크에 달할 것이기 때문에 북한에게 전쟁을 유발하도록 하는 초대장을 낼 수도 있다고 하는 등 안보 면에서 최악의 시나리오를 그리는 시각이 있습니다.

김대중 저는 안보를 중시한다는 데는 동의하지만 안보가 위기에 있고 1, 2년 사이가 피크라는 데는 동의하기 어렵습니다. 첫째 김정일 위원장은 개방하려고 합니다. 이미 다 정해졌고 시작했습니다. 미국과의 핵무기 해결이 이미 개방을 결정했기 때문에 이루어진 것입니다. 북한 내에서 강경 세력들의 저항이 있지만 그것이 그렇게 결정적인 것은 아닙니다. 덩샤오핑이 지난 1978년에 정치에 복귀한 후 완전히 개방한 것이 1992년 남순강화 때였습니다. 14년이 걸린 것입니다.

북한도 일거에 할 수는 없습니다. 개방을 하고 싶어서 하는 것이 아닙니다. 안 하면 망하니까 개방으로 갈 수밖에 없습니다. 지금 북한의 최대 정책이 "친미親美·접일接日·반한反韓"이에요. 미국과 일본에 접근하고 있습니다. 앞으로 세계무역기구(WTO) 체제 아래서는 10년 내에 경제의 국경이 없어집니다. 개방 안 할 길이 없습니다.

김정일 위원장의 리더십도 확실합니다. 다음으로 무기 노후화 문제가 있는데, 이 경우 북한의 대응은 한편으로는 전쟁이 있을 수 있고 하나는 핵무기일 수 있습니다. 그런데 남한은 매년 50억 달러의 무기를 사는데 북한은 하나도 못 사와요. 20년만 지나면 남한은 1천억 달러의 최신무기를 사 오고 북한은 단 1달러도 못 사옵니다. 북한이 초조할 수밖에 없지요. 그러니 북한은 핵무기와 남한 인구를 두 번 없앨 수 있는 화학무기로 승부하려고 합니다.

그래서 핵무기나 화학무기 포기를 실현시키려면 남북한의 전통무기도 밸런스를 맞춰야 합니다. 상호 신뢰가 와서 군축이 되는 것이 아니라 군축을 먼저 해야 상호 신뢰가 오는 것입니다.

부시가 전술핵을 철수하니까 북도 국제연합(UN)에 가입하고 남한과 남북기본합의서에 서명했습니다. 고르바초프가 군축을 먼저 하니 서방세계가 신뢰하게 됐습니다. 우리는 강자 입장이니까 어떻게 하면 북한이 안심할 수 있도록 하느냐는 역지사지의 입장에서 판단해 해결해야 합니다.

북한은 지금 강해서가 아니라 약하니까 강박관념으로 큰소리치는 것입니다. 우리는 그들을 개방만 시키면 이기는 것입니다. 경계는 하되 두려워할 필요는 없습니다. 북이 만일 전쟁을 시작하면 초전에 어느 정도 남한으로 내려올 수 있겠지만 그렇게 되면 우리의 반격으로 북한은 재災가 됩니다.

김정일 체제의 미래

조갑제 안보 상황 판단의 전제 조건이 북한이 개방할 수 있느냐 하는 것인데, 저는 김정일 체제하에서는 북한의 개방이 불가능하다고 봅니다. 그 이유는 개방 전에 개혁을 해야 하고 그렇게 하려면 김일성의 유일사상을 비판해야 하는데, 그것은 자기부정이 되기 때문에 불가능합니다.

김대중 중국이 개방할 때도 공산주의를 포기하지 않고 개방했습니다. 공산주의를 그대로 유지하면서 개방했어요.

조갑제 하지만 마오쩌둥주의에 대해서는 비판했습니다.

김대중 문화대혁명 때 마오쩌둥 밑에서 나쁘게 행동한 사람들을 비판한 것이지 마오쩌둥을 비난한 것은 아닙니다. 지금도 안 해요. 정신적 상징입니다. 천안문에는 그대로 마오쩌둥의 초상이 걸려 있습니다. 중국은 지금도 사회주의를 고수한다고 주장하고 있습니다.

북한도 중국처럼 이중적 태도를 취할 수밖에 없습니다. 안으로는 주체사상을 부르짖으면서 한편으로는 개방해 나가는 겁니다. 그런데 개방은 일단 시작하면 못 막습니다. 이게 개방의 마술입니다. 중국도 심천만 개방했는데 나중에 다른 곳을 안 할 수가 없었어요.

더구나 앞으로는 세계무역기구(WTO) 체제로 들어갑니다. 이미 말한 대로 세계무역기구(WTO) 체제라는 것이 10년 내에 경제적인 국경이 없어진다는 의미입니다. 우리도 그렇고 북한도 여기에 저항할 수 없어요.

조갑제 그렇다면 김정일 체제는 어떻게 된다고 보십니까?

김대중 누구도 예단할 수 없습니다. 김정일 위원장 체제는 현재는 분명히 확고하지만 앞으로 장담할 수 없습니다. 그러나 앞으로 체제를 유지하느냐 여부는 두 가지인데, 하나는 경제를 회복해 북한 사람들의 생활을 향상시킬 수 있느냐 없느냐입니다. 다른 하나는 북한 사회의 개방과 경제의 시장화에 따라 정치의 경직성을 수정할 수 있느냐인데 두고 볼 일입니다. 이것은 미국의 태도에 달려 있습니다. 미국이 봐주면 가능하고 그렇지 않으면 불가능합니다.

조갑제 안보관에 대해 물어보겠습니다. 아까 남북 간 신뢰 관계를 만들기 위해서 군축을 먼저 하고 이를 바탕으로 상호 신뢰 관계를 구축해야 한다고 하셨는데, 저는 이렇게 생각합니다. 북한과 진정한 화해를 하려면 우선 안보가 튼튼해야 하고 이걸 바탕으로 우리나라가 국민들을 안심시킨 후 북한으로 하여금 전쟁에 대해서 체념하도록 만들어야 합니다. 그런 후에 우리가 진짜로 북한을 도와줄 수 있다고 봅니다.

그러기 위해서는 먼저 국방비를 증액해서라도 우리의 안보를 더욱 확실하게 해 놔야 진정한 남북 교류가 가능하다고 생각합니다. 그러니까 군축이 아니라 군비 증강을 해야 진정한 화해가 가능하다고 생각하는데……

김대중 지금 우리가 국민총생산(GNP)으로 환산해 북한보다 5배, 6배 군사비를 쓰면서 북한보다 우리의 안보가 약하다고 할 수 없습니다. 오히려 안보 문제에 있어서는 김영삼 정권 들어선 이후 군 내 질서가 어지러워지고 사기가 떨어진 점을 더 걱정합니다.

아무리 좋은 무기를 많이 사와도 중요한 것은 사람입니다. 특히 하사관들의 후생 복지와 제대 후 사회 진출을 위한 교육 등에 힘을 쏟아야 합니다. 단순히 무기 증강만 국방이라 생각하지 말고 사기가 올라갈 수 있도록 정신적 물질적 대우 개선, 군 복무자에 대한 따뜻한 보살핌 등이 있어야 합니다.

김일성 주석의 죽음을 애도하라는 게 아니다

조갑제 지금 우리 군의 사기가 엉망이어서 만약 전쟁이 나면 과연 이길 수 있겠느냐는 게 걱정입니다. 그런데 저는 이념상의 혼란이 가장 중요하다고 봅니다. 우리 병사들이 왜 비무장지대(DMZ)에서 총을 들고 북한을 바라보고 있느냐 하는가에 대한 확신이 없기 때문이라고 보는데, 이렇게 만드는 것은 후방에 있는 정치권력과 일부 좌익 세력이라고 생각합니다.

예컨대 김 위원장께서는 김일성이 죽고 나서 조문을 했어야 한다고 생각하시는 것 같은데, 이런 이야기가 나왔을 때 총을 들고 북한을 바라보는 병사들은 혼란에 빠지게 됩니다. 지금까지 김일성을 민족의 원수라고 배웠는데, 그 원수에게 난데없이 조문해야 된다는 이야기를 들었을 때 "내가 지금 어디 서 있는가."라는 의구심을 갖게 됩니다. 그래서 이런 이념적인 혼란을 조장해 온 정치인들이 자숙하는 게 우리 군의 사기를 높이는 게 아니냐는 생각이 듭니다.

김대중 저는 조 부장과 의견이 다릅니다. 클린턴도 조문했습니다. 제가 여러 번 얘기하지만 조문에는 가서 상주 손잡고 함께 눈물 흘리면서 하는 애도의 조문이 있고 체면상, 사업상 안 가면 욕 얻어먹으니까 하는 외교상 조문이 있습니다. 그렇게 원수라면 왜 정상회담은 하려고 했습니까? 역대 대통령이 다 그랬습니다. 정상회담 하려고 김영삼 대통령이 얼마나 많이 노력했고 지금도 하고 있습니까? 정상회담 하려다가 갑자기 죽었는데 형식적으로 "안됐다"는 말 한마디 할 수 있는 것 아닌가요?

그리고 조문 안 할 거면 가만히나 있지, 지금 사람 죽어서 통곡하고 있는 사람들인데, 거기다 왜 감정을 악화시키는 얘기를 합니까? 그것이 오늘날 남북 관계의 경색을 가져온 결정적인 구실을 준 것입니다. 그리고 우리의 입장을 어렵게 만든 것입니다.

창당하는 데 돈은 별로 안 들었다

조갑제 조문을 안 했기 때문에 남북 관계가 경색된 게 아니고, 북한이 하기 싫으니까 그것을 트집 잡아 경색시킨 것으로 봐야 되지 않습니까?

김대중 구실을 주었다는 이야기지요.

조갑제 미국에서 민주당과 공화당이 논쟁을 할 때 공화당의 논객인 진 커크패트릭 여사가 민주당을 비판하면서 "저 사람들은 어떤 문제에 대해서든 미국을 먼저 비판한다(Blame America first)"고 했습니다. 우리 경우도 남북 문제가 있을 때 이 중 90퍼센트는 북한의 책임인데도 오히려 남한의 책임인 것처럼(Blame Korea first) 자학적인 자세로 나오는 사람들이 많습니다.

김대중 지난 3월에 제가 남북 문제에 대해 연설할 때, 북한에 대해 10여 개 항목에 대해서 비판했습니다. 예를 들면 경수로 문제에서 한국의 주도권을 인정하라, 남북 대화에 즉시 응하라는 것 등 북한에 대해 할 말 다 했습니다.

이번 쌀 문제도 북한이 배를 억류한 것은 잘못이라고 엊그제 얘기하지 않았습니까? 도대체 남북 문제 가지고 야당과 협의를 하지 않는 정부의 책임이 크다고 봅니다.

조갑제 요즘 신문을 보면 4천억설, 괴문서 등 돈이 정가政街의 주제가 되고 있습니다. 김 위원장의 정치자금 모금에 대한 괴문서가 저희한테 들어오기도 했고요. 새 당을 만들려면 돈이 수백억 원 들 텐데 어느 정도의 돈을 가지고 창당을 시작하셨습니까?

김대중 (웃으면서) 그런데요, 괴문서는 기관에서 만들었습니다. 그렇지 않다면 여러 가지 복잡한 것을 어떻게 기록하겠습니까? 거기에 대한 정보도 있고요. 그 괴문서에는 저도 모르는, 제가 포항제철에서 1백50억 원을 받았다고 쓰여 있는데, 저는 일생에 포항제철에서 쓴 차 한 잔도 얻어먹은 적이 없습니다. 4천억 원설의 초점을 돌리기 위해서 그렇게 한 것이지요.

신당 창당 과정에서 당사 임대 비용에 8억 원이 들고, 전당대회를 하는데 많이 들면 5억 원이면 될 것입니다. 그렇게 돈 많이 안 들어요. 그리고 당의 체제를 중앙당의 부서는 11개에서 5개로, 국장도 한 부서에 4, 5개 있던 것을 1, 2개 정도로 하는 등 대폭 축소합니다. 경비 절약이 크게 될 겁니다.

당내에 경제적으로 여유 있는 사람들이 특별 당비로 1, 2억 원씩 내고 저도 한 3, 4억 원 냈습니다. 그러니까 돈이 몇백억 원이 들 이유가 없어요. 20억 이내면 됩니다. 창당대회 하는 데 돈 걱정 하나도 안 하고 있어요.

4천억설 납득될 때까지 조사해야

조갑제 서석재 장관이 말한 4천억 원 비자금설에 대해서 그동안 기자들에게 말한 것을 보면 김 위원장께서는 그것을 거의 사실로 믿고, 검찰이 끝까지 조사해서 밝힌 후 이게 안 되면 국회에서도 조사하겠다고 하셨는데······.

어느 신문이 납량소극納涼笑劇이라고 했듯이 검찰 발표를 보면 서 장관이 헛소문을 경솔히 판단하고 기자들에게 경솔히 얘기한 것으로 돼 있습니다. 저도 이것이 진실이라고 믿는데, 이게 아니라는 증거를 갖고 계십니까?

김대중 (가볍게 웃음) 첫째 봅시다. 서 장관은 대통령의 최고 측근이고 현직 총무처 장관입니다. 그 분이 말하자면 건달들의 뜬소문을 듣고 얘기했다는 것인데, 믿을 수 없는 얘기입니다. 그리고 내용이 아주 구체적이에요. 4천억 원이다, 전직 대통령이다, 50퍼센트의 선수수료를 준다, 청와대 특정 비서관과 국세청장과 상의했다는 등 너무도 분명합니다.

거기다 서 장관이 조사 과정에서 말을 바꾸고 있습니다. 그는 지난 6월 17일 부산에서도 똑같은 말을 했습니다. 그런데 검찰에서는 8월 1일에 처음 들었다고 했습니다. 또 함승희 변호사가 "전직 대통령 비자금을 확인했는데, 위에서 못 하게 해서 그만뒀다"고 하고 있지 않아요. 자기가 자료도 다 가지고 있다는 것 아닙니까? 그런데 왜 검찰이 수사 안 합니까? 언론이 보도한 대로 작년 2월부터 4월까지 전직 대통령의 비자금을 추적하다 그만뒀다고 합니다. 그러니 많은 사람들이 의심하기를, 현 정권이 선거 때 신세 졌기 때문에 못 하는 것이라고 하는 겁니다.

미국의 경우처럼 특별검사라도 해 가지고 납득될 때까지 조사해야 합니다. 이래도 없으면 깨끗하게 의심이 해소될 것 아닌가요?

조갑제 1988년 5공 비리가 한창 문제가 됐을 때 당시 평민당이 5공 비리 의혹이라고 밝힌 30여 가지 항목 가운데 전두환 전 대통령이 호주에 재산을 도피시켰다고 한 대목이 있는데 사실로 확인 안 됐고, 다른 부분에서도 사실과 너무 동떨어진 부분이 많았습니다.

그리고 최근에는 김 위원장이 『월간조선』 8월 호에 보도된 「정호용 의원과 1백억 원」이라는 기사에 대해서 민정계가 당을 떠나는 것을 발목 잡기 위해 정권 측에서 정보를 흘린 것 아니냐는 언급을 하신 걸로 보도를 통해 본 적이 있습니다.

이번 4천억 원설에 대해서도 어디까지나 사실로 확인된 것을 가지고 전직 대통령을 추궁해야 되는 것 아닙니까? 의심이 간다든지 철저한 조사를 해야 한다는 것은 괜찮지만 이게 사실이라고 공언하면 명예훼손 문제가 생기는데, 아무리 전직 대통령이 동네북이라 하더라도 사실 확인 없이 정치 공세 차원에서 제기하면 우리 사회가 너무 불안해지고 사회적 신뢰성에도 문제가 있는 것 아닙니까?

함 변호사의 경우도 "대통령의 비자금을 찾아냈다"고는 안 하고 단지 어느 신문에서 유추해서 보도했을 뿐입니다. 이것을 사실로 믿으신다면 김 위원장의 정보 판단 능력에 문제가 있는 것은 아닙니까?

김대중 이것은 제가 지어내서 이야기하는 것이 아니고 현직 총무처 장관이 두 번이나 그 말을 장소를 달리해서 한 데서 시작된 것인 만큼 우리가 추측을 가지고 이야기한다고 말할 수는 없습니다.

예를 들면 그때 들었던 기자들을 대질한 적 없습니다. 자기가 혼자 얘기해 놓고 기자들이 잘못 썼다고 했는데, 왜 기자들과 대질하지 않습니까? 이러니 검사가 수사를 했다고 볼 수가 없어요. 4천억 원이 있다고 단정한 것이 아니라 문제가 있고 의혹이 있으니 철저히 조사하라는 것입니다.

최대의 금융 스캔들의 주인공인 이원조 씨를 조사하지 않는 것을 보세요. 사정이 정부의 뜻대로 좌지우지돼 불공정하게 행사되니 의문이 크다는 겁니다. 함 변호사 건도 조사해 보라는 것입니다.

국민들의 뜻을 아는 방법

조갑제 김 위원장께서는 국민들이 원한다면 다음 대선에 출마하시겠다고 말씀하시는데, 국민들이 김 위원장이 대통령이 되기를 바라는지 아닌지는 어떻게 판단하십니까? 선거를 치러 당락으로만 알 수 있는데.

김대중 그거야 국회의원 선거도 있고 국민 여론조사도 있고, 당내 선거를 통해 선출된 사람들의 의견도 듣고 하면 알 수 있지요. 물론 마지막에는 제 책임하에 판단하게 될 것입니다.

조갑제 새로운 스타일의 정치를 하겠다는 의지가 강한 것 같은데, 그렇다면 새정치연합이 추구하는 정치 이념은 자유민주주의와 시장경제입니까?

김대중 정치경제적으로는 그렇죠. 그리고 사회적으로는 중산층과 서민을 위한 정당, 말하자면 보수정당도 아니고 혁신정당도 아닌 중도 입장에서 중소기업과 중산층을 중점으로 생각하는 국민 정당이 되려는 것입니다.

조갑제 그런 면에서 자민련과 차이가 나는 것 같습니다. 자민련은 아예 중산층을 중심으로 한다고 표방했습니다. 만일 그에 충실하다면 남한에서 자민련이 최초의 계급 정당이 되지 않겠느냐 그렇게 생각합니다. 새정치회의는 사실상 국민 전체를 대표한다고 하는데, 현대 사회에서 정당이 국민 전체를 대변하는 것은 불가능한 것 아닙니까?

김대중 그런데 지금까지 다른 정당들은 입으로는 뭐라고 말했건 실제로는 대기업과 재벌을 대변해 온 것입니다. 정말로 중산층을 대변한 적이 없습니다. 우리 당은 대기업이나 부유층을 적으로 삼지는 않지만 그들의 이익을 대변하지는 않습니다. 이것이 우리 당의 차이점입니다.

조갑제 지금까지 너무 딱딱한 질문만 한 것 같습니다. 요새 노래방 같은 곳에 가십니까?

김대중 가끔 갔어요. 한두 번 갔습니다.

조갑제 요즘 즐겨 부르시는 노래는 무엇입니까?

김대중 노래 못 불렀어요. 노래를 듣기는 하지요. 가곡이나 국악을 듣는 것을 좋아합니다. 국악은 장단도 조금 칩니다. 요즘 젊은 사람들이 부르는 노래는 듣고도 그냥 잊어버리니까. 그런데 요즘 왜 '서태지와 아이들'이 안 나오는지 모르겠어요. 저는 '서태지와 아이들'의 태도를 보고 상당히 감명받은 적이 있어요. 제3집 「발해를 그리며」인가(정확히는 「발해를 꿈꾸며」임)였는데, 거기에 그걸 만든 이유를 설명해 놨더라고요.

그걸 보니 서태지가 말하기를, "통일을 왜 하느냐"는 젊은 세대의 말에 놀라 "이래서는 안 된다. 젊은이들이 통일에 관심 갖도록 해야겠다"고 해서 만들었다고 해요. 그런데 김건모 노래라든가 이런 노래는 재미는 있는데 마음에 크게 다가오지는 않고 도대체 그들의 노래를 따라 부르기는 전혀 불가능해요. 역시 김동건 씨가 월요일에 하는 「가요무대」가 제일 쉽더라고요.

조갑제 십팔번은 무엇입니까?

김대중 남일해의 「이정표」와 「고향의 봄」을 좋아합니다.

조갑제 목포의 눈물이 애창곡은 아닙니까?

김대중 그것도 들어가지요.

차라리 감옥에 가고 싶을 때

조갑제 요즘 어떤 책을 읽으십니까?

김대중 21세기위원회에서 만든 『2020년』이란 책을 읽고 있습니다.

조갑제 독서는 어떤 목적의식을 갖고 하십니까?

김대중 제가 독서하는 사람들한테 자꾸 권하는 것이, 독서는 읽고 생각을 안 하면 의미가 없다는 것이에요. 많이 읽거나, 빨리 읽는 것이 중요한 게 아니라 읽으면서 반드시 생각하고 내 것으로 소화해야 해요. 저는 사실 알려진 것보다 독서량이 많지는 않아요. 단지 정독을 하고 그것을 내 것으로 만들려는 노력을 하지요.

조갑제 독서하는 방법을 보면 하나는 마치 영화를 보듯이, 책 읽는 것이 즐거워서 하는 분이 있고 책 속에서 어떤 지식을 취해야 되겠다는 분이 있는데, 어떻게 보면 우리 인격에 도움이 되고 진정한 교양이 되려면 편한 마음으로 즐겁게 책을 읽어야 되는 것 아닙니까?

김대중 책 속에서 어려운 진리를 배우는 것도 즐거운 것입니다. 제가 감옥에 있을 때 책을 읽다 보면 어떨 때는 "내가 여기에 안 왔다면 이 좋은 진리를 못 깨닫고 죽었을 것 아니냐"는 생각을 할 때가 있어요. 감옥에 오기를 참 잘했다는 생각을 할 정도였어요.

감옥에서 나와 한동안은 좋은 책이 있는데도 읽지 못하면 초조해서 "감옥이나 다시 갔으면 좋겠다"고 생각할 때도 있었습니다. 독서의 즐거움이란 것이 말씀하신 대로 읽는 자체도 즐겁지만 거기서 배우면서 내 것으로 만드는 과정도 즐겁다고 생각합니다. 둘이 합해져야지요. 제 경험으로는 즐거운 마음으로 읽으면 어려운 책도 기쁨을 줍니다.

조갑제 1992년 대선 때 보니 우리나라 정치인 중에서 책을 가장 많이 읽는 분하고 책을 적게 읽는 분하고 붙었는데, 책을 적게 읽는 분이 이기더라는 농담도 있었습니다. 정상적 국가라면 책 많이 읽는 분이 이겨야 되는데……

김대중 이번 지방자치 선거 보고 굉장히 부럽게 생각하고 나도 저런 기회가 있었으면 달라졌을 것이다 하는 것은 바로 텔레비전 토론이었어요. 우리 때는 한 번도 못 했거든요. 김영삼 후보가 한다고 해 놓고 안 해서. 텔레비전 토론을 했다면 제가 떨어졌던 최대 이유인 용공 문제도 해명됐을 거고 과격하다는 이미지도 불식됐을 겁니다. 그리고 독서를 통해서 얻은 식견도 도움을 주었을 것입니다.

내가 일평생 국민을 위해 헌신한 것을 설명하고 차별 없이 그들을 사랑한 점을 알릴 수 있었다면, 경상도 사람들이 나를 오해할 이유가 없다는 것을 텔레비전에서 말했다면, 오해가 많이 풀렸을 겁니다. 어떻게 보면 대통령 선거에 세 번 나섰지만 한 번도 공정한 선거를 해 보지 못한 셈입니다. 지자제, 언론의 공정 보도, 선거자금의 조달 등 무엇 하나 여당 후보와 대등한 조건이 없었습니다.

대통령의 여유 있는 자세가 필요하다

조갑제 그토록 갈망하시던 지자제가 이루어졌고, 이제 지방정부에서는 사실상 집권 여당이 돼 김 위원장께선 이미 국정에 참여하고 있다고 봅니다. 오는 1997년 대선에서 김 위원장과 김종필 자민련 총재, 민자당에서는 김 대통령이 내세우는 세대 교체의 카드로서 비교적 젊은 정치인이 각각 후보로 나올 것으로 보는데, 동의하십니까?

김대중 그럴 가능성이 있죠.

조갑제 김 대통령은 누굴 밀어주리라고 보십니까?

김대중 잘 모르겠습니다.

조갑제 총선 때 새정치연합이 제1야당이 될 가능성이 높다고 봅니다. 그렇다면 예전과 같이 호남 대 비호남, 아니면 디제이(DJ) 대 반디제이(DJ)로 갈려서 반디제이(DJ)에서 헤게모니를 찾으려는 사람이 나올 수도 있습니다. 이런 식으로 될 경우 대통령 선거에 나오셔도 또다시 당선되지 못할 가능성이 있을 것 같은데 어떻게 보십니까?

김대중 그렇게 될 것 같으면 안 나가야지요. 결국 우리 새정치국민회의의 차별성이 무엇이며 그것이 국민과 민족에게 어떤 이익을 가져올 것인가, 그리고 제가 이런 일을 해내는 데 가장 적임자다라는 인식을 국민에게 확신시킬 수 있는가 하는 점이 관건이 될 것입니다. 이제 보수와 진보로 나누는 시대는 지났습니다. 이념의 시대는 끝났습니다.

조갑제 김종필 총재와 최근에 만난 적이 있습니까?

김대중 없습니다.

조갑제 만날 계획도 없으십니까?

김대중 필요하면 만날 수 있겠지요.

조갑제 오늘날의 정치를 보면 김영삼 대통령이 주도권을 놓친 것으로 보이는데, 최근과 같은 대大사면 등을 통해 김 대통령이 앞으로 주도권을 되찾을 가능성이 있다고 보십니까?

김대중 그것만 가지고는 충분하지 않습니다. 김영삼 대통령이 각계 인사를 초청해 식사도 하고 하지만 역시 정치는 정당이 하는 것입니다. 김 대통령은 길을 놓고 뫼(산)로 가고 있어요. 조직적으로, 정치 역학적으로 영향력을 가진 상대와는 말을 안 하고 모래알처럼 흩어진 사람들과 말을 하니 별 소용이 없어요. 크게 방향을 바꿔야 해요. 그러려면 자기 뜻대로가 아닌 국민의 뜻대로 움직여야 합니다. 그래야 대통령도 마음이 편할 것입니다.

대통령으로서 여유 있는 자세, 덕성을 가지고 반대파 사람과도 정을 나누고 동지로서 인간적 관계도 맺고 예우해 가며 지내야 합니다. 국민적 의사 통합 과정도 없고, 야당과도 대화 안 하고, 이러면서 북한과 대화할 때 북한이 얼마나 정부를 약하게 보겠습니까? 김 대통령이 자신의 약화를 자초하고 있어요.

조갑제 작년에 김영삼 대통령이 어떤 자리에서 김 위원장이 첫째는 건강 때문에, 둘째는 약속을 깨는 순간 여론의 반발이 극심할 것이기 때문에 정계에 복귀하지 못할 것이라고 얘기한 적이 있습니다. 앞으로 건강은 자신 있습니까?

김대중 그렇죠.

조갑제 계산해 보니 만약 1997년에 대통령이 되신다면 21세기를 준비하는 대통령으로 퇴임할 때는 80이 되시는데…….

김대중 80은 아니죠. 그에 가깝죠. 하지만 아데나워처럼 84세까지 한 사람도 있으니까요. 체력과 정신력이지요.

조갑제 혹시 보청기를 끼십니까?

김대중 한 1년 됐어요. 안 끼어도 들리지만 약간 불편한 정도입니다.

조갑제 당뇨 같은 건 없으십니까?

김대중 의사 말은 그럴 가능성이 있으니 조심하라는 겁니다.

광주 문제에 대해서 깨끗이 사과해야

조갑제 현재 살아 있는 대통령이 세 분 계십니다. 이런 것이 우리나라 정치가 앞으로 밝다는 신호가 될 수도 있다고 봅니다. 그런데 이번 비자금 건도 그렇고 정치계와 언론이 너무 이분들을 동네북으로 만들고 있지 않느냐는 생각이 듭니다. 이분들이 국정을 운영했던 노하우는 누구도 가지지 못한 것이고, 조금 있으면 김영삼 대통령도 전직 대통령이 될 텐데……. 이분들의 좋은 경륜을 사회적으로 활용할 방법은 없습니까?

김대중 저는 전직 대통령에 대한 정치적 보복 등을 반대해 온 사람입니다. 그런데 이 분들이 잘못하고 있습니다. 예를 들어 광주 문제에 대해서는 깨끗이 사과해야 합니다. 진상도 밝혀야 합니다. 어차피 머지않아 밝혀집니다.

그런데 이번에 보니까 12·12사태건 광주건 전부 변명만 하고 있어요. 이러니 그들을 용서하고 전직 대통령을 활용하자는 이야기를 할 수 없는 겁니다.

제가 정계 은퇴를 하고 싶어서 했습니까? 세 번 나와도 당선이 되지 않으니까 은퇴한 것 아닙니까? 그런데도 내가 정계 은퇴를 한다고 했다가 약속을 어긴 것에 대해서 사과했습니다. 그런데 어떻게 전두환 씨나 노태우 씨가 12·12와 5·17에 대해 사과하지 않을 수 있습니까? 사과했을 때 용서가 가능한 것 아닙니까? 저는 이 분들이 진작 사과하는 태도를 취했으면 문제가 쉬웠을 거라고 생각합니다.

적어도 광주 문제만은 진상을 밝혀서 한을 풀어 주어야 합니다. 처벌하자는 것이 아닙니다. 그리고 최규하 전 대통령에 대해서는 굉장히 유감스럽게 생각합니다. 그분은 정말로 국민을 무시한 사람이고 전직 대통령으로서 책임을 다하지 않은 사람입니다. 내가 볼 때 그분은 자기가 중대한 약점을 잡히지 않은 이상, 그의 현재 태도는 도저히 이해할 수 없고 국민들에 의해서 받아들여질 수 없다고 생각합니다.

이 인터뷰는 질문자(조갑제)에게 있어서 김대중 위원장과의 일곱 번째 만남이었다. 약 10년에 걸친 인터뷰 기간에 김대중 위원장의 말이 변화해 간 것을 점검해 보면 아주 재미있을 것이란 생각이 들었다. 그 변화는 변절이 아니라 급변하는 상황에 맞춰 자신을 적응시켜 가는 노력의 결과일 수가 있다. 그것은 김 위원장이 엄청난 노력가이며 현실주의자란 반증도 된다.

지난해 12월 9일에 있었던 인터뷰 때와 비교해서 이번에 가장 크게 달라진 부분은 김 위원장의 언론 자유 확대이다. 특히 김영삼 대통령에 대한 과감한 비판은 전에는 없었던 행동이었다.

이것은 김 위원장이 정계에 복귀했기 때문이기도 하겠지만 김영삼 대통령의 권력에 대해 상당한 자신감을 회복했음을 엿보게 해 준다.

* 이 글은 『월간조선』 1995년 9월 호에 게재된 인터뷰다. 당시 조갑제 『월간조선』 부장이 질문하고 강인선·양근만 기자가 정리하였다.

민자당 끝났다

대담 김충식
일시 1995년 8월 14일

새정치국민회의 창당준비위원장 김대중 씨 인터뷰를 앞두고 8월 14일 아침 여의도 새정치국민회의의 당사를 찾아가 보았다. 새 당사는 민자당사 건너편 바로 이웃이었다. 민자당사 입구에는 아직 전경들이 경비를 서고 있었다. 상업용 임대 빌딩인 신당 당사 입구에는 전경도 없었고 아예 신당 간판도 찾아보기 어려워 경비원에게 물어서 찾아 들어가야 했다.

신당 입주 건물은 나에게 어떤 감화 같은 것을 안겨 주었다. 지난 1987년 창당했던 평민당이 세 들어 있던 바로 그 대하빌딩이기 때문이다. 여론의 역풍을 견뎌 가며 김대중 씨가 정계 은퇴 선언을 번복하고 마지막 승부수를 띄우기 위한 둥지를 여기서 다시 튼다고 생각하니 야릇한 느낌마저 들었다.

대하빌딩 3층 입구에 들어서자마자 고함 소리부터 들린다. 야당을 담당 취재하며 많이 들어 보던 소리다.

"누가 날 발기인 명단에서 뺐냐고!"

야당이 생길 때 발기인 명단에 들면 가족이나 친지로부터 제법 정치판 사람으로 인정된다. 그러나 별것 아닌 그 명단에도 제외되면 곁도는 사람이 되는 것이다. 하지만 정작 지도부의 입장에서 보면 인재난이요, 실속 없는 건달이 너무 많아 고민인 것이 야당 사정이다. 그러한 만성적인 수급 불균형이 늘 야당 사무실의 고함을 낳곤 하는 것이다.

김영배 준비위원장이 쓰는 사무실 안으로 안내되었다. 사무실의 비치물들 가운데 깃대함이며 투표함, 방명록 같은 창당의 요식품들이 눈에 들어온다. "오랜만이요." 하며 김영배 위원장이나 이용희 전 의원, 신기하, 한화갑 의원들이 반긴다.

어쩌면 김대중 씨의 차편에 동승해서 이런저런 얘기를, 인터뷰 예약 시간보다 더 길게 나눌 수 있을지 모른다는 연락을 받고 방문한 터였지만, 일정 담당자가 다가와 촉박한 약속이 생겨 "12시 반부터 S호텔 중식부에서 인터뷰하기로 되었다"는 전갈이다. 하지만 오랜만에 야당 당사를 들러 몇몇 아는 의원들로부터 정치 현장의 얘기나 신당에 대한 반응, 지역구 저변의 사정을 들어 보는 것도 퍽 유익했다.

어쩔 수 없는 선택

김대중 씨는 약속 장소에 역시 노타이 차림으로 나왔다. 며칠 동안 계속된 발기인 대회 준비 등으로 분주한 나날을 보낸 탓인지 다소 피로해 보인다. 아태재단에서 김대중 이사장을 도와 일하는 정동채 비서실장은 사전에 "되도록 짧게 인터뷰해 달라"는 귀띔 겸 압박이었지만 인터뷰어로선 시간이 길어야 한다. "시간을 얼마나 하시겠습니까?" 하고 물었더니 정작 인터뷰에 임하는 당사자는 "하는 데까지 해 봅시다."라며 선선히 양보했다.

우선 민주당에서 50여 명의 의원을 이끌고 나온 데 대한 여론의 거센 역풍을 당사자는 어떻게 받아들이는지부터 확인하고 싶다.

김충식 지난 한 달 동안 신문을 비롯한 언론에서 비판당했습니다만, 정계 복귀와 신당 창당을 앞두고 본인은 거센 비난과 반발을 받을 것으로 예상하지 못했습니까?

김대중 각오했습니다. 또 당연한 비판이기도 하고요. 조순 시장 선거운동을 했던 사람들도 그런 비판의 말을 했습니다. 어쩔 수 없는 선택이었다고 변명하기가 정말 힘들어요. 민주당 내에서 눌러앉아서 개선하고 바꿀 길이 있으면 바꿨을 것이다, 하지만 없다, 8월 안에 끝내 버리지 않으면 9월 정기국회에 들어가기 때문에 일이 안 된다, 그리고 정기국회를 망친다, 이런 내용을 일일이 설명할 길이 없어요.

이기택 총재가 경기도지사 선거를 망쳤다, 우리에게 승리가 다 온 것이었는데, 괜한 고집을 안 부렸다면 경기·인천이 다 우리 것이었다, 그렇게 되었으면 시도지사는 민자당에 3개(경남북·부산)밖에 안 주고 우리가 7개를 가져왔을 것이라고 확신합니다. 그래도 이기택 총재는 경기·인천 나아가 제주까지 망친 책임을 안 져요.

새정치국민회의가 신문광고문에서 호소하는 내용까지를 포함해 줄줄이 빠른 속도로 창당의 변이 이어진다.

김대중 민주당은 파벌들이 한 지붕 안에 모인 것이지 당이 아닙니다. 과거 내가 있었을 때와도 판이해요. 이번 선거 때 보세요. 당이 텅텅 비고 부총재들은 파벌 지원(?)하러 다 나가 버렸어요. 게다가 선거에 당선될 가망성도 없는 원외 지구당 위원장까지 바꿀 길이 없어요. 전당대회를 한다 해도 엄청난 돈을 써야 합니다. 부총재가 5억에서 10억, 20억은 써야 할 것이고 총재 경합자는 더 쓰고……. 그런다고 당이 체질이나 바뀔 길이 있느냐 하면 그것도 아니지요.

당 체질 개선도 못 하고 돈이나 쓰고 그래 가지고 무슨 총재라고 자리를 지키냐는 생각이 들어요……. 고민을 많이 했습니다. 용기라는 것이 적과 목숨 걸고 싸우는 것도 용기지만 그건 오히려 쉽습니다. 자기 지지자들에게도 오해받고 자기 내부에서 싸움이 일어나는 것만큼 해명하기 힘든 것이 없습니다.

그래도 여론이란 돌리기 어렵고 충분히 납득시키는 게 힘들다는 것을 그 자신이 잘 아는 것 같다. 그렇기 때문에 더 부연하는지도 모른다. "졸속이라는 비판을 받을 만도 하다"고 전제하면서도 다시 '역사를 위한 변명'은 계속된다.

김대중 이런 식으로 정치를 정말로 안 하려고 했습니다. 내가 절대로 정치 안 한다는 것, 당권에 관여하지 않는다는 것을 공약을 했지만 그게 쉽지가 않습니다. 가만 보니까 경기도지사 후보 문제로 경기도도 문제지만 단기적으로 서울시가 지는 것이 아니냐 하는 생각이 들어요. 서울시장 선거가 걱정이었습니다. 조순 후보도 이제 더 이상 안 하겠다고 물러설지도 모를 위기도 있었고, 내가 이기택 총재에게 항복하는 심정으로 간청도 했고, 장경우 의원도 만나서 내가 분명히 얘기했습니다. "당신 이번에 어렵고 다음에 안산서 국회의원도 힘들지 모른다. 그러니 물러나라." 그래도 안 되니까 나로서는 서울이라도 건져 볼까 해서 이기택 씨에게 손을 든 것입니다.

사실 마지막까지도 서울에서 박찬종 후보가 근소한 차이로 앞서갔지 않습니까? 우리의 역전승이거든요. 그런데 선거 끝나고 이 총재는 선거에 대한 책임도 안 져요. 선거 끝나고 개인적으로나 공식적으로나 미안하다는 말 한마디 없었지 않아요? 그래서 9월 정기국회를 망치지 않으려면 시간이 없었습니다. 그래서 창당을 선언하니까 분당이라는 비난을 사고……, 드러나는 것만 보면 누구라도 비판을 하게 된다고 봅니다.

김충식 이번 발기인 대회를 앞두고 인재를 영입하는데, 역시 사람을 모으는 데 미흡하지 않으냐는 반응들입니다. 새 정치라는 간판에 걸맞은 새 인물이, 특히 비호남 출신 인물을 얼마나 포용할 것인가에 관심이 쏠렸는데…….

신당, 지역 정당 아니다

김대중 욕심은 한이 없지만 이번같이 역풍 속에, 어려운 여건에서 발기인 대회에 그 많은 사람들이 나왔다는 것은 기대 이상이지요. 언론이 긍정적으로, 신당에 대해 최초로 평가를 하고 있지 않습니까? 내 목표만큼은 되었어요. 지난 시절 명망가보다는 현실적으로 영향력이 있고 일할 수 있는 분들을 주로 접촉했지요.

군부에서 중요한 직책을 지낸 좋은 분들을 모셨고 수십 명은 안보자문회의라 해서 별도로 우리를 돕기로 되어 있어요. 법조계, 학계에서도 많은 인재들이 오시고 변호사이자 대학 총장이고 텔레비전 토론의 사회자이신 유재건 씨, 여성계의 신낙균 씨, 작가 김한길 씨도 다 함께 일하기로 되어 있습니다.

앞으로도 계속 좋은 사람들이 들어옵니다. 공천 때까지 3단계를 구상하고 있습니다. 발기인 대회, 창당 대회, 공천 등 3단계로 보고 있는 것입니다.

김충식 그래도 현역 의원 중 일부 물갈이가 필요하다는 소리도 있었고, 그런 기대에 비추어 보면 여전히 인재난이라는 내부 목소리도 있지 않습니까?

김대중 이 역풍의 상황에서, 또 국회의원을 빼앗아 가는 게 경쟁처럼 되어 있는 요즘의 특수한 현실 여건 속에서 쉬운 일이 아니지요. 더욱이 국회의원은 어쨌거나 국민의 심판을 받은 사람들이기 때문에 가급적이면 살려야 합니다. 정기국회에서 열심히 싸우고 성공해 많은 국회의원들이 선거구민들의 환영 속에 공천을 다시 받기를 바랍니다.

김충식 그래도 의원 구성비로 보면 호남 당으로 불릴 수밖에 없는 여건 아닙니까?

김대중 호남 이야기가 나와서인데, 우리 당이 지역적으로 제일 넓은 당이 되었습니다. 실질적으로 서울에서 거의 전면적으로 독점했습니다. 시장이 우리 후보가 되고 구청장이 거의 다 되고, 시의원 1백30명이 당선되고 그중 1백10명이나 되는 알맹이는 다 신당에 왔어요. 경기도에서 제1당이고 인천에서는 다수당입니다. 우리가 경기지사·인천시장까지 다 휩쓸 것인데 공천을 잘못해서 그렇게 됐어요.

지역적으로 볼 때 우리가 우위를 점하고 있는 지역이 인구의 반수에 달합니다. 다른 당을 보세요. 자민련계는 충청도 중심이고 김영삼 대통령의 민자당은 부산경남인데, 오히려 그들의 지역적 기반이 훨씬 좁다고 해야 맞고, 우리에 대해서 지역 정당이란 인식은 바뀌어야 한다고 생각합니다. 어떻게 보면 지금 정당들이 모두 지역 정당이지만 우리는 아닙니다. 일부의 평가와 달리 저변을 이루고 있는 대중들은 바뀌고 있습니다. 지방의원, 기초단체의원 같은 경우는 매일 지역 주민들과 같이 살고 있어서 그분들의 향배가 곧 민심의 동향이에요.

조순 서울시장, 알아서 할 것

김충식 조순 시장이 신당에 오지 않고 있는 것은 어떻게 보시나요…….

김대중 이기택 총재가 조 후보에게 어떻게 했는지 잘 기억할 것이고, 무소속에 대한 평가도 박찬종 의원을 지켜보면서 잘 알게 됐을 것입니다. 다 그분에게 맡겨 두고 보면 됩니다.

김충식 조순 후보를 공천하자는 아이디어의 출발점은 누구였습니까? 직접 하셨습니까?

김대중 평소 그분하고 얘기를 많이 했어요. 경제학 하면 당대 최고인 그분이 나와 의견이 같을 때는 어찌 그리 생각이 같으냐고 서로 평가해 주고 하는 사이였지요. 오래전부터 우리 아태재단의 자문위원이 되어 주었고요.

김충식 조 시장이 머뭇거리는 이유는 무엇이라고 생각하십니까?

김대중 충분히 이해합니다. 첫째, 학자 출신이 이 여론의 역풍 속에 있는 신당에 쉽게 참여하기 어렵다는 것을 이해합니다. 처신하기가 어렵다는 것을 압니다. 둘째는 조용히 살던 대학교수 출신인 그분이 서울시를 맡자마자 삼풍 사건과 인사 문제를 위시해서 정신없을 것입니다. 정치 문제에 관여할 겨를이 없다고 하는 말을 믿습니다. 나는 그분을 괴롭히지 않기 위해서 신당 참여를 부탁하지도 않았습니다. 앞으로 그분이 알아서 잘할 것으로 믿습니다.

김충식 지난번 지방선거 결과는 기대 이상의 성과가 아닌가요? 전체적인 평가는 어떻게…….

김대중 경기도지사 후보 문제만 잘했으면 경기·인천을 차지했고 충북까지도 영향이 갔을 것인데 아깝게 되었어요. 제주도도 무소속 후보가 당선되면 민주당에 입당한다고 서신을 내게 보내왔는데, 당선 가망이 없는 후보를 내서 다 굴러떨어진 호박을 걷어차 버린 격이 됐습니다.

김충식 그래도 지방선거의 압승을 딛고 분당이라니 하는 비난은 거셌지 않습니까?

김대중 그런 비판이 무리가 아니지만 나로서는 어쩔 수 없었다고 생각합니다. 정기국회까지 가면 더 꼬이고 어려울 것입니다. 거기에다 기관들이 우리를 어렵게 하려고 했어요. 안기부 내에서는 나를 전담하는 국을 만들고 공작을 하고, 나는 어떻게 했다는 것을 다 알고 있습니다.

그와 측근들은 언론에 대한 극도의 불만을 나타내 왔다. 김 씨는 정부에 못지않게 언론에도 화살을 겨눈다. 그러나 다행이라고나 할까, 최근 그의 정계 복귀나 신당 창당에 대한 비판은 전혀 반격하지 않았다.

김대중 우리 언론에 대해서 절망하는 부분조차 있습니다. 언론이 시대 변화에 못 따라가고 냉전 시대와 똑같은 사고방식을 갖고 있을 때도 봅니다. 언론은 국민에 대해서 세상 돌아가는 것을 알려야 한다고 생각합니다. 남북한 문제를 예로 들어 봅시다.

나는 재작년 4월 영국에서 연설할 때부터 얘기했습니다. 북한 핵 문제는 일괄 타결밖에 길이 없다고요. 지난해 10월에 애틀랜타로 카터 전 대통령을 찾아갔을 때 카터 전 대통령이 책상을 치면서 그 길밖에 없다고 찬성하고 당장 워런 크리스토퍼 국무장관과 통화하고 내 연설문을 팩스로 보내고 합디다. 미 국무부가 내 말대로 한 것만은 아니겠지만 내 의견대로 되어 갔다는 건 부인할 길이 없지요. 그런데도 한·미정상회담, 외무회담에서 미국이 보기에 우리는 갈팡질팡하는 것처럼 보였습니다. 어떨 때는 강하게 가자고 하고 미국이 변경하려고 하면 안 된다고 쫓아가고, 그런 과정을 언론이 보도하고 비판하는 역할을 못 해요.

대통령은 마지막 결단을 내려야

자신의 전문 분야라고 자랑해 온 북한 문제여서일까. 한 번 열린 논리는 거침없이 이어지고 있다. 묻고 말할 여백도 없이 그 특유의 '유세'가 시작되었다.

김대중 핵 문제에 대해서 여러 번 얘기했지만, 북한 핵 문제는 우리가 당사자가 아닌 것입니다. 언론도 잘못 생각하고 오도한 책임이 있습니다. 북핵이란 원래 북한이 핵확산금지조약(NPT)에 가입해 놓고 국제원자력기구(IAEA) 규정을 위반해서 핵무기를 만들려고 하니까 문제가 생긴 것입니다.

그래서 유엔이 당사자가 된 것이고 그 유엔이 미국에게 처리하라고 맡겨서 북한하고 미국이 씨름하게 된 것입니다. 우리가 당사자가 되고 싶으면 우리도 핵 만들려고 하면 당사자가 될 수 있을까 몰라도 애초부터 당사자가 될 수 없는 사안입니다. 우리가 핵을 안 만드니까 우리가 문제가 없으니까 우리에게 시비가 없는 것이다, 이것은 미국하고 북한 문제, 유엔하고 북한 문제인데, 미국은 죽어도 이것을 해결해야 한다, 이겁니다.

그런데 미국은 미래의 핵이 문제입니다. 과거 한두 개 있느냐 없느냐는 미국의 입장에선 큰 이해와 관계없다, 미래의 핵을 못 만들게 하면 일본이 핵을 안 만들게 됩니다. 한때 일본은 핵확산금지조약(NPT) 연장을 반대했습니다. 작년 초 호소카와 총리가 클린턴 대통령에게 얘기했습니다. 북한이 핵이 있는데 우리가 어찌 동의할 수 있느냐, 미국으로서는 꼭 북핵을 해결해야 한다는 것입니다. 우리는 그것만 주장하면 되었습니다. 우리가 러시아, 중국에 가서 북한을 제재하자 뭐 하자 떠들 문제가 아니었습니다. 마치 당사자같이 떠들어도 회담에 못 나가는 것 보세요. 언론은 국민들에게 우리가 아웃사이더 같이 보인다고 썼다가 아웃사이더가 아니라고 또 기를 쓰고 달려들고 우리 외교가 난맥상을 보인다고 채찍질하고.

충분히 여유 있게 자신 있게 하면 될 일입니다. 그렇게 했으면 우리가 경수로 분담금을 뒤집어쓰지 않을지도 모릅니다. 북한의 절대 조건이 경수로니까. 그러면 우리가 돈을 적게 들여 도울 수 있었고 훨씬 더 유리한 조건으로 줄 수 있었다고 보는 것입니다. 우리가 달려들어 한몫 끼자 하다가 경수로 지원금 40억 달러 송두리째 뒤집어쓴 것이라고 봐요. 그러면서 우리 의견은 하나도 반영시키지 못했지요. 외교라는 것은 돌아가는 판세를 읽어야 하는데 일괄 타결로 가고 있는데, 끝까지 반대를 했다가 체통만 상실하는 결과만 낳았다고 보는 것입니다.

김충식 김영삼 대통령의 대북 정책이나 통일 정책에 문제가 있다는 것인가요?

김대중 외교나 남북 문제는 대통령이 미리부터 단언을 해서는 안 된다고 봅니다. 대통령은 침묵을 지키고 밑에서 얘기를 하고 대통령은 마지막 결단을 내려야 합니다. 그런데 처음부터 나서서 얘기하게 되면 외무부나 통일부가 꽉 경직되어 버려요. 이미 대통령이 결정을 해 버렸기 때문에……. 또 한 가지 우스운 것은, 작년 봄에 통일부와 외교안보연구원에서 낸 분석을 보면 이제 북한이 남한에 대해서 대남 적화 야욕을 버렸다고 했는데, 정부 내에서 대통령 이하 정부 당국자들이 "북한은 남한에 대해서 적화 야욕을 하나도 안 버렸다"고 말합니다. 국가가 책임을 주고 돈 주어서 연구하는 정부 전문가들의 연구 자료가 대통령 이하 누구의 정책에도 아무 반영이 안 된다고 하는 사실이 난맥상이요, 아이러니 아닌가요?

등권주의가 왜 잘못인가

6·27지방선거 과정에서 등권주의에 대한 논란이 거세었다. 화제를 등권주의로 돌려 보려고 해도 그의 유수 같은 주의 주장은 거침없다.

김대중 언론이 그런 것에 대해 정부를 비판하고 시대적인 변화에 적응하도록 정책을 유도해야 하는데 언론이 한술 더 떠 가지고 냉전 시대의 사고방식을 갖고, 늘 그렇게 하니까. 일괄 타결도 언론이 반대했었지 않습니까? 경수로 문제도 대통령이 한국형이 명기 안 되면 한 닢도 못 준다고 했는데 결국 명기 안 한 채로 돈만 주게 됐습니다. 처음부터 무리한 것이었습니다. 우리가 중심 역할을 하면 되는 것이었지요.

김충식 지난 선거에서 등권주의가 화제가 되고 공격받는 입장이 되었는데요.

김대중 등권주의 문제도 그렇습니다. 문자 그대로 "같을 등, 권세 권" 아닙니까? 지역마다 권리가 같다, 동등한 입장에서 협력하고 공존하자는 것이 무엇이 공격받을 소지냐 이것입니다. 자치의 본질이 분권 분화인데 그 등권주의라는 말이 어떻게 지역 패권주의가 되고 할거주의가 되는지 모르겠어요. 분권하면 자연히 등권이 된다, 각기 지역이 자기 권리를 찾자는데 어째서 등권은 안 되냐는 말입니다. 지금까지 하던 지역 패권주의, 대구경북(TK)이니 부산경남(PK)이 독점한 것이 대해서는 말하지 않고, 이제 지방 시대에 똑같은 권리를 주장하자는 데 달려들어서 할거주의로 몰아가고 있어요.

김충식 그 등권주의에 선거 득표를 겨냥한 전략적인 요소가 숨었던 것 아닌가요?

김대중 글쎄 전략이 어떻든 말이 맞으면 되는 것이지요. 과거에는 대구 경북이 중심이 되고, 최근에는 부산경남(PK)이 할거하니까 대구경북(TK)까지 원한 갖고 반발하는 것 아니냐, 그동안 당한 호남이나 충청도, 강원도는 어떻게 하겠느냐, 등권주의가 되면 서로 다 같은 권리가 있는데 원한 살 필요가 없다, 그런 논리가 왜 잘못인가요? 이번 지방선거 결과가 지방 이기주의로 간다면 불행한 일이지만, 각자 내 몫을 찾고 협력할 것은 서로 돕는 방향으로 간다면, 이것은 굉장히 발전적으로 나갈 수 있는 디딤돌이 된다고 믿습니다.

선진국을 보더라도 어느 정당이건 지역 기반 없는 정당이 어디 있습니까? 미국은 오랫동안 남부는 민주당, 북부는 공화당, 물론 최근에는 산업구조의 변화에 따라 변화가 있지만……, 영국 웨일스는 노동당, 스코틀랜드는 보수당, 독일의 기독교사회당도 바이에른주를 독점하고 있어요. 거기 기독교민주당은 공천도 안 하는 곳이지 않아요? 지역을 기반으로 한 정당이 지역만을 위한다면 나쁘지만 전체를 위해서 일하고 자기 지역 관리도 잘한다면 괜찮다고 봅니다.

김충식 등권주의에는 호남이 분발하라는 메시지가 담겨 있었다고들 보는데요.

김대중 호남이 그동안 얼마나 박해를 받고 천시를 받았습니까? 박정희 대통령이 호남 아니었으면 대통령이 못 됐다고 인정해야 합니다. 1963년에 15만 표차로 이겼는데 호남에서 약 35만 표 이겼습니다. 경기·강원·충북·충남 다 졌습니다. 그래서 대통령 됐는데 호남에 대해서 차별하는 배은망덕을 했습니다. 호남 사람들도 왜 야당 일색을 하는가, 나는 이렇게 말하고 싶어요. 그것은 13대, 14대 국회 두 번 그랬어요. 그동안에 1963년부터 그때가 6대 국회인데 6, 7, 8, 9, 10, 11, 12, 일곱 번, 25년 동안을 다 여당 손을 들어 다수당 만들었다, 그래도 차별하니까 그런 것이다, 그동안 차별한 것은 말 안 하고 13, 14대만 호남 싹쓸이라고 얘기합니다.

그는 신당이 다시 제일 지역 기반이 넓은 정당이 됐다는 이론을 편다

김대중 서울에서 조순 후보가 42퍼센트를 넘었는데, 호남 출신 유권자 중에 60-70퍼센트가 투표해 80퍼센트 이상 지지했다고 가정해도 전체 득표의 20퍼센트가 넘을까 말까 합니다. 나머지 반 이상은 비호남 사람들이 조순 후보를 밀어준 것이지요. 세계 어느 나라를 봐도 어느 사회에든 정치·경제·사회·문화 교육을 다 지배한 수도에서 이렇게 지지 기반이 넓은 정당을 지역 정당이라고 합니까? 이런 문제는 언론이 고쳐 줘야 한다고 생각합니다. 요새도 보면 지역 정당의 한계를 극복해야 한다고 합니다마는. 왜 자민련, 민자당을 얘기 안 하고 우리한테만 얘기하는지 모르겠어요.

사나이다운 건 영남, 치사한 건 호남

김충식 그래도 지역감정이나 지역 당 소리는 사라지기 어려운 것 아닙니까?

김대중 지역감정이라는 말보다 지역차별이 정확한 것이지요. 차별하지 말라는 것은 당연한 것 아닙니까? 백인이 흑인 차별하면 흑인이 일어서는 것이 당연하고, 일제가 우리를 차별하니까 우리가 일어서는 것이 당연하듯이, 호남 사람들이 무슨 이유로 차별을 받아야 하느냐 이것입니다.

갑자기 예기치 못한 「모래시계」 연속극이 등장한다.

김대중 내가 지난번에도 「모래시계」 방영됐을 때 무척 분노했습니다. 같은 지역 학교를 나왔다는 두 주인공이 멋있는 역은 표준말을 쓰고 저열하고 비굴하고 배신하는 악역은 호남 말씨를 쓰게 했습니다. 지역차별이란 세 가지인데 하나는 인재 등용, 하나는 지역 개발, 하나는 문화적 차별 등 세 가지로 볼 수 있습니다. 「모래시계」는 세 번째에 해당합니다. 5·16군사쿠데타 이후에 지금까지 34년 동안 텔레비전이나 라디오방송에 연속극부터 시작해서 모든 면에서 더럽고 거짓말하고 못나고 사기 치는 것은 호남 사람이나 그 악센트, 씩씩하고 잘났고 남자답고 정의로우면 다른 쪽 말씨를 하는 식으로 불신감을 키워 왔습니다.

나는 호남 사람으로 태어난 것을 특별히 우월하게 생각하지도 않지만 이유 없이 고통받는 사람들을 대변하는 것을 영광스럽게 생각합니다. 나는 호남이 특혜나 특별 대우를 받는 것도 반대하지만 차별받는 것도 반대합니다. 차별은 강원도가 받건 경상도가 받건 반대합니다.

도무지 다른 걸 물을 틈도 없이 그는 예비해 둔 결론으로 내닫는다. 이런 경우 인터뷰어란 무슨 의미가 있는 것인가.

김대중 나야말로 진정한 지역 화해를 할 수 있는 사람입니다. 지역 문제가 해결되려면 두 가지가 해결돼야 합니다. 하나는 차별하려는 사람들이 없어야 하고 피해당한 사람이 가해자를 용서해야 합니다. 그런 의미에서 나는 지역차별화의 가장 큰 피해자고 또 광주민주화운동이 일어났을 때에도 사형까지 받은 피해자고 지금까지 사상적으로 억울하고 오해받은 피해자이기 때문에 그런 의미에서 내가 뜻을 이룬다면 내가 앞장서서 모든 사람을 용서할 수 있다, 나는 광주 문제도 진상은 밝히고 또 광주 사람의 명예 회복은 하되 학살 관련자들을 처벌하는 것은 반대다, 국민에게 몇 번 얘기했고 1988년에 국민들이 전두환 전 대통령을 체포하라고 아우성치는 것을 내가 손을 들고 반대했어요. 6공 때 노태우 대통령이 자기 비서관들을 내게 보내서 어떻게 했으면 좋겠냐고 해서 내가 체포 반대를 얘기해서 노태우 대통령이 "김대중 씨가 내 은인이다."라고까지 했습니다.

나는 용서할 수 있습니다. 그러나 진실을 밝히고 본인들이 회개해야 한다, 그것이 또 본인들이 사는 길이다, 쓸데없이 자기들이 12·12사태, 광주학살에 대해서 변명을 하지만 그것은 한 뼘 손으로 태양을 가리는 것이고, 시간문제입니다. 일찍 하면 할수록 더 떳떳해지고 늦게 하면 늦게 할수록 더 불리한 겁니다.

세 번을 비켜난 '하늘 뜻'

그는 대통령 선거에서 세 번이나 떨어진 것을 '하늘의 뜻'으로 알고 삭여 왔다고 말해 왔다. 한때는 컴퓨터 탓도 해 보고 지역 패권주의를 미워도 해 보았던 김대중 씨. 그러나 결국 그것도 모두 국민의 뜻이요 선택이며, 그가 붓글씨에 애용하는 사인여천事人如天(백성 섬기기를 하늘같이 하라)에 비추어 보면 하늘의 뜻이 되고 마는 것인가?

김충식 늘 자신의 비유를 '하늘의 뜻' 이란 말로 달래듯 표현하시는데 거기에 특별한 의미라도 있습니까?

김대중 그래요, 대통령은 하늘의 운이 따라야 된다고 생각하고 있습니다. 보십시오. 예컨대 부산 초원복국집 기관장 회식 사건 같은 것을 보면 적나라하게 드러납니다. 이른바 부산경남(PK) 공직자들이 모여서 누구를 밀자고 하는, 법에 어긋나는 범죄적인 모의를 해도 그 여파는 피해자인 내게 유리한 게 아니라 오히려 불리하게 돌아가요. 그 영남 유권자들이 결집하는 효과가 난다 이겁니다.

나에 대한 용공 조작만 해도 수없이 당해 피눈물이 나는 것이지만 1992년 대선에서도 또 여지없이 내가 치명적인 피해를 입은 것으로 나타나요. 나야 억울하지만 거기 넘어가는 유권자가 있고 찍어 주는 이가 있으니 나로서도 도리가 없고, 내게 아직 하늘의 뜻이 오지 않았다고 생각하고 위로할 수밖에요…….

'하늘의 뜻' 이라는 담백하고 초월한 듯한 표현에도 불구하고 마디마디 이루지 못한 아쉬움이랄까, 승복할 수 없는 변수에 의해 소망이 깨지고 말았다는 한 같은 것이 배어 있는 듯하다.

김대중 이번 지방선거같이 텔레비전 토론이라도 있었으면 달라질 수 있었을지도 모를 일이지요. 내가 직접 용공 조작 공세에 대해서도 유권자를 상대로 토론을 통해 설명하고 반론할 수 있었으면 결과가 어땠을까도 생각해 볼 수 있지 않습니까? 그런데 김영삼 씨가 자기가 먼저 제안해 놓고 끝까지 불응해 버려 결국 국민의 이해를 얻을 기회를 놓치고 만 셈이지요.

서석재 전 총무처 장관에 의해 전직 대통령의 4천억 원 비자금설이 정가에 폭발물처럼 던져지면서 물의를 빚었다. 김영삼 대통령의 가장 가까운 측근이요, 고위 각료의 발언이라는 성격 때문에 세간의 이목이 집중될 수밖에 없었던 사건이었다.

발언 직후에는 노태우 씨 측이 펄쩍 뛰더니, 검찰은 수사할 사안이 아니라고 발을 뽑아 어리둥절케 했다. 그러더니 웬걸 검찰 수사가 어느 날 갑자기 '결행' 되고 이번엔 전경환이라는 이름이 튀어나오고 전두환 씨 측이 불평했다. 또 4천억 원이 1천억 원이 되고 그것도 계좌 근거조차 없는 풍문 전달 과정의 해프닝이라는 수사 결론으로 귀착되어 갔다. 실로 어지러운 의문투성이의 사건이다.

4천억 비자금 개연성 있다

김충식 4천억 원 비자금설에 대해 공식회의에서도 비판이 있었습니다만 결과적으로 진상은 무엇이라고 생각하십니까?

김대중 한마디로 정부 태도에 문제가 있는 거예요. 현직 총무처 장관이, 그것도 시정잡배가 아닌 천하가 다 아는 측근이, 정신과적으로 문제가 있는 것도 아니고, 또 비보도(오프 더 레코드)를 요청했는지 말았는지를 떠나서, 그런 엄청난 발언을 했다는 게 중요한 점입니다. 그 돈 액수 가운데 50퍼센트를 커미션으로 떼려 했다고 하는 것, 청와대 경제수석과 국세청장에게 상의했다고 하는 것 모두가 의도를 갖고 한 말일 것이고 그냥 넘겨 버릴 사안이 아닌 것입니다.

그리고 이보다 훨씬 전인 6월에 부산에서도 이미 서 씨가 현지 언론인들에게 비보도 조건으로 꼭 같은 말을 한 게 뒤늦게 밝혀졌지 않습니까? 그래 놓고도 막상 파문이 커지니 4천억 원부터 고쳐 1천억 원으로 하고, 수사는 계획적으로 호도하기 위해 짜 맞추고, 그래 갖고 어떻게 개혁이니 뭐니 말할 자격이 있어요? 수사랍시고 아무 결론도 없이 기만적인 내용이나 발표하고 의심받을 짓이나 하고, 결국은 현 정부가 선거 때 신세 진 탓으로 얼버무린다고 생각하게 만든 것 아닙니까?

함승희 변호사가 검사 시절 비자금 수사한 내용도 언론에 폭로되었지만 쉬쉬하며 덮어 버리고 있지 않느냐는 반문이다.

김대중 검찰은 그 엄청난 사실에도 입 닫고 앉아 있지 않습니까? 동화은행 비자금 수사에서 권력 핵심부의 가명 계좌를 찾아냈는데 검찰 지휘부가 덮어 버렸다는 것 아닙니까? 이원조 씨 문제도 마찬가지예요. 수천억 원씩 정치 자금을 모아 왔다고 하는 사람은 놔두고 송사리만 잡고 앉아 있으니 그런 개혁을 누가 믿겠어요? 수천억 원 의혹은 팽개치고 박철언 씨 5억 원이나 김종인 씨 몇억 원은 캐내서 징역 보내니까 신뢰받기 어려운 것 아니에요?

김충식 참 박철언 씨 출감 후에 잠시 만난 적 있지요? 그때 무슨 대화가 있었는지 다들 궁금해합니다.

김대중 그가 석방되고 나와서 인사받고 옥중 생활 이야기, 그런 개인적인 소회나 얘기를 들었지요.

김충식 그보다 최근이지만 박준규 전 국회의장과 만난 사실도 화제로 삼는 이가 많은데요. 대구경북(TK) 그룹의 동요와 관련지어 해석하는 이도 많고.

김대중 친구끼리 밥 먹고 이야기 나누는 게 이상할 건 없는 것이고……

김충식 그때 두 분이 나눈 얘기 좀 소개하시지요.

김대중 지금 그런 얘기까지 말하긴 좀……. 말하지 않겠어요.

민자당 해체되고 있다

화제는 다시 민자당 내부의 동요로 옮아간다. 지방선거 후 대구·경북 출신 의원들과 충청권 의원들의 흔들림이 가속화되어 가는 양상이다. 김 씨에게 물어본다. 준비된 듯한 답이 속사포처럼 쏟아진다.

김대중 민자당은 분해 해체의 시기로 접어들고 있다고 봐요. 나를 고립시키고 정권을 얻기 위한 인위적이고 부자연스러운 야합이 기어이 파탄을 드러내는 것입니다. 정권을 얻는 작업이 끝났으니 당연히 이해관계가 달라지고 분화·분해되고 해체되는 것인지도 모르지요.

한마디로 3당 합당은 끝났다, 민자당은 끝났다고 봅니다. 보세요. 대구·경북 지역의 민심 이반은 심각하지 않습니까? 결국 그 지역 국회의원 몇 명이 민자당 소속의 의원직을 유지하고 있다는 것 정도가, 저변 대중이 놀아서 버린 마당에 무슨 의미가 있어요. 시간문제지요. 지방선거 결과만 보아도 그래요. 서울(과 호남)은 우리가 완승했고, 충청·강원지사는 자민련이 되었어요. 경북지사는 야당의 난립과 자민련의 에러로, 마치 민주당이 경기지사 후보를 망친 것처럼, 결과적으로 민자 후보가 어부지리한 것일 뿐입니다. 그렇게 보면 민자당이 자력으로 이긴 건 경남뿐 아닙니까? 부산에서조차 그 무소속이 적지 않았으니까요. 민자당의 밑바닥과 실체가 확인된 거예요.

아직 정치자금 얘기가 끝난 게 아니었다. 너무 옆길로 멀리 갔다.

4천억 원 비자금이 비상한 관심을 끌게 되자 정가에는 「1992년 김대중 후보 정치자금 수납 내역」이라는 괴문서가 나돌았다. 거기에는 포철을 비롯한 대기업 14개가 '권노갑, 김원기 등 수납인'에게 1백50억 원에서 10억 원에 이르기까지 전한 것처럼 되어 있다. 6·27지방선거 공천 관련 수납도 실명의 현역 국회의원 13명 등으로부터 3백억 원을 거두었다는 식이다.

김충식 괴문서라는 것을 보셨습니까?

김대중 기관이 만들었는지까진 몰라도 개입한 것은 분명하다고 생각합니다. 이것저것 갖다 붙인 수법이나 행태가 그래요. 포철에서 1백50억 원이나 받았다고 하는데 말입니다, 도대체 그 사람들과 쓴 커피 한 잔 안 마셨고 그 근처 가 본 일도 없어요. 내가 상공위원도 아니니 담당해서 국정감사 한 일도 없고. 그래 백보를 양보한다 쳐도 정권이 그런 걸 알았으면 내버려 두었다가 괴문서에나 나게 했겠느냐 이겁니다. 터무니없어요.

언젠가는 어떤 재벌이 정치자금을 가져왔는데 곱절로 갖고 왔다고 해요. 반은 나를 생각해서 자의로 가져온 것이고 반은 정부 쪽에 좀 갖다주라고 해서 합쳐 가져왔다고요. 그래서 나는 반으로 세서 자발적인 내 몫만 딱 받고 돌려보낸 일이 있어요. 그런 나를 두고 음해하는 것은 말도 안 돼요.

김충식 이번 괴문서를 보면 지난 1992년 대선 때 중립내각을 선언한 노태우 대통령으로부터 받은 돈은 기록돼 있지 않은 것 같습니다. 야당 후보가 노 대통령으로부터 돈을 받았다고 하면 집권 여당 후보였던 김영삼 후보도 당연히 돈을 받았을 것으로 추론이 가능하기 때문에 대통령을 보호하기 위해 뺀 것이 아닌가 생각이 듭니다. 돈을 받긴 받았습니까?

김대중 나는 거기에 대해 말하지 않겠습니다.

그렇다면 "뭔가 있는 겁니까?"라고 되물으려는데 김 씨는 "만일 그쪽에서 무슨 말이 있으면 나도 말하겠다."라며 그 이상은 노코멘트다.

안기부에 나 전담하는 국局 있다

그는 음해에 관한 한 수도 없이 당해 왔지만 '문민정부'라는 지금도 끊기지 않았다고, "오히려 더한다"고 푸념이다.

김대중 전화 도청, 미행, 감시 같은 탄압에는 이력이 난 나지만, 지금도 계속이에요. 안기부(현 국가정보원)에는 나를 전담한 국이, 이름만 바꾸어 가면서 위장한 기구가 있다니까요. 내가 분명히 말하지만 나에 대한 그런 짓들은 5공 때보다야 덜한 게 사실이지만, 6공 때보다는 훨씬 심하고 더해요. 보안사(현 기무사령부)도 여전해요.

김충식 확실한 근거가 있습니까? 제보자가 있는 겁니까?

김대중 분명히 있으니까 말하지요.

김충식 왜 그런 일을 한다고 생각합니까?

김대중 김대중이 집권 막자는 게 아닌가요? 누구의 최고 관심사인 탓도 있겠지요. 심영삼 씨는 자기가 식접 나서서 심대중이는 안 된다, 세대 교체해야 한다고 말해 온 분이니까.

김충식 6·27선거 유세 때도 줄곧 그 내용을 강조한 걸로 미루어 대단히 섭섭했던 것 같군요.

김대중 유세 중에 조크로 말했습니다. "아, 글쎄, 수십 년 민주화 동지끼리, 한 사람이 대통령이 되었으면 빈말이라도 아무개도 한번 해 봐야 할 게 아니냐"고는 못 할망정 그럴 수가 있느냐 이겁니다.

김충식 세대 교체라는 구호가 다소 인위적이지만 여권에 의해 제기되고 어느 정도 먹혀드는 점도 있지 않습니까?

김대중 그래, 단순히 나이만 갖고 세대 교체를 말할 수 있습니까? 광주학살의 원흉이라도 나이만 젊으면 내세워야 하고, 수십 년 민주화투쟁하다 감옥 가고 연금당하고 해서 강요된 단절이 나이 들어 버린 사람은 안 된다는 식이 말입니까?

문득 두 김 씨가 젊었던 시절, 더 정확히는 김영삼, 김대중, 이철승 40대 셋이서 40대 기수론을 내걸고 유진산을 밀어내던 시절이 오버랩된다. 진산 회고록에 그 "웬수 같은" 나이가 빌미가 되어 밀려나는 서러움이 적혀 있다.

"1970년 신민당 대통령 후보는 꼭 40대라야 된다는 인위적인 조건 자체가 일견 첨단의 감각처럼 보일 수 있지만 기실은 후진 사회에나 있을 수 있는 변칙 풍조였다. 연령 문제를 정치적 이익에 결부시킴으로써 당에 충격을 부각시키고 후보 지명을 노려……"

세상과 세월은 돌고 돈다던가. 나이를 지렛대 삼아 그들의 시대를 열었던 두 김 씨들이 다시 25년 세월을 딛고 그 지렛대를 휘두르며 공방을 벌이고 겨루는 연기緣起가 기이하다. 어쨌든 새정치국민회의를 만든 김대중 씨의 변은 또렷하다.

김대중 자연의 나이만 붙들고 세대 교체하자면 유치원생만 남게 됩니다. 다 나이 때문에 안 돼요. 진정한 새 세대의 기준은 민주주의를 할 의지가 있느냐 없느냐, 경제로 치면 중소기업 위주의 정책을 펴자고 하느냐, 아니면 대기업주의자냐, 통일을 내다보는 정치가냐 아니냐에 달린 것입니다. 그런 기준으로 정치의 주체를 바꾸어 나가는 게 참된 의미의 세대 교체라고 생각합니다.

다시 비자금으로 돌아가 매듭을 지어야겠다. 김 씨는 음해성 괴문서가 나돌자 몇백억 원이 아니라 "단돈 몇백 원도 더러운 돈, 조건 있는 돈은 안 받았다"고 했다.

김충식 이번 발기인 대회에서도 정치자금 받았지만 단 일전도 조건 있는 건 안 받았다고 했는데 '조건' 붙은 돈과 안 붙은 돈을 어떻게 구분합니까?

김대중 간단해요. 그저 도와주겠다, 당신의 정치력과 소신, 능력이 좋아서 대겠다는 것이라면 깨끗한 것이고, 속된 말로 '껀'(件)이 있을 때 그와 관련해서 내놓는 건 검은돈이 되는 것이지요. 예컨대 야당 총재로서 받아서는 안 될 관례에 어긋날, 그런 자금을 나는 거절합니다. 조건이 붙은 문제가 될 돈은 받지 않고, 적게 쓰면 됩니다.

나는 분명히 적게 씁니다. 이번 신당이라 해도 쓴 게 별로 없어서, 당사 얻는 데 8억 원 들었는데 내가 3억 원 대고 나머지는 십시일반으로 보탰지요. 발기인 대회라 해도 대의원에게 이렇다 할 숙식비도 낸 게 없고 여비도 별로 준 게 없이 자기 돈 내고 자기 점심 스스로 사 먹으며 치른 대회니까요.

김충식 정치자금 받고 관리하는 데 금융실명제가 장애가 되진 않습니까?

김대중 물론 나도 타격을 받는다고 생각합니다. 그렇다고 해서 실명제를 지지하지 않는다는 것과는 절대 다르고 분명히 실명제는 잘한 겁니다. 하지만 실명제가 나를 돕고 싶은 이들에게 쉽게 전할 수 없게 하는 제약이 될 수도 있고, 한편으로는 받고서 출처를 대지 않으면 안 되니까, 어려움은 있다고 생각해요.

상당히 솔직한 답변으로 느껴진다. 자기 돈으로 정치자금을 모두 충당하지 못하는 정치 리더로서의 입장을 수수하게 전하는 것 같다. 그렇다면 전직 대통령의 비자금 4천억 원설에 대해선 어떤 감을 갖고 있을까. 낮은 데 있는 서민으로서는 천문학적 숫자놀음 같은 액수의 정치자금을 만져 보았고 만지는 리더에게 물어보자.

김영삼 씨 만나면 서로 도움 될 것

김충식 전직 대통령으로서 4천억 원이라는 비자금을 모았을 개연성이 있다고 보십니까? 그 액수의 타당성이랄까 하는 것을 보통 사람들은 실감하지 못하는데요.

김대중 충분히 개연성은 있다고 봅니다. 증거야 댈 수 없지만, 국내 비자금뿐만이 아니라 해외에도 숨겨 놓은 게 있다고 판단됩니다. 종전 집권부의 행태 같은 것으로 미루어 볼 때…….

그가 정계 복귀하자 어떤 만화에서는 지팡이를 거꾸로 들고 야구 배트처럼 거머쥔 디제이(DJ)를 그려 놓고 "마지막 승부"라고 캡션을 붙였다. 사람들은 누구나 그가 정권을 겨냥한 최후의 승부에 들어갔다고 보고 있다. 그리고 내각제 개헌을 의식하고 있다고 보는 이가 많다.

김충식 현행 대통령중심제의 권력 구조를 내각제로 바꾸는 문제에 관심을 보여 오셨는데요.

김대중 국민의 여론을 따르도록 하겠습니다. 나는 아직도 대통령중심제를 취하는 입장에서 변하지 않았지만, 헌법은 국민이 택하는 것이고 그래서 국민의 의사가 그렇다면 따르지 않을 도리가 없다는 것이지요.

김충식 다가오는 총선 과정에서 내각제 논의가 활발해질 전망이라고도 하신 적이 있는데요.

김대중 민자당의 민정계분들은 그런 생각이 많았고, 또 자민련이 내각제를 공식적으로 내걸고 있으니까, 총선에서 불가피하게 논의가 뜨거워지겠지요.

그는 아직 김영삼 대통령과 만난 적이 없다. 대권의 승자와 패자로 갈라진 이후 대좌한 적이 없는 것이다. "해외에서 많은 사람들이 김영삼 씨를 만난 적이 있느냐고 물어 '없다' 고 하면 외국인들이 놀라기도 하더라" 고도 말하는 그다. 거기에는 사소한 오해가 있다는 말이 있었다. 한번 당사자로부터 들어 보자.

김충식 영국 갔다가 귀국하실 때 김 대통령께서 한번 대좌할 계획을 세웠다가 기자회견 시 "와이에스(YS)가 누구요?" 하는 반문 때문에 깨졌다는 설이 있는데…….

김대중 나도 그런 말 들었어요. 그런데 그게 도대체 화낼 얘기가 되는지 들어 봐요. 공항에 들어서니 한 기자가 공식 회견석상에서 "와이에스(YS)를 만나실 겁니까?" 하고 물어요. 그래서 내가 김영삼 대통령을 그런 식으로 호칭하는 게 이상하기도 해서 반박하는 뉘앙스로 "와이에스(YS)가 누구요. 나는 모르는 사람이요." 라고 한 게요. 그다음에 내가 대통령을 그런 식으로 호칭하면 안 된다는 취지로 말한 기억도 있어요. 그것은 오해는커녕 호의로 받아들일 얘기 아닌가요? 하기는 텔레비전에서 거두절미하고 "와이에스(YS)가 누구요." 하는 대목만 잘라 내보냈는지도 모르지요.

이어 그는 대좌 불발 이유는 따로 있는 것으로 들었다고 말한다.

김대중 내가 듣기로는 말이지요. 그게 이유가 아니고, 그날 공항에 너무 환영 인파가 많아서 아직 그런 모임을 주선할 분위기가 안 된다고 판단해 전략을 변경한 것으로 알고 있어요.

김충식 이제는 정당 대표자 격으로 두 분이 만나시게 될 수 있는 게 아닙니까?

김대중 만나는 것 자체가 정국 안정에도 도움이 된다고 생각합니다. 또 내가 가면 남이 눈치 보고 못 하는 말도 하게 되고, 그쪽에서도 하고 싶은 말이 있으면 하고 해서 서로에게 도움이 된다고 봐요.

김 대통령에 대한 관찰자적인 평을 요구했지만 그는 노코멘트다.

김대중 현재 진행형인데 무슨 말을 하겠습니까?

존경하는 인물은 원효와 황진이

김충식 지나간 정치 생활을 통해 존경했고 또 도움받은 분들은 누구입니까?

김대중 홍익표, 정일형, 조재천, 현석호 씨 같은 분들이지요. 오위영, 장면 씨 같은 이로부터도 도움받고 배웠지요.

김충식 유진산 씨에 대해서는 어떻게 평가하시는지?

김대중 알다시피 그분에 대해서는 긍정 부정의 양론이 갈라지지 않습니까? 아무튼 큰 인물이라는 데는 다른 말이 있을 수 없고, 정치란 남과 같이하는 일이라는 생각은 뚜렷했던 분이지요. 가령 당권 경쟁에서 지면 선선히 내주고 승복하는 좋은 점이 있었지요. 나와는 늘 상치되는 길에 섰지만요.

김충식 소석 이철승素石 李哲承 씨에 대해서는?

김대중 한 가지 일에 집념을 갖는 건 장점인데, 내가 하면 남도 따라 주어야 한다, 내가 무슨 노선, 무슨 당이 싫다면 남에게도 강요하듯 하는 독단 같은 것이 심해서 아쉽다고나 할까.

그 외의 후계 세대나 활동 인물에 대해선 일체 말하지 않겠다고 한다. 그래도 김원기 의원의 신당 이탈이 상당한 타격이 되었으리라고 보고 그의 홀로

서기 투쟁에 관해 물었더니 한마디가 나왔다.

김대중 정치를 하다 보니 그런 일도 있다고 나로서는 애석하게 생각합니다. 장래 그분도 잘되기를 바랍니다.

김충식 신당을 지지하는 전국구 의원 11명이 민주당 당적을 그대로 갖고 있는 데 대한 비난 여론이 많지 않습니까?

김대중 그건 생각을 어떻게 하느냐에 달려 있어요. 의원직을 버리는 건 국민의 뜻에도 반하고 정치인으로서는 자살입니다. 그건 최악의 선택이다, 그러니 의원들이 정당 선택의 자유를 가져야 한다는 구법이 맞았어요. 원래 유신 독재 시절에 정당 선택 자유를 박탈했는데 비민주적이라 해서 고쳤지요. 그것이 국민당 의원들의 이동으로 해서 다시 고치는 바람에 문제가 된 것입니다.

이제는 민주당이 제명해 주는 게 도리지요. 그 당이 싫어 떠나겠다는 의원을 마음에도 없는 전국구 의원을 정략적으로 골탕 먹이려고 붙들고 있는 게 이상하잖아요.

그는 평소 역사 인물 가운데 존경하고 아끼는 이로 원효대사와 황진이를 꼽았다. 둘 다 자기의 신분과 당대의 인습에 도전한 우상 파괴적인 데가 있는 도전형 인간들이었다. 김 씨의 견해를 들어 본다.

김대중 원효대사는 참 한국인의 전형입니다. 한반도는 중국 문물의 영향을 피할 수 없는데 그 중국 문물이라는 게 안 받아들이면 망하고, 받아들여도 재창조하지 않으면 원·청처럼 그 안에 동화되어 버리는 힘을 가지고 있지요. 그러나 원효는 사상적으로 외부에서 받아들인 것을 소화하고 한국인으로서 재창조한 첫 인물이 아닌가 합니다. 『금강삼매경론』 같은 것이 그 틀이지요.

그런 의미에서 한국사를 대표하는 남자일 수 있어요. 공주와 동침하는 파계승 같으면서도 깨달음에 충실한 승려의 길을 걸었던 성인 같은 면모를 겸했지요. 황진이도 자기를 간직하고 당대의 관행 인습에 도전하는 인간적인 매력을 한껏 보여 준 여성입니다. 마음에 있으면 접근하고 그렇지 않으면 천금을 주어도 돌아도 보지 않는 면이 있었지요.

온실에서 자란 화초 같은 모범생류의 인물이 아닌 들풀 같은 생명력과 도전성, 창조성에서 미美와 사람됨을 구하는 인물관이 그의 힘들고 가파른 삶, 인생 역정과 결코 무관하지 않을 터이다.

마지막 도박은 성공할 것인가

근현대사 인물에 관한 평가와 선호도 비슷하다. 그는 전봉준을 첫손에 꼽는다. 혁명을 꿈꾸다 좌절해 처형당한 풍운아를 높이 평가한다.

김대중 근대화와 반외세라는 두 가지 시대적 과제를 위해 가장 충실하게 살았던 위인이라고 생각합니다. 그 봉건적 시대에 집강소를 만들고 노비 해방, 토지 개혁까지를 꿈꾼 그야말로 천재적이요, 탁월한 선각자가 아닐 수 없지요.

그리고 서재필, 손병희를 평가한다. 서재필은 이념과 현실의 중간에 서서 가장 타당성 있는 시대정신을 발휘했기 때문에, 손병희는 현실에 바탕 하면서도 결코 비굴하지 않은 독립운동 노선을 걸었기 때문이라고 한다. 그러나 한결같이 그 개인으로선 '언해피'(unhappy)한 종언을 맞았던 불행한 위인들이다.

인터뷰를 마칠 무렵 불현듯 그가 젊었던 시절 패기 찬 웅변으로 군중을 휘어잡던 모습이 떠올랐다. "이제 대중 유세도, 지방선거 유세해 보시니 전만 같지 못하지요?" 하는 취지로 물었다.

김대중 아무래도 티브이(TV)가 말하는 텔레비전 시대니까요…….

목소리도 한창때 같을 수 없다. 많은 사람들이 그의 컬러풀한 복장의 변화를 지켜보면서 어쩔 수 없는 나이를 성량에서 느낀다고 말한다.

김충식 목청은 스스로 어떻다고 느끼십니까?
김대중 아, 자신 있어요. 아직 괜찮아요. 여전히 대중 유세는 유력하고 영향력이 있는 것이고요.

대중 유세와 목소리에 대한 그와 남의 인식 차이를 확인하면서, '김대중 정치'를 갈구하고 떠받치는 지지층과 정계 복귀와 파약破約을 지탄하고 매도하는 여론의 거리를 다시 헤아려 본다. 고뇌고 가파른 길을 걸어온 정치인 김대중의 최후의 도박은 과연 해피엔딩으로 열매 맺어질까.

* 이 글은『신동아』1995년 9월 호에 게재된 인터뷰다. 당시 김충식『동아일보』논설위원이 질문하였다.

나의 장래는 국민이 결정해 줄 것

대담 최보식
일시 1996년 4월

국민회의 김대중 총재는 점퍼 차림에 무늬 있는 감색 스카프를 매고 나타났다. 먼저 인터뷰 장소에서 기다리고 있던 측근이 "총재님, 사진 촬영도 있는데 양복을……" 이라고 하자, "양복보다 이런 차림이 자연스럽지."라고 소곤거리듯 말했다. 말하는 순간 주름살 속에 들어 있는 그의 시선은 허공을 향하고 있었는데, 기자는 그가 수줍음을 타고 있다고 생각했다.

얼굴은 약간 부어올랐다고 보일 정도로 통통했다. 그 중간으로 코가 뭉툭하게 솟아 있어 편안한 느낌을 주었다. 그는 의식적으로 손등에 드러난 검버섯을 감추고 싶어 했다. 세월은 그 자신도 기대 못 한 선물을 많이 주고 있는 것이다.

최보식 지금 우리 나이로 일흔넷이지요.(말 많던 그의 나이는 최근 관훈토론에서 음력 1923년 12월 3일생으로 밝혀졌다.)

김대중 양력으로 12월생이니까, 음력으로 해서 만萬 일흔둘이지요.

최보식 머리는 염색했습니까?

김대중 아니요. 조금씩 흰머리들이 검은색으로 변한 것은 있지만…….

어조는 나직나직했다.

최보식 보청기를 이용하고 있다고 들었습니다.

김대중 1980년 육군 법정에서 사형 선고를 받을 때 정신적 스트레스로 왼쪽 귀가 잘 들리지 않게 됐어요.

기자가 "그 연세에 건강의 비결이 무엇인가?"라고 묻자, "나보다 건강한 사람도 많은데……"라고 말끝을 흐렸다가, 다음과 같이 답했다.

김대중 마음의 평화……, 난 인생의 밝은 면을 보려고 하지요. 대통령에 떨어졌지만, 후보도 못 되어 본 사람도 있다, 3등으로 낙선한 것보다 2등으로 낙신한 게 낫다, 수많은 정치 시망생이 국회의원 한 번 못 해 본 경우도 많은데 난 국회의원도 했다, 이런 식이지요. 최선을 다하다가 안 되면 깨끗이 단념합니다. 그래서 정신적 스트레스가 없지요.

기자는 잠깐 혼란스러웠다. 굴곡 없는 그의 말이 계속됐다.

김대중 한번은 내가 살아오면서 축복받은 일과 불행했던 일을 나눠 써 내려간 적이 있었어요. 축복받은 일이 훨씬 더 많아요. 사람은 어머니 배 속에서 벌거벗고 나와서 한평생 버둥거리다가 죽는데, 지금은 옷 한 벌 해 입고 살잖아요. 그렇게 생각하고 열심히 사는 게 제일 남는 거요. 몇 번 죽으려다가 살아났으니까 그것도 축복이고……. 많잖아요.

기자가 "나이 들어 욕심이나 집념을 갖는 게 안 늙는 비결이라고 보지 않는가?"라고 은근하게 물었더니, 그의 답변은 "욕심보다는 어떤 목표를 세우고 활기차게 일하는 것"으로 나왔다.

최보식 연세가 들수록 생각이 깊어집니까, 아니면 판단 능력이 저하됩니까?

김대중 "깊어지지요. 내가 이런 것도 모르고 여태껏 살았구나."라는 경우가 많죠. 나이 들수록 새로운 생각이 떠오르고……. 지금도 어려운 책을 보면서 사색했으면 하고 원해요. 그리고 강단에도 서고 싶고…….

최보식 원한다면 그렇게 하시면 되지 않습니까.

김대중 1993년인가 내가 어느 저명한 대학에 석좌교수로 권유받았고, 또 어느 대학에서 총장 제의도 있었지만 거절했어요. 내가 그 대학에 폐가 될 것으로 보았기 때문이지요.

카리스마는 있을수록 좋은 거요

최보식 정치에 남아 있는 게 더 도움이 된다는 뜻입니까?

김대중 아니, 한국의 정치 여건에 그 대학이 나를 우대해 줄 때 여러 가지 불이익을 볼 것이라고 생각을 했던 거지요.

기자가 "최근 김영삼 대통령과의 기세 싸움에서 밀리는 듯한 인상을 받게 됩니다."라고 슬쩍 말문을 돌렸더니, "그분이 힘(권력)이 더 있으니까 내가 밀리는 것처럼 보이겠죠."라고 남의 말하듯이 했다.

김대중 김 대통령과 밀고 밀리는 데 관심이 없어요. 문제는 밀었느냐 밀리느냐가 중요한 게 아니라, 누가 더 자기의 인생을 잘 살았느냐가 중요하지요. 가령 전두환 같은 사람은 미는 데 가장 성공한 사람 아닙니까. 그런데 지금 어떻습니까?

최보식 이번 총선에서 국민회의의 예상 의석수를 어떻게 전망합니까.

김대중 1백 석을 넘겨야겠다고 생각하는데, 될 것 같아요.

최보식 제1당의 가능성은.

김대중 제1당에는 별 관심이 없어요. 1백 석 이상 하는 데 관심이 있을 뿐이지요. 그러면 우리가 견제 세력으로 등장할 수 있거든요. 여당 맘대로 헌법을 못 고치게 막는 한편, 임시국회나 국정조사, 탄핵소추를 할 수 있어요.

최보식 한 언론인은 "그의 지시 하나로 거대 정당(국민회의)을 만들 수 있는 힘은 카리스마적인 힘이다. 그러나 그 카리스마는 독재주의로 전환될 가능성이 있다"고 비판했는데, 김 총재께서는 물론 수긍하지 않겠지요.

김대중 케네디도 루스벨트도 네루도 카리스마가 있었고 세종대왕도 카리스마가 있었어요. 하지만 이분들은 독재를 하지 않았습니다. 한 인물의 인생 역정에서 비롯된 영향력을 밑에서 지지함으로써 카리스마가 생기는 겁니다. 카리스마는 있을수록 좋은 거요. 가정에서 아버지가 카리스마가 없으면 온전한 가정이 되겠습니까. 다만 카리스마로 자기 뜻만 강요하고 지시하겠다는 권위주의는 나쁜 거요.

최보식 김 총재께서는 당 운영에서 독선적이라고들 하던데요.

김대중 그런 선입견을 갖고 우리 당에 와 보면 놀라요. 자유롭게 토론하는 분위기입니다. 그런데 많은 경우 내 의견이 통하는 게 사실입니다. 왜냐하면 여러 의견을 충분히 모은 뒤 깊이 생각해서 내 견해를 밝히니까 그래요. 신한국당 김영삼 대통령의 경우 대통령의 권한이 있는데도 당내가 저렇게 삐걱거리는데, 내가 권위 하나로 독재할 수 있단 말이오?

최보식 박지원 대변인의 논평도 김 총재의 구술을 그대로 받아 옮긴다고 들었습니다.

김대중 그 대목에서는 말 안 하겠는데, 대변인의 말은 총재가 책임져야지요.

차별을 거부하는 지역감정

최보식 호남 지역에서는 국민회의의 공천이 곧 당선이라는 말을 들으면 어떤 기분이 듭니까.

김대중 호남은 1963년부터 1988년까지 25년간 여당에 표를 줬어요. 그런데도 계속 호남을 차별하니 이렇게 된 거요. 왜 호남 싹쓸이만 이야기하지, 영남에서 우리에게 한 석도 안 주는 것은 지적하지 않습니까? 지역감정을 말하는데, 지역감정도 차별하는 지역감정이 있고 차별을 거부하는 지역감정이 있어요. 호남인들은 차별에 반대하는 지역감정을 갖고 있습니다.

최보식 김 총재께서는 지역감정 때문에 스스로 손해 보고 있다고 봅니까.

김대중 나는 지역차별에 결코 승복하지 않아요. 흑인이 백인의 차별에 싸우고, 우리가 일제의 차별에 맞서 싸운 것은 당연하지 않습니까? 마찬가지로 호남이건 충청이건 강원도이건 자기를 차별한다고 생각하면 싸우는 게 당연하지 않습니까? 이 문제는 득을 보고 손해를 보는 차원이 아니라 원칙의 문제입니다. 차별이라는 건 인간을 소외시키고 국론을 분열시켜요.

최보식 우리나라에서 호남 지역이 특히 소외를 받고 있다고 보는 거지요.

김대중 당연한 이야기를……. 지방 발전과 인재 등용, 문화 공간 등에서 차별받고 있다고 봅니다.

최보식 그러면 혜택과 우대를 받고 있는 지역은 어디입니까.

김대중 지역보다도, 흔히 말하는 티케이(TK)……. 대구경북 지역, 피케이

(PK) 부산경남 지역이지요. 이곳에서 소박한 애향심을 악용한 특권층이 혜택 보는 것이지요. 그 지역의 일반 주민들이 혜택 보는 건 아닙니다. 농민은 영남 농민이나 호남 농민이나 똑같이 못삽니다. 영남 중소기업이나 호남 중소기업이나 똑같고……. 대구가 6대 도시 중에 국민소득이 최하위입니다. 기업 도산율, 어음 부도율이 최고입니다.

박정희 전두환 노태우 김영삼 정권이 기본적으로 대기업이나 특권층을 위한 정치를 했습니다. 그러니까 중소기업이 넘어가지 않습니까.

최보식 지금 말씀대로라면 호남 지역만 소외받았다고 할 수 없지 않습니까.

김대중 그런데…… 그것이 인재 등용으로 들어가면, 군인이나 공무원은 계급이 생명 아닙니까. 거기서 차별이 있는 겁니다. 가령 호남 출신으로 육군참모총장이 나왔습니까. 검찰총장, 국세청장을 봤습니까?

최보식 그런 식의 논리라면 대통령을 배출하지 못한 다른 지역에서도 다 할 말이 있지 않을까요?

김대중 호남이 제일 심하게 당하고 나머지도 얼마간 차별을 당하고 있어요. (언성을 높이며) 누구도 차별해서 안 되고 차별당해서는 안 돼요.

최보식 이번 총선에서 국민회의는 수도권 지역의 득표에 기대를 많이 거는데, 수도권에서 김 총재의 역할은 어느 정도 있다고 봅니까?

김대중 아무래도 역할을 상당히 하겠지요. 처음부터 나를 지지해 온 고정표도 있으니까. 정치적으로 나를 좋아하는 국민도 있고. 내가 지원 유세를 다니면 표를 보태 줄 겁니다. 그다음에 자기(후보)들이 표를 가져와야 되겠지요.

신의 없기는 김영삼 씨 쪽

최보식 정계 은퇴를 번복한 자신의 이미지에 대해 국민들이 어떻게 받아들이고 있다고 느낍니까?

그는 혼잣말처럼 "그 점은 모르겠어요."라고 했다.

김대중 부정적으로 보는 사람도 있겠고, 긍정적으로 보는 사람도 있겠지요. 긍정적으로 본 사람이 있으니까 우리가 제1야당이 된 것이지요. 우리가 나온 이후로 김영삼 대통령 측에서 "김대중 죽이기"라는 말이 나올 정도로 몰아붙이지 않았어요. 그건 전화위복이 됐어요. 정계 복귀에 대해 부정적으로 생각하던 사람들도 "진짜 야당이니까 저렇게 당하는구나."라고 여기는 것이지요.

최보식 지역감정을 떠나서라도, 김 총재는 신의가 없기 때문에 세간에서 거부감이 있는 것 같습니다.

김대중 그렇게 조작한 면도 많습니다. 내가 신의 없었던 것을 구체적으로 대 보세요.

최보식 1987년 대선에서도 출마 않겠다고 하다가 번복했지 않았던가요?

김대중 1987년 대선에서 불출마 선언을 한 적이 없어요. 김영삼 대통령은 당시 독일 본에서 "내가 사면 복권되면 양보한다"고 기자들에게 말했어요. 그런데 내가 사면 복권되니까 양보 안 했어요. 신의 없기는 그쪽입니다. 여러분들(언론)이 자꾸 나에게만 그러니까, 그쪽(김영삼)은 잊어버리는 거예요.

이 대목에서 그는 하루 종일 말할 수 있을 듯했다.

김대중 정계 은퇴했다가 돌아온 걸 거짓말했다고 하는데……, 그건 입장의 변화지, 결코 배신은 아닙니다. 닉슨도 드골도 정계를 떠났다가 돌아왔고,

김영삼 대통령도 정계 은퇴 선언(1980년)을 했다가 돌아왔지 않습니까. 왜 나에게만 그러느냐, 불공정하다는 겁니다! 김영삼 씨는 그럼 괜찮고!

최보식 국민들은 왜 와이에스(YS)에 대해서는 관용을 베풀었을까요?

김대중 답변하기는 어렵지만……, 내가 그 이유에 대한 느낌은 있지만 그것까지 말할 필요는 없어요. 어쨌든 불공정한 것은 사실 아닙니까?

최보식 그러면 국민들이 왜 김 총재에 대해서만 소위 불공정하게 대한다고 생각합니까?

김대중 나를 말살시키려는 공작 정치가 그렇게 만들어 왔어요. 보세요, 6·25전쟁 때 공산당에 잡혀 사형당하기 직전에 탈출한 사람을 용공으로 몰아붙이고 있지 않습니까? 지난 대선 때 김영삼 대통령이 사상 문제로 나를 얼마나 부도덕하게 대했습니까? 안기부와 짜고, "북한에서 나를 지지하라는 방송을 했다"고 허위로 퍼뜨렸지 않습니까? 선거의 당락을 좌우했어요. 공산당까지 이용해 정적을 때려잡는, 이런 부도덕한 행위에 대해서는 왜 잘 잊어버리느냐는 겁니다.

전력前歷

최보식 이왕 말씀 나온 김에, 미국의 교민 신문 『워싱턴투데이』와 일본의 주간지 『세이카이』(政界)에서 6·25전쟁 당시 김 총재가 공산당 활동가였다고 보도했습니다. 물론 이 내용에 대해 보고받았겠지요.

그는 "보고받았어요."라며 고개를 끄덕거렸다. 보도에 의하면 "6월 17일 전남 목포에 주둔하고 있던 미 해군에게 부산으로 후퇴하라는 명령이 떨어졌다. 미 해군은 후퇴하는 과정에서 경찰이 체포한 목포지역의 공산당 세력 4백 50명을 인계받았다. 이들을 함정에 태워 남해안 해상에서 총살하라는 지시를 받았다. 이 포로 속에 김 총재가 있었다. 그는 총살당하기 직전, 미군 정보부에서 일하던 고향 친구 김진하의 도움으로 목숨을 구했다."라고 되어있다.

최보식 공산당에 잡혀 곤욕을 치렀다는 김 총재의 주장과 상반됩니다.

김대중 6·25전쟁 때 난 서울에 있었어요. 대전 이남은 유엔군이 지킨다는 라디오방송을 듣고, 난 서울 천안 장항을 거쳐 고향인 목포로 내려갔어요. 목포는 이미 공산당에 점령된 상태였어요. 난 6·25전쟁 직전 목포에서 우익 단체인 대한청년단 해상단원이었으므로, 이틀 만에 공산당에 잡혀 들어갔습니다.

그러다가 9·28 서울 수복이 되니까 포로 2백20명 중 1백40명을 배에 실어다가 학살해 버렸어요. 나머지 80명은 탈옥해 살아왔어요. 그 기록이 목포 경찰서에 전부 있어요. 내 사상 문제는 5·16쿠데타 때 이미 스크린 됐고, 1980년 때도 스크린 당했어요. 그런 이야기는 상대할 가치도 없는 조작이오.

최보식 김진하 씨가 왜 그런 증언을 했을까요.

김대중 그 사람이 내게 아무런 원한이 없는데 그런 이야기를 했으리라고는 보지 않아요. 잡지에 글을 쓴 사람이 문제가 많을 거요.

최보식 새로 일산에 지은 주택에 대해 "돈 버는 직업도 가진 적이 없는데, 어떻게 해서 호화 주택을 지을 수 있는가?"라는 등 말이 많지요.

김대중 난 일일이 계산서 내놓고 사는 사람이 아니니까, 그 얘기는 할 게 없고……, 일산에 한번 와 보세요. 와 본 사람들은 "왜 이리 집이 작으냐?"고 그래요. 일산으로 간 것은 정계 은퇴하고 공기 맑고 땅값 싼 데서 조용히 살려고 했던 겁니다.

최보식 1992년 대선 직전 노태우 대통령으로부터 20억 원을 받았다는 사실은 김 총재의 이미지에 또 하나 오점을 남겼습니다. "위로 명목이고 어떠한 조건도 없었기 때문에 받았다"고 하셨지요.

김대중 예.

최보식 지금껏 살아오면서 20억 원이라는 거액을 조건 없이 주는 경우가 있었습니까.

김대중 …… 노태우 씨가 비서관을 통해 돈을 돌렸다는데, 비서관은 "당신만 주는 게 아니라 다른 사람도 줬다"고 말했습니다. 그때 중립내각을 했으니까, 20억 원이 부정한 돈이라고는 꿈에도 생각지 않았습니다. 대통령이 20억 원 정도는 충분히 만들 수 있다고 보았어요. 그리고 당시 용공 조작, 지역감정에 시달려 막판 선거가 어려운 상황이었는데, 노태우 씨의 돈을 거절해 상황을 악화시키는 것은 좋지 않다고 판단해 받았던 겁니다.

하지만 돈을 감추지 않았습니다. 그 전에 한 월간지와 인터뷰했을 때, 반쯤 시인했습니다. 노태우 씨가 구속될 때 지체 없이 그 사실을 밝혔습니다. (언성을 높이며) 받은 것을 받았다고 말하는 사람은 매도당하고, 안 받았다고 거짓말하는 사람은 묵과하고! 2천억, 3천억 원 받은 사람은 문제 삼지 않고! 이렇게 불공성할 수 있습니까?

언제 내가 텔레비전에 나간 적 있습니까

최보식 누구로부터 받았느냐는 것도 중요합니다. 노태우 대통령은 김 총재가 주도적으로 제기해 온 광주 문제와 관련돼 있지 않습니까?

김대중 지금 따지니까 그렇지요. 당시 정치적 분위기는 노태우 씨를 합법적인 대통령으로 받아들이고, 여야가 회담하고 (5공 청산을) 합의했기 때문에 그렇게…… 또 하나는 그걸 받았다고 해서 따지는 걸 못 따지지는 않잖아요. 광주 문제에서 우리가 가장 적극적으로 이야기했지 않습니까?

최보식 김 총재께서는 기자들이 촌지 받고 비판적인 기사를 쓰는 점에 대해 어떻게 봅니까?

김대중 답변할 수 없어요. 계속 어려운 질문만 하는군요.

최보식 베이징에서 돈 받은 사실을 밝힘으로써 소용돌이에 휩쓸리게 됐는데, 지금 와서 생각해 보니 "남들은 안 밝혔는데 나만 괜히 밝혔다"는 후회가 없습니까?

김대중 참 잘했다고 생각해요. 그때 안 밝혔으면 거울 속에 비친 내 자신을 볼 수 없었을 거예요. 국민들이 그걸 이해 못 하고 비난하면, 받아들입니다. 정치인이든 누구든 과오를 범할 수 있습니다. 명예가 떨어지고 비난이 오는 걸 무릅쓰고 과오를 밝혔으면, 인정해 줘야 하지 않습니까?

최보식 이 문제 때문에 심적으로 위축되고 있나요?

김대중 처음에는 좀 위축됐지만……, 내가 대통령 되려고 몸살 앓는 사람으로 보면 안 돼요. 연말까지 국민들이 나를 필요로 하는지 안 하는지 보고 결정할 겁니다. 필요로 하지 않으면 그만이고요.

최보식 여론 청취를 주변의 가까운 사람들에게만 들으니 늘 좋은 쪽으로만 들게 되지 않습니까?

김대중 난 그렇게 어리석지 않아요.(웃음) 우리 당이 제1당은 몰라도 제2당은 틀림없이 되는 거 아닙니까. 그리고 대통령 후보감으로서 내가 리스트에 오르고 있으니, 아직도 지지하는 기반이 있는 겁니다. 하지만 과반수 의석은 얻지 못하고, 대통령 후보감으로 지지한다 해도 그 지지율이 높지 않은 것도 사실입니다. 그걸 알고 있어요. 어떻게 좋은 쪽으로만 생각하겠어요.

최보식 김 총재께서는 자신의 진면목이 세인들에게 잘못 알려져 왔다고 봅니까?

김대중 언론 매체가 공정 보도를 안 해 주고, 특히 텔레비전은 기회를 안 줘요. 보시오, 내가 언제 텔레비전에 나간 적 있습니까. 텔레비전에 나가 내 억울한 이야기를 한 번이라도 했습니까. 서울시장 선거 때는 텔레비전 토론을 네 번, 다섯 번이나 했는데, 1992년 대통령 선거에서는 한 번도 못 했어요. 어떻게 나를 국민에게 해명할 수 있습니까. 나에 대해 변화된 보도가 없으니, 공작 정치에 의해 만들어진 내 이미지가 그대로 갈 수밖에요.

최보식 언론으로부터 손해를 많이 받았다는 뜻입니까?

김대중 많이 받았지요.

1987년 컴퓨터 부정

최보식 언론계에서 김 총재의 입장을 지지하는 기자의 수가 현직 대통령인 와이에스(YS)를 지지하는 숫자만큼 되는 것으로 압니다.

김대중 많고 적음의 문제가 아니라, 나에 대해 좋은 기사가 안 나가고……텔레비전에도 못 나가잖아요.

최보식 오히려 기자들이 알아서 김 총재에 대해서는 좋게 써 주지 않습니까.

안면에 웃음이 엷게 퍼졌다.

김대중 그렇지 않아요. 강준만 교수가 『김대중 죽이기』라는 책을 썼지 않습니까. 나에 대해 잘 써 주었다면, 그분이 특정 언론의 이름까지 들먹이면서 『김대중 죽이기』를 썼겠어요.

최보식 김 총재께서는 전·노 전직 대통령 등 5·18 관련자 처벌에 대해 "사람은 처벌하지 않는 게 좋겠다." 했다가, "전원을 엄중 처단해 역사를 바로잡자"고 입장이 바뀐 것으로 알고 있습니다.

김대중 보도가 정확히 안 돼 그렇습니다. 진실은 밝혀야지요. 다만 본인들이 반성하면 관대하자는 겁니다. 그런데 전두환 씨가 연희동 골목에서 "김대중이가 학생 선동해서 그랬다"는 식으로 엉뚱한 소리를 했어요. 그런 반성 없는 사람에 대해 어떻게 용서하라는 소리를 합니까?

나는 5·18민주화운동 검찰 수사에 대해 무척 불만입니다. 피고발자 85명 중 12명밖에 기소 안 됐어요. 광주에서 누가 발포하라고 명령했나? 현장에서 발포 명령을 내린 책임자도 밝히지 못했어요. 명령받았다고 무고한 국민을 죽인 것은 죄가 안 됩니까? 명령이라고 해서 사람 죽이고 민간인 재산을 약탈하는 게 허용됩니까? 또 이번 조사를 보면 '김대중 내란음모사건'이 조작됐다는 사실이 한 줄도 없어요.

최보식 차기에 정권을 잡으면 광주 문제를 다시 원점에서 다룰 계획이 있습니까?

김대중 차기 정권까지 갈 것도 없이, 이번 국회가 열리면 진상을 밝히라고 문제 제기를 할 겁니다.

최보식 컴퓨터를 다룰 줄 압니까?

김대중 배우려고 했는데 못 배웠어요.

최보식 1987년 대선 끝난 뒤 김 총재가 이끈 평민당은 '컴퓨터 부정설'을 제기했지요.

김대중 지금도 믿고 있고……, 근거도 있어요. 당시 외국 기자가 컴퓨터 부정을 조사해 책을 냈어요.

최보식 『월간조선』이 취재한 바로는 당시 개표 및 집계 과정에서 중앙선거관위는 컴퓨터를 사용하지 않았습니다. 컴퓨터가 사용되지 않았는데 어떻게 컴퓨터 조작이 있을 수 있지요?

김대중 남궁진 의원한테 물어보십시오. 그가 전부 다 알고 있어요. 분명히 컴퓨터 부정을 했어요. 증거가 다 있어요. 당시 조셉 맹구노라는 미국 기자가 그 증거를 입수해 자신의 아파트에 두었는데, 누군가가 몰래 들어와 훔쳐 갔답니다. 다행히 이 사람이 복사본을 남겨 두었어요.

그래서 이 사람이 미국 가서 『월스트리트 저널』에 기사를 내려고 했으나, 『월스트리트 저널』이 한국의 영향을 받아 못 냈다는 겁니다. 그래서 책으로 출간했어요. 천주교 신도들도 그런 자료를 냈어요. (기자의 표정을 살피더니) 언젠가는 진실이 나올 날이 있으니까.

하지만 컴퓨터 부정설은 이미 1989년 국회 진상 조사와 재판을 통해 사실무근으로 판명된 것이다.(『월간조선』 1994년 12월 호는 이 컴퓨터 부정설의 허구성을 원점에서 추적한 바 있다).

눈물과 기사

김 총재는 "부드러운 기자가 나올 줄 알았는데⋯⋯"라며 씩 웃었다. 그래서 부드러운 질문을 꺼냈다.

최보식 자신의 매력은 어디에 있다고 생각합니까?

김대중 (웃음) 잘 모르겠는데요. 그건 남들이 해 줘야 할 이야기지.

최보식 김 총재께서는 스스로 "나는 눈물이 많은 사람"이라고 하는데, 정말 눈물이 많습니까?

김대중 눈물도 많고 마음이 약해요. 난 비극영화를 못 봐요. 영화를 보다가 주인공이 불행에 빠지는 장면을 보면 중간에 꺼 버려요. 어렸을 때부터 나는 강한 성격이 못 됐어요. 다만 정치에 들어와서 원칙을 포기하지 않으니까, 한편으로 무섭고 두려우면서도 그렇게 했는데, 남 보기에는 강하고 용감하게 비쳤어요. 원래 온건함이 기본 성격입니다.

최보식 정치적으로 곤경에 처했을 때도 눈물이 납니까?

김대중 그런 때보다는…… 시집가서 혼수 적게 해 왔다고 두들겨 맞고는 투신자살한 기사를 보면 눈물이 나요. 중소기업 사장이 부도로 자살했다는 기사를 보고도 눈물을 흘렸어요. 내가 젊은 날 사업을 하다가 돈에 쪼들린 기억이 나거든요.

기자가 "김 총재께서는 중앙 일간지를 모두 보는가?"라고 묻자, 그는 "다 보지요. 모두 보긴 하는데……"라고 했다.

최보식 출입 기자들 사이에 꼼꼼하게 본다고 소문났더군요.

김대중 꼼꼼하게 보고 싶어도 시간이 없어요.

최보식 언론에 대해 너무 잔신경을 많이 쓴다는 비판도 있습니다.

김대중 언론 때문에 자꾸 피해를 보고 있는데 신경을 안 쓸 수가 있습니까?

최보식 비록 자신의 뜻과는 맞지 않지만 언론에서 예상 보도하는 대로 움직일 때도 있습니까?

김대중 반드시 그렇지는 않고…….

최보식 예를 들어 언론에서 김 총재는 이런 식으로 하는 게 좋을 듯하다고 보도되면, 그 보도대로 따라갑니까?

김대중 나도 생각지 않고 있는데, "김 총재가 이렇게 할 것"이라는 해설 기사 난 것을 보면, 그대로 따르기도 해요. 신문 기사는 참고가 돼요.

최보식 늘 기자들과 같이 생활하지 않습니까. 기자들에 대해 어떻게 평가합니까?

김대중 좋아요. 좋아한다고요.

정계 복귀는 역사가에 의해 평가될 겁니다

최보식 호불호를 질문드린 게 아니라 평가를 해 주십시오.

김대중 말이 통하거든요. 현실감각이 있으니까 말이 통해요. 다만 언론 환경이 자기 뜻대로 안 되는 경우가 있어, 안타깝게 생각해요. 개중에는 저 사람이 저래서는 안 되는데라고 할 만한 사람이 없는 것은 아니지만. 언론인 개인에 대한 악감은 없어요.

최보식 "저래서는 안 되는" 사람 속에는 김 총재에 대해 비판적인 기사를 쓰는 기자가 들어갑니까?

김대중 비판적인 것보다도 사물을 올바른 시각으로 보지 않고 어떤 목적에 맞춰서 쓰려는 기자가 있어요. 그러면 결국 내게 불이익도 오는 것이고…….

최보식 현대사의 두 거인이라고 할 수 있는 우남 이승만과 백범 김구 중 어느 쪽에 더 호감을 느끼고 있습니까?

김대중 인간적인 면에서는 백범을 존경하고, 우남은 존경 안 해요. 하지만 정치인으로서는 우남이 백범보다 훨씬 더 현실을 요리하는 능력이 앞섰다고 봐요. 백범은 정치인으로는 실패한 대신, 민족의 스승으로서 성공했어요. 우남은 정치적으로 성공했지요. 그러나 4·19로 끝까지 성공하지는 못했어요.

최보식 정치인인 김 총재는 우남 쪽을 따르겠다는 겁니까?

김대중 안 따르죠. 그 분은 자기 목적 달성을 위한 수단을 잘못 택했어요. 정권을 잡으려고 친일파를 등용하고 그 세력에 의존했어요. 그래서 우리 민족의 정기가 깨진 거요. 친일파들은 과거 죄악을 합리화하기 위해 반공으로 무장했어요. 친일파가 반공 의인義人이 되어 버린 거요. 나는 아무리 대통령이 못 돼도 그런 방식은 안 취합니다.

최보식 유사한 비유가 될지 모르지만, 김 총재께서는 혹 정권을 잡게 되면

쿠데타 정권인 5공에 동조한 세력들은 등용하지 않을 겁니까?

김대중 국민에게 용납될 수 없는 큰 과오가 있는 사람은 물론 안 되지요. 그러나 추종했던 사람으로서 과거를 청산하고 국민에게 용납되는 사람은 배척할 수 없지요. 그것이 진정한 화해 정신이에요.

최보식 차기에 기회가 닿더라도, 김 총재의 건강이 가능한가라는 의구심이 없지 않습니다.

김대중 정치인이 최고 격무를 할 때가 선거철입니다. 나도 건강에 대해 걱정했는데 해 보니까 아직 불편한 게 없어요.

최보식 정치 입문 이래 40여 년의 세월이 흘렀습니다. 이제 행장을 꾸리고 정리해야겠다는 생각은 안 듭니까?

김대중 그래서 나갔지 않습니까. 김영삼 대통령은 내가 아태재단 운영하는 것조차 방해하고, 이기택 씨는 내가 총재를 시켜 주었는데도 충고도 안 받아들이고 야당을 망치고 있어 돌아온 겁니다.

최보식 정계 은퇴를 지켰더라면 김 총재께서는 명예를 얻었을 텐데요.

김대중 그 문제를 생각했어요. 정계 은퇴를 번복하면 현실적으로 명예에 손실이 있지요. 하지만 진정한 양심이란 설사 비판과 오해를 받더라도 "내가 이 일을 할 수밖에 없다"면 하는 것이라고 봅니다. 그것이야말로 진정한 용기고 양심이지요.

대통령은 못 돼 보았잖아요!

최보식 국민들로부터 이미 세 번이나 테스트를 받았는데, 아직도 더 테스트받을 게 남아 있다고 봅니까?

김대중 난 한 번도 공정하게 테스트를 받아 본 적이 없습니다. 언제나 부정선거, 언제나 언론의 편파 보도에 시달려 왔습니다. 이제 지지제가 시작됐으므로 관권선거가 어렵게 됐고 그리고 여론도 달라지기 시작했으니 한번 해 볼 만하지만……, 그러나 국민들이 "이미 세 번이나 테스트를 받았는데 또 하느냐"면 못 나가는 거지요. 대신 국민들이 "안됐다. 우리가 판단을 잘못한 것이니까 한 번 더 기회를 줘야겠다. 그만한 사람이 더 없지 않으냐"고 생각 하면 해 볼 수 있는 것이고…….

우울하면서도 한편으로는 단단한 음색이었다.

최보식 3김 청산이나 세대교체론에 대해 어떻게 받아들입니까?

김대중 김영삼 씨와 함께 '40대 기수론'을 주창했을 때, 대통령 경선에 우 리를 끼워 달라고 했지, 그 선배들에게 물러나라고 한 적은 없어요. 그런 식 은 꿈도 안 꿨어요. 나이나 어떤 조건을 붙여 강제적으로 물러나라고 한 것은 5·16쿠데타 당시 박정희 씨나 김종필 씨가 한 것입니다. 그전에는 세대 교체 라는 말도 없었어요.

세대 교체는 국민의 손에 의해 되는 겁니다. 세대 교체를 보면 그 사람들(3 김) 영향 아래 선거가 이뤄지지 않았습니까? 국민들이 그 사람들을 지지하고 있다는 겁니다. 무조건 물러나라는 주장은 주권자인 국민의 의사를 무시하 는 것이지요.

최보식 유권자의 연령층으로 보면 중년층에서 김 총재에 대한 지지율이 낮거나 거부감을 갖고 있는 것으로 나타납니다. 그 이유를 무엇이라고 봅니 까?

김대중 유신 이후 조작된 제 이미지로 피해를 본 것입니다. 그걸 어떻게 하 겠습니까! 하지만 그처럼 처참하게 당하고도 이 정도로 유지한 건 대단한 겁 니다. 그 속에서 20년, 30년 이상 버텨 왔어요. 언론 매체뿐만 아니라 향토에 비군 훈련장, 관공서 회의, 대기업체 강연회 등에서 "김대중은 빨갱이고 거짓말쟁이고 돈에 대해 욕심이 많고 이러쿵저러쿵" 하는데 과연 견뎌 낼 사람이 있겠습니까? 그런데도 나는 아직 대통령 후보로 거론되고 있으니 기적입니다.

최보식 지금까지 그처럼 버텨 올 수 있는 힘은 어디에 있었습니까?

김대중 힘들었지요……. 그러나 성공은 못 했잖아요.

최보식 버텼지만 성공은 못 하셨다고요?

김대중 대통령은 못 돼 보았잖아요! 억울하게 여기거나 슬퍼하진 않아요. 그런 가운데서도 제 소신껏 살아올 수 있었음을 감사하게 생각합니다. 개인적으로는 억울한 일도 많고……. 나는 우리 국민을 사랑해서 하나밖에 없는 내 목숨을 내놓고 싸웠는데……, 내가 사랑하는 국민들로부터 오해에 의해 배척받고, 어디 가서 변명할 기회도 못 얻고, 살아온 것이 억울하지요.

내가 죽은 후에……

그의 말은 걷잡을 수 없이 쏟아졌다.

김대중 내가 죽은 뒤 나를 오해한 사람들은 나를 제대로 평가할 것이라고 확신합니다. 최근 『월간조선』을 보니 버나드 크리셔 기자(전 『뉴스위크』 기자)가 나를 상당히 이해해 주었어요.(『월간조선』 1996년 2월 호에는 "김대중 씨가 죽고 나면 그때 가서야 한국인들이 김대중 씨에게 정말로 큰 빚을 지고 있다는 것을 깨닫게 되리라고 생각합니다."라고 나온다).

난 참 억울해요! 제일 억울한 것은 한번 나라를 맡아서 정말로 잘해 보려고 했는데, 전혀 그런 기회를 못 갖고 나이를 먹었다는 사실입니다. 아무것도 못 했잖아요. 우리나라 민주주의를 확립시키는 일도 못 했고, 경제도 중소기업 중심으로 못 했고, 중산층과 서민의 권리, 사회보장도 못 했고, 남북 간의 화해와 협력의 길도 열지 못했고……, 그래서 미련이 있는 겁니다. 그러나 앞서 말했다시피 국회의원도 못 해 본 사람도 있는데 이 정도면 됐지 않느냐고 스스로 달래요.

최보식 일각에서는 김 총재의 이러한 처신에 대해 '노욕'이라고 비판하기도 합니다.

김대중 그건 상관없어요. 내가 노욕에서 했건, 정당한 의무감·사명감에서 했건……, 국민들이 안 받아들이면 그만이니까요. 그건 국민들이 결정할 거니까, 가타부타할 게 없어요.

최보식 김 총재께서는 인생에서 가장 소중한 게 무엇입니까? 힘입니까, 명예입니까.

김대중 내 양심입니다.

* 이 인터뷰는 『월간조선』 1996년 4월 호에 게재되었다.

대통령중심제 고수 선언

대담 조갑제

일시 1996년 6월 11일

우리 민족은 주체성이 강하다

지난 6월 11일 오전 비둘기색 양복에 미색 사선 무늬 타이 차림의 김대중 새정치국민회의 총재는 인터뷰장(서교호텔 중국 식당)에 들어서면서 먼저 날씨 얘기를 꺼냈다. 어제오늘 단비가 내렸다는 것이었다.

며칠 전 기자가 취재를 다녀온 중앙아시아 문제로부터 대화를 시작했다. 몽골 초원의 대화재와 고비사막 지하에 매장되어 있다는 지하자원이 얘깃거리였다. 그는 무한정한 자원 등 잠재력이 큰 중앙아시아에 미국이 이미 진출해 있고 또 그 지역 진출의 교두보를 마련하기 위해 미국이 대북 관계 개선에 노력하고 있다고 지적했다. 중국 신강성의 타림분지와 우루무치에 묻힌 원유 등 자원과 파이프라인 건설 문제에 관해 대화하다가 김 총재는 "중국이 21세기를 지배할 것이라고 보는 학자들이 많다"고 덧붙였다.

"김 총재도 그렇게 보느냐"고 질문하자 "중국에는, 방대한 인구를 어떻게 먹여 살리느냐, 경제가 발전함에 따라 그 수가 크게 늘어가고 있는 중산층의 정치적 권리 요구를 공산당과 군부가 언제까지 누를 수 있을 것인가, 또 세계적으로 지방화되어 가는 추세에서 각 성들이 내세울 지방자치권 요구, 소수 민족 자치주들의 독립 움직임 등을 어떻게 조정할 것인가 하는 문제 등 어려움도 산적해 있다"고 지적했다. 그러나 "경제가 빠른 속도로 발전해 감에도 인플레이션을 잡는 데 성공했고 세계은행이 2020년에는 중국이 국민총생산 (GNP) 총량 면에서 미국을 앞설 것이라고 분석하는 등 한마디로 단정하기는 어려운 매우 복합적인 상황"이라고 말했다.

"대륙 문화권에서 벗어나 해양 문화권으로 나아감으로써 큰 발전을 이룩한 우리나라가 앞으로 중국이 강성해지면 다시 중국에 끌려가 손해를 볼 가능성이 있다고 보느냐"고 물었다. 김 총재는 "우리가 중국 문화를 어떻게 받아들였는가를 살펴보아야 한다"면서 "몽골, 만주족 등은 중국을 침략하고 제국을 세울 수는 있었지만 그 거대한 문화권에 이내 동화되어 버린 반면에 우리 민족은 중국이 세계의 중심 국가로 행세했음에도 불구하고 문화를 받아들일 때 우리 것으로 재창조함으로써 그들과 동화되지 않았다"고 지적했다. 불교 문화나 유교 문화 모두를 우리에 맞게 개조해 받아들였다면서 원효의 『대승기신론소』나 『금강경론』 등의 불교 해석은 오히려 중국 사람들이 경탄하고 있고 주자학의 경우도 지금 세계 15-16개국에 퇴계학회가 생길 만큼 우리의 독특한 해석이 평가받고 있는 등 우리 민족은 의외로 문화적 주체성이 강한 민족이라고 말했다.

주자학에 대한 식견

"주자학이 학문적으로는 발전했지만 조선 선조 때 사림파가 정권을 잡은 이후로 상무 정신과 실용주의적 사고가 약화되고 위선적 명분론에 빠짐으로써 국력이 쇠퇴하고 백성들의 생활도 어려워진 것 아니냐"고 되물었다. 그는 주자학에 대해 상당히 정돈된 생각을 가지고 있는 듯했다.

우선 주자학의 폐해부터 지적했다. 첫 번째가 사상적인 탄압이었다. 불교와 양명학, 우리의 민족종교인 샤머니즘을 전혀 인정하려 하지 않았고 후대에 와서는 가톨릭과 동학을 탄압함으로써 새로운 기운을 받아들이지 못하고 정신적 다양성과 활기를 상실했다는 것이다. 또 하나의 폐단은 모든 것을 극단화함으로써 형식적인 측면에 기우는 것이라고 했다. 반상班常·적서嫡庶 차별이나 과부의 개가 금지 등이 그 전형적인 예이고 또 효도하는 것조차 형식화되어 전쟁을 치르던 고을 원님이 전쟁터를 이탈하여 삼년상을 지내는 것을 옳은 것으로 인정하는 정도로 폐해가 있었다는 것이다.

그러나 주자학이 우리 사회에 남긴 장점도 있다고 했다. 우리 정치의 가장 중요한 항목으로 치는 '명분'이 "명분론에 빠져 공론을 일삼는다"는 식으로 비판되고 있지만 나름대로 좋은 점도 있다고 말했다. 그는 이것을 '의리'를 첫째 항목으로 삼는 일본 정치와 비교해 설명했다. 다나카 가쿠에이가 록히드 사건으로 몰락해도 추종자들이 그 곁을 떠나지 않고 의리를 지켜야 한다고 생각하는 것이 정치 발전에 도움이 되지 않는다는 논리였다. 민주주의의 원리는 시비를 따지는 것이므로 극단적인 명분론만 경계한다면 명분을 중시하는 우리의 전통적 사고는 도움이 된다고 말했다.

"중앙청 철거 문제도 명분론에 치우친 것 아니냐"고 묻자 더욱 논리적인 대답이 돌아왔다.

박물관 없는 월드컵

김대중 민족의 정궁을 복원한다는 것은 긍정적인 일이지만 졸속 처리를 하다 보니 여러 가지 문제가 생겼어요. 우선 중앙청이 치욕의 역사의 상징이라고 하지만 치욕의 역사도 우리 역사입니다. 그리고 항상 치욕만 있었던 것이 아니잖아요. 제헌의회가 열렸던 곳이고 9·28 서울 수복 때 국기를 가장 먼저 올렸던 곳이기도 하지요. 또 일본은 1926년부터 19년간 사용했는데 우리는 50년이 넘는 기간 동안 그 건물을 쓰지 않았습니까? 다른 나라에서도 총독이 쓰던 곳을 후임 대통령이 계속 쓰고 있고 역사의 증거물로 삼아요. 철거하려 한다면 먼저 국민의 공론에 붙였어야죠.

또 하나 문제는 철거를 하더라도 박물관을 먼저 지어 놓고 했어야 한다는 거예요. 7년이나 더 있어야 새 박물관이 완공된다는데 문화재 보호 측면에서도 문제지만 그 기간 동안 우리 민족문화의 상징인 박물관이 없다는 것은 더 큰 문제죠. 당장 월드컵이 열리는 2002년에도 중앙박물관이 없게 되는데 세계의 손님들을 초청해 놓고 그 나라 역사와 문화의 정수를 보여 줄 수 없다는 것이 말이 됩니까?

그리고 건물도 다른 데 옮기는 게 좋지 그냥 때려 부수는 것은 좋지 않다고 생각됩니다. 일제가 지은 건물이라고 부숴 버린다면 경부선 철도도 없애야 됩니까? 시청도 한국은행도 모두 헐어야지요. 우리의 지난 역사가 치욕이지 건물 자체가 치욕이 아닐뿐더러 건물 형식도 일본식이 아니지 않습니까? 이런 것이 지나친 명분론이 아닐까 싶습니다.

또 우리가 건물을 부술 때 텔레비전을 통해서 세계 각국에 중계될 텐데 국제적 이미지에도 악영향을 끼칠 거예요. 50여 년이 지나도 원한에 사무쳐 있는 민족이라고 생각할 수도 있지 않겠어요?

조갑제 김 총재께서도 사적으로 문제를 제기했을 뿐이지 정치적 공론화를 시키지는 못한 것으로 알고 있는데 정치인으로서 책임을 느끼지는 않습니까?

김대중 부인하지 않겠습니다. 그러나 우리 사회의 극단적 분위기에도 책임이 있다고 생각합니다. 남의 말에 귀를 기울이지 않고, 반공·반일 등에 관련된 말이 한 번 비위에 안 맞으면 무조건 용공·친일이라고 몰아칩니다. 소신 있는 발언을 제대로 할 수 없죠. 언론도 이성적인 기능을 수행하지 못하는 것은 문제가 있다고 생각합니다.

조갑제 오늘날은 20세기가 끝나 가는 세기말의 시점입니다. 그 의미를 어떻게 정리하고 계십니까?

김대중 20세기는 거대 국가 시대라고 할 수 있습니다. 정부가 경제를 지배하고 조세와 예산을 통해 국민 경제를 지배했습니다. 많은 돈을 들여서 복지 정책을 시행하고 대외적으로는 거대 국가 간의 열전과 냉전의 시대였지요. 21세기가 도래하면 이러한 것은 완전히 깨어질 것이라 생각합니다. 민족 단위의 민족국가가 쇠퇴하고 국경 없는 경제 교류가 이루어지고 중앙정부의 통제가 약화된 지방화 시대가 될 것입니다.

또한 수직적 지배의 시대에서 수평적 참여의 시대로 변화될 것입니다. 정점에서 하향 지배하는 피라미드의 시대에서 오케스트라의 시대로 변한다고 할까요. 21세기의 경제도 소품종 대량생산의 대기업 시대에서 다품종 소량 생산의 중소기업 시대가 될 것입니다. 중화학 공장 같은 대기업도 내부적으로는 수백 개의 독립 해산 단위로 분할될 것입니다. 이러한 경제체제의 변화가 수평적 참여를 요구합니다.

수직 지배의 시대가 독일이나 일본 민족의 성향과 잘 맞았다고 한다면 수평 참여의 시대는 우리 민족성과 잘 어울립니다. 우리 민족성을 한恨, 멋, 신명神明, 이 세 가지로 정의한 적이 있는데 신명이 나도록 하면 수평 참여의 시대에 큰 힘을 발휘할 수 있어요.

노령 인구 방치는 배은망덕

조갑제 그렇다면 우리는 21세기를 어떻게 대비해야 하겠습니까?

김대중 정치적인 측면에서는 그야말로 '새 정치'를 해야 합니다. '새 정치'란 참여의 정치, 신명 나는 정치를 말합니다. 특히 여성에게 기회를 많이 줘서 차별이 없는 참여의 정치를 이끌어 내고 지방자치제를 강화해서 모든 단체에 자율성을 주어야 합니다. 스스로 책임을 지고 참여하게 되면 신명 나서 모두가 열심히 노력하게 됩니다.

경제에서는 다품종 소량생산 시대에 대비해 대기업 중심 정책에서 벗어나 중소기업을 활성화시키고 기술과 디자인 개발에 주력해야 합니다. 중소기업을 공업으로 국한시키지 말고 상업, 서비스업도 포함시켜야죠. 관광·회의·문화사업 등도 활성화시켜야 합니다. 20세기가 경제와 군사력의 시대라고 한다면 21세기는 경제와 문화의 시대가 될 것입니다. 문화의 주도권을 빼앗겨서는 건실한 발전을 할 수 없습니다.

사회적인 측면에서는 지금 일부 서구 사회와 같이 완벽한 복지 제도를 갖추려 하는 것은 바람직하지 못합니다. 서구식 복지 정책을 무조건적으로 추종하는 것은 우리 실정에 맞지 않습니다. 우리나라의 연령 구조가 점점 노령화되고 있는데 지나친 서구식 복지 정책은 국민을 나태하게 만들고 국가경쟁력을 상실시킬 우려가 있어요. 퇴직 이후에도 사회 활동이 가능하도록, 최대한 자력 구제할 수 있는 여건을 마련해 주는 것이 무엇보다 중요하죠. 장애인에게도 충분히 일할 수 있는 기회를 만들어 주는 것이 필요한 일입니다.

그러나 지금까지 우리나라는 복지 문제를 너무 내팽개쳐 왔어요. 우리나라가 경제로는 세계 11위권의 대국이라고 하는데 사회보장 국가 예산은 75위이고 사회보험까지 계산해 보면 세계 1백22위라는 통계도 있어요. 점심을 못 먹는 노인이 30퍼센트에 이르고 용돈 궁한 노인이 80퍼센트, 거리를 헤매는 올데갈데없는 노인이 10만 명이 훨씬 넘는다고 합니다. 그런데 이 노인들은 우리가 전쟁의 폐허에서 일어서려 할 때 꿀꿀이죽 먹으면서 미군의 낡은 작업복을 입고 공장에서, 농촌에서 일하면서 우리 경제 발전의 기초를 만든 세대들입니다. 이들을 내팽개치는 것은 배은망덕한 행동이죠.

효도라는 것도 가족 단위로만 생각할 것이 아니라 사회적 효도가 병행되어야 하고 자식이 부모를 편안히 모실 수 있도록 국가가 지원해야 합니다. 그러나 효율성 없는 사회복지 예산 지출은 자제해야 하고 일할 수 있는 사람이 놀고먹는 제도를 만들어서는 안 됩니다.

다음 남북 문제를 살펴보면 북한에 대해 지금까지 우리 정부가 써 온 흡수통일 정책은 완전히 실패했고 사태만 악화시켰습니다. 어떠한 군사적 도발도 못 하도록 철저한 안보 태세를 갖추면서 북한이 연착륙하도록, 북한을 제2의 중국이나 베트남이 되도록 유도해야 합니다. 북한이 경제적으로 잘 돼야 우리의 부담이 적어진다는, 발상의 전환이 있어야 합니다.

개헌으로 권력 구조 못 바꾼다

조갑제 권력 구조 면에서는 지금의 대통령중심제가 21세기에도 적합하다고 생각하십니까?

김대중 어느 제도가 적합하냐를 따지는 것보다 국민들이 어느 것을 원하느냐가 중요한 문제입니다. 국민들이 원하는 제도를 가져야 활기가 생기고 신명이 일어납니다. 국민들에게 물어봐야죠.

조갑제 국민들의 뜻을 아는 방법은 선거와 여론조사인데 여론조사에서는 대통령제와 내각제의 선호도가 비슷하게 나오고 있습니다. 정치 지도자로서 국민의 뜻을 아는 것도 중요하지만 자신의 정치철학을 관철시키려는 지도적 입장도 필요한 것 아닙니까?

김대중 여론조사에서도 여러 상이한 결과가 나왔습니다. 이번 총선에서는 물론 다른 여러 가지 요인들도 투표에 영향을 미치긴 했겠지만 내각제를 내세운 자민련이 16퍼센트를 얻었고 대통령제를 지지한 나머지 3당이 80퍼센트가 넘는 지지율을 보였습니다.

조갑제 지금 국민의 여론은 어떻다고 보십니까?

김대중 정확히는 모르겠지만 지금 막 선거가 끝났는데 권력 구조를 바꾸자고 하는 것은 명분이 없다고 생각합니다. 꼭 하자면 16대 때나 해야죠. 현행 헌법하에서도 얼마든지 내각제적 요소를 적용하여 운영할 수 있어요. 국무총리가 제청할 수 있고 국회가 불신임권도 가지고 있지 않습니까? 내가 누차 주장했듯이 거국내각, 연립내각 구성도 가능합니다. 그런 헌법이 있음에도 불구하고 세계에서 유례를 찾아보기 힘들 만큼 대통령이 독재적인 운영을 하고 있습니다.

이것은 야당과 국민이 견제해야 합니다. 정부 여당이 항상 주장하는, 여당이 국회 과반수가 되어야 안정이 된다는 논리도 잘못된 것이지요. 내각제에서는 과반수가 안 되면 정권이 바뀌지만 대통령제에서는 그렇지 않습니다. 임기가 보장되어 있고 국회 결정을 비토할 권한도 있습니다. 지금 클린턴 대통령도 여소야대 국회 아래서 잘하고 있지 않습니까? 현행법을 가지고도 잘 운영할 수 있는 것을, 대통령이 마음대로 하니까 대통령제 폐단만 부각되는 것입니다.

조갑제 15대 국회에서는 권력 구조에 관련된 개헌을 할 수 없다는 말씀입니까?

김대중 세 가지 이유 때문입니다. 우선 선거 때 대통령중심제를 공약했기 때문에 내각책임제로 개헌할 권한이 없습니다. 또 지금 여당이 다수인데 내각제 했다가는 수평적 정권 교체를 해야 한다는 목적을 이룰 수도 없습니다. 또 하나의 이유가 현재의 법 가지고도 잘 운영을 할 수 있다는 것입니다.

조갑제 다음 대통령 선거에는 권력 구조 개편을 공약으로 내세우는 것은 어떻습니까.

김대중 거기에 대해서는 아직 생각해 본 적이 없습니다.

조갑제 김종필 자민련 총재는 다음 대선에서 내각제를 공약으로 거는 사람이 대통령이 되어야 한다고 주장하고 있습니다.

김대중 지금 국민들이나 국회의원 중에도 내각제에 호감을 가지는 사람들이 어느 정도 있는 것으로 알고 있습니다. 개인적으로는 대통령제의 신념에 변화가 없습니다. 그러나 정치적인 차원에서 권력 구조에 대한 논의를 할 수는 있을 것입니다.

내각제보다 지자제 강화가 중요

조갑제 권력 구조 문제가 상당히 민감한 것이기 때문에 논의가 본격화되면 여파가 크기는 하겠지만 21세기를 맞이하면서 새 시대에 맞는 올바른 정치의 틀을 논의할 필요가 있다고 생각하지는 않으십니까?

김대중 혁명적 변화가 올 21세기를 대비해서는 지도자가 그 변화에 적절히 대비할 수 있는 철학과 통찰력을 갖추고 알맞은 정책을 세워 흔들림 없는 지도력을 발휘할 수 있어야 합니다. 그런 면에서 대통령제가 더 적합하다고 생각합니다. 내각제는 아무래도 안정되기가 어려워요.

21세기에 필요한 것은 내각제의 도입보다는 우선 지방자치제의 강화라고 생각합니다. 중앙정부는 정책과 예산을 기획만 하고 집행은 지방자치단체와 기업에 맡겨야죠. 중앙정부가 중점적인 일만 맡아도 세계를 내다보며 정책을 세우려면 할 일은 무척 많을 거예요.

어제(6월 10일) 발표한 개인휴대통신(PCS) 사업자 선정도 왜 정부가 개입해서 분란을 일으키는지 모르겠어요. 국제 경쟁에 이길 수 있는 능력이 있는 기업이 자율적으로 참여하도록 하면 될 것입니다. 중소기업을 배제한 것도 큰 문제지요. 매년 한 해에 2백여 명의 중소기업 사장이 자살을 하고 1만 4천여 개 중소기업이 도산을 하는데 돈벌이될 만한 사업은 하나도 안 주잖아요.

조갑제 김영삼 정부 들어 실시한 금융실명제가 중소기업의 도산과 관련이 있다고 생각하십니까?

김대중 실명제 자체는 바람직한 일이지만 그 보완 대책에 너무 문제가 많았어요. 사채 시장은 다 막아 버렸는데 은행에서는 담보 없으면 돈을 안 빌려주니 내일 받을 돈이 있는데도 오늘 도산하게 되는 것 아닙니까?

조갑제 지방자치제가 실시된 지 1년이 됐는데요. 지금까지 지자제가 성공하고 있다고 보십니까?

김대중 대체적으로 성공하고 있다고 봅니다. 국민들도 그렇게 생각하고 있지 않습니까? 자치단체장들이 서로 경쟁을 하면서 열심히 하고 있고 시장통까지 누비면서 주민들의 의견을 듣고 현안을 논의하면서 행정을 해요. 그리고 무엇보다 주민들의 주인 의식이 높아진 것이 중요한 점이죠.

좋은 정치를 하기 위해 투쟁했다

조갑제 21세기는 김 총재 개인적인 입장에서는 그동안의 정치 생활을 마무리해야 하는 시기와 겹칩니다. 어떤 식으로 마무리할 생각입니까?

김대중 내가 그동안 반독재 투쟁을 해 오면서 한 번도 투쟁을 위한 투쟁을 하지는 않았습니다. 좋은 정치를 하기 위해 투쟁했던 것이죠. 감옥에 들어갔을 때나 감옥 밖에서나 항상 공부를 했고 좋은 시절이 오면 어떻게 하면 국민들을 위해 좋은 정치를 할 수 있을까 고민했습니다. 그러나 내 부덕의 소치와 내 힘으로는 감당할 수 없는 지역감정과 용공 조작, 관권 총동원 등으로 번번이 실패했고 그래서 정계를 일단 떠났던 것입니다.

그런데 정계를 떠나서 김영삼 대통령이 정치하는 것을 보니까 과거 우리가 민주화투쟁을 하면서 주장하던 것과 정반대의 행태를 보여 줬습니다. 지방자치, 악법의 개폐, 노동운동 허용, 한국은행의 독립, 통합 의료보험 실시 같은 문제는 일체 외면하고 결국 하고 있는 것은 전두환 대통령 때와 다름없는 것이었습니다. 그리고 거기에 더해서 언론에 압력을 가하고 야당을 말살하고 편파·표적 수사를 자행했습니다. 이제는 심지어 부정선거를 자행하는 상황에까지 왔습니다.

그런 데다가 내가 떠날 때는 거대 야당을 만들어 주고 후계자까지 전력을 다해서 총재로 당선시켜 주고 나왔는데 결국 야당이 야당 역할을 제대로 못하는 지경에 이르렀습니다. 그런 상황에서 많은 고민을 했습니다. 결국 "나는 정치인이지 은둔한 지사가 아니다. 정치가 잘못되고 있고 대안이 없는데 나라도 나가지 않으면 내 책임을 다하는 것이 아니다"라는 생각을 하고 새정치국민회의를 창당한 것입니다. 새정치국민회의가 나온 이후에 김영삼 대통령이 우리 당을 얼마나 두려워하고 말살하려 했습니까? 그리고 1년 반 동안이나 진실을 다 알고도 감췄던 노태우 비자금 문제도 우리가 나온 이후에 표면화되었고 또 광주 문제도 2년 반 동안 취급을 거부하다가 우리 당이 창당된 이후에 해결되었습니다.

앞으로 제일 중요한 문제는 수평적 정권 교체라고 생각합니다. 50년 동안 여당이 여당 되고 야당이 야당 되는 상황에서 권위주의적 틀이 바뀌지 않고 강화되어 온 것입니다. 또 한 지역에서 37년간 집권자가 나왔으면 이제는 다른 지역에서 나와야 합니다. 우리나라 힘 있는 자리 10개, 안기부, 검찰, 경찰, 국세청, 기무사, 그리고 5개 군의 책임자 중 9명을 부산경남(PK) 지역 출신이 장악하고 있는 것이 그 폐해를 상징적으로 보여줍니다. 나머지 1명조차도 대통령과 친인척 관계에 있는 사람입니다. 이런 법은 세상에 없습니다. 과거 전두환, 노태우 대통령 시절에도 없던 일입니다.

충청도건 전라도건 경기도건 한 번은 경상도가 아닌 다른 지역에서 집권자가 나와 인사·지방발전·문화적 처우 등에 있어 지역차별이 없어져야 합니다. 수평적 정권 교체와 특정 지역 정권 교체, 이 두 가지가 이루어져야 역사

바로 세우기나 개혁이 올바로 완성될 수 있습니다.

조갑제 수평적 정권 교체를 주장하면서 정권이 여당에서 야당으로 가야 한다는 것은 이해가 될 수 있는 얘기지만 지역 간 정권 교체를 공론화시키는 것은 문제가 있다고 보입니다. 정치는 이념이나 정책에 따라 정당이 만들어지고 대결을 해야지 지역에 따라 편이 나눠진다면 국가가 분리되었거나 연방제를 할 경우에 나올 수 있는 논리 아닐까요? 이것은 정치 일반론을 뛰어넘는 것이라는 생각이 듭니다.

김대중 정치를 저차원으로 내리는 결과를 낳을 수 있습니다. 그러나 우리 정치가 그런 저차원에서 정해지고 있다는 것이 문젭니다. 현실을 똑바로 봐야 합니다. 1992년 14대 총선에서 우리가 좋은 정책을 내세우고 권위 있는 기관에서 우리의 공약이 가장 우수하다고 평가했습니다. 그런데 그것이 한 표도 도움이 안 됐습니다. 우리가 농민을 위해서, 중소기업을 위해서 그렇게 노력했지만 그들의 표가 오지 않았습니다. 마지막 순간에는 항상 지역성에 얽매여 투표했지 않았습니까? "우리가 남이가." 한마디가 모든 걸 다 뒤엎는 거예요. 이 문제를 깨지 않고는 정치가 정책 대결이나 이념 대결이 될 수가 없습니다.

그리고 국정을 맡은 사람은 공정하게 인재를 등용하고 공정하게 지역 발전을 시켜야 할 의무가 있는데 자기 지역의 인재만 쓰고 자기 지역만 발전시키는데 이 문제를 덮어 두고 이념과 정책을 얘기하는 것은 위선입니다. 그러니까 내가 정치를 비하시킨 것이 아니고 역대 정권이 정치를 비하시켰기 때문에 이 비하를 깨야 정치가 승화된다는 것입니다.

야권 단일 후보, 아직 논의할 단계 아니다

조갑제 그 논리는 앞으로 경상도 포위 전략을 쓰겠다는 뜻으로 받아들여질 수도 있습니다.

김대중 지금 경상도에도 김영삼 정권을 찬성하는 사람만 있는 것은 아닙니다. 편파적인 지역 발전론과 인사 정책을 썼다고 비판하는 사람들이 많습니다. 나는 지역 차별한 지도자를 배척하는 것이지 그 지역 사람들을 배척하겠다는 뜻이 아닙니다.

경상도 사람들도 지역차별 전략의 피해자입니다. 대구가 30년을 집권했는데 지금 6대 도시 중에 1인당 소득이 최하위입니다. 역대 대구경북(TK), 부산경남(PK) 정권이 자기 정권의 이익을 위해 대기업 위주의 정책만 폈기 때문입니다. 영남 사람들의 소박한 애향심을 악용해서 가장 사악한 정치를 펴 온 것이 역대 정권입니다. 본의 아닌 피해자가 된 영남 사람들도 구원받을 수 있는 정치, 4천5백만이 "우리가 남이냐." 라는 말로 뭉칠 수 있는 정치를 해야 합니다. 내가 그동안 싸워 온 것이 특정 도를 위하기 위해서 목숨 걸고 싸워 왔겠습니까? 나는 지역차별 정치의 최대 피해자입니다. 그러한 차별을 없애기 위해서도 다음 정권은 거국내각을 해야 합니다. 이는 내가 지난 1992년 선거에서도 주장한 바입니다.

조갑제 김 총재께서 자주 주장하는 거국내각은 어떤 것입니까?

김대중 원래 내각은 여당에서 구성하는 것이지만, 거국내각은 여야 구별 없이 모두 다음 정권에 참여하자는 것입니다. 50년 쌓인 적폐를 바꿔서 개혁하기 위해서 한 2-3년쯤은 거국내각이 필요하다고 봅니다. 과거 독일에서도 빌리 브란트가 기민당과 대연정을 했지 않습니까? 와이에스(YS)는 말만 개혁하자 했지 실제로는 기득권 세력 등 저항 세력 때문에 올바른 개혁을 할 수가 없습니다. 야당, 여당이 계속 대결하게 되면 효율적인 개혁을 하지 못하니까 그런 것 없이 우리가 2, 3년 동안 협력해서 개혁을 함께 수행하자는 것입니다.

조갑제 앞으로 대통령 선거에서는 야권에서 단일 후보를 내야 한다는 견해가 나오고 있습니다.

김대중 지금 단계는 김 대통령이 저지른 부정선거에 대한 척결, 그리고 여소야대를 인위적으로 여대야소로 조작한 것에 대한 시정, 그리고 앞으로는 부정선거를 안 하겠다는 다짐을 요구하는 것, 이 세 가지 측면에서 공조하고 있는 것입니다. 그 이외에는 아직 논의할 단계가 아니라고 봅니다.

조갑제 경상도에서 정권이 옮겨져야 한다는 주장과 야권 단일후보론 등은 모두 공통된 전략에서 나온 얘기 같습니다. 그런데 계속 야권이 분열해 있으면 신한국당이 다음 대선에서도 또 승리할 것이라고 보는 사람이 많습니다. 장기적으로는 야권 단일 후보를 구상하고 있지는 않습니까?

김대중 당면한 문제에 있어 공조를 잘하고 앞으로 여론을 봐 가면서 그러한 노력도 생각해야 될 문제겠죠.

전 대통령 사면, 여론 따라야

조갑제 검찰이나 경찰 등은 대통령이 상당한 영향력을 행사할 수 있는 공권력입니다. 그런데 이런 공권력이, 국회의원 같은 선출된 권력을 가진 사람을 소환해 가고 사법처리 하는 일이 많이 생기면 국민들이 뽑은 권력이 이렇게 허무한가 하는 허탈감을 줄 수도 있고 또 한편으로는 약점이 있으니까 그럴 수밖에 없구나 하는 착잡한 마음을 갖게 합니다. 김 총재나 야당에서는 억울한 부분을 부각시키려 하지만 국민들의 마음은 단순히 억울하다는 생각만 가진 것은 아닌 듯합니다.

김대중 어느 나라든 아무리 선출된 권력이라도 죄를 지었으면 처벌받아야 하는 것은 당연한 일입니다. 그런데 두 가지가 전제되어야 합니다. 우선 형평의 원리에 어긋나서는 안 된다, 그리고 집행기관이 공정해야 한다는 것입니다. 우리처럼 표적 수사를 하고 일부러 확대 과장하여 처벌하고 검찰은 대통령의 사병화되고 하면 야당이 승복할 수가 없는 것이죠. 국민이 이 문제를 잘 알아야 하고 언론도 지적해서 문제 삼아야 하는데 아직까지는 제대로 역할을 수행하고 있지 못합니다.

조갑제 개원 이후에는 검찰권의 잘못된 행사에 대해 문제를 제기하고 견제할 복안을 가지고 있습니까? 검찰총장 임명 시 국회 동의를 얻도록 하는 등의 방안도 있지 않을까요?

김대중 표적·편파 수사를 추궁할 예정입니다. 제도적으로는 검찰총장을 국회에 출석시킬 수 있도록 하는 방안, 그리고 검찰총장을 지낸 사람은 적어도 그 정권하에서는 정부에 참여하지 못하도록 제도화하는 것 등이 이루어져야 할 것입니다.

조갑제 전두환·노태우 두 전직 대통령의 공판이 끝나 선고가 내려지면 반드시 사면 문제가 대두될 것으로 보이는데요.

김대중 국민의 여론에 따라야 한다는 생각에 변함이 없습니다. 그 이전에도 광주학살 문제를 대할 때 나는 진상 규명, 광주 시민의 명예 회복, 정당한 배상, 그리고 기념사업 등을 주장해 왔습니다. 그러나 나는 개인의 신체적 처벌에는 관대해야 한다는 태도를 취해 왔습니다. 그런데 요즘 들어 또 다른 문제가 생겼습니다. 당시에는 국회에 나와 전두환 전 대통령이 사과하고 했는데 지금은 하나도 잘못된 것이 없다면서 5공 정부의 정당성까지 강변하고 있습니다. 국민감정이 악화될 수밖에 없죠.

또 노태우 전 대통령은 대선 때 비자금을 줬으면 줬다고 말하면 될 텐데, 자기가 말하면 나라가 크게 잘못된다는 등의 얘기를 하면서 김영삼 대통령과 홍정하는 인상을 주고 있습니다. 재판 후까지 국민의 여론을 살펴봐야 합니다.

조갑제 권력체제 문제도, 전 대통령 사면 문제도 모두 국민 여론을 따라야 한다고 말했는데 국민의 뜻도 물론 중요하겠지만 정치인으로서 국민을 리드할 필요도 있지 않습니까?

김대중 권력체제 문제에 있어서는 나는 대통령제가 바람직하다고 생각합니다. 그리고 전직 대통령 사면 문제는 내가 나섰던 두 번의 대통령 선거에서 모두 진상은 철저히 밝히고 민주적으로 해결하되 사람은 관대히 용서하자고 말해 왔습니다. 그러나 그것은 그들이 반성하고 있을 때의 얘기입니다. 전두환 씨의 경우 과거에 하던 말과 완전히 다르고 반성이 없이 5공의 정통성을 강변하고 있는데 국민이 어떻게 용서할 수 있겠습니까? 반성이 선행돼야 합니다.

조갑제 우리나라는 다른 나라들과는 달리 사과를 하느냐 안 하느냐를 매우 중시합니다. 굳이 사과하라고 하는 것도 양심의 자유에 위배되는 것 아닙니까? 양심수에게 사상 전향을 강조하는 것과 비슷한 점도 있는데요. 그런 상황에서 받는 사과가 진정한 것일까요?

김대중 사과를 강요할 수는 없지만 국민에게도 사과하지 않으면 용서하지 않을 자유가 있는 것이지요.

김종필, 군부 출신 중 가장 탁월

조갑제 김종필 자민련 총재와 정책적 공조를 하면서 인간적인 교류를 하고 있는데 제이피(JP)에 대해서는 어떻게 생각하십니까?

김대중 지도자로서 경륜과 식견을 갖추고 있는 분이고 5·16쿠데타 후 출현한 군부 출신 지도자 중에서 가장 탁월한 것만은 분명한 것 같습니다. 지금 민주주의를 위해 싸우겠다는 의지도 결연한 것으로 보입니다.

조갑제 4·11총선이 끝나고 김영삼 대통령이 야당 지도자를 청와대로 초청한 후 이제는 마음이 놓인다고 말하는 사람들이 많았습니다. 서로 싸우고 있다고 생각했다가 김대중 총재의 자제가 국회의원으로 당선된 것을 대통령이 축하하는 등 서로 간의 정이 느껴지는 모습을 보이면서 국민들은 안심을 했던 것이죠. 그러나 며칠이 지나지 않아서 다시 예전의 반목으로 돌아갔습니다. 삼 김 씨 사이에 인정을 느끼며 지낼 여백은 없습니까?

김대중 청와대에 다녀온 후 기분이 무척 좋았습니다. 과거 민주 동지로서의 애정도 느껴졌고 앞으로 국사도 같이 할 수 있는 가능성이 열려 있는 것 같아 기뻤습니다. 그러나 돌아서자마자 바로 야당 의원 영입을 강행하여 여소야대를 만듦으로써 헌정을 파괴했습니다. 정치 도의에도 어긋납니다. 여야 협력, 대화의 정치를 훼손시켰습니다. 야당을 이런 식으로 파괴하면서 정치하려면 우리를 만날 필요도 없었던 것인데 큰 충격을 받았어요. 국민들 보기도 부끄럽고 서운한 생각이 들었습니다.

조갑제 최근에 재미있게 읽은 책이 있습니까?

김대중 『메가트렌드 아시아』라는 책입니다. 21세기에서 아시아, 특히 중국의 역할을 전망하는 데 아주 유용한, 좋은 책이었습니다.

조갑제 요즘 일본 작가 시오노 나나미가 쓴 『로마인 이야기』나 『마키아벨리 어록』 등이 크게 주목받고 있는데 읽어 보지는 않았습니까?

김대중 재미있는 책이라는 얘기는 들었습니다만 읽어 보지는 못했어요. 마키아벨리는 원체 좋아하지 않으니까요.

조갑제 마키아벨리를 안 좋아하시는 겁니까, 아니면 마키아벨리즘을 좋아하지 않으십니까?

김대중 둘 다 안 좋아하지요. 그러니까 현실적으로 성공하지 못했는지 모르지만요.

조갑제 아까 우리 민족성을 말씀하셨는데 우리 국민들의 민족성에는 꼭 나쁜 의미로서가 아니라 권력에는 반드시 복종하고 따라야 한다는 의식이 있다고 생각하지 않으십니까? 장유유서식 사고에 젖다 보니까 내 생각을 바

뛰서라도 상급자 혹은 권위에 따라 줘야 한다는 생각이 있는 것 같습니다.

김대중 그런 면이 있지만 저항하는 정신도 있습니다. 아까 얘기한 것처럼 우리 민족은 납득이 가야 복종하는 민족입니다. 정당하지 않은 권위에 도전한 경험은 우리 역사에 많이 있습니다. 진주민란이나 홍경래난이나 동학혁명 같은 것이 그런 예가 되는 것이죠. 특히 동학혁명은 세계 어디에다 내놓아도 자랑스럽다고 할 만한 탁월한 이념과 정책을 가지고 있었어요. 당시 한반도에 밀려들던 제국주의에 대한 저항, 그리고 봉건적 제도에 대한 혁파 요구 등 오늘날처럼 정리되어 있던 것은 아니지만 반제·반봉건 이 두 가지가 목표였습니다. 자주·민주의식이었죠. 반드시 권위에만 따라가고 복종했던 것은 아니죠. 조선왕조의 성립도 고려시대의 부패와 수탈, 국방의 무능 등을 척결해야겠다는 인식이 지방에 있던 지식 계급의 사대부와 농민 사이에 공감대가 있었기 때문에 이성계를 영입해서 조선왕조를 만들 수 있었던 것 아니겠습니까?

외교 선정煽情, 심각

조갑제 우리나라 검찰이 특히 권력에 약한 이유는 무엇이라고 보십니까?

김대중 박정희 대통령이 집권한 후 30여 년 동안 계속 권력에 협력한 후 30여 년 동안 계속 권력에 협력하는 사람만 발탁하고 그렇지 않은 사람이 도태되니 그리된 것 아니겠습니까? 어쨌든 누구나 선망하고 서로 사위 삼으려는 엘리트의 자리에 있는 검찰이 권력의 시녀라는 지탄을 받는 것은 정말 안타까운 일입니다.

조갑제 월드컵을 공동 개최하게 된 것에 대해서는 어떻게 생각하십니까?

김대중 잘되기를 바랍니다. 그러나 또다시 정치에 악용하지는 않았으면 좋겠어요. 올림픽도 너무 정치에 악용하는 바람에 세계에서 가장 먼저 올림픽을 잊어버린 국민이 바로 우리 국민이었습니다.

조갑제 한·일 관계는 어떤 상태라고 보십니까?

김대중 한·일 관계뿐 아니라 한·미, 한·러 관계 등이 모두 악화된 상태입니다. 우리나라 외교가 모두 총체적으로 실패했는데 노태우 대통령 때보다 이 정부의 외교 선정이 더욱 심각합니다. 독도 문제도 국내 정치의 목적을 위해 너무 심하게 대응하는 바람에 국제 여론에 엄청난 악영향을 끼쳤어요. 50년 동안 우리 것이라는 게 기정사실화되어 있는 것인데 함포사격훈련을 하고 무력시위를 하는 등 과잉 대응을 하는 바람에 일본 극우파가 무장을 강화해야 한다고 주장할 수 있는 빌미를 주었지요. 그렇게 떠들었지만 아무 얻은 것 없이 손해만 보았습니다. 제주도에서 한·일정상회담 한다지만 독도 문제는 다루지도 않을 것입니다.

한·미 관계도 역시 마찬가집니다. 대북 문제에서 공조가 잘되고 있는 것 같지만 실제는 그게 아니에요. 미국은 우리가 떠들지 않아도 북한 핵은 반드시 저지하게 되어 있었던 것입니다. 북한 핵을 막지 못하면 일본 핵도 저지하지 못하게 되고 그러면 동북아의 군사적 지배권을 놓치게 되잖아요.

과거의 남북 간 합의 사항에 상호 핵 사찰이 가능하게 되어 있으니까 그것만 주장하면 되는데 쓸데없이 나서다가 결국 우리가 대북 경수로 지원을 떠맡게 되었습니다. 내가 들은 바로는 미국이 경수로 재원 확보 문제 때문에 고민하고 있는데 우리나라에서 돈을 내겠다고 하니 귀를 의심할 정도로 놀라면서 매우 기뻐했다고 해요.

지금 미국은 북한에 대해서 포용정책을 써야 한다면서 한국의 북한 붕괴 정책과 심각한 갈등을 빚고 있습니다. 김 대통령은 북한이 곧 망한다고 보고 있는데 미국은 그렇게 보지 않으며 또 그렇게 되면 큰 재난이라고 생각하고 있습니다. 나는 오래전부터 북한에 대해서 한편으로는 안보를 군건히 하되 북을 안심시켜서 개방의 길로 나가도록 해야 한다고 주장해 왔습니다. 이것이 서독이 성공한 길이기도 합니다.

한·러 문제도 우리가 러시아를 자꾸 우습게 보는 것처럼 되니까 관계가 악화되어 우리 대사가 대통령 친서조차 전달하지 못하는 지경에까지 이르지 않았습니까? 러시아 입장에서는 북한과 원수지면서까지 우리와 수교해 주었는데 이렇게 할 수 있나, 배은망덕하구나 하는 생각을 하게 되는 것이죠. 그래서 주변 4대 강국 중에서 중국을 제외하고는 전부 관계가 막혀 있는 형편입니다.

북한 외교를 깔보면 안 됩니다. 그 사람들은 보통 외교 분야 한 자리에만 5년, 10년씩은 있고 김영남 외교부장의 경우는 15년이나 그 자리를 지키고 있지 않습니까? 우리나라에도 외무부나 통일원에 우수한 인재가 많지만 그 사람들 의견은 듣지 않고 처음부터 위에서 방향을 정해 버리니 문제가 생깁니다.

일례를 들어서 재작년엔가 외교안보연구원에서 "북한이 남한을 적화하려는 정책을 버렸다. 따라서 우리도 여기에 대응해서 북한과 공존하면서 북한을 개방시키고 국제적 세력과 같이 경제 협력을 해 주는 방향으로 나가자"는 요지의 보고서를 발표했어요. 그런데 그 보고서가 보도된 지 한 달도 안 돼서 대통령이 "북한의 남한 적화 야욕은 조금도 바뀌지 않았다"고 말했단 말이에요. 이러니까 외교가 뒤죽박죽이 되는 겁니다. 독도 문제가 터졌을 때도 우리의 주일대사는 "일본 사람들이 하는 소리니까 상대할 필요가 없다"고 했습니다. 그런데 청와대가 그렇게 키워 가지고 부작용만 크게 한 것입니다.

외교만은 절대 아마추어로는 안 됩니다. 국내 정치는 잘못되면 고칠 수 있지만 외교는 고칠 수가 없어요. 지금 북한이 남한에 대해 강한 소리를 계속 해대는 것은 스스로가 약하기 때문이에요. 그들이 무너지는 것만 바라서도 안 되고 그들이 경제적으로도 잘되도록 도와주어야 합니다. 그렇지 않고 갑자기 무너지면 우리에게도 큰 짐이 될 거예요.

연물 전후해 대선 출마 여부 결정

조갑제 김 총재께서는 북한이 적화 야욕을 버렸다고 생각하십니까?

김대중 버렸다기보다는 불가능하다고 봅니다. 무기 체계도 형편없이 낙후했고 또 전쟁이란 경제적 비축이 있어야 하는데 당장 먹고살기도 어렵지 않습니까? 절망적으로 기습은 할 수 있을지 몰라도 승리를 거두려는 전쟁을 할 수 없어요. 절망적으로 되어서 전쟁을 도발할 수 있는 구실을 안 주어야 합니다.

우리가 참고 노력하면 북한이 개방하게 될 것이고 경제가 활성화되면 중산층이 생기고 중산층의 요구에 따라 선거를 하고 복수 정당이 생기고, 민주화가 될 수 있을 것입니다. 유럽의 부르주아지들이 정권을 잡을 때도 그런 과정을 밟았고 지금 중국도 그와 같은 변화 과정을 겪어 가고 있는 중입니다.

조갑제 『월간조선』 7월 호가 나올 때쯤이면 국회가 개원될 수 있을 것으로 기대는 합니다만 지금 현재로는 개원이 안 되고 있는데 국회를 여는 것은 국민과의 약속입니다. 이것을 정치적 목적을 관철시킬 조건으로 이용하는 것은 문제 아닐까요. 국민들이 여당에 대해서 불만이 있으면서도 야당 또한 비판하는 이유가 여기에 있다고 생각됩니다.

김대중 국민들의 비판을 알고는 있지만 우리 사정을 말씀드리지 않을 수 없습니다. 국민들은 따지고 사정할 문제는 국회를 열어 놓고 하면 되는 것 아니냐 하겠지만 국회를 열어 원 구성을 해 주고 나면 모두 날치기로 통과시켜 버리면 그만입니다. 1990년 3당 합당 이후 지금까지 계속 그렇게 되어 왔지 않습니까?

이번 총선을 치러 보니 이런 식으로 선거하면 앞으로 아무리 선거를 해 봐야 희망이 없다는 생각이 들었어요. 그리고 선거에 지고 나면 야당 의원이나 무소속을 협박이나 회유로 끌어가니 선거한 의미가 없게 됩니다. 그래서 이번 기회에 여당에서 적어도 더는 야당 의원들을 끌어가지 않겠다, 심각한 부정선거 사례에 대해서는 국회에서 공동으로 조사해서 처벌하겠다, 앞으로 공명선거를 하겠다는 등의 확실한 보증을 받아 내야 합니다. 그냥 넘어가면 고쳐지지 않아요. 모든 것을 날치기로 해치웁니다. 원 구성 때도 의장, 부의장 2명 그리고 상임위원장에 대한 선거를 무기명 비밀투표로 선출하는데 이때만 날치기가 불가능합니다. 그러므로 야당은 원 구성에 앞서서 해결하고자 싸우고 있는 것입니다. 이번의 투쟁은 15대 국회의 순조로운 운행과 야당의 생존권이 달린 문제라는 것을 국민들이 이해해 주셔야 합니다.

작년 지자제 선거에서는 공명선거 했다고 국민들이 정부를 칭찬하지 않았습니까? 이번 총선 끝난 후 처음에는 김 대통령이 여소야대가 된 결과를 놓고 기도를 하면서 "교만하지 말라는 국민의 뜻으로 겸허히 받아들이겠다"고 해놓고 처음에는 무소속, 그다음에는 민주당 소속 의원들까지 마구 끌어가지 않았습니까? 우리가 이렇게 싸우지 않았으면 자민련이나 국민회의 의원들도 끌어가려 했을 거예요. 당분간 진통을 겪더라도 이번 일이 잘되고 나면 앞으로는 국회가 순항할 수 있을 겁니다.

조갑제 서서히 대선을 준비할 계획은 없습니까?

김대중 이번 싸움이 잘돼야 희망이 있는 것입니다. 야권 단일 후보 얘기도 앞으로 나올지 모르겠지만 지금으로서는 구체안이 없습니다.

조갑제 대선 출마 여부는 언제쯤 결정하실 생각입니까.

김대중 여론을 봐 가면서 연말을 전후해서 결정할 작정입니다.

조갑제 야권 단일 후보를 내세우기 위해서는 연대 세력 간에 공통분모가 있어야 하는데 국민회의와 자민련 사이에 이념적·정책적 공통점이 있습니까.

김대중 원론적으로 말하자면 독일에서도 기민당과 사민당이 연합했고 일본에서도 사회당과 자민당이 연정을 구성하기도 했습니다. 자민련과 우리 당도 정책을 협조할 수 있다면 연합이 가능할 수 있겠죠. 그러나 지금까지 자민련과의 관계는 앞서 말한 몇 가지 문제에 대한 정책적 공조일 뿐이지 앞으로에 대한 구체적인 협력 방안에 대해서는 아직 당내에서도 논의되지 않았습니다. 말할 단계가 아니죠.

민주와 자주는 뗄 수 없는 개념

조갑제 김 총재께서는 어떤 절대적인 가치를 싫어하시는 것 같습니다. 그런데 우리 정치인들은 '민주'를 절대적 가치로 생각하는 경향이 있습니다. 따라서 국가를 만들고 이끌어 나가는 데에는 여러 가지가 필요한데도 국가를 건설하고 독립을 지키고 자주 노선을 걸어 나간 사람을 매도하는 경향이 있습니다. 김 총재께서는 자주와 민주 중 어느 것을 더 높은 가치라고 생각하십니까.

김대중 자주와 민주는 대립되는 개념이 아니라 공존하는 개념입니다. 개인도 자주성 있는 사람이 인권 등 모든 민주적 가치를 지킬 수 있듯이 국가도 민주주의가 없으면 자주성을 지키기 어렵습니다. 장면 정권 때는 짧은 기간이었지만 외국 여러 나라에서 우리 정부를 존경했고 협력하려 했습니다. 민주적 정당성을 확보한 정부가 대외적으로 자주성을 지킬 수 있는 것이죠.

조갑제 장면 씨가 민주주의를 하려 했던 것은 사실이지만 실천하지는 못했고 5·16이 일어났을 때 수녀원으로 피신하는 등 행동이 자주적이지 않았습니다. 진정으로 민주화를 하려면 경제적·군사적 힘이 뒷받침되어야 하는데 그것을 이루려 했던 이승만, 박정희 대통령에 대해서는 낮게 평가하고 있지 않습니까.

김대중 자주적 생각은 가졌지만 민주주의를 하지 않았으므로 자주적인 힘을 가지지 못했죠. 장면 정권은 그 짧은 기간 중에도 지자제 선거를 실시하고 노동운동에 자율권을 주는 등 민주화를 실천했습니다. 1961년 2월에는 4·19

혁명 이후의 혼란이 가라앉고 안정 기조를 되찾아 가는 상황이었는데 5·16 쿠데타는 명분 없는 쿠데타였습니다. 부정부패도 민주당 정권에서는 거의 없었습니다. 이것은 5·16쿠데타 이후의 군사정권이 아무런 부정도 찾아내지 못한 것으로도 알 수 있습니다. 뿐만 아니라 박정희 정권의 5개년 계획은 장면 정권이 만들어 놓은 것을 거의 그대로 썼던 것입니다.

조갑제 주자학도 우리의 현실에 맞춰 변용하지 않고 금과옥조로 생각함으로써 폐해가 생겼던 것처럼 민주주의도 무조건적으로 수용함으로써 문제가 생긴 측면이 있는 것은 아닐까요. 우리 현실에 맞지 않는데도 고집을 하고 적용을 하다가 군사쿠데타를 당한 사람이 장면이 아니냐 하는 생각도 드는데요. 무엇을 지향했느냐 하는 것이 중요한 게 아니라 과연 그 제도가 당시의 국민들에게 복지를 가져다줄 수 있는 실천력이 있었는가를 따져 볼 필요가 있을 것 같습니다.

김대중 8개월의 짧은 시간을, 그것도 4·19혁명이라는 엄청난 격동 이후에 정권을 쉬 놓고 우리가 민주주의 할 능력이 있었는가를 묻는 것은 옳지 않다고 봅니다. 적어도 2년 정도는 시간을 줬어야죠. 장면 정권만 보고 우리 민족의 능력을 평가할 수는 없을 것입니다.

민주주의는 그 제도만이 서구에서 나온 것이지 민주주의의 원리까지 서구에서 나온 것은 아닙니다. 우리 역사에서도 서구보다 훨씬 앞선 시대에 민주주의의 이념과 원리가 나왔습니다.

17세기 말에 서구에서 민주주의의 원리가 정립됐지만 그보다 훨씬 앞선 한 2천3백 년 전에 맹자는, "천자는 하늘의 아들인데 하늘이 천자에게 선정을 하라고 맡겼다. 그러나 선정을 안 할 때는 백성들이 하늘을 대신해서 그 임금을 쫓아낼 권리가 있다"고 말했어요. 그리고 또 "백성이 첫째고, 나라가 둘째고, 임금이 셋째" 라고도 했어요. 심지어 맹자는 "폭군은 백성이 죽이는 것도 정당하다"는 말까지 했지요. 그런 것이 민주주의 정신이죠.

우리나라에도 최수운이나 최시형 선생이 말한 동학의 인내천人乃天 사상이나 사인여천事人如天 등은 바로 민주주의의 원리입니다.

그리고 제도의 측면에서도 중국이나 우리나라는 1-2천 년 전에 군현제를 실시했는데 서구는 불과 2-3백 년 전에 이러한 제도를 시행했어요. 민주주의적인 이념과 전통을 훨씬 먼저 가지고 있었던 것이지요. 인도에서 발생한 불교의 정신이 모든 중생이 평등하다는 것도 민주주의적인 정신을 대변하는데 이런 영향으로 지금 아시아에서도 민주주의를 하는 나라가 50퍼센트를 넘고 있어요.

민주주의를 안 하면 발전할 수 없고 성공할 수 없습니다. 더구나 정보의 자율적인 흐름을 차단하는 것이 불가능한 정보화 사회가 되면 더더욱 그렇습니다. 앨빈 토플러가 예언한 대로 민주주의를 안 하면 정보화 사회에서 살아남을 수가 없는 것이죠. 민주주의를 하지 않으면 첨단산업을 일으킬 창의력이 생겨나지 않아요.

제도적인 측면에서는 컴퓨터 통신 같은 것이 발달하면 직접민주주의가 계속 강화될 수도 있을 것이라는 생각을 합니다. 의견 취합이 신속하고 쉬워질 테니까요. 형태는 바뀌어도 그 원리는 변함이 없고 중요성은 더욱 증대될 것입니다. 21세기는 민주주의에서도 국가적인 측면보다도 개인이 중시되는 시대가 될 것입니다.

현직에 있는 대통령을 견제해야

조갑제 김 총재께서는 "김 대통령이 퇴임한 후에는 안락한 생활을 할 수 있기를 바란다. 그렇게 하는 데 결정적으로 도울 사람은 바로 나다."라는 말을 여러 차례 했습니다. 지금 재판을 받고 있는 전두환·노태우 전 대통령을 비롯해서 우리나라 전직 대통령들은 대부분 퇴임 후 불행하게 됐습니다. 우리나라같이 대통령이 막강한 권력을 행사하는 나라에서는 잘못된 일이 있어도 임기 중에 처벌할 수가 없는데 사후에라도 처벌되는 것이 정의를 세우는데 옳은 일 아닙니까. 퇴임 후에 언론이나 검찰에 의해 비판받고 처벌되는 것이 전통처럼 정착이 된다면 재임 기간 중의 대통령에게도 심리적 압박 수단으로 작용될 수 있는 것 아닐까요? 그러니까 김 대통령에게도 굳이 퇴임 후에 안락하게 되길 바란다는 말은 할 필요가 없는 것 아닙니까.

김대중 민주주의와 정치가 바로 되려면 대통령 재임 중에 잘못된 것은 시정이 돼야지 다 저질러 버리고 퇴임한 후에는 사후 약방문 격으로 큰 의미가 없을 것입니다. 그러니까 김 대통령이 잘못한 것이 있으면 지금 얘기하고 지금 밝혀서 시정하자는 것입니다. 그리고 물러난 뒤에는 편히 살게 하자는 것이 내 생각입니다. 권력을 가지고 있을 때 위험한 것이지 놓고 나면 아무 힘이 없어집니다. 잘못하면 보복의 악순환이 될 수 있고 비겁한 짓이 될 수도 있어요.

민주주의는 국민이 수인이니까 권력을 쥐고 있을 때 올바로 견제하고 비판하는 주인 행세를 해야지 물러난 뒤에 하는 주인 행세는 최선이 아닙니다. 또 어린이들의 교육적인 측면에서도 우러러보던 대통령이 자꾸 잡혀가고 하는 것은 좋지 않을 것이라 생각됩니다. 처벌은 권력을 가지고 나쁜 일 하는 것을 막기 위한 것이 목적이지 사람에게 고통을 주는 것이 목적은 아니지 않습니까? 권력을 쥐고 있을 때 견제하고 못 하게 해야지 권력을 떠나 더 이상 나쁜 짓 하려야 할 수 없는 사람을 가지고 문제 삼는 것은 정치 발전의 측면에서 볼 때는 별로 좋은 일이 아니라고 생각합니다.

내 생각은 젊다

조갑제 김 총재께서 김 대통령에 대해 애정 어린 말씀을 하는 것은 이해가 되지만 문제는 신뢰성입니다. 1989년 12월에 1노 3김이 모여서 전두환 대통령과 5공 문제는 국회 증언을 통해 끝낸다는 데 합의를 했습니다. 그리고 당시의 여론조사에서도 이를 지지하는 것으로 나왔습니다. 그런데 상황이 바뀌니까 그 문제가 다시 제기됐고 5·18특별법 등을 통해서 이를 문제 삼는 데 김 총재께서도 앞장서신 것으로 알고 있습니다. 그렇다면 김영삼 대통령에 대해서도 퇴임 이후 그런 약속을 지켜 줄 수 있을지 의문이 듭니다.

김대중 1989년 당시 5공 청산할 때는 전두환 씨가 사과를 했습니다. 그러나 지금은 그 말을 완전히 뒤집고 심지어 내가 폭동을 일으킬 우려가 있었기 때문에 무력 개입을 했다고까지 말하고 있습니다. 그리고 엉뚱하게도 5공의 정통성을 주장하고 있습니다. 광주학살에 대해서도 사죄를 하지 않고 있습니다. 다시 문제 삼지 않을 수 없도록 본인이 만든 것이죠. 나의 주장은 일관됩니다. 광주의 진상을 규명하고 명예를 회복하고 정당한 배상을 하고 기념사업을 하자는, 지금까지 계속 주장해 온 내용이 주지 누구를 처벌하자는 것이 주가 아닙니다. 광주 문제에 대한 정당한 정리가 되지 않았기 때문에 자꾸 문제가 발생하는 것이지요.

조갑제 지금 검찰은 광주를 유혈 진압한 것을 두고 내란 목적의 살인이라고 보고 있는데 정확한 개념이라고 생각하십니까.

김대중 그렇다고 생각합니다. 정권 잡기 위해서 다 한 짓이죠. 전두환 씨가 너무 강변하고 있어요.

조갑제 내란을 목적으로 한 살인이냐, 아니면 정권을 잡는 것은 다른 스케줄대로 가고 있었는데 예상하지 못한 데서 광주 문제가 생겼다고 분리해서 보느냐의 사이에는 큰 차이가 있습니다.

김대중 여하튼 그 사람들이 광주에서 불필요한 살상을 일으키고 그것을 정권 잡는 데 악용한 것은 사실이고 나를 배후 조종한 세력으로 몰고 한 것은 그들이 정권을 잡기 위해 한 일 아닙니까?

조갑제 그런데 선후 관계를 따져 보면 5·17이라는 일종의 내란을 먼저 했지 광주사태를 먼저 일으켜서 그것을 빌미로 해서 쿠데타를 일으킨 것은 아니지 않습니까? 그런데 이 선후 관계를 뒤집어서 내란 목적을 위한 살인이라고 하면 유혈 진압이 먼저 일어난 것처럼 되지 않습니까?

김대중 나는 12·12반란 때부터 정권 잡기 위한 목적으로 한 것이라고 봅니다. 5·17, 5·18 모두 정권 잡기 위한 내란 목적에서 했다고 봐요.

조갑제 조순 시장의 당선에 크게 기여했고 그것이 정계 복귀의 신호탄이 되었는데 조 시장은 새정치국민회의를 만들 때 입당하지 않았습니다. 조 시장을 어떻게 평가하십니까.

김대중 조 시장이 입당 안 한 것에 대해서는 섭섭하게 생각하지 않습니다. 당시 출마한 세 분 중에서 가장 훌륭하다고 생각해서 당선되도록 하는 데 힘을 보탰던 것이고 그것을 자랑스럽게 생각합니다. 지난 1년 동안 무난히 시정을 이끌어 왔고 이제 경험도 쌓였으니 앞으로는 더욱 잘할 것이라 믿습니다.

교육 투자가 최우선

조갑제 세계적인 추세가 젊고 패기 있는 지도자를 원하는 분위기로 가고 있습니다. 클린턴 대통령도 그렇고 이스라엘도 이번 선거에서 40대의 지도자를 뽑았습니다. 시대가 김 총재보다 먼저 달려 나간다고 생각하지 않습니까.

김대중 정치인이 젊은가 안 젊은가는 생각과 건강이 중요하지 연령이 중요한 것은 아니라고 봅니다. 21세기의 대변혁 시대를 대비해 그것을 따라가려는 노력을 하느냐 안 하느냐, 그리고 건강과 정신적 자세가 충분히 갖춰져 있는가를 보고 지도자의 능력을 따져야 한다고 생각합니다. 이 격변의 시대에 대처하는 식견과 활력이 있으면 늙어도 젊은이요, 그것이 없으면 젊어도 늙은이입니다. 지금은 그러한 초고속의 변화의 시대입니다.

조갑제 재정 투자에 있어서 우선순위를 매긴다면 어느 분야를 가장 중시해야 한다고 생각하십니까.

김대중 교육입니다.

그는 단호하게 말했다. 자신에게 국정이 맡겨진다면 어떤 일을 하겠다는 것을 항상 염두에 두고 있는 것처럼 구체적인 방법까지 설명했다.

김대중 공업 노동자들에게 일자리 주려고 노력하는 것보다 교육에 투자해 첨단산업에서 일할 수 있는 능력을 길러 주는 것이 더욱 필요한 일입니다. 미국이 세계 1위를 유지할 수 있는 것은 대학의 수준이 항상 1위를 고수하고 있기 때문입니다.

그리고 성인 재교육 문제도 아주 중요한 일입니다. 하루가 다르게 변화해 가는 세상에서 국민들은 불안해하고 있습니다. 내가 뒤처지는 게 아닌가 하고요. 그런데 어떻게 해야 하는지를 모르겠으니까 허둥댑니다. 불안 속에 삽니다.

국가가 주도해서 국민들에게 일정한 시간에 모두 텔레비전 앞에 모여 달라고 해서 그 시간이 되면 대통령을 위시한 정부 관료들이 나와서 국민과 함께 변화되는 환경을 논의하고 "앞으로 사회는 이렇게 이렇게 변화해 가니 국민 여러분들은 이런 방향으로 준비를 하면 안심하셔도 되겠습니다." 하는 국민교육을 1년에 두서너 번쯤 방송을 하면 얼마나 효과가 있겠습니까? 그리고 교육 자료도 쉽게 구해 볼 수 있도록 배포하고요.

이런 얘기를 하는 김 총재의 모습은 "좋은 세상이 오면 정말 좋은 정치 한

번 해 보려고 감옥 안에서건 밖에서건 항상 공부를 했다"고 말하던 때의 다소 우울해 보이던 표정과는 사뭇 대조적이었다. 활기에 넘쳤고 어조도 힘찼다. 그가 항상 생각하고 있는 것이 무엇인지를 짐작할 수 있었다.

교육 다음엔 문화

"교육 다음에는 어떤 분야인가"를 묻자 역시 거침없이 '문화'라고 대답했다. 문화가 발전돼야 창의력이 증대되고 삶의 질이 향상된다는 것이었다. 그리고 21세기는 문화산업이 아주 큰 몫을 한다는 것이다. 그리고 더 묻기도 전에 "그다음 순위는 꼭이라고는 할 수 없지만 중소 상공업"이라고 말했다.

조갑제 야당 특히 국민회의에서 중소기업에 관심을 갖고 보호 노력에 앞장서고 있는 걸로 알고 있습니다. 그러나 중소기업에 대해 충고도 해야 하고 희망 없는 중소기업을 무조건 지원할 수는 없는 것 아닙니까?

김대중 그렇습니다. 경제는 어디까지나 경제 논리에 의해 해결되어야 합니다. 희망 없는 중소기업은 전업 자금을 지원해서 전업을 시켜야지요. 그러나 좋은 아이디어를 가진 중소기업도 돈이 없어 물건을 못 만들다가 결국 대기업에 빼앗겨 버리는 게 현실입니다. 은행 돈도 굳이 담보가 있어야 빌려주는 나라는 우리나라가 가장 심합니다. 담보를 대신해 줄 신용보험사도 만들어야 합니다. 그리고 은행 입장도 생각하라고 말하고 있습니다만 대기업이 1년에 갚지 못하는 돈이 수천억 원에 이르는 데 비해 중소기업이 못 갚은 돈은 수백억에 불과하다는 것도 반드시 짚고 넘어가야 할 문제입니다.

조갑제 김영삼 대통령과 김 총재 두 분의 공통점은 섬에서 태어나 바다를 잘 안다는 점입니다. 우리나라가 발전하기 시작한 것은 해양으로 뻗어 나가 해외 무역을 시작하면서부터입니다. 우리나라가 해양을 중시하고 해양 정책을 더욱 철저히 세워야 한다고 생각하지 않으십니까?

김대중 해양부 설치는 지난 총선의 우리 당 공약 사항이었고 정부에서 설치한 것을 환영합니다. 세계 문명은 5-6천 년 전에 티그리스·유프라테스강, 나일강, 인더스강, 황하강 유역 등에서 일어난 하천 문화에서부터 발달되기 시작했고 각 대륙의 연안과 지중해 같은 내해 문화를 거쳐서 15세기 말에 콜럼버스가 등장하면서 지난 3, 4세기 동안은 대서양 시대를 맞이했습니다. 20세기 후반은 태평양 시대가 시작된 세기입니다. 태평양을 어떻게 요리하느냐가 큰 관건이 되는 시대가 온 것이죠. 태평양 시대는 동아시아 시대고 그중에서도 중국, 일본, 한반도 등 동북아시아가 중심이 되는 시대가 된 것 같습니다.

해저의 지하자원 개발, 해양도시 개발, 해운업, 해산물과 어류의 양식 등 앞으로 전도가 양양한 사업이 많이 있습니다. 우리에게는 장보고 시대에 해상의 주도권을 장악했던 역사도 있습니다. 과거의 육지 중심의 사고방식에서 벗어나 바다를 육지 못지않게 중시하는 시대로 나아가야 할 것이라고 생각합니다.

정치는 악이 아니라 예술이다

조갑제 김종필 총재와 공조하는 것을 보면서 "과거에는 디제이(DJ)가 와이에스(YS)와 대등한 수준에서 겨뤘었는데 이제는 제이피(JP)와 합쳐야 되는구나." 하는 생각이 들었습니다. 그것은 와이에스(YS)가 권력을 가졌다는 프리미엄 때문이라고 생각됩니다. 지금까지 30여 년간 정치를 해 오셨는데 김 총재께서는 권력을 어떤 것이라고 정의하십니까?

김대중 나는 지금까지 정치를 해 오면서 선대 권력자들을 잘못 만나 왔어요. 박정희·전두환·노태우·김영삼 대통령까지도 그렇습니다. 이들의 공통점은 권력을 남용하고 야당을 말살하려 했다는 사실입니다. 와이에스(YS)까지 그럴 줄은 몰랐어요.

권력은 잘 이용하면 정말 좋은 것입니다. 권력은 악이 아니라 그야말로 예술입니다. 권력이 학교 급식을 결정하면 어제까지 도시락을 못 싸 오던 어린이가 점심을 먹게 되고, 권력이 노인 복지 시설 확충을 결정하면 거리를 헤매던 노인들이 보금자리를 얻게 됩니다. 권력이 문화 정책을 강화하면 아름다운 예술의 꽃이 핍니다. 얼마나 좋습니까. 그런데 우리나라에서 아직까지 권력을 가졌을 때 자기는 비호하고 남을 치면 다음에 자신이 그렇게 당할 씨앗을 잉태하는 것이 됩니다.

제일 중요한 것은 국민이 좋은 사람을 골라서 그에게 정치를 맡기고 그리고 권력을 남용하거나 부패하지 않도록 감시하는 것입니다. 그런데 우리 국민은 아직까지 그 수준에 좀 못 미친다고 생각됩니다. 사람의 능력과 지조, 정책을 따지기 이전에 먼저 고향을 보고 투표하고 용공 조작에도 쉽게 흔들립니다. 게다가 이번 총선에서는 아직도 돈 받고 표 찍는 사람이 많다는 것이 확인되있습니다.

워터게이트 사건에서 보듯 미국 국민들은 닉슨 대통령이 거짓말한 것을 2년에 걸쳐 끈질기게 추적해서 닉슨을 물러나도록 만들지 않았습니까? 그런데 김 대통령이 노태우 전 대통령에게 3천억을 받았다는 것, 그리고 1992년 대선에서 1조 원 이상을 썼다는 것은 거의 드러난 사실인데도 추적하려 하지 않습니다. 언론의 감시 기능도 아직 미흡합니다. 국민이 권력자를 올바르게 뽑고 잘 감시해야 합니다. 그래야 잘 쓰면 천사가 될 수 있고 못 쓰면 악마도 될 수 있는 권력을 바르게 이끌 수 있다고 생각합니다.

조갑제 김 총재께서는 그런 권력을 쟁취하기 위해 평생을 바쳤는데 권력과 관계되는 정치를 하다 보면 어떤 때는 소신과 맞지 않는 발언도 해야 되고 어떤 때는 위선적인 모습도 보여야 되고 합니다. 이제는 인생을 반추할 수 있는 입장에서 대통령이 되는 것 자체보다 자신에게 정직한 행동으로써 먼 역사에 크게 기록되는 정치 생활의 마무리를 해야 되겠다는 생각을 하시지는 않습니까?

김대중 내가 살아온 길에서 무엇이 되기 위해 원칙을 버린 적은 한 번도 없습니다. 나는 내가 죽은 뒤에 역사가에 의해 정당하게 평가되리라 믿습니다. 사람들에게 거부감을 줄지 모르겠습니다만 내가 대통령을 한번 해 보겠다는 것은, 내 나름대로는 일생을 바쳐 준비해 온 것인데 이것을 한 번은 국민을 위해 써 보고 싶다는 생각 때문입니다.

대통령이 되고 안 되고의 문제가, 내가 위대하고 그렇지 못하다는 것과 관계가 있는 것은 아닙니다. 나는 전두환 씨가 사형 선고를 할 때도 "나는 지금 죽지만 내가 당신한테 역사에서는 반드시 이길 것이다."라는 신념을 가졌습니다. 내가 살 수 있을 때도 정도가 아니면 죽음을 택했다는 것이 김대중이의 재산이라고 생각합니다. 그리고 3당 합당 때 노태우 씨로부터 직접 같이하자고 권유를 받았고, 그렇게 되면 다음 정권을 내게 준다는 데도 거절했습니다. 그것은 분명히 평가받을 것이라고 믿습니다.

나같이 보상 못 받은 사람도 없다

조갑제 그 포기하지 않는 원칙을 간단히 설명해 주신다면요.

김대중 첫째는 나의 신앙, 양심 그리고 국민과 역사에 대한 충성입니다. 국민들에게 그렇게 모든 것을 바쳤지만 나같이 보상을 못 받은 사람도 없을 것입니다.

조갑제 그 국민이란 특정 계층의 국민을 말하는 것입니까, 아니면 전부를 뜻합니까?

김대중 물론 전부죠. 나는 어떤 지역 사람들을 위해 목숨을 바쳐 싸우지는 않았습니다. 내가 죽은 후에 가장 안타깝게 생각할 사람은 지역감정이나 용공 조작에 의해서 나를 배척한 사람들일 것입니다. 나는 자기들을 사랑하고 목숨을 바쳤다는데 이유 없이 차별한 것에 대해 내가 죽은 다음에는 아쉽게 생각할 것입니다.

그렇기 때문에 나는 대통령이 되지 못해도 불행하지 않아요. 다만 일을 못한 게 서운할 뿐이죠. 그렇게 사니까 큰 고민이 없어요. 내 인생의 목표가, 무엇이 되는 것이 아니고 행동하는 양심으로서 바르게 사는 것이니까요.

김 총재는 오는 7월 11일 예정된 전주시장 보궐선거가 끝나는 대로 미국으로 건너가 다리 수술을 받을 예정이라고 말했다 "그동안 지팡이를 짚고 다니는 것이 많이 불편했는가?"라고 묻자 "어디를 올라갈 때 고통스러웠다"고 말했다. 인간적인 면이 진하게 느껴지는 표정이었다.

* 이 글은 1996년 6월 11일, 서교호텔 중국 식당에서 당시 조갑제 『월간조선』 부장이 인터뷰하여 1996년 『월간조선』 7월 호에 게재된 것이다. 『월간조선』 김덕한 기자가 정리하였다.

전 국민 참여하는 직접민주주의 시대 열겠다

대담 고도원
일시 1997년 6월 14일

국민회의 총재인 김대중 후보의 얼굴이 밝아지고 있다. 세 차례의 텔레비전 토론을 거치면서 더욱 화색이 돌고 있다. 한국방송(KBS)과 『조선일보』가 주관한 세 번째 텔레비전 토론회 다음 날인 6월 14일 아침 국민회의 총재실에서 그를 만났다. 이날 아침 몇몇 조간신문은 능력과 지지도 면에서 김 총재가 1등을 했다는 여론조사 결과를 보도했다. 전날 밤 진행됐던 텔레비전 토론회 시청률이 26.1퍼센트, 점유율은 40퍼센트. 이런 수치만으로도 총재실 주변은 고무돼 있었다. 김 후보는 "어젯밤 텔레비전 토론 녹화한 것을 다시 한번 보느라 새벽 3시가 넘어서야 잠을 잤더니 되게 피곤하다"고 했다. 그러나 김 후보는 피곤한 기색을 보이지 않았고 말 한마디 한마디에도 힘이 실려 나왔다. 계속 반복되는 텔레비전 토론 등으로 또 무슨 더 들을 말이 있겠느냐는 걱정으로 인터뷰를 시작했으나 대화가 깊어지면서 이 걱정은 씻은 듯이 사라졌다.

고도원 세 차례 텔레비전 토론회를 어떻게 평가하고 계십니까?

김대중 텔레비전의 위력이 얼마나 큰가를 알았습니다. 이를 계기로 한국의 선거도 텔레비전 시대로 들어가고 있구나 하는 것을 절실히 느꼈지요.

고도원 이번에 그 텔레비전 덕을 제일 많이 본 분 가운데 한 사람 같은데…….

김대중 그동안에 손해를 많이 봤으니까 덕도 좀 봐야지요. 하하.

고도원 해 보니까 무엇이 가장 어려우시던가요.

김대중 오랫동안 대중연설에 익숙하다가 브라운관 앞에서 하게 되니까 상당한 차이를 느꼈어요. 대중연설은 말만 잘하면 되는데 이것은 뭐 얼굴 표정까지 신경을 써야 하고 화장까지 하고, 아주 힘듭디다. 그래서 누가 이 텔레비전 같은 걸 발명해 가지고 고생시키는가 그랬는데, 한편으로는 대중연설은 사람을 아무리 모아 봤자 1백만, 2백만인데 이 텔레비전은 전국의 4천5백만 안 찾아가는 데가 없잖아요? 그래서 여러 가지 덧씌우고 페인트칠하고 했던 것들이 많이 벗겨지고 그동안에 잘못 봤다, 속았다, 이렇게 말하는 사람도 많이 있고요. 자기 눈으로 귀로 직접 확인한 거니까 진짜 모습을 보게 되고, 나도 굉장히 보람을 느껴요.

얼굴 표정·언어 표현 하나하나 음미하며 보게 되니까 진짜 모습 알게 돼

고도원 그러면, 앞으로 보라매공원 집회 같은 것은 안 할 예정입니까?

김대중 아마 그렇게 하더라도 사람이 안 모이겠죠?

고도원 방송가의 계산으로는 시청률 26퍼센트면 8백만-9백만이 봤다는 얘기고 그러면 여의도 집회 같은 걸 8-9번 한 효과가 있고, 돈으로 치면 3백억-4백억을 번다는 얘기도 나오는데.

김대중 게다가 그 주는 느낌이 다르지 않아요? 옥외 집회는 와서 멀리서 얼굴도 못 보고 박수나 치고, 그러나 텔레비전은 두 시간 가까이 앉아서 스크린에서 얼굴 표정을 봐 가면서 자세한 말 내용, 언어 표현 하나하나까지 음미해 가면서 듣게 되니까 그 영향이 굉장히 다르겠죠.

고도원 그러나저러나 어젯밤 골프 스타 타이거 우즈 얘기를 하면서 "그럴 줄 알았으면 나도 정치하지 말고 골프를 칠 걸 그랬다"고 해서 토론회 처음부터 폭소가 터졌는데 그 골프 얘긴 누구 아이디어입니까?

김대중 하하하, 우리끼리 상의했죠.

고도원 실제로 골프에 대해서는 언제부터 그렇게 관심을 가지셨어요?

김대중 평소에도 내가 골프를 반대한 것은 아니었어요. 내가 안 할 뿐이었지. 내가 안 한 것은 건강 외에도 이유가 있었는데 여하튼 최근에 보니까 클린턴 대통령이 만나자는데도 타이거 우즈가 거절했다는 것을 알고 야, 이거 대단한 거구나 하는 생각을 했지요.

고도원 역시 핵심은 김 후보의 대선 4수修의 성사 여부에 있는 것 같습니다. 지금까지의 흐름을 봤을 때 어떤 판단을 하고 있습니까?

김대중 지금까지 세 번 실패를 했는데, 기본적으로 역량 부족도 사실이겠지만 그에 못지않게 한 번도 공정한 선거를 못 해 보고, 정말 불공정한 여건 속에서 어떻게 보면 당했다고도 할 수 있는 그런 선거를 한 것 아닙니까? 그런데 이번에는 무엇보다도 국민들의 민주 역량이 상당히 성장했고 권력도 그전보다는 약화가 됐고 말이죠. 이번 임시국회에서 선거법을 제대로 고치기만 하면 선거도 돈 안 들이고 할 수 있으니까 과거 어느 때보다 좋은 기회죠. 무엇보다도 과거에는 금력이 압도적으로 차이가 난 것 아닙니까. 1992년 대선만 해도 우리는 여당이 쓴 돈의 한 3-4퍼센트밖에 못 썼어요. 지금 떠도는 말로 저쪽이 1조 원을 썼다면 우리는 3백억이나 4백억을 쓴 거니까요. 그러니까 말이 안 되지 않아요. 총알 백 개 가진 사람하고 네 개 가진 사람하고 싸웠으니 누가 이기겠어요? 거기에다 용공 조작하고 지역감정 동원하고 모략 선전 벌이고. 그 모략 선전의 피해가 굉장히 큽니다. 어제 골프장 얘기도 꼭 그 때문에 한 것은 아닙니다만 그 얘기를 꺼낸 이유 중의 하나도, 저쪽에서 말을 퍼뜨리는 "김영삼은 골프를 못 하게 하지만 나는 대통령 되면 골프장을 다 없애 버릴 것이다." 이런 말 들었죠? 그런 소리가 막 들리는 거예요. 그런데 그것이 굉장히 먹혀들어 가요. 예를 들면 요새 뭐 전라도 사람들은 한에 차 있으니까 김대중이가 집권하면 그 사람들 달려들어 가지고 다 해 먹을 것이다, 이렇게 얘기하고 말이죠. 그러나 이제는 텔레비전이 이런 것들을 차단해 주니까 여건이 아주 좋아졌다고 할 수 있지요.

고도원 과거에도 관훈토론회 같은 텔레비전 토론이 있었잖아요?

김대중 그러나 그때의 텔레비전 토론은 현장의 실제 상황과 보도 내용에는 엄청난 괴리가 있었어요. 괴리 정도가 아니요. 그때의 관훈토론 같은 데 나가서 굉장히 신랄한 질문도 잘 처리하고 해서 우리가 성공했다고 맥주 한 잔씩 마시고 집에 들어갔거든요?

고도원 저도 취재 기억이 납니다.

김대중 그런데 그다음에 정작 텔레비전에 나오는 걸 보니까 완전히 못쓰게 만들어 놨지 않아요? 신문 보도들도 그렇고. 특히 텔레비전이 나쁜 대목만 뽑아서 전부 편집해 버리고 나니까 잘한 것이 아무 소용이 없더라고요.

고도원 대선 4수를 낙관하는 다른 근거도 있습니까? 걸림돌도 적지 않아 보이는데.

김대중 물론 내가 네 번째 나왔느니, 무슨 약속을 안 지켰느니 비난도 있어요. 그렇지만 국민들이 그런 차원을 넘어서 역시 준비되어 있는 사람, 능력 있는 사람, 검증받은 사람에게 맡겨야지 함부로 맡겼다가 나라가 이 꼴이 되지 않았느냐 하는 생각을 하고 있는 것 같아요. 그런 면에서 우리 국민들이 그래도 민주주의를 위하여 일생을 바쳤을 뿐 아니라 그런 가운데서도 나랏일을 맡을 때를 대비해서 준비를 게을리하지 않는 사람이 아니냐 하는 인식을 가진 사람들이 상당히 있어요. 그런 인식의 확산이 무엇보다 이번 선거를 우리에게 유리하게 해 주는 요소라고 생각해요.

고도원 이번 선거의 쟁점의 하나는 역시 "정권 교체냐, 세대 교체냐"입니다. "정권 교체가 최고의 개혁이다."라는 게 김 후보의 주장이지만 많은 사람들이 정권 교체와 세대 교체를 같은 선상의 가치로 보는 것 같습니다. 그런 현실의 벽을 김 후보의 정권 교체론이 어떻게 극복할 수 있겠습니까?

김대중 무슨 일이든지 1백 퍼센트 지지받을 일은 없지요. 그러나 정권 교체의 필요성을 인정하는 사람들의 수가 상당히 늘어나기 시작하고 있고, 그리고 정권 교체는 민주적이지만 그 세대 교체라는 것은 그 자체가 비민주적인 것이거든요. 세대 교체는 또 비윤리적인 것이고 남을 차별하는 것 아닙니까? 그런 문제뿐이 아니죠. 세대 교체라고 해 가지고 경험 없는 사람에게 나라 맡기면 나라 꼴이 어떻게 되겠습니까? 그렇지 않아도 지금 나라가 이 꼴이 되어 있는데. 외국을 보더라도 젊은 사람도 하지만 나이 많은 사람도 얼마든지 해서 잘하고 있거든요? 이런 부분들이 국민들에게 인식돼 가면 세대 교체라는 비민주적이고 또 현실적으로도 적당하지 않은 주의 주장은 극복할 수 있다고 봅니다.

고도원 많은 국민들의 정서 속에는 정권 교체와 세대 교체를 동시에 이루면 가장 확실한 카드 아니냐는 것도 있잖아요? 그래서 소위 말하는 제3후보론도 나오고 그러는데.

그동안 정치를 안 했다 해서 덮어놓고 후보 되는 것은 위험

김대중 만일 제3후보가 있다면 이미 부각되었을 것 아닙니까. 이제 벌써 반 년밖에 안 남았는데 지금까지도 부각되지 않은 제3후보를 어디에서 찾겠어요. 그리고 항상 하는 이야기지만 국회의원은 2백99명이 있으니까 20-30명쯤 부실한 사람이 나와도 관계없어요. 그러나 대통령은 하나란 말입니다. 그 하나를 잘못 뽑으면 안 된단 말이에요. 대통령은 연습할 시간이 없어요. 집권한 그 날부터 나랏일을 맡아야 돼요. 그런데 제3후보라고 해 가지고 아무 검증도 안 받고 나랏일을 맡을 준비도 안 된 사람을 보기에만 새 사람이라고 해서 나왔다가 과거와 같이 또 잘못되면 나라는 어떻게 되냐 이거예요. 지금 우리가 전·노·김 3인에 대해서 대통령 능력에 대한 검증을 안 했다가 지금 이 꼴이 된 것 아닙니까? 그래서 나는 제3후보를 반대하는 것이 아니라 제3후보도 검증받은 사람이라야 후보가 될 수 있지 덮어놓고 그동안에 정치 안 해 온 사람이었다 해서 제3후보가 된다는 것은 위험한 것 아니냐, 이런 얘기입니다.

고도원 보다 더 현실적인 걸림돌은 김 총재의 득표력에 있지 않나 싶습니다. 텔레비전 토론을 거치면서 여러 객관적인 조사들이 김 총재의 상승 추세를 보여 주고 있지만 현재까지 나온 김 총재에 대한 지지율의 최고치가 26퍼센트입니다. 물론 이것은 이회창 신한국당 대표나 박찬종 고문, 이인제 경기지사를 따돌리고 1위를 유지하게 한 수치이지만 1992년 대선 때 김 총재가 득표하셨던 34퍼센트에도 미달되는 것이고, 당시 와이에스(YS)가 얻어서 당선됐던 42퍼센트에 비하면 크게 부족합니다.

김대중 지금 26퍼센트 선이라는 것은 아직도 뭐 까마득한 입장이지요. 해볼 만하다, 해 봐야 하겠다, 전망이 괜찮겠다, 이것뿐이지 안심이라는 것은 절대 아닙니다. 이 문제가 가닥이 잡혀 가는 것은 자민련과의 단일화가 어떻게 되느냐, 그리고 여당 후보가 지명되었을 때 그 여당 후보에 몰릴 표와 거기서 떨어져 나올 표가 얼마나 있느냐, 그렇게 헤쳐 모여가 되고 상황을 봐야 되겠죠. 물론 아무리 못하더라도 과거 34퍼센트 얻은 그 선은 회복하겠지만 그것 가지고는 당선이 곤란한 것 아닙니까?

고도원 김 총재에게 특히 문제가 되는 것은 영남 지역의 변동 상황이라고 보여집니다. 최근 여론조사에서 영남 유권자 중에 김 총재가 자질資質 부분에서 제일 낫다고 한 사람이 15퍼센트 선까지 상승이 됐어요. 그러나 김 총재를 찍겠는가 하는 질문에는 5퍼센트 정도입니다. 그것만도 큰 변화라고 하실지 모르지만 자질은 인정하면서도 안 찍겠다는 사람이 다수를 이루는 상황이 결국 김 후보가 타고 넘기 어려운 하나의 큰 벽인데 특별한 비책이라도 있습니까?

김대중 어제저녁 같은 텔레비전 토론이 거듭되게 되면 많이 달라질 것입니다. 계속해서 생각을 하게 되겠지요. 그리고 뭐라고 해도 우리에게 중요한 것은 수도권입니다. 수도권이 승패를 좌우하는 중심지이고 그다음에 충청도, 영남, 여기에서 상당한 성과만 얻으면 괜찮다고 봅니다. 충청도는 지난번 선거 때 김총필 총재가 김영삼 씨를 밀었음에도 불구하고 김영삼 씨가 36퍼센트를 얻고 내가 27퍼센트를 얻었습니다. 9퍼센트 차이밖에 없어요. 최근 현지 유력지가 한 여론조사를 보면 제가 상당히 앞서고 있어요. 아직 대구경북, 부산경남은 약간의 변화는 있지만 큰 변화는 없어요. 벽이 크지요. 그런데 사람들 이야기나 지구당 위원장들은 분위기는 많이 좋아져 간다 그래요. 좋아져 간다 그래도 표 찍을 정도까지 몰려오지 않는 것은 사실인데, 이것은 시간을 요하는 것이고 거기에 대해서는 우리 나름대로 대책이 있어요. 그것을 밝힐 단계는 아니지만 여하튼 여러 가지 조건을 총합산할 때 이번이 제일 좋은 기회가 아니냐 하는 것은 확실합니다.

고도원 관건은 디제이피(DJP) 연합, 그에 따른 후보 단일화 아니겠습니까? 어제 토론에서 김 총재는 희망적이라고 말했는데 그 근거는 무엇인가요?

김대중 소위 디제이피(DJP) 연합을 실현시키는 데 세 가지 조건이 있습니다. 하나는 대통령 후보를 누구로 할 것이냐, 다른 하나는 내각책임제 할 것이냐, 또 하나는 개헌을 언제 할 것이냐, 이 세 가지입니다. 그런데 내각책임제 개헌 문제는 우리가 수용했으니까 해결된 셈이고 문제는 그러면 개헌을 언제 할 것이냐에 있습니다. 자민련은 15대 국회 말, 그러니까 2000년 3-4월께 개헌을 해서 총선 들어가자는 것이고 우리는 총선이 끝나고, 그러니까 4월에 총선 한다면 다음 새 국회가 열리는 7-8월께 하자는 얘기니까 몇 달 차이가 있습니다. 한 반년 정도 차이가 있어요. 이게 큰 차이가 아닙니다. 그다음, 그러면 후보를 누구로 할 것이냐 문제가 있는데 이런 문제는 서로 조정하면 해결이 못 될 문제가 아닙니다.

15대 국회 내각제 개헌은 신한국당에 정권 주는 결과 될 수 있다

고도원 6개월 차이는 시간상의 문제보다 총선 전이냐 후냐 하는 데에 더 큰 의미가 있는 게 아닙니까?

김대중 우리 입장만 먼저 얘기하면 15대 국회 중에, 그것이 15대 말이든지 지금이든지 15대 국회 중에 한다고 합의하는 것은 두 가지 위험성이 있어요. 하나는 여당 측에서 15대 국회에서 개헌한다면 좋다, 우리도 하자, 그러면서 심하면 아, 그러면 이번에 대선 할 필요가 없지 않으냐, 지금 하자, 그렇게 나올 수 있지 않겠어요? 15대 국회 말에 한다면 한 2년 누가 대통령 연습하기 위해서 하는 거냐, 대통령 해 먹기 위해서 하는 거냐, 그럴 필요 없이 지금 하자, 이럴 때 15대 국회 말은 가능하지만 지금은 못 한다는 논리가 안 됩니다. 그러니 지금 하게 되면 신한국당하고 해야 되고 신한국당과 하게 되면 신한국당이 다수니까 정권을 신한국당에 준다는 결과가 되고 맙니다. 정권 교체를 하자는 게 우리의 공동 목적인데도 말이에요. 그렇기 때문에 우리가 제1순위로는 지지하지 않는 내각책임제까지 수용하는데, 내각제를 실행해 가지고 신한국당이 정권 유지하면 그게 무슨 의미가 있습니까, 우리 목적하고는 완전히 반대가 되는데. 그래서 이게 곤란하다는 거고요. 둘째는 선거 기간에 국민한테 물어보지도 않고 우리가 내각제를 한다고 하면 이 사람들 무책임하지 않냐, 그동안에 한 것 약속 위반이 아니냐, 이럴 때 자민련은 지난 총선에서 내각제를 한다고 공약했으니까 아무 부담이 없지만 우리는 부담이 있어요. 그런 문제가 있기 때문에 이번에 단일 후보 낼 때 16대에 국민의 동의를 얻어서 3분의 2 얻어 가지고 내각책임제를 하자는 거죠.

고도원 그런데 김종필 총재의 텔레비전 토론 다음 날 제가 그 토론회를 관장했던 언론사 핵심 간부를 만났습니다. 그가 제이피(JP)의 토론을 보고 느낀 결론은 후보 단일화는 불가능하다는 것이라는 겁니다. 디제이(DJ)가 또 당하는 것 같다, 이런 얘기도 하더군요.

김대중 나는 김총필 총재를 그렇게 보진 않아요. 김 총재가 그날 텔레비전에 나와서도 경선 끝나고 나면 통합위원회도 만들겠다고 하고 또 언론에 대해서도 여러 가지 적극적인 얘기도 했지 않아요? 사람마다 개별적으로 느낀 것을 가지고 하는 그런 얘기를 간혹 듣습니다만 정치란 국민 앞에서 국민과 같이 행하는 것입니다. 그분도 국민적 지도자니까 내가 볼 때는 국민적인 여망을 늘 고려할 것이라 생각합니다. 야당으로 정권 넘어가기를 바라는 국민 중에서 절대다수, 99퍼센트가 지지하는 후보 단일화에 대한 여망을 무시하지는 않을 것이라고 생각합니다.

고도원 제가 보기로도 김 후보의 지난 정치 역정을 보면 당한 경우가 참 많거든요. 속된 말로 뒤통수를 맞는 경우가 많았잖습니까. 1990년에 중간 평가 유보 후에 노태우 씨로부터 3당 합당으로 당했고, 이번에도 대통령 후보 당선 다음 날 강인섭 정무수석을 통해 와이에스(YS)로부터 축하를 받고 좋아했다가 곧바로 사정司正 공세를 당했고요.

김대중 그렇게 말씀하지만 나한테 그렇게 한 사람들 별로 잘된 것 없지 않아요?

고도원 그렇지만 김 후보의 목표는 결국 관철이 안 됐잖아요? 이번 4수가 어떻게 보면 그야말로 마지막 기회인데 그 기회마저 또 누구에겐가 뒤통수를 맞을지 모른다는 걱정들을 하는 사람도 있습니다. 디제이피(DJP) 연합에서도 어찌어찌해서 내각제는 수용해 놓고 후보 단일화는 안 되고, 그래서 이것도 저것도 아닌 결과가 생길 수도 있지 않겠습니까?

김대중 그러니까 우리도 그렇게 해서는 안 되니까 일괄 타결해야죠. 과거에는 내줘 버리고 당했지만 이건 일괄 타결이니까 뭘 내주고 뒤통수 맞는 일이 없지요. 나는 또 김종필 총재의 단일화에 대한 성의를 그렇게 의심하지도 않아요. 그리고 자민련 내에도 단일화를 해야겠다는 적극적인 생각을 가진 사람들이 많이 있다는 것을 알고 있어요. 그래서 과거 여야 관계에서 있었던 일과 이것하고 다르다고 봐요.

고도원 디제이피(DJP)+티제이(TJ), 이거야말로 환상적인 필승 카드다 하는 얘기도 있는데 박태준 선 포철 회장과는 개인적인 인연이 있습니까?

김대중 조금 있죠.

고도원 어떤 인연인가요?

김대중 국회에서 같은 상임위(경제과학위)도 했고, 그분이 김영삼 씨한테 당할 때 온갖 서러운 것을, 그것 부당하다고 생각하고 마음이나마 위로하는 입장에서 서신도 오갔어요.

고도원 정치인으로 나선 박 회장을 어떻게 평가하십니까?

김대중 정치인 이전에 그분은 포철을 통해서 우리나라 경제에 누구 못지 않은 공로를 세운 분 아닙니까? 내가 그분한테 아주 놀란 것은 그런 거대한 기업을 오랫동안 운영했으니까 아무래도 경제적 능력도 있지 않겠느냐 생각했는데 없어요.

박태준 씨 일선에 돌아오면 민주주의와 경제 발전에 큰 도움

고도원 돈이 없어요?

김대중 없어요. 선거도 치를 것 같지 않은 정도예요. 그래서 일본에서도 생활비도 안 돼서 일본 친구들이 도와줘서 간신간신히 살았다고 해요. 병원에 입원했을 때 치료비도 제대로 못 내고. 그런 것을 듣고 보니까 굉장히 기분이 좋더라고요. 남 못사는 것에 기분이 좋다고 해서 안 됐지만 이런 청렴한 분이 있었구나, 얼마든지 돈을 축재할 수 있는데도 불구하고 그렇게 했다는 것은 그것 하나만 가지고도 그분을 높이 평가할 분이 아니냐 하는 생각이 드네요. 그리고 그분이 정치를 하는 걸 봐도 술수를 부리지 않고 정도를 가지 않아요? 그러다 지난번에 김영삼 씨한테 당했지만. 김영삼 씨에게 당했다기보다는 그 양반은 노태우 씨한테 당한 거예요. 내가 알기로는 노태우 씨가 그 양반한테 대통령 나오라고 자기가 말해 놓고 나중에는 김영삼에게 돌아서면서 박태준 씨를 속였다는 것이죠. 난 그래서 첫째는 김영삼 대통령으로부터 누명을 쓰고 박해를 받은 사람이 다시 국민의 손에 의해서 정계에 복귀한다는 것은 우리나라 민주주의와 정의의 발전을 위해서 바람직한 일이라는 것이고, 둘째는 그런 분이 일선에 돌아오면 우리나라 경제 발전에도 큰 도움이 되지 않겠는가 생각합니다.

고도원 박 회장은 인간적인 관계를 중시하는 사람이라고 합니다. 그래서 어떤 사람은 여권에서 예를 들어 이수성 고문이 후보가 될 경우 이 고문 쪽을 지지할 것이라고 단언하더군요.

김대중 내가 뭐라고 할 말은 아니죠.

고도원 그리고 현재 여당 쪽에서 김 총재가 후보 나오는 한 여권에 누가 나와도 이긴다, 심지어 신한국당이 갈라지고 1-2명 정도가 탈당해서 무소속으로 나와도 이긴다, 이런 분위기가 상존해 있습니다만.

김대중 그런 말 하기 전에 공명선거나 하면서 그런 말 하라고 해요. 공명선거는 안 하면서 그런 소리 할 자격이 없다고 하세요. 자기들이 한 번이라도 깨끗한 선거를 했는가, 과거에 공명선거 했다면 과연 김영삼 씨가 이기고 노태우 씨가 이겼겠는가, 전 그렇게 묻고 싶습니다.

고도원 여권 후보가 이회창·이수성 씨로 압축된다고 했을 때 누가 더 어려운 상대로 생각합니까?

김대중 각자 일장일단이 있지요.

고도원 어떤 장단점이 있나요?

김대중 그것까지 얘기할 필요는 없고요.

고도원 이수성 씨가 더 어렵다고 보십니까?

김대중 그것에 대해서는 지금 말할 수 없죠.

고도원 최근에 회자되고 있는 김 대통령의 중대 결심은 디제이(DJ)에 대한 메시지다, 더 속된 표현을 하면 디제이(DJ)에 대한 공갈이라는 얘기도 들리는데 그럴 만한 이유가 있습니까?

김대중 난 그것이 나를 위한 메시지인지 아닌지도 모르겠고요. 과거부터 보면 권력 가진 사람들이 나를 박해해서 나에게 고통을 주고 나를 일시적으로 파괴를 시켰지만 그것이 자기들에게 도움이 안 됐어요. 전두환 씨가 오늘 저렇게 비참하게 된 것도 나를 의식해 가지고 광주에 가서 그런 무도한 짓을 하다가 영원히 역사의 죄인이 된 게 아니겠어요? 김 대통령도 집권 이후 너무 나를 의식하다가 이렇게 되었다고 말하는 사람도 있어요. 그러니까 그것은 자기들이 역사로부터 배울 교훈 문제지 내가 관여할 문제는 아니죠.

고도원 김 대통령 하야 문제에 온건한 입장을 취하고 있는 건 다 알려진 얘기지만 그 부분에 대해서도 김 후보는 언제든지 결정적일 땐 무르다는 평도 있습니다.

김대중 글쎄요. 그런데 국민은 이 시간에 대통령이 하야하는 것을 바라지 않지 않아요?

고도원 여론조사상으로는 높진 않지요.

김대중 그리고 실제 그래요. 이제 몇 달 참으면 되는데 굳이 정국을 잘못하면 파탄시킬 일을 해야 하느냐 하는 것도 그렇고 또 헌정 입장에서 보더라도 대통령이 중병에 걸렸다든가 무슨 사태가 직무 수행 불능 상태가 아닌데 대통령이 하는 행위에 대해서 문제가 있다고 해서 나가라고 막 몰아내는 것이 꼭 바람직한 일인가, 그런 헌정의 전례를 만드는 것은 아니라고 봐요. 국민의 80퍼센트 이상이 김영삼 대통령의 대선자금 공개 불가 성명을 불만족스럽게 생각하면서 밝히라고 요구하면서도 하야는 그 반대예요. 우리로서는 이러한 국민의 뜻에 따라서 밝히라는 것은 계속 주장하되 하야를 지금 이 시간에 주장해서는 안 된다고 하는 것이 민주주의 원칙이고 국민 뜻을 받드는 것이라고 생각합니다. 만일 내가 지금 하야로 몰고 가면 국민들이 뭐라고 하겠어요. 나는 개인이 아니라 야당 총재인데 야당 총재가 여당 대통령보고 국민이 바라지도 않는데 하야로 몰고 가면 정권욕에서 한다고 할 것 아니요? 그러면 그때는 국민적 비난을 면치 못할 거예요. 어떻게 해서 야당이 그럴 수가 있느냐, 이렇게 나온단 말이오. 그러니까 하야에 대한 주도권은 국민에게 있지 야당에 있지 않아요.

고도원 대통령이 이렇게 역할을 못하고 사실상 국정 중단 상태에 있는 상황이 지속되느니 빨리 대통령 선거를 당겨서 정상화시키는 것이 낫다는 사람들도 있지 않아요?

김대중 그것도 잘못이지요. 그렇게만 볼 수 없는 것이 내가 거기에 대해서 대안을 얘기하고 있지 않아요? 현재 김영삼 대통령은 통치 능력을 상당 부분 상실했다, 여당도 집권당으로서 기능이 마비됐다, 그러니까 이 사람들에게 나라를 앞으로 8개월이나마 맡길 수가 없다, 그러니까 김영삼 대통령은 신한 국당을 뜨고 여야를 포함한 거국연립내각을 만들어서 정국 안정을 기하면서 공명선거, 경제 활성화, 남북 문제 같은 중요한 문제를 처리하라고 안을 내놓고 있지 않아요? 어째서 꼭 하야만이 대안이 돼요?

북한이 전쟁을 못 일으키도록 관리하는 심정으로 대해야

고도원 요즘 여권에서 나오고 있는 권력 분점론에 대해서는 어떻게 생각하십니까?

김대중 그건 관심이 없어요. 내가 볼 때는 여권 내에서 대선 후보 경선 과정에서 전략으로 하고 있는 것 같으니까요. 그런 생각이 있으면 평소에 얘기를 해야지요. 대선 후보 투표 앞두고 그런 소리 한다는 것은 자기들 내부끼리 서로 전략이지 국민적 관심의 대상은 못 된다고 봐요.

고도원 최근 김 후보 말씀 중에 인상적인 것은 대북 관계에 대한 것입니다. 이제 북한은 관리할 대상이지 경쟁 대상도 적대 대상도 아니라는 대목은 의미 있는 말씀이라고 생각했습니다. 우리가 취할 대북 관계의 핵심을 간략하게 말씀해 주십시오.

김대중 북한에 대해서 기본적인 것이 변한 것은 아닙니다. 평화 공존, 평화 교류, 평화 통일, 그런 기본 원칙 밑에서 단계적으로 국가연합, 연방제, 완전 통일, 이렇게 가야 한다는 생각은 같습니다. 그런데 최근에 북한의 사정이 상당히 약화되고 있어요. 중국이나 미국, 러시아의 전문가들의 말을 들어 봐도 북한이 그렇게 쉽게 망한다고 보는 사람은 적어요. 그런 상황이지만 저대로 가면 희망이 없는 것도 분명해요. 그런데 우리가 주목해야 할 것은 지난번의 강릉 사태처럼 이 사람들이 언제, 무슨 일을 저지를지 모른다는 걱정이 있단 말이에요. 물론 그것은 상부가 전체를 잘 장악하고 있는 것 같지 않은 측면도 있습니다. 그래서 우리가 그런 면에 있어서는 기본적으로는 북한하고 화해·협력해서 평화 공존해 나가는 것이 원칙이지만 또 한편으로는 전쟁을 못 일으키게 관리하는 심정으로 대해야 한다는 얘깁니다.

고도원 지금 유럽에 소위 대처리즘으로 상징되는 유럽의 우파가 무너지고 신자유주의도 퇴조하고 좌파 정권이 행렬을 이루고 있는데 이런 유럽의 변화에 대해서는 어떻게 봅니까?

김대중 글쎄요. 그것을 유럽의 변화라고 봐야 하는지 각국의 상이한 정치적 환경의 반영이라고 봐야 하는지를 생각해 봐야 할 것입니다. 나는 후자라고 보고 있습니다. 영국에서 토니 블레어가 승리를 했지만 영국 경제 정책은 대처리즘을 택했습니다. 그렇기 때문에 반드시 좌파가 승리했다고 볼 수도 없는 거예요. 미국서도 클린턴이 승리했지만 경제는 레이건 정책을 받아들였습니다. 그러면서도 토니 블레어나 클린턴이 자기들이 가지고 있는 권력의 사회 개혁적인 점을 또 발전시키고 있어요. 그래서 지금은 모두 혼합해서 가는 시대지 어느 한쪽으로 좌다, 우다 하는 시대가 아니라고 말할 수 있습니다. 지금 우리가 자꾸 그런 고정관념에 사로잡혀서 좌우를 갈라놓고 문제를 보려고 하는데 소련의 붕괴와 더불어 이제 좌우가 끝났어요. 중국까지도 전부 시장경제 받아들이는데 무슨 좌우가 있느냐 이거죠.

고도원 이제, 김 후보께서 만약 집권을 하게 되면 당장 수행할 국정의 우선순위를 좀 밝혀 주십시오.

김대중 으음, 그에 대해서 먼저 얘기하고 싶은 것은 정치도 이제는 국민과 지도자가 같이 해야 합니다. 그러니까 지도자와 국민이 같이 하는 정치체제, 이것을 만들어 내는 것이 최우선이에요. 지금 우리가 여러 가지 어려움이 있는데 국민들이 자 이제 총단합하자, 화해하자, 그리고 힘을 모아 가지고 일어서자, 이런 식으로 되어야지 이 나라가 잘됩니다. 그런 점에서 내각 구성부터 지역차별, 계층차별 없이 해서 누가 보든지 전 국민적인 정부를 만들어 내야 합니다. 전 국민적인 지지를 받으려면 이것부터 해야겠지요. 그리고 국민하고 정치를 같이 하는 직접민주주의 쪽으로 한 발 나아가야 합니다.

고도원 텔레비전 토론에서 주장하신 텔레비전 토론 정치 말인가요?

김대중 예, 바로 그것입니다. 지금까지 대의代議 정치였는데 이 대의 정치로부터 텔레비전 정치로 한 발 가는 거예요. 요새 언론에서 자꾸 여론조사를 하는 것도 말하자면 직접 정치의 전주곡 비슷한 것 아닌가 생각해요. 이렇기 때문에 앞으로는 전자 매체를 통해서 국민하고 언제든지 연결이 되는 것 아닙니까? 제가 대통령이 되면 방금 말한 대로 먼저 전 국민적 지지를 받을 수 있는 내각을 구성하고 전군 주요 지휘관 회의 같은 것을 해 가지고 확고한 안보 태세의 방향을 잡고, 그리고 대통령 취임식 때 주변 4대국의 정상을 한국에 초청해 가지고 그들과 정상회담을 해서 한반도 문제를 논의하고자 합니다.

고도원 4대국 정상을 동시에 초청해서요?

김대중 예, 동시에 초청해서 한반도 문제를 같이 논의하는 장을 한번 만들려고 해요. 그다음에는 그런 것을 종합해서 휴일에 세 시간쯤 시간을 잡아서 텔레비전 토론을 갖는 겁니다. 한 시간은 먼저 정부 측이 세계가 지금 어디로 가고 있고, 우리가 어느 위치에 있고, 정부가 해야 할 일이 뭐고 국민이 도와줄 일이 뭐라고 설명을 하고, 그다음에 국민으로부터 한 시간 동안 의견을 수렴하고, 나머지 한 시간은 이를 종합해서 결론을 내리고, 그리고 한 반년 후에 다시 모여서 회의하겠다, 그러니까 여러분 우리하고 이렇게 합의된 방향으로 같이 협력하자, 이렇게 해서 국민이 국정에 참여해서 하니까 모두가 방향 감각이 확실해지고 나도 참여자다, 나도 주인이다 하는 의식이 생기게 될 게 아닙니까. 이렇게 하면 우리 국민이 하나로 뭉쳐서 함께 나가는 힘이 생기리라고 확신합니다.

그러니까 "함께 손잡고 일어서자", 그래서 세계 속의 한국, '신新광개토 시대'를 만들자, 말하자면 참여의 정치를 해 나가는, 직접 참여의 정치를 해 나가는 그런 방향으로 해 보고 싶다는 것이죠.

기술 입국, 가능성의 문제 아니라 안 하면 망친다

고도원 김 후보가 수행하고자 하는 경제 정책의 요체는 무엇입니까?

김대중 경제 분야는 많은 것이 있지만 우선 다섯 가지를 제시하고자 합니다. 하나는 철저한 안정 정책입니다. 물가 인상률을 3퍼센트 선으로 잡겠습니다. 지금과 같이 비현실적인 물가가 아니라 진짜로 국민이 피부로 느끼는 3퍼센트 이내로 잡는 것입니다. 이와 함께 통화량을 10퍼센트 이내로 해야 한다든지 예산 10퍼센트 절감 같은 여러 가지 복안이 있습니다만 다 얘기할 수 없고, 어쨌든 그 물가 안정의 기초 위에 금리·노임·물류 비용·지대를 잡아 5고 현상을 묶는다는 것이 첫째입니다. 둘째는 완전한 기술 입국 추진입니다. 철저하게 기술 입국을 해서 우리 기술 수준이 미국과 일본을 따라잡아야 된다는 겁니다. 이건 못 하면 망하는 거니까 가능하냐, 불가능하냐, 이게 아니라 망하지 않으려면 해야 한단 말이에요. 나는 가능하다고 생각합니다. 물론 전부를 다 따라잡는 건 아니지요. 전체 수준으로 봐서 따라잡는다는 개념으로 접근해야 합니다. 특히 우리가 지금 중소기업 시대고, 중소기업 중에서 벤처기업 시대입니다. 미국에서도요. 지금 보면 지난해 미국 국내총생산의 33퍼센트가 벤처기업들이에요. 벤처기업이 굉장히 부가가치가 높기 때문에 그렇습니다. 그래서 미국에서는 대기업들, 과거에 유명한 대기업들 많지 않습니까. 이런 대기업들이 오히려 위축되어서 20만 명의 실업자를 내놓았는데 벤처기업들은 1백만 명에게 직업을 줬어요. 우리나라에서도요. 중소기업 도산한 것은 상당히 많습니다. 그러나 벤처기업이 한 1천 개 있는데 하나도 도산한 게 없습니다. 셋째는 신명 나는 노사 협력 체제를 만드는 것입니다.

고도원 그다음 네 번째는요?

김대중 네 번째는 대기업과 중소기업의 협조 체제를 구축하는 것입니다. 지금은 중소기업 시대예요. 미국 같은 곳은 대기업도 자꾸 중소기업으로 분할하지 않습니까? 어쨌거나 아직도 대기업이 할 역할이 많습니다. 그래서 우리는 대기업에 대해서 과거같이 권력이 장악하고 정경유착 속에서 대기업을 먹이사슬로 하던 시대에서 벗어나야 한다고 봅니다. 대기업이 권력을 부패시키면서 자기들 특혜적인 이득을 얻던 그런 시대는 이제 지나야 돼요. 그래서 완전히 시장경제, 완벽한 경쟁의 원칙, 이래서 대기업들이 자기 능력껏 재주껏 커 나가도록 규제를 다 혁파해야 돼요. 그 대신 대기업이 독과점을 하거나 불공정 거래할 때, 이것은 시장경제 원리, 자유경제 원리에 어긋난 거니까 이것만 다스리고 나머지는 대기업에게 자유를 줘야 돼요. 또 그렇게 해서 대기업이 세계시장에 나가면 그건 애국자로 취급해야 돼요. 그런 식으로 나가서 대기업 기업인들이 신명 나게 세계를 놀아다니게 만들어야 돼요. 비행기로 이리 뛰고 저리 뛰고, 그러고 중소기업은 중소기업대로 말하자면 개미군단같이 세계 속으로 나갈 수 있도록 이제 국가의 혜택을 전부 중소기업에 집중해야 합니다. 특히 자금·기술·인력 문제에 대한 지원을 해 줘서 중소기업이 다시 일어서게 해야 합니다. 다섯 번째는 모든 것은 시장경제 원리에 따른다는 것입니다. 그러면 우리도 새로운 광개토 시대를 열어 갈 수 있습니다.

고도원 김영삼 대통령은 처음 임기를 시작하면서 역사에 남는 대통령이 되고 싶다고 했는데 김 후보께서는 혹시 집권하면 제2의 광개토대왕으로 기록되기를 원하십니까?

김대중 나는 그렇게 기록되기를 원하지 않습니다. 광개토대왕은 국민이 되어야 하고, 국민이 해야지 내가 대통령을 몇 년 한다고……. 나는 그저 그

길만 좀 여는 것뿐이지요. 지금 내가 말한 세계 5강으로 가는 깃도 내가 대통령 임기로 있는 동안에는 불가능해요. 빨라도 2025년, 21세기 1분기까지는 가야죠.

군의 사기가 이처럼 떨어진 네 가지 원인과 처방

고도원 국방 문제를 한 가지만 묻겠습니다. 지금 우리 국방의 제일 큰 문제는 군인들의 사기가 그렇게 엉망이라고 합니다.

김대중 맞습니다.

고도원 혹 그 원인과 처방을 갖고 있습니까?

김대중 그 문제에 대해서 우리는 이미 정책을 발표한 바 있습니다. 지금 지적한 대로 우리 국방의 최대 문제는 무기 문제가 아니라 군의 사기 문제입니다. 그런데 군의 사기가 왜 저 꼴이 됐느냐, 거기에는 네 가지 원인이 있습니다. 네 가지 원인이 바로 또 처방도 됩니다. 하나는 군을 정치적으로 이용하고 안보를 악용한 것입니다. 작년 4월 11일에도 악용한 것 보십시오. 그런 것을 보고 군인들이 말하자면 충성심을 다해서 군무에 복종하겠다는 의욕이 얼마나 고조되겠는가 생각해 보란 말입니다. 자기들이 목숨 걸고 지키고 있는 안보를 정치권들이 이용해 가지고 엉뚱한 비상을 걸고, 이런 짓을 하면 이것을 어떻게 보겠습니까. 대통령이 일선을 뛰고 국무총리가 서해안을 가고 말이지요. 이런 식으로 해서 선거에 악용했던 것입니다. 그러니까 안보 악용을 안 해야 하고 둘째는 인사 문제에 있어서 공정해야 합니다. 군인들은 계급이 생명입니다. 군같이 계급이 중요시되는 데가 없지 않아요? 그것 가지고 사는 거예요. 그런데 올라갈 사람이 못 올라가고 못 올라갈 사람이 오르고, 이래 가지고 군에서 어떻게 사기가 올라가겠습니까. 이게 안 돼요. 셋째는 신상 필벌입니다. 특정 지역 출신이라든가 배경이 좋으면 과오를 범하고도 무사하고, 오히려 승진하고, 안 그런 사람은 책임지고, 이런 식으로는 군의 사기를 높일 수 없습니다. 넷째는 처우 개선입니다.

고도원 김 총재께서 쓴 『새로운 출발을 위하여』라는 책을 보니까 토인비를 통하여 영향을 많이 받았다고 했더군요.

김대중 예, 그렇습니다.

고도원 어떤 부분에서 영향을 가장 많이 받으셨습니까?

김대중 토인비가 보는 역사관, 도전과 응전에 의한 역사관은 세계 전체 수많은 나라, 여러 시대를 풀이한 것입니다. 그것을 통해서 내가 역사를 보는 눈이 생겼다고 볼 수 있고요. 그리고 결론에서는 어느 민족, 어느 나라든지 영원히 강성한 민족도 없고 영원히 번영하는 민족도 없다, 오직 그때그때 모든 시련과 도전에 대해서 잘 적응해 나가는 그런 민족과 국가만이 남는다, 하는 것을 들 수 있습니다. 그리고 역사를 보면 문화의 힘이 얼마나 크다는 것을 알 수 있습니다. 예를 들면 기원전 2세기인가요, 3세기인가요. 알렉산더 대왕이 인도 쪽으로 동방 진출하지 않습니까? 그래 가지고 그리스의 문화와 동방 문화를 접목시킨 것이 헬레니즘이거든요. 그 헬레니즘 문화가 마호메트가 이슬람을 일으킬 때까지 한 7백-8백 년 동안 동방을 지배했습니다. 지금 중동 지방을 지배했어요. 그런데 마지막에는 결국 7백-8백 년 잠복했던 그 중동의 이슬람 문화가 그것을 뒤집어엎고 마호메트가 이슬람교를 창설함으로써 다시 살아난 거예요. 그러니까 고유문화라는 것이 얼마나 끈질긴 생명력을 갖고 있다는 것을 알 수 있습니다. 그런 것으로 볼 때 우리 한민족이 이렇게 살아남아 있는 이유도 알게 됩니다. 압도적인 중국의 중심 문화, 이것이 주변의 동서남북을 흡수해 가면서 중국 속으로 동화시켜 가지 않습니까? 중국화시켜 버렸단 말이에요. 심지어 몽골족이 원나라 만들어서 한 1백 년 지배하더니 내몽골, 이쪽 반은 중국화되어 버리고 만주족이 청나라 해서 한 2

백50-60년 지배하더니 거의 다 중국화되어 버렸습니다.

그런데도 우리같이 2천 년 동안 정치·경제·사회·문화·종교 모든 분야에서 중국의 영향을 받은 민족이 왜 중국화가 안 됐느냐 이거예요. 왜 대륙에 혹같이 붙어 있는 한반도 하나만 중국이 아니냐 이거예요. 이게 기적 중의 기적입니다. 그 힘이 어디서 나왔느냐, 문화입니다. 문화예요. 우리가 중국으로부터 불교 문화를 가지고 오면 반드시 해동 불교라 해서 우리 문화로 재창조했습니다. 유학도 마찬가지입니다. 해동 유학이라 해서 중국서 문화를 받아들이더라도 그것을 우리 것으로 재창조함으로 해서 상대방에 대해서 우리의 주체성과 자존심을 지키고 당당히 1대 1로 대했던 것입니다. 그것이 그쪽에 흡수되지 않은 원인이 된 거예요. 그리고 그런 것이 우리 민족이 가지고 있는 저력입니다.

고도원 노명식 선생이 어느 글에 아놀드 토인비와 작고하신 함석헌 선생을 비교하면서 두 사람의 역사관이 너무 일치한다, 그 일치의 바탕을 고난의 역사관이라고 했더군요. 고난을 겪은 민족이 위대한 역사를 만든다는 거죠.

김대중 그 점도 난 긍정합니다. 그런데 토인비의 역사관에서 가장 큰 것은 역사를 움직이는 원동력의 존재는 밑바닥 민중이라는 것입니다. 그 사람은 종교를 중심으로 세계의 역사를 풀어 가고 있습니다.

그러면서 김 후보는 토인비가 분석한 세계 4대 종교와 특성과 본질을 설명해 나갔다. "기독교·이슬람교·힌두교·불교가 모두 밑바닥 민중 속에서 배태해서 그것이 마치 나방이 껍데기를 벗고 나오듯이 나온 종교들"이라면서 그에 따른 여러 사례들을 상세하게 소개했다. 원고지 10장 분량은 족히 됐다.

결혼을 하면 옛날 남자 얘기 절대로 하지 말라

고도원 현안 문제 한두 개만 여쭙겠습니다. 김 후보께서 집권을 하면 대선

자금 등의 문제로 혹시 김영삼 대통령이 사법 처벌의 대상이 되겠습니까?

김대중 진실은 밝혀도 사람을 처벌하는 것은 극히 삼가야 한다는 것이 나의 일관된 생각입니다. 광주 문제도 그렇습니다. 아시다시피 전두환 씨가 1989년에 사과하지 않았습니까? 그때 전두환 씨에 대해서 국민들이 더 이상 그러면 안 된다고 제가 앞장서서 주장했습니다. 나는 앞으로도 그럴 생각입니다. 정권은 앞을 보고 자꾸 나가야지 맨날 뒤만 돌아다봐서야 되겠어요? 그러나 그것은 내 개인 생각이고 김영삼 대통령이 워낙 많은 정치보복을 하고 김영삼 대통령에게 당한 사람들이 많지 않습니까. 전두환 씨나 노태우 씨부터 그렇잖아요? 그런데 김영삼 대통령이 자기가 만일 그런 부정한 것을 감춰 놓고 그때 가서도 나는 괜찮다, 이렇게 가기는 참 어려운 일이란 말이에요. 그래서 나는 김영삼 대통령이 좀 어렵더라도 우리도 국민이 납득하는 선에서 도와줄 수 있으니까 지금 모든 것을 해결하는 것이 제일 옳은 방법이라고 생각하고 있습니다. 그러면 풀립니다. 그러나 끝내 그렇게 안 하고 갔을 때 어떻게 하느냐, 그때엔 국민의 의사가 제일 중요합니다. 내 개인으로서는 진실은 밝히더라도 사람에 대해서 처벌하는 문제는 우리 국가의 앞을 보고 진행시키는 그런 역사를 위해서도 신중히 해야 한다고 생각합니다.

고도원 김현철 씨는 혹시 집권하면 사면되겠습니까?

김대중 내가 그런 문제까지 지금 답변할 수는 없는데요. 김현철 씨는 결국에서는 미안한 말이지만 아버지 책임이다 이거죠. 아버지가 자식 관리를 잘못한 거다, 여기까지만 말하겠습니다.

고도원 어제 텔레비전 토론 막간에 이희호 여사께서 김 후보에 대한 장점을 아주 짤막하면서도 핵심을 말씀하시더군요. 눈물과 인정이 있고 유머가 있고 사람을 존중하고 쉬지 않고 연구하고, 그러니 정말 마지막 봉사할 기회를 달라, 모든 뜻이 담겨 있던 말이다 싶었는데 그 말을 들으면서 무슨 생각을 했습니까?

김대중 요샌 나한테 그런 말을 통 안 하니까 그런 생각 없는가 보다 하고 있었는데 어제 보니까는 말을 제대로 잘하데요. 하하하.

고도원 「서편제」 배우 오정해 씨 주례를 하셨잖아요? 그리고 나서 어떤 여성지 대담에서 오정해 씨에게 행복한 결혼 생활 비결을 가르쳐 주겠다 하시면서 "결혼을 하게 되면 옛날 남자 얘기를 절대 하지 말라"고 한 말씀을 재미있게 읽었습니다. 이희호 여사께도 옛날 여자 얘기를 안 하셨습니까?

김대중 그런 건, 안 하는 게 옳은 거요.

고도원 왜 그렇습니까?

김대중 사람이란 것은요. 몰라서 편한 일이 얼마나 많아요? 친구 사이에서도 어떤 때는 참 나쁜 놈이다 생각하거든요? 밉게 생각한단 말이에요. 그러나 그 친구는 그걸 모르거든요. 그러다 지나고 보면 또 친해져서 서로 술 먹으러도 다니고 하면서 아이고, 그때 내가 괜히 쓸데없는 생각을 했다 할 때가 많지 않아요? 그런데 만일 상대방이 그걸 알았더라면 얼마나 상처를 입겠어요. 모르는 게 약입니다. 특히 부부간에는 서로 상처 줄 말은 절대로 해선 안 됩니다. 부인하고 다툴 때 당신하고 결혼한 것을 후회한다든지 이따위 소리를 하면 그것이야말로 참으로 몹쓸 소리거든요. 하하하.

김 후보의 낮은 웃음소리가 따뜻하고 편안하게 느껴졌다.

* 이 글은 당시 고도원 정치 전문 기자가 국민회의 총재실에서 인터뷰한 것으로 『윈』(WIN)지 1997년 12월 호에 게재되었다.

내각책임제도 국민이 최종 승인해야 할 수 있는 것

대담 허용범
일시 1997년 12월

실수하지 마라

이미 세 차례의 실패, 그래서 어느덧 고희를 넘기고도 대권의 꿈을 버리지 않는 노익장. 벌써 몇 달째 여론조사 지지도 1위를 달리는 김대중 국민회의 총재는 이번만은 진짜라고 말한다. 또한 이번이 진짜 마지막 기회라고 호소한다. 국민회의 당직자들에게 내려진 제1의 행동 지침은 "실수하지 말라"이다.

이른바 디제이피(DJP) 연합은 대권 고지의 9부 능선에 올라선 것 같은 그를 단번에 정상까지 밀어 올릴 것으로 보였다. 그러나 '디제이피(DJP)'든 '디제이티(DJT)'든 이질적인 정치 세력 간의 연대는 막상 그 실체를 드러내자마자 거센 역풍을 받고 있다. 기대했던 지지도 상승, 대세 굳힘, 기피 심리 완화보다는 권력 나눠 먹기 흥정이라는 따가운 의심의 눈초리들이 그 앞을 막아서고 있다.

그는 정권 교체와 민주주의를 위해 대통령제를 포기했다고 말한다. 정권 교체가 이뤄지지 않으면 진정한 민주주의가 아니기 때문에 2년 3개월짜리 대통령도 하겠다고 한다. 그러나 과연 정권 교체를 위해 대통령제를 포기하고, 대신 70대 두 경험 많은 정치가에게 21세기 대한민국의 향도 자리를 맡기는 것이 보다 안전하고 희망찬 것인지 이들은 충분히 납득시키지 못하고 있다.

이회창·조순 합당은 상당한 문제

허용범 요즘 논란이 되고 있는 문제가 디제이피(DJP), 혹은 디제이티(DJT) 연합에 관련된 것입니다. 김 총재께서는 정권 교체를 위한 연대라고 주장하고 있습니다. 정권 교체를 위해서라면 줄곧 견지해 왔던 노선과 정책, 정치철학도 포기할 수 있다는 말입니까?

김대중 정치철학을 버리는 것은 아니죠. 더 높은 차원의 원칙, 민주주의를 살리기 위해서, 그래야만 단일화가 되니까 정부 형태에 타협을 한 것입니다. 또 국민도 내각제와 대통령제에 대한 지지가 반반 정도에까지 왔으니까 상황도 바뀌었습니다. 더 깊은 차원까지 얘기하면 21세기는 다원화 시대니까 내각제가 유용한 면도 있습니다. 그러나 한마디로 말하면 민주주의를 살리기 위해서 작은 것을 희생한 겁니다.

허용범 아무리 민주주의와 정권 교체의 가치가 중요한 것이라 하더라도 예전 3당 합당을 두고 총재께서 야합이라고 비판하신 것처럼, 정당 간의 연합이나 후보 간 연대에는 최후의 한계 같은 것이 있는 것 아닙니까?

김대중 과거의 3당 합당은 국민에게 군정 타도하겠다고 약속하고 나온 정당이 군정 정당과 손잡지 않았습니까? 그것도 당내에서 어떠한 민주적 절차도 거치지 않고 밀실에서 얘기해서 하루아침에 바뀌었습니다. 또 거기에는 정책 조정도 없었습니다. 그러니까 완전히 야합이지요. 그러나 우리는 통합이 아니라 자기 당의 입장은 따로 지니면서 정책 조정에 의해 실천하기 위해 5년간 연합하는 겁니다.

허용범 그렇다면 지금 신한국당과 민주당의 합당은 야합입니까? 아니면 정상적인 합당입니까?

김대중 민주주의는 절차가 중요한데 절차에서 상당히 문제가 있다고 생각합니다. 왜냐하면 양당 모두 당내 과정을 거치지 않고 양쪽 대표가 밀실에서 결정해서 발표했고 또 가족들이 참여해서 실질적인 일을 다 했어요. 민주주의적인 측면에서 볼 때는 그렇게 바람직한 방식이 아니라고 봅니다.

허용범 아직도 우리나라에는 내각제가 시기상조라는 의견이 많고, 특히 정경유착이 없어지지 않는 현실에서 재벌들이 의원들을 매수하거나 배후 조종함으로써 재벌 공화국이 될 것이라는 비난도 있습니다.

김대중 재벌이 매수하려면 의원 매수도 있을 수 있지만 중남미 국가들의 예에서 볼 수 있듯이 대통령 매수도 있을 수 있습니다. 따라서 내각책임제에만 그런 문제가 있다고 볼 수는 없어요. 또 지금은 정치자금법이 개정되었고 자금을 양성화시키고 공정하게 할 것이기 때문에 내각제냐 대통령제냐에 따라 문제가 크게 달라지지는 않을 것입니다.

허용범 만약 디제이피(DJP) 합의에 따라 대통령에 당선되면 김 총재께서는 2년 3개월짜리 대통령이 되는데 만약 내각제로 개헌이 되지 않거나 내각제가 되어도 자민련이 총리를 선택하게 되면 계속 국민회의에서 대통령을 할 수 있습니다. 여건이 된다면 그 이후에도 계속 대통령을 하실 생각입니까?

김대중 그 문제에 대해서는 아직 논의된 바도 없고 생각해 보지도 않았습니다. 내각책임제라는 것도 국민이 최종적으로 승인해야 되는 것이고 따라서 지금 우리는 합의된 것을 충실히 이행하고 인사 문제 같은 구체적인 것은 그때에 가서 해결하겠다는 겁니다.

허용범 김종필 총재가 초대 총리로 내정되어 있다는 것이 사실입니까?

김대중 인사 문제에 있어 이면적으로 합의되어 있는 것은 아무것도 없습니다. 초대 총리가 자민련 쪽에서 나온다는 것만이 합의되어 있는 것입니다. 그런 얘기가 나오긴 했는데 그런 것은 정하지 않는 게 좋다고 해서 하지 않았습니다.

허용범 김종필 총재가 초대 총리로 정해져 있다고는 하지 않아도 지금 자민련의 권력 구조나 세력을 보면 김종필 총재가 원한다면 총리가 될 수 있는 것은 사실이죠.

김대중 그것은 자민련이 선택할 수 있는 문제니까 자민련에서 안을 내겠죠. 그 안을 존중해야죠.

허용범 김 총재께서는 지난번에 내각의 지역 비례 할당제를 언급하신 적이 있습니다. 자민련과의 지금 약속대로 5대 5 추천을 하게 되면 지역 비례 할당은 어떻게 지킬 것입니까?

김대중 자민련과 우리하고 5대 5라는 것은 같이 대등한 입장에서 내각을 구성하자는 것이지 자민련과 우리가 다 나눠 먹자는 것은 아닙니다. 우리가 내각 구성할 때는 지역 안배도 생각하고 좋은 인물을 발탁해 현재의 정부 내에서도 나올 수 있고 민간에서 나올 수도 있다는 것입니다.

허용범 그런데 총재께서는 대통령으로서 지역 안배 원칙에 맞는 내각을 구성한다 해도 자민련에서 추천하는 분이 특정 지역에 치우쳐 있으면 지역 비례 할당과는 거리가 멀게 되는 것 아닙니까?

김대중 그건 조정해서 결정해야 하고 임명권자인 대통령은 나니까 제청권자인 총리하고 협의해서 결정을 해야죠.

허용범 만일 자민련이 대통령인 김 총재의 의사에 반하는 인물, 사상이나 능력 면에서 도저히 받아들일 수 없는 인물을 추천한다면 어떻게 하실 생각이십니까?

김대중 그런 일은 없을 것이라 봅니다. 서로 공동 정부를 잘 운영해 나가자는데 장관조차 의사가 안 맞으면 어떻게 하겠습니까?

허용범 지금 총재께서도 말씀하셨지만 양당이 동등한 지분으로 내각에 참여하게 되어 있습니다. 그래서 일부분을 각자 떼서 제3세력에게 줄 수도 있는지요? 구 여권의 대표성을 인정해서 지분의 20퍼센트를 할애했다고 하는데 사실입니까?

김대중 그런 일은 없을 겁니다. 또 박태준 의원이 그런 사람이 아닙니다. 옆에서 누군가가 지분 얘기를 하니까 "우리가 나라만 잘되면 됐지 그런 얘기 하지 말라"고 만류했다는 말도 들었습니다.

허용범 박태준 의원을 혹시 경제부총리로 생각한 적이 있습니까?

김대중 그런 문제는 생각한 바가 없습니다.

지금 살얼음을 걷는 심정

허용범 지금 추세대로 가고 돌출 변수만 없다면 당선을 확신할 수 있을 것으로 생각되는데요.

김대중 선거는 아직도 30일 이상 남았는데 그런 낙관을 할 수 없습니다.

허용범 돌출 변수라면 어떤 것이 있을 수 있다고 예상하십니까?

김대중 요새는 건강 가지고 문제를 삼는데 자꾸 무슨 문제가 생기게 마련입니다. 지금은 살얼음을 걷는 심정으로 하루하루 선거운동을 해 나가고 있기 때문에 지금 막판이라든지, 당선을 확신한다든지 하는 생각은 하지 않고 있습니다.

허용범 1987년 대선이나 1992년 대선에서는 선거 때만 되면 북풍이 불었습니다. 이번에는 조금 불다 멈췄는데 남은 기간 동안 어떻게 될 것이라 보십니까?

김대중 내가 여러 가지 파악한 바로는 이번에도 북한이 선거에 많은 변수가 될 것이라는 정보를 입수했습니다. 아직 공개할 단계는 아니고 여러 가지 가능성에 대해 대비하고 있습니다.

허용범 최근에 입당한 전 안기부 기조실장 엄삼탁 씨가 선거대책본부 특별본부장을 맡게 되었는데 엄 씨는 어찌 됐든 슬롯머신 사건으로 유죄 판결을 받은 인물입니다. 그런 사람들을 끌어들이는 것은 문제가 있지 않습니까?

김대중 슬롯머신 사건에 연루되었던 사람 중에 국회의원이 되어 있는 인물도 있지 않습니까? 김영삼 대통령이 표적 수사에 의해 그 사람들을 희생시켰기 때문에 국민들이 선거를 통해서 당선시키고 한 것 아닙니까? 엄삼탁 씨도 같은 케이스고 그렇게 용납하지 못할 정도는 아니라고 생각합니다.

허용범 지금 국민회의 안에는 국가경영전략위원회라는 것이 구성이 되어 있고 2백여 명의 교수들이 참여하는 새시대포럼 등이 가동되고 있습니다. 총재께서 만약 집권하면 어떻게 이 많은 사람들을 정권 내에서 소화할 겁니까?

김대중 앞으로 나랏일을 해 나가는 데서 필요한 정책 분야나 자문 분야에서 활용할 곳이 많고, 또 그 사람들이 뭐가 되겠다는 생각이나 조건을 걸고 한 사람들이 아닙니다.

허용범 물론 그렇겠지만 대통령이 되면 대통령 권한으로 임명할 수 있는 자리가 공기업 임원에서부터 산하 단체까지 2만여 개에 달한다는 설도 있습니다. 그런 자리에 이분들을 임명할 생각입니까?

김대중 예외적으로는 할 수 있다고 보지만 원칙적으로는 내부 승진을 원칙으로 하려 합니다. 이번 김영삼 정권하에서는 소위 측근, 가신들이 대거 들어가서 말썽이 많았는데 그런 폐단을 없애고 사기 진작을 위해서도 내부 승진을 원칙으로 할 것입니다. 그래야 부패도 막을 수 있어요.

조심하는 호남 사람들, 안쓰러워

허용범 얼마 전에 총재께서 당선이 돼도 측근들에게 선출직 이외의 공직은 맡기지 않겠다고 선언했습니다. 그 사람들은 30년 동안 목숨 걸고 동고동락한 사람들인데 너무 홀대하게 되는 것 아닙니까?

김대중 그런 면이 없지 않지요. 그러나 국민들이 이번 김영삼 정권하에서의 폐해 때문에 걱정한다면 우리가 참을 것은 참아야 합니다. 또 그 사람들이 국민의 뜻에 따라 선출직에 나가면 되니까 길을 아주 막는 것은 아니지요.

허용범 김영삼 대통령이 청와대 안에 이른바 측근들을 너무 가까이 둬서 문제가 많았다는 얘기가 있었는데 총재께서 당선되면 최소한 청와대 수석 인사에는 측근들을 배제하실 겁니까?

김대중 측근들이 올 수도 있고 안 올 수도 있는데 청와대 인사는 친소보다는 적재 중심으로 인사를 해야 할 것이라 생각합니다.

허용범 총재께서 정권을 잡았을 때 핵심부에는 총재와 뜻을 같이하고 총재의 마음을 읽을 수 있는 분들이 있어야 하는 것 아닙니까?

김대중 비밀 정치 하는 것도 아니고 법과 제도에 의해서 집행하고 정치를 하는 것인데 그렇지 않으니까 문제가 되는 거예요. 앞으로 정권을 운영할 때는 반드시 내각 중심으로 하겠습니다. 헌법에 국무회의에서 국사를 의결하게 되어 있지 않습니까? 청와대 조직도 축소해서 비서실은 비서실 본연의 직무에 충실하고 각 부처 일은 장관 중심으로 해야 합니다. 지금은 완전히 2중 정부예요.

허용범 만약 집권을 했을 때 장남인 김홍일 의원 문제는 어떻게 할 작정입니까?

김대중 자식은 자식이고 나는 난데 자기 나름대로 정치에 뜻이 있고 민주화를 위해 희생도 했는데 유권자가 지지해서 국회의원 한다면 그것을 막을 생각은 없습니다. 그것도 못 하게 한다면 연좌제 같은 것 아닙니까? 그러나 자식이라고 해서 특별한 자리를 줄 생각은 없습니다.

허용범 차남 홍업 씨도 여론조사 기관을 이끌면서 김 총재를 도와주고 있는데 과거 김현철 씨도 여론조사 기관을 이끌면서 부친을 도왔습니다. 어떤 차이점이 있습니까?

김대중 선거운동 기간에 아버지를 돕는 것은 어느 자식이든 하는 일 아닙니까? 문제는 대통령 되고 나서 국정에 관여하는 것이 나쁘다는 겁니다.

허용범 요즘 광주나 호남에 가면 잘 웃지도 않을 만큼 조용하게 침묵을 지킨다고 합니다. 호남 사람들의 심리 상태나 정서는 어떤 것이라고 생각하십니까?

김대중 어떻게 보면 안쓰럽기도 해요. 혹시나 다른 지방에 자극을 줄까 조심하는 심정이 많이 있는 것 같습니다. 그런데 어떻게 보면 "김대중, 대통령" 하고 외치는 시대는 지났다고 봅니다. 텔레비전 선거 시대가 되면서 호남뿐 아니라 전체적으로 분위기가 조용해졌다고 보입니다. 그중 특히 호남 사람들이 많이 자제하는 것 같습니다.

와이에스(YS) 대선자금 문제 미래지향적 자세로 대해야

허용범 만일 총재께서 당선되었을 때 호남에서는 그동안 억눌려 있어서 불만스러웠던 요구와 불만이 분출될 텐데 어떻게 무마하고 수용할 것입니까?

김대중 이번에 호남 지역 텔레비전 토론에서 분명히 말했습니다. 그동안 여러분들이 많은 차별을 받았고 손실을 봤지만 그렇다고 내가 당선되면 그것을 회복할 수 있을 것이라고 생각하지 않는다, 이제 새로운 시대를 열어 가야 하기 때문에 여러분들은 나를 당선시킨 것으로 오히려 손해 본다고 생각을 해 줘야 과거 정치가 되풀이되지 않을 것이라고 얘기했어요.

그러나 다만 이 한 가지는 보답하겠다고 약속하겠다, 여러분들이 1971년 이래 20여 년 동안 불초한 나를 버리지 않고 도와주었는데 대통령이 되어서 정말 훌륭한 대통령 하겠다, 그래서 여러분들이 참으면서 도와준 것에 대해 사랑스러운 마음을 갖도록 하겠다, 그것 하나는 약속하겠다고 했어요. 그것을 다 이해하는 것 같았습니다.

허용범 지금 호남 사람들은 희망의 단계를 넘어 그 이상의 단계에까지 와 있다고 하는데 이번 대선에서 총재께서 또 한 번 실패하게 되면 호남 사람들의 마음을 더 좌절시키고 지역감정을 고착화시키지 않겠나 하는 우려도 있습니다.

김대중 재수 없는 소리 하지 마세요.(웃음) 이번에는 꼭 돼야지요.

허용범 어제 방송 토론에서 집권을 하게 되면 비자금 문제를 수사토록 하겠다고 하셨는데.

김대중 내가 40명 친인척에게 계좌를 맡겨 놓았다는 것을 모두 수사시킨다고 했습니다. 과거 여야 간에 액수 차이는 있지만 정치자금을 받기는 받았습니다. 그것이 떳떳한 일은 아니었지만 죄는 아니었습니다. 다만 그것을 받아서 공적으로 쓰지 않고 사복私腹을 채웠다면 그것은 문제라고 생각합니다. 그러나 그 돈을 받아서 공적으로 썼기 때문에 문제가 없다고 생각하고 그것이 친인척에게 숨겨 놓은 것이 있는지는 수사를 시키겠습니다.

허용범 지난번 비자금 사건이 났을 때 국민회의에서는 만약에 수사를 하려면 김영삼 대통령의 1992년 대선자금과 이회창 후보의 경선자금도 함께 수사해야 한다고 주장했습니다. 마찬가지로 집권 후 자신의 비자금을 수사한다면 이 문제들도 같이 수사를 하겠다는 뜻이겠지요?

김대중 제 문제, 저와 관련된 40여 명에 대한 수사와 그것은 별개의 문제입니다. 그것을 하든 안 하든 저와 관련된 것은 수사를 시키겠습니다.

허용범 그러면 1992년 김영삼 대통령의 대선자금과 이회창 후보의 경선자금은 수사하지 않겠다는 뜻입니까?

김대중 모든 것을 전향적으로 생각해야 합니다. 이 문제는 법과 국민감정을 고려해서 결정해야 할 문제이기 때문에 지금 단계에서 뭐라 말할 수는 없지만 개인적으로는 과거를 추궁해 가지고 동요를 가져오는 것보다는 앞을 보고 가는 게 낫다고 생각합니다.

허용범 김 대통령은 전두환·노태우 전 대통령의 과거사 문제에 대해 역사의 심판에 맡기자고 했다가 나중에는 특별법까지 만들어 구속시켰습니다. 이 조치를 정치보복이라고 생각하십니까?

김대중 권력으로 죄를 지은 사람은 첫째 권력을 빼앗고 둘째는 그가 가지고 있는 조작된 명예를 박탈하고 진실을 밝히면 됩니다. 그러면 그 사람은 공인으로서 완전히 매장이 됩니다. 재판을 한다거나 부정 축재한 것을 환수한다든기 히는 것은 있을 수 있지만 굳이 감옥까지 보낼 필요가 꼭 있었느냐 하는 것이 내 생각입니다.

저는 1987년, 1992년 대선에서 죄는 미워하지만 사람은 미워하지 않고 육체적 신체에 대한 처벌은 되도록 안 하겠다고 밝힌 적이 있습니다. 제가 대통령이었다면 그런 부정과 불법은 철저히 밝혔겠지만 감옥까지는 안 보냈을 것이라고 생각합니다.

국보법, 자민련과 조정에 진통

허용범 국가보안법에 대해서는 어떻게 할 생각입니까? 과거 민주당에서는 '민주질서수호법' 등으로 대체하자는 얘기도 있었는데요.

김대중 그 문제가 아직 자민련하고 조정이 안 되고 있어요. 방법은 '민주질서수호법'으로 하느냐, 아니면 보안법이라는 이름을 그대로 유지하면서 부작용을 일으킬 조항을 삭제하느냐 하는 게 있는데 이런 문제야말로 양당 공조를 해 가는데 정책적으로 조정에 진통을 겪은 문제입니다. 앞으로 계속 조정해 나가야지요.

허용범 국민회의 당론은 '민주질서수호법'으로 바꾸는 것입니까?

김대중 지금까지는 당론이지요.

허용범 국민회의는 과거 안기부법 개정 당시에 안기부의 수사권 부활이라든지 특히 불고지죄 부분에 대해서 반대 입장을 표했고 법안 통과에 대해서 물리적으로 저지까지 했습니다. 집권하면 특히 불고지죄 수사권 부분에 대해서 어떻게 하실 것입니까?

김대중 저지는 자민련도 같이 했지요. 우리가 보기에는 불고지죄, 고무찬양 같은 조항은 문제가 참 많은 조항입니다. 과거에 억울한 사람들이 많이 다쳤고요. 이것은 국가안보를 튼튼히 한다는 차원과 인권을 지켜야 한다는 차원이 조화가 되어야 합니다. 이런 문제는 서둘지 않고 공청회를 열어 공론에 붙이고 전문가 의견도 듣고 시간을 가지고 해결하겠습니다.

허용범 국민회의에서는 그동안 몇 차례 성명도 냈는데 이인제 후보가 김영삼 대통령의 직간접적인 지원을 받고 있다고 보십니까? 최근에는 김현철 씨의 지원설도 나오고 있는데요.

김대중 대통령이 신한국당 탈당한 후에는 모르겠습니다. 그러나 그 전까지는 청와대 주변 사람들이 많이 지지한 것은 사실이고 또 대통령도 그쪽에 대해서 상당히 호의적인 행동을 한 것은 사실입니다.

허용범 대통령 탈당 후에는 그런 느낌이 많이 없어졌다는 뜻입니까?

김대중 많이 없어졌습니다.

허용범 지난번 김영삼 대통령과 회동하셨을 때 이 문제에 대해 깊이 있게 얘기했습니까?

김대중 깊이 있게 했다기보다는 대통령이 여권의 이쪽저쪽에 개입하지 않는 게 좋겠다, 공명선거를 철저히 할 수 있도록 했으면 좋겠다고 얘기했어요. 그러니까 대통령이 이인제 씨를 지지하는 것이 아니라고 말하더군요.

허용범 결론적으로 이인제 후보는 지금 김영삼 대통령이 돕든 안 돕든 김영삼 대통령의 대리전적인 성격을 가지고 있다고 보십니까?

김대중 여하튼 이인제 신당은 머리에서부터 발끝까지 김영삼 대통령 세력이 옮겨 왔으니까 그 본질이 어떻게 바뀌겠습니까?

허용범 이회창 총재와 조순 총재의 결합으로 이회창 총재의 지지율이 올라가리라고 봅니다.

김대중 그런 것은 여론조사 기관에서 잘 알겠지요.

허용범 조순 총재는 지난번 지자제 선거에서 김 총재의 적극적인 지원으로 서울시장에 당선됐던 분입니다. 그때 지원했던 분이 경쟁자의 편에 서서 합당까지 하는 것을 보면서 어떤 감회가 듭니까?

김대중 두 가지지요. 하나는 그분이 선택할 자유가 있으니까. 그 자유의사에 내가 시비할 바 없고 또 내가 그렇게 도왔던 분의 도움을 못 받는다는 것은 부덕의 소치라고 생각합니다.

* 이 인터뷰는 『월간조선』 1997년 12월 호에 게재되었다.

공무원은 개혁의 대상이 아니라 개혁의 주체

대담 고위 공직자
일시 1998년 4월 27일

김대중 여러분, 안녕하십니까?

'국민의정부'에서 행정부의 중추적 지위에 있는 여러분과 행정부의 수반인 내가 한자리에 앉아 우리가 살고 있는 오늘의 세계와 현실, 그리고 6·25전쟁 이후 최대의 국난에 처해 있는 이 시기를 어떻게 극복해서 우리가 다시 세계의 선진 대열로 전진해 나갈 것인가를 논의하는 것은 대단히 중요하다고 생각합니다.

내가 잘해야 나라가 잘되고, 여러분이 나와 같이 잘해야 나라가 잘됩니다. 이런 의미에서 우리는 지금 국운을 양어깨에 지고, '국민의정부' 아래에서 함께 국가의 운명을 개척해 나가야 할 그런 처지에 있습니다.

여러분은 '국민의정부'의 공무원인 동시에 얼마 안 가서 맞이하게 될 21세기의 공무원이 되는 것입니다. 21세기는 단순히 형식적으로 한 세기가 바뀌는 것만이 아닙니다. 인류 역사상 최대의 대혁명을 이룩할 큰 변혁의 세기로 우리가 들어가게 되는 것입니다.

인간은 지금으로부터 약 500만 년 전에 아프리카 탄자니아의 북방에 있는

볼고리아 호수, 여기에서 최초로 태어난 것으로 되어 있습니다. 그 후 거듭 절멸하고 다시 태어나고 하다가 오늘날의 인간 호모사피엔스가 태어난 것은 약 20만 년 전입니다. 이와 같이 인간의 역사는 아주 짧습니다. 이러한 인간의 역사는 지구 역사가 46억 년이고, 공룡이 지구상에서 5,000만 년을 살다 멸종된 것에 비하면 정말로 순간입니다. 이러한 인간이 태어나서 다섯 번의 혁명을 했습니다.

첫 번째는 인간의 종이 태어난 것이고, 두 번째는 약 1만 년 전에 농업혁명이 일어나 떠돌던 인간이 정착하게 된 것입니다. 세 번째는 이라크의 티그리스·유프라테스강 유역, 나일강 유역, 파키스탄의 인더스강 유역, 중국의 황하 유역에 약 5, 6천 년 전부터 도시국가가 생겨난 것입니다. 네 번째 혁명으로는 중국에서 공자·노자·장자·묵자·순자 등의 철학자들, 인도에서 부처님과 브라만 승려와 같은 종교 지도자들, 그리스에서 소크라테스와 아리스토텔레스 같은 철학자들, 이스라엘에서 아사야·아모스·학개·예레미야와 같은 종교 지도자들, 즉 네 지역에서 일제히 일어난 사상혁명입니다. 오늘날 우리의 모든 사고방식은 이 네 지역에서 일어난 사상혁명의 유산 속에 있다고 말하고 있습니다.

그리고 여러분이 아시는 대로 18세기 말에 산업혁명이 일어나 기계에 의한 대량생산의 시대가 되었고, 오늘날까지 자본주의 사회가 유지되어 왔습니다. 20세기에는 정치적으로 세 가지 서로 상이한 주장이 있었습니다. 하나는 히틀러나 일본 군국주의 같은 극우 독재, 하나는 공산주의 같은 극좌 독재, 하나는 민주주의입니다. 이것이 서로 싸우다가 결국 극우 독재, 하나는 2차대전을 통해 먼저 패배하고, 그다음에 소련의 붕괴와 더불어 공산독재가 세력을 잃게 되었습니다. 이제 공산주의는 거의 끝났습니다. 그리고 민주주의 하나로 세계의 정치가 단일화되었습니다.

경제적으로는 극우 세력들이 주장했던 통제경제, 극좌 세력들이 주장했던 계획경제, 그리고 자본주의의 시장경제가 있었습니다. 이 중에서 통제경제와 계획경제는 실패하고 이제는 공산국가인 중국에서조차 시장경제가 지배하는 그런 세상이 되었습니다. 이렇게 20세기가 끝나 가면서 민주주의와 시장경제로 세계의 방향이 잡혔습니다.

이런 과정에서 세계의 경제는 산업혁명 이래 일어났던 국민 경제, 즉 민족 단위이던 국민 경제로부터 이제 세계 경제 시대로 들어갔습니다. 세계무역기구(WTO)라는 것은 결국 세계에서 경제적 국경이 없어지게 된다는 것인데, 앞으로 6년이 지나면 경제적인 국경은 완전히 없어지게 됩니다. 이렇게 해서 민족주의를 기반으로 했던 국민 경제는 200년간 계속되다가 오늘날 변질, 소멸되어 가고 있습니다.

통일신라 시대에도 민족은 있었지만 민족주의는 없었습니다. 민족주의라는 열병과 같은 정치적 이데올로기는 결국 자본주의 경제가 일어나 민족 단위로 경제 단위가 형성되면서 그 민족의 운명을 좌우하게 된 것입니다.

어떤 것은 민족주의가 제국주의같이 침략주의가 되어 우리나라를 식민지화하듯이 되었고, 어떤 것은 그런 제국주의에 반대하는 민족주의—외포적 민족주의, 혹은 내포적 만족주의가 있지만—여하튼 민족주의가 전 세계 사람들을 열병같이 휩쓸었습니다.

세계는 하나의 경제체제로 가고 있다.

김대중 이제 그런 시대가 지나가고 세계는 하나의 경제체제로 가고 있습니다. 이제부터 세계에서는 국적이 소용없습니다. 제일 좋고 제일 싼 물건을 만들어야 소용이 있지, 국산품 애용이 반드시 애국만은 아닌 그런 시대로 들어가고 있는 것입니다.

또 하나 중요한 것은 지금까지는 눈에 보이는 물질이 경제의 핵심이었습니다. 원료라든가, 기계라든가, 이런 것이 핵심이었습니다. 그런데 요즘은 눈에 보이지 않는 지식이 핵심입니다. 하드웨어에서 소프트웨어로 경제의 본질이 바뀌고 있습니다. 지금까지는 산업체제·공업체제 속에서 자본가와 노동자 양자가 서로 협력도 하고 대립도 하고 이런 가운데 보수와 혁신이 존재했습니다.

그러나 이제는 자본도 노동도 경제를 끌고 나가는 주체의 자리에서 물러나기 시작하고 결국 정보화산업, 지식산업 등처럼 각 개인의 우수한 두뇌가 경제의 주체가 되어 갑니다. 빌 게이츠는 자본가도 아니고 노동자도 아니었습니다. 머리 좋은 발명가입니다. 그런 사람이 벤처산업을 일으켜 순식간에 세계 최대의 부자로 등장한 이런 경제체제에 지금 우리가 살고 있는 것입니다. 이렇게 해서 21세기라는 새로운 시대로 우리가 들어가고 있습니다.

또한 세계는 지금 크게 보면 유럽연합(EU)의 유럽 블록, 미국을 중심으로 중남미를 포괄하는 미주 블록, 그리고 아시아·태평양 블록, 이 세 개로 갈라지고 있습니다. 다만 과거와 같이 서로 대립하고 상극하는 것이 아니라, 이 블록들은 서로 경쟁하면서도 협력합니다. 또 그렇게 하지 않고는 안 되게 되어 있습니다.

한국의 금융 위기, 이것이 일본뿐만 아니라 미국에도 영향을 미치고, 유럽에도 영향을 미칩니다. 미국의 시장이 잘못되었을 때 즉각적으로 전 세계에 영향을 미칩니다. 이런 점에서 세계무역기구(WTO) 체제하에서는 경제적 국경이 없는 만큼 블록끼리 서로 경쟁하면서 협력합니다. 블록 내부의 협력, 그리고 블록 간에도 협력과 경쟁, 이런 방향으로 나가는 시대가 오고 있습니다.

그동안 아시아에서는 민주주의는 아시아에는 맞지 않는다, 민주주의는 시기상조이다, 이런 얘기들이 많이 있었습니다. 싱가포르의 리콴유(李光耀) 총리가 중심이 되어 그런 주장을 했는데, 유럽이나 미국 등의 경제학자들도 이에 동조하여 "아시아는 민주주의가 맞질 않는다. 경제 발전을 위해서는 권위주의적인 통치가 필요하다. 한국이 그 모델이다." 이런 식으로 얘기들을 해왔습니다.

국정의 기본 철학은 민주주의와 시장경제

김대중 그러나 이제 한국뿐만 아니라 동남아시아 일대를 휩쓸고 있는 외환 위기를 보면서 세계의 생각은 달라졌습니다. 세계에서 가장 권위 있는 잡지 중의 하나인 『포린어페어스』(Foreign Affairs)라는 잡지가 있습니다. 1983년 리콴유 총리는 이 잡지에 아시아적 특성, 즉 아시아에서는 민주주의가 맞지 않고 유교에 의한 가부장적인 체제가 적합하고, 아시아 경제는 그렇게 했을 때만 발전될 수 있다는 그런 논리를 전개했습니다.

여기에 대해서 내가 그렇지 않다고 반론을 제기했습니다. 아시아에서도 민주주의를 할 수 있는 철학적 근원이 얼마든지 있다고 했습니다. 맹자는 "임금은 천자다. 천자는 하늘의 아들이다. 하늘의 아들은 하늘이 그 아들에게 백성에게 선정을 베풀라고 내려보낸 것이다. 만일 선정을 안 할 때 백성은 하늘을 대신해서 일어나 그 천자를 쫓아낼 권리가 있다"는 말을 지금으로부터 2,200년 전에 했단 말입니다.

부처님은 지금으로부터 2,500년 전에 이 세상에 나오시자마자 벌떡 일어서서 "천상천하 유아독존이다."라고, 이 세상에서 내가 제일 소중하다는 인권 선언을 했다는 것입니다. 그 외에 민주주의와 상통되는 무수히 많은 사상적 뿌리가 있습니다. 그리고 2, 3천 년 전부터 아시아에 있었던 군현제도는 오늘날 우리가 무슨 도, 무슨 군 하는 그런 제도인데, 유럽의 봉건제도가 19세기까지 계속된 것과 비교해 볼 때 얼마나 아시아가 앞서 있었습니까?

또 유럽의 봉건제도는 아버지가 영주이면 아들이 무조건 이것을 인계받던 그런 체제가 19세기까지 계속되어 왔는데, 아시아에서는 1,500년 전에 이미 재상의 아들도 과거에 합격하지 못하면 고급 공무원이 될 수 없는 그런 제도가 성립되어 있었습니다.

그리고 임금의 잘못을 충간하는 기구인 사관, 고관들의 잘못을 규탄하는 사헌부, 이런 등등의 무수한 기구들이 권력을 견제하는 등 민주주의적인 전통과 뿌리가 있었던 것입니다. 다만 민주제도·대의제도·투표제도 같은 오늘날의 민주제도가 서구 사회에서 제대로 발전되었을 뿐입니다.

제도라는 것은 옮기면 되는 것입니다. 서구에서 하던 제도는 언제든지 여기서도 행해질 수 있습니다. 서구에서 먼저 강물이 위에서 밑으로 흘러내리는 곳에 발전소를 설치하여 전기를 생산했지만 한국에서도 강물이 위에서 밑으로 흘러가는 곳에 발전소를 설치하면 전기가 나오는 것과 마찬가지입니다.

그동안 서구에서 발명한 얼마나 많은 기술이 아시아에서 행해졌습니까? 더욱이 지금은 언제 어니서나 누구나 정보를 얻고 정보를 이용하는 정보화 시대입니다. 나는 "이러한 정보화 시대에서는 아시아 국가도 민주주의를 안하면 절대 성공할 수 없다"고 주장하면서 리콴유 총리의 논리에 반론을 제기했습니다. 그동안 아시아 문제를 연구하는 서구학자들, 아시아 학자들 중에서 이 글을 안 읽은 사람이 없지만 그래도 반신반의하다가 이제 아시아의 경제적 위기가 닥친 것을 보고 세계가 "김대중 말이 옳았다"는 것을 인정하게 되었습니다. 그래서 외람되지만 "아시아를 대표하는 지도자는 아무개다."라는 말이 공공연하게 얘기되는 이런 단계까지 온 것입니다.

사실 이번에 내가 아시아유럽정상회의(ASEM)에 가서도 이런 얘기를 했습니다. "우리나라에서 만일 민주주의의 이념을 철저히 지키면서 공정한 경쟁하의 시장경제를 했다면, 그리고 대통령이나 권력이 부당하게 어떤 특정인에게 이권을 집중시킨다든지, 어떤 특정인에게 금융을 집중시키는 이런 일을 안 했다면 어떻게 되었겠느냐." 하는 것입니다.

정부가 은행 주식 하나도 안 가지고 있으면서 은행장과 간부들의 임명을 좌지우지하고, 전혀 대부받을 자격이 없는 기업들, 예를 들면 한보와 같은 기업에게 4조, 5조 원의 돈을 빌려주라고 해서 부실대출을 만들고, 이런 식으로 해서 오늘날 은행을 저 꼴로 만들지 않았다면 어떻게 되었겠느냐, 우리가 한번 생각해 볼 필요가 있습니다.

만일 우리가 그렇게 해서 정경유착이 없었고, 관치금융이 없었고, 거대한 부패가 없었다면, 그리고 공무원 여러분이 부당하게 압력을 받아 가지고 해서는 안 될 그러한 특정인에게 혜택을 집중시키는 일을 안 했다면 어떻게 되었겠습니까?

우리 한국의 금융기관이나 기업들이 자기 힘 가지고 세계와의 경쟁에서 이겨내는 그런 훈련을 해 왔다면 오늘날 빚더미 속에 들어가지는 않았을 것입니다. 능히 세계적으로 수출을 확대시켜 우리가 필요한 외화를 우리가 벌어 썼지 빚낼 필요는 없었을 것입니다. 이렇게 했다면 오늘날의 이런 경제 위기가 없었을 겁니다.

이런 점에서 보면 정경유착·관치금융·부패, 이런 것이 금융과 기업을 마비시키고, 세계시장에서 경쟁력의 상실을 가져오게 하고, 결국 오늘날의 외환 위기를 초래하게 된 것입니다.

이제 우리가 나갈 길은 두말할 것도 없이 민주주의와 시장경제, 이것을 기본 철학으로 해서 나가는 일입니다. 국정의 기본 철학은 민주주의와 시장경제를 병행 발전시키는 것입니다. 동전의 양면같이 끌고 나가는 것입니다. 수레의 양 바퀴같이 그렇게 맞물려 나가는 것입니다. 어느 한쪽이 중요하고, 어느 한쪽이 덜 중요한 것이 없습니다. 이것이 앞뒤가 되어야 합니다.

그 증거는 많습니다. 민주주의와 시장경제를 병행해 온 영국·프랑스·미국과 유럽의 나라들은 다 잘됐습니다. 이 두 개를 병행하지 않았던 프러시아 독일, 그리고 메이지 일본, 이들은 민주주의는 거부하고 시장경제만, 자본주의 경제만 받아들였습니다. 그래서 제대로 민주적인 시장경제가 못 되었습니다. 결국 2차대전을 통해서 패망했습니다. 그러나 이들 두 나라도 2차대전 후에 민주주의와 시장경제를 병행한 결과 오늘날과 같은 성공을 거두었습니다.

필리핀은 마르코스가 등장하기 전까지는 아시아에 있어서 경제적으로 일본 다음가는 선진 국가였습니다. 그런데 마르코스가 등장해서 20년 동안 독재를 하고 부패하고 개인 축재를 하고, 이렇게 해서 필리핀의 경제는 바닥으로 떨어졌습니다. 그러나 마르코스가 물러나고 나서 아키노·라모스, 이 두 분이 연이어 대통령이 됨으로써 필리핀은 오늘날 건전하게 다시 소생하고 있고, 국제통화기금(IMF) 관리에서도 벗어나게 되었습니다.

이러한 점에 비추어 볼 때 우리도 이제 민주주의와 시장경제를 해 가지고 자유로운 환경 속에서, 권력의 간섭이 없는 속에서, 정경유착이 배제되는 속에서, 은행이 정부의 지시에 의해서 움직이지 않는 속에서 기업들이 구조 개혁을 하여 세계와 경쟁하는 이런 체제를 만들었을 때, 즉 민주주의와 시장경제를 병행 발전시켜 나갈 때 비로소 다시 소생해 나갈 수 있다, 이렇게 생각합니다.

행정의 지표로서 전면적인 개혁

김대중 이런 의미에서 금년도 행정의 지표로서 '전면적인 개혁'을 내세우고 있습니다. 전면적 개혁은 다섯 가지의 목표를 세우고 있습니다.

하나는 국민적인 주인 의식의 함양입니다. 우리들이 지금까지 해 온 것처럼 피동적으로 움직인다든가, 정부가 좌지우지한다든가, 이런 것이 아니라 모든 국민이 주인으로서 참여 의식과 책임감을 가지는 것입니다. 국가와 국민에게 봉사하고 공헌하는 그런 의식적인 혁명입니다.

"내가 이 나라 주인이다. 내가 안 하면 누가 하나. 내가 이 잘못을 계속한다면 나는 나 개인만이 아니라 우리 국민에게 큰 죄를 짓고 피해를 입히는 것이다. 나는 내 자신만이 아니고 바로 내가 우리 국민의 운명을 지고 있다"는 주인 의식을 함양시키는 것이 매우 필요합니다. 이런 국민적인 정신 혁명이 있을 때만 우리는 성공의 길로 나갈 수 있다고 생각됩니다.

두 번째는 경제의 전면적인 구조 개혁을 해야 합니다. 완전한 시장 경쟁, 무한 경쟁에서 이긴 자만이 살아남고 진 자는 도태되어야 합니다. 다시 말하지만 국산품 애용이 반드시 애국은 아닙니다. 이제부터 경제는 세계와 경쟁해야 합니다. 강원도 산골의 옥수수 농가도 미국의 옥수수 대농가와 경쟁해야 합니다. 뒷골목에서 구멍가게를 하는 아주머니도 세계의 슈퍼마켓과 경쟁해야 합니다. 우리가 눈으로 보지 않습니까? 외국의 슈퍼마켓들이 국내로 지금 얼마나 진출하고 있습니까? 앞으로는 더욱 그렇습니다.

이제는 그런 시대로 우리가 들어가고 있습니다. 그래서 이제는 과거와 같은 국산품이 어떻다든가, 국민 경제가 어떻다든가, 그래서 외화를 배척한다, 우리끼리만 오붓하게 잘 산다, 그런 시대가 아닙니다. 우리가 세계 속으로 들어가고, 세계를 우리 속에 안아야 됩니다. 세계와 하나가 되어야 합니다.

주체적인 정신을 가지고 자주적인 정신을 가지고 세계를 대해야 합니다. 우리는 세계로부터 고립되면 살길이 없습니다. 수출해야 사는 나라가 세계와 남이 되고, 외국의 투자를 받아야 하는 나라가 세계와 대립하고, 이래 가지고는 우리는 희망이 없습니다. 세계와 맞물리는 그런 경제구조, 무한 경쟁을 이겨내는 그런 경제구조를 만들어야 합니다.

우리가 지금 추진하고 있는 기업들의 구조조정은 이미 다섯 가지를 정부와 합의했고, 이것을 법률로 정했습니다. 하나는 결합재무제표와 같은 기업의 투명성입니다. 기업의 모든 내용이 유리창을 들여다보듯이, 우리 국민이 보거나 세계가 볼 때 훤히 보이는 그런 투명성입니다.

둘째는 같은 기업 내에서 상호지급보증하는 일을 못 하게 하는 것입니다. 같은 재벌 내에서 상호지급보증을 하니까 잘된 기업이 못된 기업 보증해 주다가 다 같이 잘못됩니다. 못된 기업은 빨리 망해야 하는데, 망하지 않고 살아남기 때문에 국민의 부담이 되고, 그 재벌의 부담이 되고, 그래서 우리 경제가 지금 이 모양이 된 것입니다.

셋째는 재무구조를 최대한으로 합리화해서 견실화하는 것이고, 넷째는 몇 개의 주요 전략사업에만 집중하고 나머지는 버리는 것입니다. 그리고 중소기업과 같이 나가야 합니다. 중소기업과 같이 나가지 않고 혼자만 나갔기 때문에 우리 경제가 이렇게 된 겁니다.

다섯째는 재벌들이 이미 실천하고 있지만, 과거에 회장이니 뭐니 하면서 법에도 없는 것을 만들어 가지고 법적 책임은 지지 않으면서 실제로는 모든 것을 지배하는 이런 일은 이제 더 이상 안 됩니다. 스스로 자기들이 선택하는 기업의 대표이사나 이사가 되어야 합니다. 그리고 그 운영 결과에 대해서 책임져야 합니다.

이 다섯 가지를 철저히 이행해야 됩니다. 이것이 잘 안됐을 때는 우리 기업은 체질 개선을 할 수 없고, 체질 개선이 안 되면 경쟁이 안 되고, 경쟁이 안 되면 다시 살아날 수가 없습니다. 문제의 초점이 여기에 있습니다. 그래서 공무원 여러분도 이제 다시는 기업들이 권력에 의존하거나, 자기 힘으로 이겨내지 않고 남의 힘을 빌려 은행 돈을 마구 갖다 쓰고 하는 이런 일을 못 하게 해야 됩니다. 미국이나 일본과 같은 나라의 기업들은 자기자본이 100억 원이 있으면 은행 돈은 100억 원이나 150억 원 빌릴 수 있습니다. 대만 같은 데는 심지어 80억 원 정도밖에 안 빌려줍니다. 우리나라는 얼마, 자기자본 100억 원이 있으면 빚은 500억 원을 졌습니다.

그런데 지금 금리가 이렇게 비싸니까, 금리 물다가 기업이 안 됩니다. 그래서 이런 구조조정을 하루속히 진행시켜야 한다는 것입니다. 정부는 이것을 강력히 밀고 나가겠습니다. 절대로 이 고삐를 늦추지 않겠습니다. 이것이 기업을 살리는 길이고, 이것이 우리나라 경제를 살리는 길이기 때문에 정부는 이것을 포기할 수가 없는 것입니다.

바르게 산 사람이 성공하는 사회

김대중 지금 우리가 밀고 나가는 것이 기업들에게는 힘들겠지만, 그것이 바로 기업들로 하여금 잘못된 체질로부터 세계 속에서 이겨낼 수 있는, 즉 동지설달 북서풍에 발가벗고 뜰 한가운데 나가더라도 감기 걸리지 않는 그런 튼튼한 체질을 만들어 주는 것이 목적인 것입니다.

세 번째는 노동의 유연성을 갖추고 노동자의 권익을 보장해 줘야 됩니다. 노동의 권익도 보장하지만, 그 유연성도 노동계는 인정해야 합니다. 우리가 지난번에 정리해고제를 도입했는데, 되도록 실업자를 안 내는 게 목적이지만 불가피하면 정리해고를 해야 됩니다. 이래서 기업이 살아나야 합니다. 기업이 살아야 노동자도 일터가 있습니다. 기업이 죽고 나면 일터도 아무것도 없습니다.

정리해고를 10퍼센트나 20퍼센트를 하더라도 기업을 살리면 80퍼센트의 일터가 있는 겁니다. 그러나 안 살리면 전부가 일터를 잃습니다. 기업을 이렇게 살려 가면 거기에서 파생되는 여러 가지 새로운 직종이 생겨 많은 일자리가 생겨나게 되는 것입니다. 이런 방향으로 나가야 합니다. 그 대신 기업가가 부당하게 노동자들을 해고하려고 할 때, 그것이 법에 의하지 않으면 단호히

제지할 것입니다.

우리는 노동자의 무리한 요구도 용납하지 않겠습니다. 지난번의 대한중석이라든가, 이번 기아자동차 노동자들이 경영에 개입한 데 대해서는 정부가 단호한 태도로 이것을 제지했습니다. 그러나 노동자들이 자기들의 근로 조건에 대해 정당하고 합법적으로 얘기할 때 정부는 얼마든지 그것을 존중하고, 또 그 정당한 권리를 보장할 것입니다. 이런 것을 우리가 해 나감으로써 산업 평화, 노동의 평화를 실현시키겠습니다.

네 번째는 정부와 산하의 모든 공기업의 고효율 운영을 실현시켜야 합니다. 이제는 여러분이 근무하는 행정기관도 하나의 기업과 같이 생산성 중심으로 움직여야 합니다. 정부가 고효율로 운영되지 않는데, 기업이나 금융이 고효율로 운영될 수가 없습니다.

그래서 우리가 이번에 기구 축소도 했습니다. 앞으로 공무원들이 능률적으로 일할 수 있도록 인센티브제를 도입해 잘한 사람에 대해서는 상을 주고, 못한 사람에 대해서는 책임을 시우는 식으로 해 나가야 할 것입니다.

또 권력이 필요 없이 간섭하는 것에 대해서는 전부 포기하게 할 것입니다. 정부가 집행하는 일에는 되도록 손을 뗄 것입니다. 정부는 계획하고 국민과 국가의 안전을 지키고 환경을 지키는, 이런 일을 중심으로 해야 할 것입니다. 이렇게 해서 정부를 고효율화시키는 일이 아주 중요합니다.

마지막 다섯 번째로는 바르게 산 사람이 성공하는 사회를 만들어야 합니다. 정직하고 능력 있고 부지런한 사람이 성공하는 사회, 공무원 중에서도 누가 보든지 훌륭한 사람이 성공하는 그런 사회를 만들어야 합니다.

그렇지 않고 거꾸로 악을 행하고 권력을 악용하고, 혹은 백을 이용하고, 혹은 무슨 학연이나 지연을 이용하고, 이런 사람들이 성공하는 사회, 그것은 안 됩니다. 그것이 우리 사회를 병들게 만들었습니다. 그래서 오늘의 사회가 불신과 적대, 그리고 비능률화된 것입니다. 그래서 이것을 지양해야겠다고 생각합니다.

지금 외환 문제는 상당히 놀라울 정도로 변화가 있습니다. 그것은 외국도 인정하고 있습니다. 사실 내가 당선됐을 때는 정부가 파산 직전에 있었습니다. 작년 12월 19일 당선되어 하루도 쉬지 못하고 여기에 매달렸는데, 2월 22일에 미국 정부의 재무차관이 왔습니다. 재무차관이 온 이유는 한국의 마지막 파산 위기 때문에 왔는데, 대통령에 당선된 사람의 얘기를 들어 보고 이 사람이 희망이 있으면 도와주고 안 되면 파산시키고 말아야겠다고 온 겁니다.

나와 얘기하면서 노동 문제 등 나의 여러 가지 정책에 대해 얘기를 듣고 돌아가서는 바로 24일 한국 경제를 살리겠다고 선언을 했습니다. 그래서 파산의 위기를 모면했던 것입니다.

그다음 금년 2월 4일, 단기 외채 226억 달러 거의 전액이 2개월·3개월, 심지어 1주일짜리 만기도 있었는데, 그렇게 급박하던 단기 외채가 2년·3년으로 연장됐습니다.

그동안 한국에 대한 국제적인 신인도, 외람됩니다만 대통령에 대한 신인도가 날로 높아져 이제는 세계가 이것을 인정하게 됐습니다. 클린턴 대통령이 제가 당선된 지 이틀 만에 전화를 해서 자기네 재무차관을 보내니까 만나서 상의해 달라고 했습니다. 그래서 앞에서 말한 대로 재무차관이 왔습니다.

그 사람들이 제 생각을 알고는 확실히 인정하고 안심하게 되었습니다. 국제통화기금(IMF) 총재가 와서 만나 보고, 세계은행 총재가 와서 만나고, 미국과 유럽의 대기업 대표들이 와서 나를 만나 보고, 한국 정부에 대해서는 안심한다고 했습니다. 이렇게 해서 아시아 중에서 한국은 다르다, 이런 식으로 얘기가 되어 신인도가 높아졌습니다.

그래서 얼마 전에는 30억 달러 외채를 기채하는데, 220억 달러를 주겠다고 몰려와서 우리가 40억 달러를 받은 일이 있습니다. 이런 가운데서 외환 보유고도 작년 말에 80억 달러도 안 되던 것이 이제는 300억 달러에 도달했습니다.

국제통화기금(IMF)은 6월 말까지 하기로 합의했는데, 2개월 반 전에 이미 이것을 채웠습니다. 연말 목표가 400억 달러인데, 이것도 될 것으로 봅니다. 이렇게 됨으로써 환율이 1,800원까지 가던 것이 1,300원 선으로 안정되고 있습니다.

한국 국민과 김대중을 격려해야

김대중 이번에 내가 아시아유럽정상회의(ASEM)에 갔을 때 세계 각국과 영국의 금융계·경제계 사람들이 걱정될 정도로 한국 국민과 정부를 평가한 것을 봤습니다. 그래서 결국 내가 주장한 바에 의해 한국을 중심으로 한 아시아에 대한 투자 조사단을 보내기로 했습니다. 이제 내달부터 옵니다. 자랑이 아니라 이번 아시아유럽정상회의(ASEM)는 한국의 회의였다고 해도 과언이 아닐 정도로 이 문제를 완전히 우리가 주도했습니다.

다음 아시아유럽정상회의(ASEM)는 서울에서 우리가 주최하게 되는데, 만일 이번 회의에서 아시아에 대한 구체적인 지원 계획을 발표하지 않는다면 이다음 회의를 하기조차 어렵다, 내가 이렇게 설명했습니다. 토니 블레어 영국 총리한테 당신이 만일 이런 식으로 나가면 내일 폐회식이 바로 해산식이 될 수가 있으나 이러면 안 된다고 했습니다.

프랑스의 시라크 대통령, 독일의 콜 총리 등 여러분이 돕고 일본의 하시모토 총리도 앞장서고 해서 아시아에 투자 조사단을 보내기로 하는 동시에 의장이 특별히 성명을 통해 "한국에 투자 조사단을 보냄으로써 한국 국민과 김대중 대통령을 격려해야 한다"고 발표하게 되었던 것입니다.

지금의 우리 문제는 외환에 의한 위기입니다. 외환이 많이 들어와야 우리가 이 위기를 모면할 수가 있는 것입니다. 그런데 이것을 하는 길은 수출을 늘리는 것입니다. 다행히 수출은 상당히 호조를 보여 금년 말에는 200억 달러 내지 250억 달러 흑자를 낼 수 있습니다. 더 이상 낼 수 있다고도 합니다. 전경련 분들은 500억 달러를 낸다고 하는데, 거기까지는 나는 아직 자신이 없습니다.

그리고 또 하나는 외국 투자를 많이 받아들여야 합니다. 지금까지의 외환 정책에서 가장 잘못된 것은 외국 투자를 받아들이려 하지 않고 빚만 내오려고 했던 것입니다. 투자를 위해 달러를 가지고 오면 우리가 원화로 바꾸어 줍니다. 우리는 그 달러를 마음대로 쓸 수가 있습니다. 이것은 빚도 아니고 이자도 안 뭅니다. 그러나 차관을 해 오면 그것은 전부 빚입니다. 이자를 내야합니다. 그리고 작년 연말같이 빚쟁이들이 일거에 갚으라고 하면 나라가 파산합니다.

뿐만 아니라 외국 투자가 들어오면 외국인이 와서 경영하게 되니까 선진 경영 기법이 들어오게 됩니다. 기업의 투명성이 완전히 보장되어 정경유착이나 부정부패가 없어집니다. 그리고 노동자의 일터가 많이 생겨납니다. 수출의 길이 열립니다. 이런 길을 택하지 않고는 우리가 힘듭니다.

영국은 지금 국내총생산(GDP)의 28.6퍼센트가 외국 투자로 이루어져 있습니다. 말레이시아는 52퍼센트, 중국은 18퍼센트, 미국도 약 17퍼센트입니다. 우리는 얼마냐, 2-3퍼센트밖에 안 됩니다. 이것이 잘못된 것입니다. 이래서우리는 투자 유치에 최대의 역점을 두어야 된다는 것입니다.

투자가 많이 들어오도록 하는 것은 공무원 여러분이 투자 환경을 어떻게 조성해 주느냐, 그 사람들이 와서 어떻게 손쉽게 기업 할 수 있게 해 주느냐, 이것이 결정적인 것이 됩니다. 그래서 우리의 중점적인 문제는 수출과 외국투자 유치입니다. 외국 투자가 들어와야 일터가 생겨 실업 문제도 해결됩니다. 우리나라의 쓰러져 가는 기업은 투자할 여력이 없습니다. 은행도 돈 빌려 줄 힘이 없습니다. 외국 투자를 유치하는 것 외에는 이것을 해결해 나갈 길이 없습니다.

그런데 지금 우리의 가장 심각한 문제는 실업자 문제입니다. 실업자가 지금 약 145만 명에서 150만 명 정도 되고 있습니다. 1·2월에 매일 1만 명씩 늘어나다가 3월에는 하루에 5,000명씩으로 줄어들었습니다. 그러나 5,000명도 한 달이면 15만 명입니다.

이러한 실업자 문제를 우리가 해결해야 합니다. 금년은 우리가 실업 문제, 물가 문제, 불경기 문제, 기업 도산 문제, 이것을 피할 길이 없습니다. 그러나 여기서 우리가 이를 악물고 앞에서 말한 것과 같이 수출에 노력하고, 기업의 체질을 개선하고, 외국 자본이 안심하고 들어올 수 있도록 협력해 주고, 이렇게 하면 우리는 이 고비를 넘기고 내년부터 희망의 길로 들어가는 것입니다. 이렇게 안정이 되어 가면 금리도 내려가고 기업들이 고금리 때문에 쓰러지는 일이 해결될 것입니다. 우리는 이런 일을 위해서 은행의 개혁, 기업의 개혁에 전력을 다하고 있습니다.

그리고 공무원도 체질을 개선하여 봉사하는 공무원인 동시에 가장 능률적인 공무원이 되어야 합니다. 외국 투자자들에게 "한국 공무원들에게는 정말 안심하고 협력을 얻을 수 있다"는 인식을 심어 주게 될 때 비로소 우리가 나라를 구할 수 있습니다.

국제통화기금(IMF)에서도 전망했습니다만, 1999년부터는 우리 경제 성장률이 다시 4퍼센트대로 돌아설 것이고, 물가도 4퍼센트 내지 5퍼센트로 안정될 것입니다. 이것은 경제협력개발기구(OECD)나 여러 나라들이 얘기합니다. 그러나 나는 내년까지는 우리가 상당한 고생을 해야 하지 않는가 이렇게 생각합니다. 금년에 우리가 전력을 다해 경제 위기에 대처해 나가면 내년 연말에는 국제통화기금(IMF) 체제를 벗어날 수 있을 것이다, 이렇게 내다보고 있습니다.

내년에 우리가 국제통화기금(IMF)을 졸업하게 되면 2000년부터는 새로운 도약을 위해서 활력을 다시 찾게 될 것입니다. 금년은 경제 위기의 극복, 내년은 국제통화기금(IMF) 졸업, 그다음 해는 새로운 도약에 대한 활력의 회복, 이러한 방향으로 우리가 나가야 합니다. 그렇게 되면 그다음부터는 다시 선진국 대열로 지향해 나가는 그런 나라가 될 것입니다.

21세기의 공무원은 통제나 지도로부터 서비스하는 공무원, 이런 방향으로 전면적으로 바뀌어야 합니다. 기업 마인드를 가지고 공무원 사회의 생산성 향상이 기업 못지않게 앞장서 나가도록 해야 할 것입니다. 우리 공무원도 전 세계와 경쟁하고 있습니다.

영국에 한국 기업들이 가서 기공식·준공식을 하면 여왕까지 나오는 그러한 서비스를 하고 있습니다. 한국 기업가들이 투자의 현장을 가려고 하면 주지사가 헬리콥터를 내줄 정도로 서비스를 해 주고 있습니다. 거기에 들어가는 사회간접자본(SOC) 같은 것을 제공해 정부가 앞장서서 길을 열어 주고 있습니다. 은행의 융자도 알선해 주고 있습니다. 이런 것을 한국 공무원도 해 줄 수 있느냐는 것입니다.

이제는 투자를 유치하기 위해 중국·말레이시아·싱가포르·영국·프랑스·독일·미국 등 나라들의 공무원과 우리나라 공무원도 경쟁하고 있는 것입니다. 이제는 기업만이 전 세계적으로 경쟁하고 있는 것이 아니라 공무원도 전 세계적으로 경쟁하고 있습니다.

한 가지 예로서 지난번에 다우코닝이라는 회사가 우리나라에 25억 달러를 투자하려고 했습니다. 나도 그것을 실현시키려고 상당히 애썼습니다. 그런데 결국 그 사람들이 우리나라 관청에서 2년인가 세월을 보내면서 아무리 해도 해결이 안 되니까 결국 한국에서는 공무원들의 협력이 없어서 도저히 일해 나갈 수가 없다며 말레이시아로 가 버리지 않았습니까? 꼭 그것이 공무원의 책임인지 아닌지는 모르겠지만, 여하튼 그런 구실을 가지고 가게 되었다는 것입니다. 이런 점에 있어서 우리 공무원도 국제 경쟁에서 반드시 이겨내야 하지 않는가, 이렇게 생각합니다.

세계가 급변하기에 평생 자기 교육을 해야

김대중 그리고 이제부터 공무원들은 세계가 급격히 변해 가기 때문에 평생 자기 교육을 해야 합니다. 내가 일류 대학을 나왔으니까, 이것 가지고는 안 됩니다. 계속 공부를 해서 자기 자질을 향상시켜야 합니다. 이런 가운데서 공무원 자신의 발전도 있고, 또한 공무를 효율적으로 해 나갈 수 있지 않겠는가, 그렇게 생각합니다.

정부는 공무원 여러분에 대해서 어떤 제도를 취할 것인가, 대통령은 여러분을 어떻게 생각하는 것인가, 내가 오늘 여기서 여러분에게 정말로 내 심정을 이야기해야 하겠습니다. 나는 분명히 알고 있습니다. 내가 대통령으로서 성공하려면, 내가 이 나라를 구출해 내려면 공무원 여러분의 협력이 있어야 합니다. 여러분의 협력 없이 나 혼자 해낼 수는 없습니다.

여러분은 대통령을 위해서가 아니라 국민을 위해서 나에게 협력해야 할 것입니다. 내가 가는 길이 옳고 내가 가는 길이 나라를 구하는 길이라 생각하면 나를 도와야 할 것입니다. 사실 따지고 보면 나는 죄 없이 고생하고 있습니다. 과거 역대 정권들이 내가 그렇게 반대한 정책들을 강행해 가지고 오늘날 이 꼴을 만들어 놓고 있습니다. 그래 놓고 내가 지금 그것을 맡아 허우적거리고 있는 것입니다.

이런 의미에서 나는 국민과 여러분이 정말로 나를 도와줘야 한다고 생각하고 있습니다. 여러분은 한마디로 말해 나와 동반자가 되어 이 나라를 구출하는 데 노력해 주기를 바랍니다. 여러분은 개혁의 대상이 아니라 개혁의 주체가 되어 줘야 합니다. 여러분이 개혁 마인드를 가지고 개혁을 이끌어 나가지 않는데, 대통령이 아무리 소리쳐 봐야 소용이 없습니다.

여러분이 그렇게 안 해 주면 대통령만의 불행이 아니라 여러분의 불행도 되고 나라의 불행도 됩니다. 우리는 운명 공동체입니다. 우리는 지금 딴짓하고 있을 여유가 없습니다. 금년을 제대로 잘못 넘기면 우리는 희망이 없습니다. 그렇게까지 우리의 현실이 각박한 것입니다. 그렇게까지 여러분이 맡고 있는 책임이 중요한 것입니다.

나는 여러분에게 말씀드리고 싶습니다. 공무원 인사 문제 때문에 여러분이 그동안 얼마나 고통받고, 또 문제점이 있었습니까. 이제 이 나라에서는 공무원의 인사에 있어서 지역이나 학벌이나 혹은 친분이나 이해나 이런 것 가지고 하던 시대는 지났습니다.

이번에 인사 문제에 있어서 나는 여러분에게 단언할 수 있습니다. 해 놓고 보니까 부분적으로 문제가 다소 있었습니다. 그건 인정하지만, 그러나 장관부터 차관 혹은 각급 정부 산하 단체의 책임자에 있어서 역대 정권 중에 지금같이 지역 안배가 공정하게 된 때가 없습니다. 이것은 현재 나와 있는 자료가 이것을 입증하고 있습니다.

그뿐 아니라 소위 정권에 있어서 빅 스리(Big Three), 즉 최고로 중요한 자리라고 하는 총리, 안기부장, 그리고 대통령 비서실장이 전부 비호남 사람입니다. 지역 안배가 되어 있습니다. 여러분이 볼 때 부분적으로는 문제점이 있을 것입니다. 그런 것은 앞으로 시정해야 할 것입니다. 나는 또 그걸 시정하는 데 조금도 인색하지 않습니다.

다시 말합니다. 인사 문제가 공무원 여러분의 운명을 좌우합니다. 그 점에 대해서는 안심해도 됩니다. 지역 편중, 학력이나 학벌 가지고 좌지우지하는 것, 친소 관계로 하는 것, 이런 일은 다시는 없다는 것을 여러분이 믿어 주기 바랍니다. 실력 위주입니다. 실력 있는 사람, 그리고 정부가 가는 길에 적극적으로 협력하는 사람, 이런 사람들에 대해 정부는 대우해 줄 것입니다.

또한 여러분에 대해서 한 가지 얘기할 것은 어떤 일이든지 불법·부정을 여러분에게 강요하지 않습니다. 자격도 없는 자한테 이권을 줘라, 상환 능력도 없는 기업을 돌봐 줘라, 은행 돈을 빌려줘라, 그런 것에 압력을 가해라, 이런 일은 없습니다. 지금까지 대통령 된 이후 한 건도 없었고, 앞으로도 없습니다. 그렇기 때문에 여러분은 국가공무원의 양심에 입각해서 공정하게 열심히 일만 하면 된다고 생각합니다.

여러분께 한 가지 미안하고 가슴 아픈 것은 이번에 공무원들의 봉급에서 일부를 줄여 실업 기금에 냈습니다. 여러분도 그 필요성을 인정해 주고, 협력해 준 것을 감사하게 생각합니다. 그러나 공무원들의 봉급이 국영기업체에 비하면 87퍼센트 정도, 민간기업에 비하면 74퍼센트 정도밖에 안 되는데 거기서 다시 여러분으로 하여금 그런 희생을 하도록 한 것에 대해서는 대단히 미안하게 생각합니다.

그렇지만 여러분, 지금 우리가 어떻게 합니까? 지금 나라가 이렇게 위급하게 됐습니다. 우리가 여기서 고비를 넘겨야 되지 않겠습니까? 서로 허리띠를 졸라매고 살아남아야 합니다. 우리는 지금 국민소득 1만 달러의 나라가 아닙니다. 5,000달러 정도밖에 안 되는 나라입니다. 그렇기 때문에 그 각오로 우리는 해 나가야 합니다.

그런데 우리 사회는 아직도 사회보장제도가 잘 안 되어 있습니다. 수많은 사람들이 거리를 헤매고 있습니다. 이 사람들을 도와줘야 합니다. 그래서 지금 정부는 약 100만 명에 대해 생활 보조, 공공 사업이라든가, 직장 알선, 혹은 직업 훈련 이런 등등의 일을 하고 있습니다. 노사정 합의 때 5조 원의 돈을 약속했는데, 결국 7조 9,000억 원까지 예산을 확대시켰습니다.

그런데 1조 6,000억 원의 무기명 채권을 발행했는데, 이게 지금 잘 안 팔리고 있습니다. 지금 600억 원쯤 팔렸는가, 잘 안 되고 있습니다. 무슨 다른 대책을 세워야겠다고 생각하고 있습니다만, 이런 가운데에서 여러분도 희생을 하게 된 것입니다.

내가 나라를 맡았을 때 어떻게 할 것인가

김대중 여러분께 말하고 싶은 것은 나는 일생 동안 수없는 고난을 당하면서 살아왔습니다. 굉장히 어려운 세상을 살아왔어요. 그러나 사실대로 말해서 지금같이 책임이 무겁고 어려운 일을 맡은 적이 없습니다. 다행히 일생 동안, 내가 나라를 맡았을 때 어떻게 할 것인가, 정치·경제·사회 등 모든 분야에 대해서 나름대로 공부를 했습니다. 선거 때 표를 얻기 위해서 준비된 대통령이라고 말했는데, 조금 준비한 것은 사실입니다.

그래서 그것이 지금 내게 도움이 되고 있고, 주변에서 많은 국무위원들이라든가, 비서라든가, 공무원들이 도와줘서 지금 우리가 어려운 길이지만 헤쳐 나가고 있습니다. 우리는 이 고비를 넘기면 반드시 희망이 있습니다. 앞에서도 말했지만 현재의 위기를 극복하면 내년에는 국제통화기금(IMF)을 졸업할 수 있습니다.

졸업하고 나면 이제 재도약의 길이 눈앞에 보입니다. 그리고 세계 선진 대열로 가게 됩니다. 나의 유일한 소원은 여러분과 같이 노력하여 이 모든 어려움을 극복하고 국민에게 이 고통의 세월로부터 다시 희망의 세월로 나아갈 수 있는 길을 열어 주는 것입니다.

이제 이 땅에서 정경유착이나 부정부패나 관치금융이나 지역편중이나 이런 것을 영원히 우리가 몰아내야 합니다. 오직 우리가 국민과 같이 나라를 어떻게 하면 바르게 이끌어 나갈 것인가, 어떻게 하면 여러분이 보람 있는 공무원 생활을 하고, 후일에 돌아봐서 정말 그때는 자랑스러웠다, 김 아무개 대통령과 같이 국가를 위기에서 구출하는 데 나도 한몫했다, 이러한 여러분이 될 수 있도록 나도 여러분께 협력하겠습니다.

여러분도 나에게 협력해서 똑같이 성공해야 합니다. 우리에게는 실패가 용납되지 않습니다. 실패는 우리 개인만의 실패가 아니라 우리 국민의 실패이고, 나라의 파멸입니다. 북한이라는 공산주의 국가가 있습니다. 지금 우리가 얼마나 국가안보에 부담을 느끼고 있는가, 여러분이 생각해 보면 압니다. 더 이상 실패해서는 안 됩니다.

또 우리가 실패 안 해야, 북한이 지금 저 모양인데, 북한을 경제적으로 부흥시키는데 결국 우리들이 책임질 날이 오지 않겠습니까? 이런 등등 모든 것을 생각할 때 지금 이 시간은 적게는 우리 대한민국 내부에서, 크게는 남북을 통틀어 민족적인 입장에서 너무나 중요한 때입니다.

그러나 우리에게는 민족의 저력이 있습니다. 5,000년 역사를 끌어온 민족의 저력이 있습니다. 여러분, 중국 대륙을 보십시오. 중국 주변이 중국화 안 된 곳이 어디 있습니까? 남쪽 저 끝까지, 북쪽 몽골까지, 중국에 원나라를 세웠던 몽골도 거의 반이 중국화되었습니다. 중국에 청나라를 세웠던 만주도 전부가 중국화되었습니다.

그런데 오직 이 중국 대륙 동쪽에 있는 유일한 한반도, 조그마한 혹같이 붙어 있는 여기에 7,000만의 대민족이, 인구로 봐서 세계 12위의 대국이, 그리고 세계에서 가장 교육 수준이 높고 문화 수준이 높은 똑똑한 민족이 여기에 있습니다. 중국화가 안 되었습니다.

중국으로부터 불교를 받아들였지만, 그 불교를 우리 것으로 재창조해서 해동 불교를 만들었습니다. 중국으로부터 유교를 받아들였지만 그것을 우리 것으로 재창조해서 조선 유학을 만들었습니다. 우리는 그런 민족입니다. 우리는 해낼 수가 있습니다. 문제는 우리가 결심하고 나서는 것입니다.

그 결심하고 나서는 한가운데에 나와 여러분이 있어야 합니다. 그렇게 해서 우리 국민을 받들고, 국민의 손을 잡고 승리의 길로 나가야 하겠습니다. 그래서 여러분도 승리하고, 나도 승리하고, 그리고 무엇보다도 국민이 승리하는 그런 영광의 내일을 만들어야 합니다. 이를 위해 다 같이 합심할 것을, 그리고 대통령에 대해서 여러분이 같은 동반자로서, 국정의 중심으로서 협력해 주실 것을 부탁합니다.

여러분 고맙습니다.

질의응답

민석기(철도청 차장) 최근 국가적 경제 위기하에서 저희 공직자들은 국민과 함께 고통을 분담하는 것이 당연하다고 생각하고 있습니다. 이를 위해서 그동안 조직과 인력을 감축했고 보수를 삭감하는 조치가 있었습니다. 그러나 이런 조치들로 인해서 공직 사회의 사기가 많이 떨어져 있고, 특히 하위직 공무원의 경우에는 많은 고통을 당하고 있는 것이 사실입니다. 대통령께서 재임하시는 동안에 공직자의 사기 앙양과 후생복지 증진을 위한 계획을 갖고 계시면 말씀해 주시기 바랍니다.

김명숙(보건복지부 가정복지심의관) 대통령께서는 말씀하신 바와 같이 그동안 수많은 역경과 고비를 겪으시면서 나라가 가장 어려운 때 대통령이 되셨습니다. 그동안 어려움도 많으셨을 것이고, 반면 보람된 일도 많으셨을 것입니다. 살아오시는 동안 가장 견디기 어려웠던 일과 보람된 일이 있었다면 무엇인지 말씀해 주시고, 특히 이희호 여사께서는 어려울 때 어떻게 내조해 주셨는지 말씀해 주십시오. 아울러 대통령께서는 여성의 사회 참여에 대해서 관심이 많으신 것으로 알고 있습니다. 이 점 국정 운영에 어떻게 반영해 나가실 것인지, 그 계획도 말씀해 주시기 바랍니다.

오지철(**문화관광부 문화산업국장**) 대통령께서는 여러 기회에 21세기에는 문화산업이야말로 국가의 기간산업이기 때문에 국가 전략산업으로 육성할 필요가 있다고 강조하셨습니다. 그러나 일부에서는 문화산업이 국가 기간산업이 될 수 있겠는가에 대해서 의문을 가지고 있는 분들도 있으리라고 봅니다. 이 기회에 대통령께서 문화산업 진흥에 대한 기본신념이나 철학에 대해서 말씀해 주시기 바랍니다. 그리고 최근 바쁘신 가운데 대통령 내외분께서 오페라를 관람하신 것으로 알고 있습니다. 또한 우리 전통 가락에 대해서도 깊은 조예와 애정이 있으신 것으로 알고 있습니다만, 이번 기회에 대통령께서 각별히 좋아하시거나 애창하시는 남도창이 있으시면 좀 소개해 주시면 감사겠습니다.

장상자(**여성특별위원회 조정관**) 지금 상의에서도 상당히 여러 번 느꼈는데, 대통령께서는 굉장히 많은 책을 읽으시는 것으로 알려져 있고, 소장하신 책도 1만여 권이 넘는 것으로 알고 있습니다. 실제 얼마나 많은 책을 읽으셨는지, 또 읽으신 책 중에는 여성 문제와 관련된 책도 있는지 궁금합니다. 또 민주화 투쟁을 하시면서 감옥 생활을 하시는 동안 엄청난 양의 책을 읽으신 것으로 알고 있습니다. 가장 인상 깊었던 책이 있으시면 소개해 주시기 바랍니다.

김병일(**공정거래위원회 경쟁국장**) 대통령께서 저희 공무원들이 가져야 할 자세에 대해서 말씀해 주셨습니다만, 대통령께서는 오랜 기간 야당에 계실 때 저희 공무원에 대해서 어떤 시각을 가지고 계셨는지 궁금합니다. 그리고 대통령이 되신 지금 그러한 생각에 어떤 변화가 있으신지 달라진 점이 있으시다면 어떻게 달라지셨는지 말씀해 주시기 바랍니다. 만약 대통령의 자제분이 젊었을 때 공무원이 되고자 했다면 그때 대통령께서 흔쾌히 이를 지지해 주셨겠습니까, 아니면 만류하셨겠습니까?

나라를 살립시다

김대중 어렵고 재미있는 질문들을 많이 해 주셨습니다. 처음에 철도청에 계시는 분이 공무원의 사기 앙양과 후생 복지책에 대해서 질문을 해 주셨는데, 앞에서도 말했다시피 여러분이 박봉에서 실업 기금을 내게 한 것은 하고 싶어서 한 일이 아니고, 또 필요성도 잘 알 것입니다. 앞으로 정부는 공무원의 봉급을 최소한도 국영기업 선까지 올리겠다는 것이 기본 방침입니다. 여러분이 두고 보시면 공무원의 생활 안정을 위해서 어떤 관심이 있다는 것을 반드시 알게 될 것입니다. 여기에 대해서 내가 깊이 생각하고 있습니다.

사기 앙양책에 대해서는 첫째로 공무원 인사에 있어서 공정성을 기하겠습니다. 여러분에게 중요한 것이 이것이기 때문에 지역이나 학벌 문제를 초월해서 실력 위주로 인사를 하겠습니다. 여러분이 일을 잘하면 잘한 만큼 인정받는 정책을 적극적으로 세우겠습니다. 이제 공무원은 과거와 달라서 여러 가지 불필요한 일에 대해서는 신경 쓰지 않고 오직 공무에만 충실하면 대우받고 신분이 안전하게 보장된다는 것을 믿어도 될 것입니다.

두 번째 질문에 대해서는, 어려운 적이 너무 많아서 뭐가 가장 견디기 어려웠는지는 나도 말하기가 어렵습니다. 내가 6·25전쟁 때 공산당에게 죽을 고비를 넘겼고, 박정희 정권 때 죽을 고비를 넘겼고, 1980년 전두환 쿠데타 때 죽을 고비를 넘겼습니다. 일생 동안 다섯 번 죽을 고비를 넘겼습니다. 용케 살았습니다. 그리고 6년을 감옥살이를 했고, 10년을 연금과 망명 생활을 했습니다.

지금 기억나는 것은 일본에서 납치되어 바다로 끌려가서 전신이 묶여 바다로 던져지려고 했을 때가 견디기 어려웠습니다. 더 어려웠던 것은 1980년 육군교도소에서 사형 선고를 받고 대법원의 최종심을 기다리던 때인데, 부르면 불려 나가는 것입니다. 그러니까 밥이나 물을 가져다주는 간수들의 발소리만 들어도 가슴이 죄어 오고 굉장히 힘들었습니다. 죽는 것보다도 그 고비를 넘기는 것이 더 어려웠습니다. 다른 것보다도 죽지만 않고 살기만 했으면 좋겠다고 생각했습니다.

그래서 재판하는 날, 그 재판관의 입에서 '무기無期'라는 소리가 나오기만을 기다렸습니다. 그렇게 되면 어떻게 하든지 살 것이 아닌가 생각을 했습니다. '무기'라는 '무'라고 하면 입이 나오고 '사형'이라는 '사'라고 하면 입이 찢어집니다. 그래서 입을 뚫어지게 보았습니다. 그런데 맨날 입이 찢어지더군요. 그런 힘든 고비를 넘겼습니다.

그런 가운데 이학봉 씨가 찾아왔습니다. 이 사람이 와서 솔직하게 얘기를 하면서 "김 선생님, 이대로 하면 죽습니다. 죽어서야 되겠습니까? 우리하고 협력하면 살려 주겠소. 재판은 요식행위입니다. 대통령만 단념하면 뭐든지 시켜 주겠소."라고 했는데도 불구하고 저는 거절했습니다. 죽기는 싫었지만 그렇게 되면 국민을 배신하는 것이 되고, 아주 죽는 것이기 때문에 할 수가 없었습니다. 흔들리면서도 그렇게 끝까지 견딜 수 있었던 것이 보람이지 않았나 생각합니다.

또 이런 일이 있었습니다. 1989년 12월에 노태우 대통령이 청와대에서 만나자고 한 일이 있습니다. 노태우 대통령이 자리에 앉자마자 "김 총재, 고생은 이제 그만하시오. 나하고 당을 같이 하십시다. 이제 편하게 삽시다."라고 얘기하는 것이었습니다. 그래서 내가 거절하면서 민주주의만 하면 여당 못지않게 도와주겠다고 말하고 나온 적이 있습니다.

그때 노태우 대통령이 자기와 당을 같이 하면 3당 합당을 중단하고 다음 정권을 나한테 준다고 했습니다. 그때 내가 그 말을 들으면서 "내 귀가 더러워지니까 그런 말은 하지 말라"고 그랬습니다. "나는 국민을 위해서 좋은 정치를 해볼 생각은 있지만, 그것은 어디까지나 국민이 선출하는 것이다. 군사정권에 굴복해서 정권을 잡을 생각은 없다"고 하면서 거절했습니다. 내가 용기가 있고 겁이 없고 욕심이 없어서가 아니라 내 마음속에 있는 양심을 버리지 않으려고 한 것입니다.

거울 속의 나를 보면서 때로는 참 용케 잘 견디어 주었다고 감사할 때가 있습니다. 그런 것이 보람이라고 생각합니다. 이런 가운데서도 아내가 든든히 지켜 주고 격려해 주지 않았다면 오늘의 내가 없었을 것입니다.

내가 진주 감옥에 있을 때는 한 달에 한 번밖에 면회가 되지 않았는데, 아내는 여름이고 겨울이고 진주에 살면서 매일 계란하고 과자 한 봉지를 들여보냅니다. 자신도 같이 이곳에 있다는 것을 느끼도록 그렇게 하는 것입니다. 그때 관절염에 걸려서 지금도 고생을 합니다. 청주교도소에 있을 때도 와이셔츠는 물론이고 양말이나 속옷까지 다림질을 해서 보냅니다. 와이셔츠에는 향수까지 뿌려서 보냅니다.

아내가 없었다면 나는 없었을 것입니다. 나는 상처喪妻를 해서 전처의 아이 둘을 데리고 있었고 아내는 노처녀로 있다가 저하고 결혼을 했습니다. 아내가 와서 전처 자식, 며느리, 손자·손녀를 자신이 낳은 자식 이상으로 했습니다. 그래서 자식들과 아내 사이에는 마찰 없이 아주 화목하게 살아왔습니다. 이런 아내에 대해서 늘 감사하게 생각하고 있습니다. 이런 아내에 대해서, 약 35년 전에 대문에 아내 문패를 같이 걸어 놓은 것밖에는 보답한 것이 없습니다.

그리고 여성 정책에 대해서는 내가 많은 노력을 했습니다. 가족법을 고쳐서 어머니와 아버지의 권리가 같도록 했고, 아내와 남편의 권리가 같도록 했고, 딸과 아들의 권리가 같도록 했습니다. 나와 노태우 대통령이 했습니다. 그리고 여성들의 권익 향상을 위해서 할 수 있는 모든 법을 입안했습니다.

이번에도 여성 장관 두 분을 영입했을 뿐만 아니라 여성특별위원회를 만들어서 위원장을 장관 대우로 했고, 위원들도 중요한 분들이 참석하도록 했으며, 5개 부처에 여성 담당관을 두도록 했습니다. 이번 지방선거에도 많은 여성을 진출시키려고 하고 있습니다. 그런데 문제는 여성들이 여성 자신을 도와야 합니다. 여성이 출마하면 여성이 당선되어야 하는데 잘 안됩니다. 여성들 스스로 키워 주어야 합니다.

문화·관광 문제에 대해서는 문화산업이 국가의 기간산업이 아니라는 생각을 하는 분들이 있다고 하는데, 이것은 잘못된 생각입니다. 21세기는 문화의 시대입니다. 20세기에는 경제와 군사력이 국력이었는데, 21세기에는 경제와 문화가 국력입니다. 문화산업, 특히 영상 매체는 엄청난 부가가치가 있습니다. 조선이나 자동차 못지않은 부가가치가 있습니다.

최근에 영화 「타이타닉」이 나왔는데, 이것이 국제 시장에서 10억 달러의 돈을 벌고 있습니다. 스필버그 감독이 만든 「쥬라기공원」은 8억 5,000만 달러를 벌었습니다. 그리고 「라이온 킹」이라는 만화영화는 8억 4,000만 달러를 벌었는데, 들어간 돈은 5,000만 달러밖에 안 됩니다.

우리나라에서 8억 5000만 달러 이익을 내려면 모든 자동차 회사가 1년 이상 수출해서 벌어야 합니다. 이것을 하려고 하면 몇조 원을 들여서 공장도 세워야 합니다. 그런데 겨우 5,000만 달러를 들여서 거대한 돈을 벌 수 있었던 것이 바로 문화산업입니다. 관광산업·회의체산업이 엄청난 부가가치가 있습니다.

금년에 관광산업에서 수입이 20억 달러가 넘는 것 같습니다. 약 30억 달러 정도 될 것입니다. 그런데 30억 달러 벌려면 일반 공산품 300억 달러 이상을 수출해야 합니다.

또 문화산업은 단순히 돈만 버는 것이 아니라 우리나라 이미지를 세계에 심는 것입니다. 이제부터 경쟁에서는 상품의 품질도 중요하지만, 그 나라의 이미지도 중요합니다. 투자도 이미지가 나쁘면 오지 않습니다. 그런데 그 이미지를 좋게 하는 것은 문화입니다. 문화가 중요하다는 것은 아무리 강조해도 지나치지 않습니다. 세계가 변하고 있습니다. 우리가 이런 것을 생각하면서 문화의 중요성을 생각해야 합니다.

남도창南道唱을 얘기했는데, 나는 남도창을 좋아합니다. 잘은 못 하지만 북장단도 칩니다. 임방울이라는 분이 부른 「쑥대머리」를 좋아합니다. 옥중에 있을 때는 혼자 부르기도 했는데, 목청이 나빠서 별로 되지 않았습니다.

책을 많이 읽었다는 것은 거짓말입니다. 내게 책이 1만 2,000권 정도 있는데, 읽는 속도가 느려서 많이 읽지 못했습니다. 나는 정독하기 때문에 많이 읽는 편이 아닙니다. 책을 많이 읽는 것도 중요하지만, 읽은 것을 어떻게 잘 풀어쓰느냐가 중요합니다.

사람들이 나한테 박식하다고 할 때가 있습니다. 그것은 내가 아는 것만을 말하기 때문입니다. 책 읽은 것을 어떻게 잘 이용하느냐가 중요합니다. 책을 열심히 읽는 덕분에 많은 공부를 한 것은 사실입니다.

내 일생에서 지적知的 발전에 가장 큰 도움이 된 것은 토인비의 『역사의 연구』입니다. 굉장히 난해한 부분도 있었지만, 그것을 열심히 읽었습니다. 그것도 감옥에 있을 때 읽었던 것입니다. 밖에 있었으면 읽지 못했을 것입니다. 『맹자』, 러셀의 『서양철학사』, 니버의 『도덕적 인간과 비도덕적 사회』, 『바람과 함께 사라지다』 등입니다. 우리나라 것으로는 박경리의 『토지』입니다. 경상도 하동 지방의 얘기를 썼는데, 사투리만 다르고 전라도 신안군의 얘기와 똑같았습니다.

야당 시절에 공무원을 어떻게 보았느냐고 말씀하셨는데, 그때도 공무원을 미워한 적은 없습니다. 모두를 미워하지는 않았습니다. 안타깝게 생각했습니다. 그래서 지금은 공무원에게 자유를 주고, 공무원이 정치적으로 여당에 충성해야 하는 것도 아니고, 이익을 주어야 하는 것도 아니고, 여러분이 자유롭게 공무원 본연의 자세로 일하게 되면 나는 일생의 보람으로 생각하게 될 것입니다.

이렇게 함으로써 여러분도 이제는 인격을 가지고 자기 소신대로 공무에 임할 수 있지 않을까 생각합니다. 아직 그런 점이 없다면 언제든지 정부에서 고치겠습니다. 여러분이 말씀해 주십시오. 이 정부는 절대로 여러분에게 불법·부당한 일은 요구하지 않을 것이고, 지연이나 학연으로 특혜를 주거나 불이익을 당하지 않게 할 것입니다. 공정하게 할 것입니다.

지금 보통 위기가 아닙니다. 공무원 여러분이 나하고 손잡고 같이 협력해서 나갑시다. 그래서 나라를 살립시다. 국민적인 사명과 의무를 소홀히 한 분들은 이 정부에서는 대우받을 수 없습니다. 여러분이 이 점에 대해서 결심하고, 여러분이 노력하고 협력한 만큼 대우받는다는 것을 믿고, 이 나라를 위기로부터 구출해서 불행한 국민들을 구해야 합니다. 여러분의 협력이 있어야만 됩니다. 국민을 위해서 보람 있는 공무원 생활을 해 주시기 바랍니다.

대통령, 국민과의 대화

대담 차인태 외
일시 1998년 5월 10일

차인태(아나운서) 오늘 국민과의 대화는 지난 1월에 이어 두 번째가 됩니다. 지난번은 당선자의 입장이었고, 오늘은 국정의 최고 책임자로 취임한 지 두 달 반 만에 갖는 이름 그대로 「대통령, 국민과의 대화」 그 첫 번째가 되겠습니다.

김은주(아나운서) 오늘 이 방송은 한국방송협회가 주최하고 문화방송(MBC)·한국방송(KBS)·에스비에스(SBS) 방송 3사가 공동으로 주관하는 것으로 지금부터 밤 9시까지 두 시간 동안 이곳 문화방송(MBC) 공개홀에서 텔레비전과 라디오로 생방송 됩니다. 그러면 김대중 대통령을 이 자리에 모시겠습니다.

차인태 오늘 여러 가지로 감사합니다. 취임하신 지 이제 두 달 반, 얼른 뵙기에도 건강은 다름없어 보입니다만, 가까이서 뵈니까 흰머리가 조금 보이는데, 요즘 많이 힘들지는 않으신지요?

김대중 힘들지요. 나도 세어 보지는 않았는데 흰머리가 많이 늘었을 것입니다.

김은주 오늘 두 시간 동안에 걸친 국민과의 대화가 알찬 시간이 되시기를 바랍니다.

차인태 오늘 「김대중 대통령, 국민과의 대화」는 6·25전쟁 이래 최대의 난국이라고 하는 이 시점에서 우리 국민이 대통령께 가장 묻고 싶은 사항은 과연 무엇인지 그것을 선정하기 위해서 여러 가지 방법과 절차를 거친 뒤에 마련되었습니다.

김은주 대통령께 묻고 싶은 것이 무엇인지를 알기 위해 한국갤럽에 의뢰해서 여론조사를 실시했고, 또 전국 41개 직능단체로부터 질문을 받았습니다. 그리고 4월 29일부터 전화와 팩시밀리, PC 통신을 통해서 국민의 질문을 공개 모집했습니다.

차인태 그 결과를 잠시 소개해 드리겠습니다. 역시 실업을 포함한 경제 문제가 전체 질문의 75퍼센트로 가장 많았습니다. 그다음으로 정치 안정 및 인사 문제를 포함한 정치 분야가 10퍼센트, 그리고 교육·남북 문제 등을 묻는 질문 등이 10퍼센드를 차지했습니다. 그 가운데서 경제 분야만 볼 때 외환 위기 극복에 관한 질문이 35퍼센트, 실업 문제가 23퍼센트, 기타 7퍼센트로 집계되었습니다.

김은주 이렇게 수렴된 의견들은 '대통령 국민과의 대화 자문위원회'의 자문을 받아 질문 빈도수에 따라서 대표 질문을 고르고, 그에 맞는 대표 질문자 8명을 선정하였음을 알려드립니다.

차인태 그리고 이곳 스튜디오를 가득 메워 주신 약 700여 명의 방청객들 역시 국민 질문의 대표성과 다양성을 고려해서 각계각층에서 선정되신 분들입니다. 이 자리에 오신 분들은 대통령께 직접 자유 질문을 하실 수 있는 기회를 드리도록 하겠습니다.

김은주 네, 그러면 본격적인 질문에 앞서서 김대중 대통령의 인사 말씀이 있으시겠습니다.

정말 어려운 때 대통령이 되었구나

김대중 존경하고 사랑하는 국민 여러분, 요즘 얼마나 심려가 많으십니까? 정말 뭐라 위로해야 좋을지 모르겠습니다. 흔히 "춘래불사춘春來不似春"이라고 "봄은 왔지만 봄이 온 것 같지 않다"는 말이 있는데, 바로 요즘 우리 국민의 심정을 말한 것이 아닌가 생각합니다.

저도 과거 야당 하면서 고생도 하고 생명의 위협도 몇 차례 느껴 보았습니다. 그러나 그때는 한 번 결심을 해서 목숨을 내놓으니 오히려 마음은 안정되었습니다. 그런데 지금은 "4,500만 국민의 운명을 내가 양어깨에 지고 있다. 나아가 7,000만 미래에 대해서도 책임이 있다." 이렇게 생각하니 마음고생은 뭐라 표현할 수가 없습니다. 제가 생각해도 "정말로 어려운 때 대통령이 되었구나." 하는 생각을 금하지 못합니다.

오늘 여기에 나오는 데도 여러 가지 걱정이 있었습니다. "도대체 우리 현실에 대해서 무슨 말을 해야 좋을까?" 하고 말입니다. 그러나 저는 이렇게 마음을 먹었습니다. "사실대로 모든 것을 솔직하게 얘기하고, 국민과 같이 토론하고 국민이 한 말씀들을 경청해야겠다"고 생각했습니다. 그래서 "우리가 처한 문제점이 무엇인가, 어떻게 하면 해결할 수 있는가, 우리의 미래는 희망이 있는가 등의 문제를 같이 토론해야 되겠다. 정부가 할 일은 무엇이고, 기업인이 할 일은 무엇인가, 또한 노동자가 할 일은 무엇이고, 국민이 할 일은 무엇인가에 대해서도 솔직하게 얘기해야 되겠다"고 말입니다.

그렇게 무릎을 맞대고 가슴을 열고 오늘 두 시간 동안 여러분과 같이 얘기함으로써, 여기에 계시는 여러분뿐만 아니라 전국의 4,500만 국민이 오늘 토론이 끝나고 나면, 뭔가 마음의 가닥을 잡고 우리 현실에 대한 이해, 우리가 해야 할 일, 장래에 대한 희망을 안고 편안히 잠들 수 있는 그런 모임이 되기를 진심으로 바라 마지않습니다. 여러분 감사합니다.

차인태 고맙습니다. 말씀 잘 들었습니다. 그러면 이제부터 「김대중 대통령, 국민과의 대화」를 시작하겠습니다. 여론조사 결과에 의하면 경제 질문이 압도적으로 많았습니다. 우선 대표 질문자 중에서 먼저 질문하시겠습니까?

무역협회 상무 안녕하십니까? 요즘 정부나 많은 사람들이 외환 위기를 낙관하고 있지 않나 생각합니다. 이제는 외환 보유고도 300억 달러 이상으로 확충이 되었고, 국제수지도 매달 20-30억 달러 흑자를 나타내고 있습니다만, 이 흑자는 주로 수입이 많이 줄어들었기 때문이고, 수출은 금 모으기 운동분을 빼고 나면 증가율이 매우 낮아서 흑자의 내용이 부실한 편이라고 생각합니다.

특히 수출의 앞날을 보면, 대내적으로는 매달 100개의 기업이 도산하고 있는 등 생산 기반이 와해되어 가고 있으며, 대외적으로는 우리의 큰 수출 시장인 아시아 시장이 사실상 소멸된 것이나 다름없고, 또 국제 경쟁이 치열해지고 선진국의 수입 규제 강도도 높아지고 있어서 전망이 매우 불투명한 실정입니다. 이밖에도 외국인 투자도 미비하고, 또 실업 증가 등 사회적 불안 요인도 내재하고 있습니다.

그런 의미에서 외환 위기가 얼마나 해소되고 있는지, 그리고 근본적인 해결책은 무엇인지 궁금합니다.

김대중 좋은 말씀 해 주셨습니다. 지적한 대로 외환 문제는 파국을 넘겼을 뿐이고 위기는 결코 끝나지 않았습니다. 그렇게 쉽게 끝날 위기가 아닌 것입니다. 그러나 극도의 파국은 끝났다고 봐야 합니다.

우리가 외환 위기를 해결하려면 수출 증대와 해외 자본을 끌어오는 두 가지 노력을 해야 합니다. 수출은 지금 어느 정도 되고 있습니다. 작년 연말에

38억 7,000만 달러의 적자였는데, 금년 4월 말에는 145억 달러의 흑자가 났고, 연말까지는 250억 달러 이상의 흑자가 날 것입니다. 물론 여기에는 수입 감소 요인도 있고 금 수출 요인도 있지만, 수출도 상당한 양의 증가를 보이고 있습니다. 이렇게 나가면 금년에 400억 달러 이상의 흑자를 볼 수 있다고까지 얘기하는 사람들도 있습니다.

그다음에 외환 위기를 해결하려면 외국 투자가 많이 들어와야 합니다. 과거 우리가 잘못한 것 중의 하나가 외국인 투자에는 신경을 쓰지 않고 차관을 빌려오는 데만 주력했습니다. 그런데 외국인 투자는 갚을 필요도 없고, 이자도 없습니다. 우리나라에 와서 원화로 바뀌면서부터는 우리가 마음대로 쓸 수 있습니다.

그러나 차관은 갚아야 되고 이자를 물어야 됩니다. 또한 외국인 투자는 외국의 선진 경영 기법을 함께 가지고 들어오고, 또 외국 기업이 들어와서 합작 투자를 하게 되면 기업의 투명성이 보장됩니다. 외국과 국민 모든 사람들이 믿을 수 있습니다. 또 외국 수출 시장을 가지고 들어옵니다. 그리고 무엇보다도 문 닫고 있는 기업들을 움직이게 만들어서 실업자들에게 일자리를 줍니다.

이런 방향으로 가야 하는데, 과거에는 차관만 빌려오다가 작년에 한꺼번에 빚을 갚으라고 하니까 파산 위기에 들어갔던 것입니다. 금년 연말에는 외환 보유고가 400억 달러가 될 것입니다. 이것은 국제통화기금(IMF)과 합의한 것입니다.

우리가 노력해서 명년에 400억 달러 이상의 가용 외환 보유고를 갖게 되면 외환이 안정될 것입니다. 지금 좋은 출발을 하고 있는데, 우리가 외국 투자를 많이 끌어들이는 것이 중요하다고 생각합니다.

무역협회 상무 그런데 실제로 외화 유치가 잘 안 되는 이유는 무엇입니까?

김대중 외자는 들어오려고 문 앞까지 와 있습니다. 그런데 우리가 받아들일 준비가 안 되어 있는 것입니다. 외자는 그냥 들어오는 것이 아니라 들어와서 투자해도 안전한가, 돈벌이가 되겠는가, 이것이 확실해야 합니다. 전 세계가 외자를 끌어들이려고 하고 있는데, 준비가 안 되어 있는 곳에 들어오려고 하겠습니까?

이번에 제가 영국 아시아유럽정상회의(ASEM)에 갔었는데, 거기에는 클린턴·옐친 대통령을 제외하고 세계의 중요한 지도자들은 다 왔습니다. 제가 그곳에서 상당한 역할을 해서 아시아유럽정상회의(ASEM)가 한국 회의처럼 되었습니다. 그래서 이달부터 우리나라에 외국의 투자가들이 들어오게 되어 있습니다.

하지만 투자하러 들어오는 것이 아니라, 투자 조사하러 들어옵니다. 그분들이 "한국 국민은 정말 훌륭하다. 금 모으기 운동을 하는 것을 보고 놀랐다. 한국 정부는 올바른 길을 가고 있다. 우리는 김대중 대통령을 믿고 있으며 지지할 수 있다. 그런데 문제가 있다. 첫째, 한국 기업들이 신성한 구조 개혁을 할 준비가 되어 있는가. 둘째, 한국의 노동자들이 외국의 기업가들을 배척하지 않고 기업이 잘되는 방향으로 협조할 수 있는가. 필요하면 정리해고를 하고 기업이 잘되면 다시 고용하는 이런 일에 협력할 용의가 있는가. 셋째, 한국의 정치가 안정되겠는가. 야당이 다수가 되어서 총리 인준도 이루어지지 않고 있고, 예산도 통과시켜 주지 않아서 2, 3개월씩 끌고 있는 상태인데 외국 기업들에 대해 불리한 법률이나 만들고 외국 기업을 도와주는 법률 개정안을 거부하면 어떻게 하겠느냐?" 이런 것이었습니다.

그래서 제가 여러분께 말씀드리고 싶은 것은 외국 기업은 들어오려고 한다는 겁니다. 왜냐하면 한국의 노동력은 세계에서 가장 우수하고, 정보산업시대에는 가장 적합한 노동력이기 때문에 우리와 한번 해 보고 싶다는 것입니다. 그동안 지켜보니까 한국은 저력이 있다고 생각되는데 이 세 가지가 문제라는 것입니다.

우리는 이 세 가지 문제를 해결해야 합니다. 그렇지 않으면 외국 투자가들은 우리나라에 들어오지 않을 것입니다. 세계 각국은 자국의 투자 유치를 위해서 여러분이 상상할 수 없는 노력을 하고 있습니다. 제가 토니 블레어 총리 관저에서 식사를 하는데, 그분이 오른편에 앉아 있고 시라크 대통령은 왼편에 앉아 있었습니다. 그분이 자기 선거구에 한국에서 온 공장이 있는데 매우 중요하다는 말을 했습니다. 그래서 내가 얼마나 고용하냐고 물어보니까 1,000명을 고용하고 있다는 것입니다. 1,000명 고용하고 있는 것을 그렇게 중요하게 생각하는 것이었습니다.

우리도 이제는 외국 자본을 영입해 오려면 대비를 해야 합니다. 이런 것을 국민 여러분께 말씀드리고 싶고, 저도 이 세 가지 조건을 완벽하게 실현시켜서 외국 자본이 안심하고 들어올 수 있도록 최선의 노력을 하겠습니다.

하지은(아나운서) 방청석에는 대통령께 질문을 하러 나오신 분들이 참 많습니다. 가장 먼저 신청하신 분부터 만나 보겠습니다. 소개와 함께 질문하시죠.

이화여자대학교 학생 저는 대통령께 기업의 인수·합병 정책에 대해서 질문을 드리고 싶습니다. 대통령께서 말씀하신 것처럼 우리나라에는 외국인의 투자가 매우 필요하다고 생각합니다. 정부에서는 그것을 위해서 기업의 적대적인 인수·합병을 허용했다고 들었습니다. 그런데 이럴 경우에 우리나라의 특정 산업 분야가 외국 기업에 독점당할 위험이 있다고 생각합니다. 그리고 이러한 위험 때문에 규제를 한다면 외국인의 투자에 방해가 될 것 같은데요. 대통령께서는 이런 진퇴양난의 문제에 대해서 어떤 대처 방안을 가지고 계시는지 궁금합니다.

민족 경제·국민 경제의 시대가 지나가고 있다

김대중 질문도 하고 답변도 하셨는데, 아주 잘하셨습니다. 지금 말씀한 대로 외국 자본은 들어와야 되고, 문호를 제대로 열지 않으면 안 들어오고, 너무 열면 우리가 손해를 보는 문제가 있는 것이 사실입니다.

그런데 여러분이 아시다시피 이제는 세상이 달라졌습니다. 세계무역기구(WTO) 체제가 발족한 이후 앞으로 5-6년 이내에 세계는 경제의 국경이 없어질 것입니다. 민족 경제·국민 경제의 시대가 지나가고 있습니다. 그래서 이제는 자본이 세계 각국을 자유롭게 돌아다닙니다.

우리나라 자본도 외국으로 나가고 있습니다. 외국에서는 그 자본을 활용하고 있습니다. 인수·합병을 하든지 무엇을 하든지 마음내로 하라는 것입니다. 뿐만 아니라 외국 자본 유치를 위해서 사회간접시설도 해 주고, 저리 융자도 해 주고, 심지어 영국에서는 우리나라 공장 준공식에 여왕까지 나왔습니다. 이렇게 우리나라 기업이 해외에서 대우를 받고 있습니다. 우리도 외국 자본을 원하면 그렇게 대우를 해 주어야 합니다. 안 하면 안 됩니다.

중요한 것은 이제부터 외국 자본도 우리나라에 와 있으면 우리 기업이고, 우리 기업도 외국에 나가 있으면 외국 기업이라고 생각해야 합니다. 외국 자본이 들어오면 이득이 많기 때문에 이것이 들어오는 것을 환영해야 합니다. 다른 나라들은 외국 자본을 환영해서 성공하고 있습니다. 예를 들면 영국의 경우는 외국 자본이 투자해서 생산한 총액이 전체 국내총생산(GDP)의 28.6퍼센트에 달하고, 말레이시아는 41.6퍼센트, 중국은 18퍼센트, 미국은 8퍼센트입니다. 그런데 우리나라는 2.3퍼센트에 불과합니다. 이렇게 하고 있습니다. 이대로 가면 안 된다는 것입니다.

지금 빚투성이입니다. 은행 빚을 갚는 데 급급해서 국내 자본이 기업에 투자해 기업을 살릴 수 있는 힘이 없습니다. 외국 자본만이 할 수 있습니다. 그런데 우리나라에서 일부 노조들이 "외국 자본이 들어올 때는 노동자를 해고하지 않겠다고 보장하고 해야 한다"고 하면 외국 자본이 들어오지 않습니다. 이렇게 되면 전부 실업자가 됩니다. 그래서 이런 것을 알고 각오를 해야 합니다. 우리는 지금 1,500억 달러의 빚을 지고 있습니다. 과거 정권이 허술하게 하는 동안에 나라를 이렇게 만들어 놓았습니다. 우리는 피나는 노력을 해야 합니다. 눈물과 땀을 흘려야 합니다. 수출도 해야 하지만 외국 자본도 들여와야 합니다.

외국 자본이 들어오면 처음에는 10퍼센트 내지 20퍼센트의 노동자들은 해고를 당합니다. 그러나 이것으로 기업이 움직여 주면 주변 경제가 일어납니다. 노동자들이 번 돈으로 라면도 사고, 담배를 사면 다른 사업도 되는 것입니다. 이렇게 경제가 발전되어 나가는 것입니다. 다만 국가안보와 관련된 사업의 인수·합병은 허용할 수 없습니다. 국가안보는 지켜져야 합니다.

경영자총연합회 상무 간단하게 질문하겠습니다. 최근 우리 기업들이 체질을 개선하기 위해 구조조정에 박차를 가하고 있습니다. 그러나 구조조정의 과정에서는 전 세계와 공통적으로 고용조정을 겪을 수밖에 없습니다. 우리나라의 경우도 한쪽에서는 구조조정이다, 다른 한쪽에서는 정리해고는 안된다는 두 마리 토끼를 동시에 잡을 수 없는 상황에 있습니다.

저희들이 볼 때 정부 내에서도 부처별로 구조조정을 담당하는 부처에서는 구조조정을 해라, 그리고 실업 문제를 담당하는 부처에서는 고용조정은 곤란하다는 식으로 각 기관에서 조정이 잘 안 되고 있지 않느냐는 의문도 많습니다. 그 점에 관해서 답변해 주시면 감사하겠습니다.

김대중 신문에도 그렇게 쓴 것을 간혹 보는데, 사실은 이렇습니다. 정리해고 문제는 지난번에 2월 6일 자로 노사정 3자 합의에 의해서 발표한 내용이 있습니다. 그 내용대로 하고 있는 것입니다. 법에 정리해고를 할 수 있다고 나와 있습니다. 그런데 정리해고를 하려면 30일 전에 정리해고를 하겠다고 노동부에 신고해야 합니다. 그리고 노동시간 단축이나 임금 동결 혹은 감축을 통해서 가능하면 정리해고는 피하고 고용을 유지하는 것이 좋겠다고 합의를 했습니다.

필요하면 정리해고를 하는 것입니다. 그런데 30대 재벌들을 보면 현재까지 정리해고를 하겠다는 기업들은 없습니다. 단 하나 현대리바트라는 데서 125명을 해고하겠다고 한 것밖에 없습니다. 그렇기 때문에 들어온 것을 못하게 한 것은 없습니다.

다만 우리가 바라는 것은 되도록이면 노조와 협의해서 정리해고를 적게 하거나 하지 않는 것입니다. 서로 열심히 일해서 생산성을 높이면 되는 것이니까요. 그리고 정말 해고를 하지 않으면 안 될 경우에는 하는 것입니다. 이것은 양자 간에 합의가 되어 있는 것입니다. 정부가 그것까지 막고 있는 것은 아닙니다. 이 점을 바르게 이해해 주시면 감사하겠습니다.

김은주 「김대중 대통령, 국민과의 대화」 방송은 현재 서울뿐만 아니라 각 지역에서도 중계차를 통해서 국민의 목소리를 들을 수가 있는데, 이번에 대구로 가보겠습니다.

아나운서 대구입니다. 제가 나와 있는 동대구역에서도 많은 시민들이 텔레비전 수상기 앞에 모여 앉아서 '대통령과 국민과의 대화'에 귀 기울이고 있는 모습입니다. 여기서 시민 한 분의 질문을 받겠습니다.

대구 택시 기사 요즘 경기가 너무 좋지 않아 살기가 힘들어서 경제에 관해서 여쭤어보고 싶습니다. 저는 택시 영업을 하고 있어서 경제가 무엇인지 잘은 모르겠습니다만, 만나는 사람마다 국제통화기금(IMF) 외환 위기를 말하면서 "언제 풀리겠느냐", "앞으로 갈수록 더할 것"이라며 밝은 표정을 짓지 않고 있습니다. 실제 시내에서 보면 택시 기사들이 빈 차로 돌아다니면 기름값만 들어간다고 세워 놓고 있는 것을 자주 봅니다.

의류 같은 것도 "부도 처분, 창고 대방출" 하면서 넘쳐 나오고 있습니다. 정말 할 것이 없는 것 같습니다. 입술이 바짝바짝 타고 있습니다. 우리나라의 경기가 언제쯤 좋아질 것인지 대통령께 여쭈어보고 싶습니다.

금융과 기업을 개혁해야

김대중 네, 정말 절실한 고충의 말씀입니다. 저도 지난달 말일 대구에 다녀왔습니다. 대구가 굉장히 좋지 않다는 것을 들었습니다. 그리고 정부가 대구를 위해서 여러 가지 정책을 발표한 것도 말씀하신 분은 알고 계실 것입니다.

금년 1년은 어렵습니다. 또한 앞으로 1년도 어렵습니다. 그동안 5년, 10년 묵은 유산을 안고 있는 것입니다. 영국·이스라엘·스웨덴과 같은 나라들도 고생하다가 극복을 했습니다. 멕시코도 처음에 고생을 안 하려고 하다가 오히려 10년이 걸렸습니다. 남미도 그랬습니다.

우리가 겪어야 할 실업과 물가고, 불경기, 기업 도산을 피할 수가 없습니다. 피하려고 하면 더 나빠집니다. 여러분에게는 안됐지만 사실대로 말씀드릴 수밖에 없습니다. 그러나 지금 우리가 해야 할 일이 있습니다. 금융과 기업을 개혁해서 경쟁력 있게 만들어야 합니다.

과거 관치금융과 정경유착으로 인해서 경쟁력을 상실하고, 권력과 결탁해 부자가 되었기 때문에 망친 것입니다. 그러나 이제는 완전히 자기 힘으로 해야 합니다. 세계시장에서 이겨내야 합니다. 그런 체질을 금년에 만들어야 합니다. 이것을 못 하면 고생만 합니다. 누구도 봐주지 않습니다. 이런 점에 있어서 기업들도 이제는 정신을 차려야 합니다.

이제는 국산품 애용이 애국이 아닙니다. 무한 경쟁 시대이기 때문에 강원도 산골의 옥수수 농가도 세계의 옥수수 농가와 경쟁해야 합니다. 부천 뒷골목의 양말 공장도 세계의 양말 공장과 경쟁해야 합니다. 이런 방향으로 나가려면 개혁의 출발점은 먼저 금융기관과 대기업을 개혁하고, 노동시장의 유연성을 갖추고, 공기업이 안일한 생각을 하지 못하도록 하는 것입니다. 이렇게 개혁을 하게 되면 명년부터는 나아지고 내후년부터는 월등히 좋아지게 될 것입니다.

우리는 이달 말까지 도태시킬 기업은 도태시키고, 살릴 기업은 살리고, 적극 지원해야 하는 기업에 대해서는 적극 지원을 하는 구분을 짓겠습니다. 내달 말까지 은행도 이렇게 해서 정리하겠습니다. 경쟁력이 없는 기업은 국민에게 부담만 될 뿐입니다. 이렇게 우리가 개혁을 뼈를 깎는 심정, 금단현상을 견디는 심정으로 해내면 국제통화기금(IMF) 외환 위기를 극복하여 2000년에는 다시 도약하고, 2001년에는 선진국으로 재진입할 수 있을 것입니다.

여러분, 우리가 6·25전쟁 때 꿀꿀이죽 먹고 미군 염색 점퍼를 입고 견뎌서 세계 11번째의 경제를 만들어 냈듯이, 우리가 다시 한번 결심을 해야 합니다. 우리는 지금 1만 달러 시대가 아닙니다. 5,000달러도 제대로 안 됩니다. 빚투성이입니다. 우리가 똑바로 보고 결심을 해야 합니다. 우리 국민은 해낼 수 있는 역량이 있습니다. 또 저는 할 수 있는 복안을 가지고 있다는 것을 말씀드립니다.

서울 기독교여자청년회(YWCA) 회장 실업 문제에 대해서 질문을 드리겠습니다. 요즘 서울역 등에 나가보면 실직으로 노숙하는 사람들이 점점 늘어나고, 한 끼 식사를 해결하기 위해 눈물겹게 노력하는 분들도 점점 늘어나고 있습니다. 전국이 실업 문제 때문에 몸살을 앓고 있고, 평화로운 가정을 지키려고 하는 가장과 주부들에게 실업은 가장 고통스러운 것으로 다가오고 있습니다.

그런데 정부의 각 부처에서 내놓은 실업 대책이 저희들 피부와 와닿지 않고 있습니다. 여러 가지 대책이나 나오고 있지만, 뜬구름처럼 잡히지 않고 있습니다. 그리고 7조 9,000억 원이라는 실업 기금을 지원하신다고 했는데, 그 기금이 어떻게 사용되고 있는지, 또 그 돈이 정말 어디에 있는지 그런 것도 몹시 궁금합니다. 이 핵심 대책에 대해서 좀 말씀을 해 주십시오.

일자리 창출이 최고의 해결책

김대중 우리가 답답한 문제가 많고 걱정스러운 것이 많지만, 실업처럼 어려운 문제는 없을 것입니다. 실업 대책이 손에 닿지 않고 있다고 하는데, 국회에서 한 2개월 정도 늦춰져서 그렇습니다. 곧 느끼게 될 것입니다.

우리는 실업 대책을 네 가지 점에서 추진하고 있습니다.

첫째, 현재의 기업들이 되도록 해고를 하지 않고 고용을 유지하도록 지원하고 있습니다. 해고하지 않으면 대기업은 임금의 20퍼센트, 중소기업은 30퍼센트를 지원하고 있습니다. 그리고 1조 6,000억 원을 기업들이 도산하지 않도록 하기 위해서 지원하고 있습니다. 둘째, 중소기업이라든지 벤처기업의 육성을 통해서 일자리 창출에 노력하고 있습니다. 셋째, 일할 능력이 없는 분이라든지 직장이 없는 분들, 어려운 분들에게 생계 지원, 고용보험에 의한 지급금으로 3조 원을 배당하고 있습니다. 넷째, 직업 훈련을 위해 7,700억 원을 배당하고 있습니다. 이것은 정부 예산에 1조 3,600억 원이 계상되어 있습니다. 그리고 고용보험 기금에 2조 1,400억 원이 계상되어 있습니다. 그리고 1조 6,000억 원에 달하는 무기명 채권을 팔고 있는데, 이것이 지금 잘 팔리지 않고 있습니다. 잘 팔리지 않으면 다른 대책을 세워야 할 것입니다. 그리고 세계은행(IBRD)에서 차관을 도입한 것이 2조 8,000억 원입니다. 이렇게 하다가 모자라면 1-2조 원 정도 더 써야 되겠다고 생각하고 있습니다.

지난번에 국제통화기금(IMF) 캉드쉬 총재가 와서 얘기한 적이 있었습니다.

그때 재정 적자를 내더라도, 또 통화량이 증발해도 돈을 조금 더 써도 좋다는 얘기가 있었습니다. 하여튼 7조 9,000억 원 가운데 금년 상반기 중에 많이 풀고 있습니다. 5월 중순에 들어가면서 돈이 풀려나갈 것입니다. 그리고 정부에는 공기업의 사업비가 있습니다. 실업자만을 위한 것은 아닙니다만, 이 돈도 상반기에 많이 풀려 하고 있습니다.

그러나 이렇게 한다고 하더라도 실업자들을 완전하게 구제할 수는 없습니다. 유럽과 같은 나라들도 10퍼센트 이상입니다. 그래서 프랑스 같은 나라는 분규가 일어나고 있지 않습니까? 그런데 우리나라와 같은 경우는 실업자를 위한 사회보장이 되어 있지 않습니다.

정부도 최선을 다해서 노력하겠습니다. 실업자들을 위한 최고의 해결책은 일자리를 만들어 주는 것입니다. 그러려면 기업과 금융기관을 개혁하고, 외국 자본이 들어와서 기업이 운영되어야 합니다. 이런 것이 종합적으로 이루어져야 합니다.

한국노총 부위원장 지난번 제1기 노사정위원회에서 국제통화기금(IMF) 외환 위기를 극복하기 위해 노조·정부·재계가 합의를 보았습니다. 그런데 고통을 분담하기 위해서 우리 노동계는 뼈를 깎는 아픔을 감수하고 정리해고와 노동자파견제에 동의를 했습니다. 정리해고에 합의해 줄 때 우리 노동계에서는 실업자가 많이 증가할 것이라고 예측했는데, 지금 그 예측이 그대로 나타나고 있습니다.

현재 137만 명의 완전 실업자와 1주일에 19시간밖에 일하지 않는 부분 실업자가 약 40만 명에 이릅니다. 거기에 학교를 졸업하지 않은 학생들까지 합하면 약 200만 명, 나아가서는 300만 명이라고 하는 잠재 실업이 있다는 통계가 나오고 있습니다.

이것을 감수하고서 합의에 동의해 주었는데, 정부에서는 "구조 개혁이나 전체 개혁이나 재벌 개혁이 아직까지 미흡하다." 노동계에서는 "왜 우리만 당해야 되느냐. 새 정부 들어서 노동자만이 아픔을 당해야 되겠느냐." 하는 소리가 있습니다. 그리고 대통령께서는 제2기 노사정위원회의 발족을 강력히 주문하고 계시는데, 우리만 당하고 있다는 노동계의 인식이 없어지지 않는 한, 제2기 노사정위원회 참여가 힘들 것입니다. 앞으로 재벌 개혁에 있어서 노동단체나 시민단체가 연대해 위원회를 만들어서 감시하고 싶은 마음이 있습니다.

앞으로 대통령께서는 노동계가 아닌 정치계나 경제계의 개혁에 대해서 어떤 대안을 가지고 계시는지 말씀해 주시기 바랍니다.

김대중 아주 심각한 말씀을 해 주셨습니다. 이런 질문이 나올 줄 알고 많이 걱정하고 왔습니다. 그리고 답변을 위해 준비를 했습니다. 그 억울한 심정은 이해하지만, 아무것도 된 것이 없지는 않습니다. 제가 설명을 하겠습니다.

합의 사항이 전부 90개입니다. 그런데 그중에 정부가 조치해야 할 사항이 71개입니다. 71개 중 36개는 했습니다. 그리고 35개는 제2기 노사정위원회에서 할 것들입니다. 기업도 처음에는 구조조정을 약속만 하고 잘하지 않았습니다. 그러나 정부가 과거처럼 흐지부지하지 않습니다. 기업은 5개 항목, 즉 기업의 투명성, 상호지급보증의 금지, 건전한 재무구조, 핵심 기업의 설정과 중소기업에 대한 협력, 그리고 지배주주와 경영자의 책임성 확립에 합의를 했는데, 이것을 완전히 입법화시켰습니다.

정부의 의지가 굳건하다는 것을 기업과 은행이 압니다. 이제 투명하지 않고 구조 개혁을 하지 않으면 외국도 한국 기업을 상대하지 않습니다. 내가 대통령으로 있는 한 개혁을 안 하고는 넘어갈 수 없습니다. 나는 그렇게 간단하지 않습니다.

기업들이 실천한 것만 몇 가지 말씀드리겠습니다. 사외이사 의무화, 결합

재무제표 의무화 조치 등이었습니다. 또 신규 상호지급보증을 금지하고 있습니다. 1999년까지 부채 비율을 200퍼센트로 줄이겠습니다. 현재 500퍼센트 이상이어서 다들 못 한다고 했지만, 엊그제 이를 하겠다고 발표를 했습니다. 또 주력 기업을 중심으로 기업을 축소하는 것, 개중에는 생살을 도려내듯이 좋은 기업을 팔고 있습니다. 소유자들은 법적 책임을 위해서 대표이사직을 물러나고 있습니다.

노동자를 위해 고용보험을 확대시키고 있습니다. 실업자 급여 조건도 개선하고 있습니다. 실업 대책 기금을 5조 원으로 했는데, 정부가 2조 9,000억 원을 더해서 7조 9,000억 원으로 했습니다. 필요하면 또 늘리려고 하고 있습니다. 그리고 생활안정기금을 대부하고 있고, 공공근로사업도 시작하고 있습니다. 노동자의 임금 채무 보증제도를 도입하고 있습니다. 그리고 근로기준법의 적용은 5인 이상으로 확대시키고 있습니다. 앞으로 더 늘려나갈 것입니다. 노동자의 정치 활동을 허용해서 이번 지자제 선거에도 나가게 되었습니다. 또 구속 노동자 석방도 약속했습니다.

정부도 청와대의 11개 비서실을 6개로 줄였습니다. 1만 7,162명의 공무원을 줄이고, 예산도 1조 7,000억 원을 줄였습니다. 정부는 또 제2차로 구조조정을 해 나갈 것입니다.

고통은 노동자만이 아니라 정부와 기업이 같이 나누고 있습니다. 물론 노동자가 약하기 때문에 더 많은 고통을 느끼고 있는 것을 알고 있습니다. 제2기 노사정위원회를 만들어야 합니다. 이것은 1기가 끝날 때 노동자 측에서 요구한 것입니다.

차인태 「김대중 대통령, 국민과의 대화」를 위해서 구성된 자문위원회가 대표 질문자로 선정한 8명 가운데는 민주노총 측이 포함되어 있었습니다만, 유감스럽게도 어제 민주노총 측이 불참을 통보해 와서 대표 질문자가 일곱

분이 되었다는 것을 말씀드립니다.

한국노총 부위원장 정부가 많은 노력을 하고 있는 것은 알고 있습니다. 그 과정에서 부당노동행위가 노동계 전체에 접수된 것만 하더라도 약 5,000건이 넘습니다. 이 부당노동행위에 대해서 지난번 국민과의 대화 때 노동자도 잘못하면 심판을 받고, 기업도 잘못하면 강력한 제재를 하시겠다고 약속하셨습니다. 이런 부당노동행위가 산업 현장에서 계속 이루어질 때는 산업 평화가 이루어지지 않습니다. 대통령께서는 부당노동행위에 대해서 정부가 어떤 강력한 대응을 준비하고 있는지 밝혀 주시기 바랍니다.

김대중 부당노동행위에 대해서는 정부도 확실한 의지를 가지고 있습니다. 그런 기업들이 전혀 처벌을 받고 있지 않는 것처럼 보이지만, 부당노동행위를 한 기업주 4명이 구속되었고, 203명이 입건되었습니다. 그리고 노동부가 686개소에 대해 점검하고 있습니다. 부당노동행위에 대한 신고가 있으면 소홀히 하지 않고 적극적으로 대처할 것입니다. 그런 것이 있으면 관계 기관에 신고하십시오. 그래도 적당히 하면 제가 나설 것입니다. 그러나 노동부는 그렇게 하지는 않을 것입니다.

재벌들은 아직 정리해고를 신고하지 않았습니다. 단, 현대 측에서 120여 명을 신고했을 뿐입니다. 다만 우리가 정리해고를 최대한 억제하지만 불가피한 것은 수용해야 합니다. 도리가 없습니다. 그렇게 하지 않으면 10퍼센트나 20퍼센트를 정리해고해서 살 수 있는 기업이 완전히 망하게 됩니다. 외국 자본이 들어오지 않음으로써 일터를 잃게 됩니다.

이 점에 대해서는 노동자 측도 이해를 해야 합니다. 미국과 같이 정리해고를 자유롭게 하는 나라가 실업률이 가장 낮고, 기업들도 잘되고 있습니다. 최대한 노력을 해서 이 문제에 대처하겠습니다만, 불가피할 때는 수용할 수밖에 없다는 것이 지난번 1차 때 합의한 사항이라고 말씀드릴 수가 있습니다.

차인태 지금 우리가 겪고 있는 경제적인 어려움이 오늘 이 대화에도 반영이 되고 있는 것 같습니다. 그러면 다음 질문을 받도록 하겠습니다.

중소기업 사장 중소기업은 지금 원자재난과 자금·고금리로 최악의 상황을 맞고 있습니다. 가동률이 40퍼센트로 떨어지고, 문을 닫는 중소기업이 한 달에도 2, 3천 개가 될 정도로 심각합니다. 정부는 재정 지원을 통해 중소기업을 지원하고 있으나 절차가 까다롭고 수혜 범위가 너무 넓습니다. 앞으로 중소기업을 어떤 방법으로 활성화시킬 것인지 견해를 듣고 싶습니다.

다품종 소량생산의 중소기업 시대

김대중 저도 젊었을 때는 중소기업 사장을 했습니다. 해운업을 해서 돈도 벌고 지방 신문사 사장을 했기 때문에 중소기업의 고충을 잘 압니다. 어음이 돌아오면 전날 저녁에는 피를 말리는 것입니다. 그래서 요즘 중소기업들을 보면 남의 일 같지가 않습니다.

중소기업은 꼭 실려야 합니다. 왜냐하면 중소기업은 우리나라의 핵심이기 때문입니다. 더구나 21세기는 소품종 대량생산의 대기업 시대가 아니라 다품종 소량생산의 중소기업 시대입니다. 기술 집약적이고 고부가가치의 중소기업이 잘되어야만 우리나라의 장래가 있습니다.

과거 미국에서는 대기업이 20여만 명의 실업자들을 쏟아 내면 중소기업과 벤처기업들이 100만 명의 일자리를 만들어 냈습니다. 실업 문제를 위해서도 중소기업을 살리는 일이 중요합니다. 중소기업에 대해서 나름대로 노력을 하고 있습니다.

중소기업의 대출을 밀어주기 위해서 신용보증기금의 보증을 50조 원으로 늘리고 있습니다. 중소기업 대출 만기어음을 25조 원까지 연장해 주고 있습니다. 수출하고 있는 중소기업의 수출입 금융 지원을 위해서 50억 달러를 사용할 계획으로 있고, 그동안에 또 지원을 했습니다. 제가 은행을 적극 독려해서 은행들이 매일 중소기업을 어떻게 지원하고 있는지 하는 표를 저에게 보내오고 있습니다. 두 달 가까이 이렇게 노력하고 있는데, 이것이 현장 창구에서 잘 이루어지지 않고 있는 것은 참 안타까운 일입니다.

그리고 중소기업 중에서도 주택업계가 잘되어야 일자리가 많이 생깁니다. 주택 업계에 대해서도 9조 원의 보증 내력을 증가시키는 일을 하고 있습니다. 그리고 정부 산하기관에서 중소기업에 일거리를 주기 위해서 50조 원 정도의 예산을 조기에 집행하는 일도 하고 있습니다.

금리가 비싸서 중소기업이 도산하고 있습니다. 그래서 금리를 내리도록 해서 30퍼센트까지 하던 콜금리, 3년 만기 회사채의 금리를 20퍼센트 이하로 내려서 지금은 17퍼센트 선까지 내려오고 있습니다. 5월 말까지는 15퍼센트까지 내렸으면 좋겠다고 해서 열심히 노력하고 있습니다.

우리가 이렇게 열심히 하고 있지만, 우리가 계산한 것과 일선 은행 창구에서 한 것과는 차이가 납니다. 그래서 질문하신 분에게 질문을 하겠습니다. 정부가 이렇게 노력을 하고 있는데도 불구하고 잘 안 되고 있는데, 어떻게 하면 더 잘할 수 있을지 방안이 있으면 말씀해 주십시오.

중소기업 사장 정부에서 지원을 한다고 했지만, 일선 창구에까지 내려오지 않습니다. 우리가 막상 일선에 가서 대출을 받으려면 "담보를 가지고 와라. 무엇을 가지고 와라." 하면서 절대로 해 주지 않습니다. 그래서 이런 문제들에 대한 사후 관리제가 있어야 합니다. 발표한 것과 전혀 무관합니다. 이런 문제가 실행되려면 대통령께서 직접 확인하지 않으면 안 될 것입니다. 여기에 대해서는 꼭 확인 행정을 해 주셨으면 합니다.

김대중 좋은 말씀입니다. 그래서 여기에 대해서는 매일 보고를 받고 있습니다만, 지난번에 중소기업협동조합중앙회장을 만나서 "정부가 이렇게 조치를 해 주고 있는데, 왜 주는 밥도 못 찾아 먹고 있느냐. 중소기업협동조합중앙회장이 은행 창구에 가서 '정부가 이렇게 해 주고 있는데 왜 안 해 주고 있느냐.' 이렇게 말을 하고 따지면서 일을 하시오. 앞으로 부당한 경우는 말하시오." 이렇게 말했습니다. 앞으로 사후 관리를 더욱 철저히 하겠습니다.

전북 완주 농민 대통령께서는 취임 전에 많은 약속을 하셨지만, 지금 농촌은 많은 어려움을 겪고 있습니다. 더구나 국제통화기금(IMF) 외환 위기 이후 도시 지역 실업자 문제로 농촌의 심각한 문제가 가려져 있습니다. 이러한 시기에 농민의 피부에 와닿는 시책이 나와야 농촌이 살 수가 있습니다. 대통령께서 여러 차례 말씀하신 농어가 부채와 수매량 확대 문제, 생산자와 소비자가 직거래할 수 있는 유통 구조에 대해서는 어떠한 시책을 가지고 계십니까?

이 정부가 농민을 위해서 무엇을 하는가

김대중 "농자천하지대본農者天下之大本"이라는 말이 있는데, 요즘 그것은 농악대가 달고 다니는 깃발에 불과하고 아무 실질적인 의미가 없다고 하는데, 그렇지 않습니다. 농업은 지금도 '천하지대본'입니다. 우리의 식량 자급률이 29퍼센트입니다. 주곡인 쌀의 자급률도 90퍼센트만 제대로 됩니다. 만일 유사시 전쟁이 났을 때 우리의 주변 바다를 잠수함들이 둘러싸고 쌀을 싣고 오는 배를 공격하면 들어오지 못합니다. 우리가 지금 식량이 남는 것이 아닙니다. 그렇기 때문에 식량 문제가 중요합니다. 농촌이 파탄되면 안 됩니다.

김영삼 정권 5년 동안 추곡 수매 가격을 4퍼센트 한 번밖에 안 올린 것을 우리는 지난번에 5.5퍼센트 올렸습니다. 그리고 농가 부채 이자가 5퍼센트, 이것은 싼 것입니다, 이것도 3.5퍼센트 인상 요인이 있음에도 불구하고 1.5퍼센트만 올리고 나머지는 정부가 부담했습니다. 그리고 6,500억 원의 정부 예산을 깎으면서도 이 분야에 대해서만 늘려서 4조 4,000억 원을 배당하고 있습니다.

가장 중요한 것은 농·축·수산물이 제값을 받는 것입니다. 이 문제에 열중하도록 독려하고 있습니다. 그러나 아직도 부족한 것은 사실입니다. 농업인들에 대한 기술 교육이라든지, 경영 지도 같은 것도 더 강화시켜 나가야 하고, 우리 농·수·축산물을 수출하는 방향으로 나가야 합니다. 그리고 농가 부채에 대해서는 국제통화기금(IMF) 외환 위기로 여력이 없지만 잊어버린 것은 아닙니다. 금년을 넘기고 여유가 생기면 농가 부채 상환을 연장해 주고, 정부채를 못 갚는 분에 대해서는 특단의 조치를 취하겠습니다.

한편 농촌의 경제만이 아니라 농촌의 문화시설을 추진해 나가야 하겠고, 또 농촌 학생들의 대학입학 특례도 확대시켜 나가겠습니다. 그리고 귀농자에 대해서도 지원금을 주고 있습니다. 또한 농촌의 청정한 환경을 지켜 나가도록 하겠습니다.

거듭 말하지만, 농촌은 농민만의 문제가 아니라 천하지대본으로서 꼭 되살려야 하겠다는 생각을 대통령인 제가 갖고 있다는 것을 이해하시고, 농민 여러분이 힘들더라도 참아 내십시오. 이 정부가 농민을 위해서 무엇을 하는가 하는 것을 지켜보고, 여러분이 협력할 것은 협력해 주기 바랍니다.

화물차 차주 대통령님을 면전에서 뵙고 보니까 너무 건강하신 모습이 마음 든든합니다. 좀 전에 노사 관계 말씀하시고, 중소기업 관계를 말씀하시면서 생산성을 올리기 위해서 노사 고용조정을 서로가 어려움을 참고 진행해야 된다, 그 말씀 저희는 아주 깊게 동감합니다.

그다음 중소기업이 살아남기 위해서 노력하고, 이런 과정을 국민이 모두 받아들일 때 희망이 있다, 이렇게 생각하고 있습니다. 그리고 그런 방향으로 진행되고 있는 데 대해서 대통령님께 너무 고맙게 생각합니다. 그러나 중소기업이 되었든 노동자가 되었든 또 농민이 되었든 어느 누구라도 우리나라의 대형 화물차들의 수송이 원활해지지 않으면 결국 우리 산업에 심대한 타격이 온다는 것은 다 알고 계실 것입니다.

그런데 전국 화물차들의 90퍼센트 이상이 영세 차주들입니다. 대한통운이나 한진 소속의 차들은 일부 있지만, 전부 개인적으로 다 팔았을 것입니다. 지금 이 사람들이 대화를 할 수 있는 창구가 없습니다. 노동자도 아니요, 사용자도 아닙니다. 그래서 제가 대표로 오늘 대통령님을 뵙고 한 말씀 올리고 싶었고, 저희들도 노사정과 같은 기구가 있다면 참여를 하겠는데, 불평만 많아지고 참여할 수 있는 기구가 없습니다.

한 가지만 더 말씀드리겠습니다. 저희들이 얼마 전에 시스템을 개발하여 물류 비용을 30퍼센트씩이나 낮추어 주겠다 해도 중소기업이고 대기업이고 안 하려고 합니다. 그 과정에는 비리가 있다는 이야기죠. 문제가 있다는 이야기입니다. 그래서 우리나라에서 생산성을 향상시키기 위해 고용조정을 한다면 이런 부분도 깊이 한번 참조를 해 주셔야 될 것 같습니다.

김대중 잘 알겠습니다. 고충이 큰 것 같습니다. 대형차들이 안전하고 신속하게 운영되어야 합니다. 수지가 맞아 경영이 잘돼야 차도 잘 정비할 수 있습니다. 그래야 사고도 안 날 것입니다. 그런 모든 문제에 대해서는 같이 모여서 의견을 만들어 가지고 건설교통부 소관이니까 그리로 보내시고, 청와대에도 보내고, 이렇게 하면 대화를 할 수 있게 될 것입니다. 그렇게 하도록 하십시오.

부동산 중개인 우리 대통령님을 제가 1968년부터 가깝게 모시다가 오랫동안 못 뵈었습니다. 이런 자리에서 뵙게 되니 감개무량하고, 아까 대통령께서 이곳에 들어오시는 모습을 뵈니 진실로 반가웠습니다. 저는 서대문구 남가좌동에서 부동산업을 하고 있습니다. 요즘 주택을 가진 분들이 매일 40-50명씩 몰려와서 "집이 안 나가고 있으니 이거 큰일이다. 세입자는 돈 빼 달라고 법원에다가 전세금 반환 청구서를 낸다. 여러 가지 소동을 하고, 도저히 견딜 수가 없다"고 합니다.

어떤 분은 정부에서 융자를 안 해 주는 것이 좋겠다고 이야기를 합니다. 왜 그러냐 하면 융자를 받으면 16퍼센트라는 이자를 내야 하는데, 융자를 안 받자니 세입자한테 졸려서 죽겠고, 그래서 차라리 주택 전세금 융자를 안 내주는 것이 좋겠다는 겁니다. 대통령께서 그 점에 대해서 명확한 답변을 해 주셨으면 감사하겠습니다.

김대중 그런데 지금 질문한 분한테 말씀한 집주인은 내가 볼 때 조금 옳지 않은 것 같아요. 왜 그런가 하면 전세 든 사람이 나가려고 하는데, 전세금도 안 내주고, 은행 빚 내 가지고 부족한 부분을 보충도 안 해 주겠다, 그런 것은 옳은 일이 아니라고 생각합니다. 그래서 저는 전세를 준 분이 세입자가 나갈 때는 돈을 내줄 의무가 있고, 자기가 못 내줄 경우 정부가 도와주기까지 하겠다는데 그것도 못 주겠다는 것은 심한 일이 아니냐, 이렇게 생각하는데요. 그래서 그런 문제는 정부에서 돕기가 어렵습니다.

서울시민 서울 중산동에 사는 최대봉입니다. 우리 대한민국의 최고 통수권자이신 대통령의 봉급은 얼마인지 궁금합니다. 그리고 대통령께서 지난번 국민과의 대화에서 월급을 타시면 좋은 일에 쓰시겠다고 말씀을 하셨습니다. 벌써 두 달이 지났습니다. 어떻게 어디에 쓰셨는지 말씀해 주시면 고맙겠습니다.

김대중 아닌 게 아니라 오늘 여기 나오면서, 제 월급이 얼마인지 조사를 해봤어요. 그래서 제가 기억을 하고 나왔습니다. 본봉이 400만 원이고, 이것저것 여러 가지 수당이라고 할까, 그런 것이 1,100만 원입니다. 전부 1,500만 원입니다.

그래서 어떻게 쓰고 있느냐 하면 약 100만 원이 세금으로 나가요. 1,400만 원이 남지 않습니까? 거기서 약속대로 봉급에서 200만 원을 떼어서 반납합니다. 1,200만 원이 남습니다. 그리고 또 500만 원을 떼어서 실업자를 위한 기금에 예금을 했습니다.

그리고 나머지가 700만 원인데, 이것 가지고는 애경사 문제도 있고, 어려운 친구도 도와줘야 되겠고, 교회 헌금도 내야 되고, 그래서 어떤 때는 조금 모자라는 때도 있습니다.

그러나 저는 다행히 밥 먹여 주고, 재워 주고, 차도 태워 주니까 다른 데 돈 쓸 일은 없습니다. 나머지 700만 원을 그렇게 상당히 유용하게 쓰고 있습니다.

한양대학교 학생 저도 가벼운 질문을 하나 드릴까 하는데요. 텔레비전을 보면 코미디언이나 개그맨들이 대통령을 흉내 내는 것을 자주 볼 수 있습니다. 그런 프로그램을 보신 적이 있으신지요? 보셨다면 그 소감은 어떠신지, 또한 그러한 프로그램을 통한 비판 내지는 풍자에 대해서 어떻게 생각하시는지 듣고 싶습니다.

김대중 요새 엄용수라는 코미디언이 하는 것을 봤는데, 재미있어요. 그것을 본 사람들이 저보다 더 진짜같이 보인다고 그런 말도 해요. 그리고 코미디언 중에 제 연설을 흉내 내는 것을 보면 제가 저렇게 했으면 표 더 얻었을 텐데, 그런 생각도 듭니다.

제 사투리 흉내 내는데, 내가 저렇게 심하게는 사투리를 안 쓰는데, 그런 생각도 들지만 가만히 생각해 보니까 제 흉내를 낸다는 것은 그게 장사가 되니까 내는 거란 말이에요. 내가 장사가 된다고 생각하니까 기분이 좋습니다. 그래서 그런 프로를 볼 기회가 있으면 열심히 보지요.

수원시민 대통령께서 취임하시고 많은 정책을 내놓으셨습니다만, 제가 보기에는 사회적으로 변한 것이 없다고 생각합니다. 서민들은 집을 담보로 대출을 받기도 어렵습니다. 정치인들은 이 어려운 시기에 당리당략만을 위하고, 주위에서 들려오는 소리들은 "부도다, 실직이다, 해직이다."라는 답답한 소리만 들려옵니다. 일부에서는 이러다가 중산층이 없어지는 게 아니냐는 소리까지 들려옵니다. 대통령께서는 취임 후 사회적으로 무엇이 달라졌으며, 향후 무엇이 달라질 것인지 답변해 주시기 바랍니다.

세계 선진 대열로 가는 변화가 계속될 것

김대중 아마 답답한 심정으로 그렇게 이야기하셨을 것으로 봅니다. 그런데 제가 취임을 한 지 두 달 남짓 됐습니다. 두 달 남짓해서 큰 변화를 기대한다는 것은 우리 속담에 "섣달 그믐날에 시집온 며느리한테 정월 초하룻날, 시집와서 2년 됐는데, 아직도 태기가 없다"고 하는 것과 같은 이야기라고 생각합니다.

그러나 이 두 달 동안 많은 것이 달라졌습니다. 두 달뿐 아니라 저는 작년 12월 19일 당선된 그날부터 일했기 때문에 그다음에 많은 변화가 있었습니다. 무엇보다도 우리나라의 철학이 바뀌었습니다. 처음으로 민주주의와 시장경제를 병행한다는 철학이 확립됐습니다. 과거에는 경제 발전을 위해서는 독재해도 된다는 철학이 횡행했던 것을 여러분도 잘 아실 것입니다. 그래 가지고 실패를 한 것입니다. 독재를 하다 보니까 정경유착을 하고, 관치금융을 하고, 당리당략을 해 가지고 우리가 국제경쟁력을 상실하여 이 꼴이 된 것입니다. 이제 우리는 처음으로 건국 이래 바른 진로를 결정하고 그 길로 가고 있는 것입니다.

작년 연말에는 외환 위기로 파산 위기에 있었던 것을 잘 막아 냈습니다. 그래서 금년 2월 초에는 218억 달러에 달하는 단기 외채를 중장기채로 연장시켰습니다. 그것을 못 했으면 부도가 난 거예요. 또 4월에는 40억 달러의 외국환 평형 채권을 발행해서 성공적으로 팔았습니다. 그리고 어제 여러분도 아시는 대로 환율도 안정되고, 금리도 안정됐습니다. 1,800원대까지 올라갔던 것이 1,300원대로 내려왔고, 금리가 30퍼센트까지 갔던 것이 18퍼센트 이하로 내려가고 있습니다.

가용 외환 보유고가 작년 연말에 39억 4,000만 달러밖에 안 되었던 것이 지금은 311억 달러가 됐습니다. 이것이 도표인데요. 작년 연말 12월 18일입니다. 39억 달러입니다. 그런데 지금 5월 9일에는 311억 달러입니다. 금년 연말까지 400억 달러, 아무 문제없이 해결됩니다.

이런 식으로 명년까지 하면 외환 위기는 넘길 수 있습니다. 그리고 우리나라에 대한 국제적 신인도도 높아지고 있습니다. 이번 아시아유럽정상회의(ASEM)에서 제가 대우받은 것을 보면 아시겠지만 세계은행(IBRD)·국제통화기금(IMF)·경제협력개발기구(OECD) 같은 국제기구와 일본, 유럽연합(EU)의 나라들이 우리나라를 높이 평가하고 있습니다.

수출도 4월 현재 145억 달러 흑사를 내서 연말까지는 250억 달러의 흑자를 낼 수 있습니다. 노사정 합의에 의해 법으로 입법이 되고, 개혁이 착착 진행되고 있습니다. 여야 간 정권 교체가 되어 민주주의가 비로소 실현되었고 인사 문제, 지방 발전 문제가 공평하게 이루어지고 있습니다.

일부에서는 여러 가지 이견도 있지만, 지금같이 인사가 전국적으로 균형 있게 된 일이 없습니다. 능력 본위로 사람을 기용했습니다. 이제 다시는 지역이라든가, 출신교라든가, 이런 것 가지고 인사를 하지 않습니다. 이것은 여러분께 굳게 약속을 드리겠습니다. 정경유착·관치금융도 이제는 옛날이야기입니다. 이번에 은행장 임명할 때도 옛날 같으면 정부가 했는데, 전부 은행 주주들이 자유롭게 했습니다.

북한에 대한 입장도 명확하게 해 나가고 있습니다. 또 안기부·검찰·경찰·

국세청 등 권력 기관들이 정치에 개입하는 일은 옛날이야기입니다. 지방자치 선거가 다가오고 있지만, 관권 개입이라든가, 북풍 문제라든가, 이런 것은 우리가 걱정도 하지 않잖아요?

이만큼 우리가 달라졌습니다. 표적 수사도 없고, 정치 보복도 없습니다. 이제 출범한 지 두 달 됐지만, 이렇게 수많은 변화가 있었습니다. 그러나 앞으로는 더 큰 변화가 있을 것입니다. 진정한 민주주의, 진정한 시장경제, 그리고 우리가 세계 선진 대열로 가는 그런 변화가 앞으로 계속될 것이라는 것을 나는 여러분에게 확실히 약속드릴 수가 있습니다.

대학교수 이제 말씀하신 대로 짧은 기간 동안 대통령께서 고군분투하고 계십니다만, 대통령께서 더 잘하셔야 나라가 산다는 충정에서 중요한 직언을 드리겠습니다. 지금까지 우리나라 역대 대통령들이 처음에는 모두 다 잘해 보려고 애를 썼습니다. 그러나 유감스럽게도 유종의 미를 거둔 대통령은 거의 없습니다.

저는 그 실패의 중요한 원인이 국민의 바른 소리에 귀를 기울이는 일에 소홀했기 때문이라고 생각합니다. 나라가 가장 어려울 때 국정의 책임을 맡으신 대통령께서는 그렇기 때문에 다양하게 분출되는 국민의 소리를 가감 없이, 그리고 더 정확하게 들으셔야 될 줄로 생각됩니다. 그리고 만에 하나, 인의 장막이 있어서 바르게 들으시고 판단하시는 일에 장애 요인이 있어서는 안 되겠습니다.

옛날에 현명한 임금은 직언하는 신하를 가까이 두고 늘 자신을 성찰했다고 합니다만, 우리 대통령께서도 앞으로는 귀에 거슬리겠지만, 민의를 정확하게 전달하는 용기 있는 참모를 가까이 두시면 좋겠습니다.

경천애인敬天愛人의 사상으로 하늘을 두려워하고, 국민을 사랑으로 보살피며 항상 국민의 소리에 귀를 기울여 과감히 국정에 수용하는 인격적인 대통령으로 일관하시기 바랍니다. 그리하여 퇴임하실 때는 온 국민의 박수를 받으시고 이 나라를 한 단계 더 높이는 그러한 훌륭한 대통령상을 남겨 주시기를 바랍니다.

국민의 생각이 무엇인가

김대중 여러분의 열렬한 박수가 지금 말씀에 공감하신 것으로 알고 있습니다. 저는 이 말을 들으면서 이런 좋은 충고를 해 주는 국민과 같이 정치하는 것은 정말 행복한 일이라고 생각했습니다. 좋은 충고 감사합니다. 꼭 그대로 명심해서 노력하겠습니다.

대통령으로서 충고를 듣는 길이 무엇이냐, 이런 것을 많이 생각해 봤습니다. 그것은 뭐니 뭐니 해도 언론 보도에 나오는 여러 가지 비판에 귀를 기울이는 것이 가장 정확한 일 중의 하나가 아닌가 생각됩니다. 그리고 주기적으로 여론조사를 해 가지고 국민의 생각이 무엇인가를 알려고 애쓰고 있습니다. 앞으로도 시금의 충고 말씀대로 어떠한 고언이라도 기꺼이 듣는 그러한 노력을 계속하겠습니다.

차인태 「대통령과 국민의 대화」, 이번에는 정치와 행정 분야에 관해서 어느 분이 질문하시겠습니까?

경실련 정책국장 조금 전에 대통령께서 인사 문제를 언급하셨습니다만, 저는 현 정부의 인사가 잘됐느냐 하는 것을 과거 정부와 비교하는 것은 적절하지 않다고 생각합니다.

대통령께서 그동안 말씀하신 대로 현 정부가 국민의정부, 그리고 개혁 정부이기 위해서는 정부 인사는 보다 개혁적이고 도덕적인 인물들이 대폭 등용되고, 국민의 통합성을 높일 수 있는 그런 방향에서 이루어져야 된다고 생각합니다. 그러나 그동안 정부 인사를 봤을 때, 국민회의와 자민련 간의 자리

나누기로 진행된 감이 있고, 핵심 요직에 호남 인사들이 편중되게 배치되었다는 지적이 있습니다. 그리고 현재 진행 중이지만, 정부 산하기관의 인사는 낙하산 인사라는 비난도 듣고 있는 실정입니다.

아울러 제가 보기에는 새 시대의 인사 원칙과 인사 관련 제도를 재정비하는 노력도 별로 보이지 않습니다. 인사를 잘못할 때는 국민은 더 이상 정부를 지지하지 않습니다. 그리고 국민의 지지를 받지 못한 정부는 현재의 경제 위기를 극복하고, 개혁 추진이라는 그런 시대적 과제에도 차질을 빚게 될 것이라고 봅니다.

따라서 대통령께서 그동안 정부 인사에 대한 이러한 비판에 대해서 어떻게 생각하고 계시는지, 그리고 앞으로 어떠한 방향으로 원칙을 가지고 인사를 해 나가실 것인지, 아울러 인사 청문회 제도는 언제쯤 도입하실 예정이신지 여쭙고 싶습니다.

김대중 여러 가지 중요하고 좋은 질문을 해 주셔서 감사합니다. 자민련과의 자리 나누기 인사를 했다고 하셨는데, 그것은 자리 나누기 하겠다고 국민에게 말씀드리고 한 것입니다. 선거 때, 우리가 집권하게 되면 자민련과 공동 정권을 하겠다고 말했어요.

어느 나라든지 선거에서 그렇게 공동 정권을 내걸고 나가면 선거 끝나고 나서 자리 나누기를 합니다. 그렇지 않고는 같이 선거를 할 수가 없지 않습니까? 그렇기 때문에 이것은 국민하고 약속한 대로 한 것이지, 우리가 선거 끝나고 일방적으로 한 것이 아니라는 것을 이해해 주시기 바랍니다.

그리고 낙하산 인사라고 하셨는데, 거의 모든 인사에 전문성을 고려하려고 노력했습니다. 보기에 따라서는 이 사람은 적격이 아니다, 이러한 경우도 있을 것입니다. 그렇지만 크게 봐서는 전문성 중심으로 했다는 것을 말씀드립니다.

호남 출신을 많이 등용했다고 그랬는데, 그것은 그렇지 않습니다. 호남이 과거에 워낙 소외당했기 때문에 다소 수가 늘어난 것은 사실입니다. 그러나 결코 그런 지역적인 차별은 하지 않았다는 것을 말씀드리고 싶습니다. 여기에 표가 있습니다. 서울·경기 18.1퍼센트, 대전·충남북 18.5퍼센트, 부산·대구·경남북 31퍼센트, 광주·전남북 21.6퍼센트, 강원·제주·이북도가 10.8퍼센트입니다. 호남과 영남은 가지에 퍼져 있는 인구를 전부 합치면 수가 같습니다. 31대 21로 영남이 10퍼센트 많습니다. 장관이나 차관, 1급 이상이 전부 그렇습니다.

또 요직을 전부 차지했다고 그러는데, 정권의 빅 스리(Big Three)가 국무총리·안기부장·대통령 비서실장입니다. 국무총리는 충청도, 안기부장은 서울, 대통령 비서실장은 경북입니다. 그리고 그 외에도 다 안배가 되어 있습니다. 다만 제가 볼 때도 이것은 내가 조금 더 생각했어야 했다, 이런 대목이 있습니다. 그런 것은 앞으로 시정해 나가겠습니다. 그렇게 이해해 주시기 바랍니다.

새 시대에 왜 새 인물들을 안 쓰느냐고 하셨는데, 이것도 제가 국민에게 약속한 대로 한 것입니다. 여러분이 아시다시피 선거 때 국민에게 거국내각을 해서 고르게 인재를 등용하겠다, 이렇게 약속했습니다. 그 약속대로 하고 있는 것입니다. 실제 일을 시키려고 보니까 낙하산 인사를 안 하려고 전문성 있는 인사를 쓰려고 하면 30-40년 정도 그 일을 해 온 사람을 빼고는 전문성이 아주 적습니다. 그러니 나랏일을 맡기지 않을 수가 없습니다. 그렇기 때문에 거기서 고충도 있었습니다.

분명한 것은 새로운 정부가 갖고 있는 철학, 즉 민주주의와 시장경제의 병행, 철저한 경쟁주의, 정경유착 배제, 관치금융 근절, 부정부패 일소, 인사의 공정성 등 정부의 방침을 모든 사람들이 따라가지 않을 수 없습니다. 따라가지 않으면 그 사람은 같이 일할 수 없습니다. 그렇기 때문에 우리가 과거 정부의 사람을 쓰더라도 새 정부의 원칙, 철학, 근본은 과거의 것이 아닙니다. 전부 새것입니다. 새것에 그 사람들이 봉사하면 새로운 공헌을 하게 되는 것 아닙니까? 그런 점을 이해해 주시고, 인사 문제에 있어서는 앞으로도 최선의 노력을 다하겠다는 것을 굳게 약속드리는 바입니다.

참여연대 사무처장 지방선거를 앞두고 최근 정계 개편 현상이 나타나고 있는데, 개혁의 추진이라든가 경제 위기 극복을 위한 정계 개편의 필요성은 인정합니다. 하지만 그것이 정치권 구조 개선이 아니라, 어떤 의원들의 당적 옮기기를 통한 숫자 늘리기, 이것은 말도 많고 바람직해 보이지도 않습니다.

최근 정치권이 지지부진하니까 많은 국민 사이에서 정치인부터 정리해고 하자, 이런 이야기들이 나오고 있는데 아무리 여소야대의 상황이지만, 국회 의석 숫자에 연연해 가지고 아무 정치인이나 다 받아들이는 것은 그렇게 좋아 보이는 모습은 아닙니다.

대통령께서 최근에 몇몇 야당 정치인들이 여당으로 옮겨가는 것이 정치 개혁에 장기적으로 바람직하다고 보시는지, 그것이 상당히 궁금합니다. 또 하나 앞으로 정치권의 구조조정을 어떠한 방향으로 또 어떻게 추진할 것인지 여쭙고 싶습니다.

오늘날 나라를 이 꼴로 만든 게 누구인가

김대중 그렇지 않아도 누가 이 질문을 할 줄로 알았어요. 그래서 단단히 각오하고 나와야 되겠다, 이렇게 생각을 가졌습니다. 그런데 저는 이 문제에 대해서 제가 말한 대로 일관되게 하고 있습니다.

저는 집권해서 야당에 대해서 "1년은 도와줘야 한다"고 누차 이야기했습니다. "더구나 지금은 6·25전쟁 이후 최대의 국난이 아닌가. 선진 국가에서는 집권하고 나면 반년 이상 도와주는데, 지금 1년은 무조건 봐줘야 한다. 그래 가지고 잘못하면 그때는 책임을 물어도 좋다." 이런 이야기를 했습니다. 그런데 야당은 취임식 그날부터 안 도와줬어요.

오전에 의사당 앞에서 취임식 하고, 오후에는 의사당에서 그 난리를 치면서 국무총리 인준을 안 해 줬어요. 세상에 하루도 일을 안 시켜 보고 국무총리 안 된다는 말이 어디 있습니까? 추경 예산을 2개월 이상 끌어 가지고 결국 실업자 대책이라든가, 중소기업 대책을 지연시키게 만들었어요. 정부조직법을 가지고 난도질을 하다시피 해서 아주 어려움을 겪고 있습니다.

솔직하게 말씀드려서 저희는 과거 여소야대 때인 1988년, 1989년 당시 2년 동안 여당을 전적으로 도와줬습니다. 그때 제가 야당 총재였습니다. 98퍼센트 이상의 안건을 만장일치로 통과시켜 줬습니다. 국무총리 나오면 그냥 대통령이 원하는 사람을 통과시켜 주고 그랬습니다. 그것이 정도正道인 것입니다. 품앗이를 하더라도 이렇게 할 수가 없어요.

미안한 말씀이지만, 지금 야당은 현새의 정부 여당에 대해 조금은 미안한 생각을 가져야 된다고 생각해요. 오늘날 나라를 이 꼴로 만든 게 누구입니까? 5년 동안 현재의 야당이 여당 하면서 만든 것 아닙니까? 그러면 이 덤터기 전부 뒤집어써 가지고 고생하고 있는 여당을 도와주지는 못할망정 사사건건 발목을 잡고 손목을 잡고, 이렇게 방해하면 어떻게 합니까?

거기다가 오늘날 야당의 다수가 국민이 준 다수가 아니지 않습니까? 지난번 선거 때 오늘날 야당, 당시 여당은 299석 중의 139석밖에 못 얻었습니다. 과반수에 11석이나 부족했어요. 그런데 야당에서 끌어내서 과반수로 만든 것 아닙니까? 지금 야당에서 여당으로 일부 온 것은 어떻게 보면 원상 회복하고 있는 것입니다.

그래서 저는 가장 유감스러운 것은 야당에 제가 그렇게 간곡히 부탁한 대로 정부를 도와주었으면 지금 빼내느니, 어쩌느니 이런 것은 없었을 거예요. 저는 제가 그렇게 안 한다고 했는데, 국민 여론이 안 된다는 것입니다. 정계 개편하라, 빼내 가더라도 하라, 71.3퍼센트의 여론이 하라는 거예요. 우리는 나라를 걱정하고 빨리 안정시켜야 되겠다는 국민의 이런 심정을 받들어서 하고 있는 것이지, 덮어놓고 하고 있는 게 아니라는 것을 말씀드리고 싶습니다.

저희는 절대로 정치보복을 하지 않습니다. 절대로 정치보복을 하지 않아요. 솔직한 이야기가, 지금 이 말하면 머리에 떠오르는 몇 사람이 있겠지만, 아마 과거 제가 야당 때 저 사람은 김대중이 대통령 되면 제대로 편히 못 있을 것이다, 철창신세를 질 것이다, 그랬던 사람들이 있습니다. 그 사람들 중에서 지금 단 한 사람도 철창신세 지는 사람이 없지 않아요? 난 그런 짓 안 해요. 대통령 못 하면 못 했지, 그런 짓 안 합니다.

그 대신 지금 나라가 위기에 있어요. 정국 안정이 있어야 되겠어요. 앞으로 외국 자본을 도입하고, 개혁을 하려면 법을 많이 통과시켜야 됩니다. 가을 정기국회에서 예산을 제대로 통과시켜야 되겠어요. 또 물고 늘어지고, 안 해 주면 어떻게 합니까? 그렇기 때문에 국민 여론에 따라서 이제 할 수 없이 여당을 다수로 만들어야 되겠다, 이것을 나는 여러분께 솔직하게 말씀드립니다. 그러면서 국민 여러분의 더욱 큰 성원을 바랄 수밖에 없다는 것을 말씀드립니다.

장애 시설 관계자 대통령께서도 아시겠지만, 1996년 12월 20일 어떤 강연회에서, '에바다 비리 사태'와 관련해서 장애인을 치부致富의 대상으로 삼는 사람들에 대해서는 이 땅에 발붙이지 못하게 하겠다고 말씀하셨습니다. 청와대에 청원서를 내도, 보건복지부에 청원서를 내도, 교육부에 내도 아무도 그 문제를 해결하려고 하지 않습니다. 거기 사람들이 얼마나 고통을 많이 받고 있는지 모르실 겁니다. 장애인이라는 이유만으로 이렇게 사회에서 고통을 받아야 하는지, 제발 이것을 해결해 주셨으면 합니다.

김대중 그 이야기 나도 기억하고 있습니다. 오늘 여기에서 우리 비서가 찾아가서 전화번호를 받을 겁니다. 그럼 자세한 이야기를 해 주면 이것을 관계 기관에 지시해서 조사하여 곧 연락해 드리겠습니다. 이번에는 납득이 가게 충분히 조치할 테니까 안심하세요.

김은주 많은 국민께서 오늘 대통령께 무거운 질문을 많이 드렸어요. 저도 한 가지 여쭙고 싶습니다. 지난번 이희호 여사께서 입원하셨을 때 대통령께서 바쁜 일정에도 불구하고 매일 병문안을 다닌 걸로 알고 있는데요. 결혼한 지 수십 년이 지났는데도 아직까지 그렇게 매일 병문안을 가실 정도로 부인을 사랑하시는지요?

김대중 이것을 지금 우리 집사람이 듣고 있어요. 그래서 답변 잘못했다가는 돌아가서 혼나는데……, 그런데 매일 찾아가려고 했는데 하루는 빼먹었어요. 대구 가는 문제 때문에요. 나이를 먹어서 몇십 년이 지났는데 그렇게 사랑하느냐는 질문을 하셨는데, 아직 우리 나이 안 돼 봐서 몰라요.

내 경험으로 보니까 일생에 두 번 결혼해요. 한 번은 젊었을 때 결혼하고, 두 번째는 자식들 다 결혼시키고 나면 둘만 남지 않아요? 그때부터 결혼 생활이 시작돼요. 우리는 지금 그런 의미에서 신혼 생활을 하고 있는 것이지요.

애정이라는 것도 노력을 해야 됩니다. 어떤 사람이건 한두 번 이혼하겠다는 그런 마음 안 먹는 사람들은 아마 없을 거예요. 그러나 이혼하는 사람은 적어요. 그것은 노력하기 때문에 그렇습니다. 노력해서 아내 되는 사람의 장점, 고마운 점, 남의 아내가 갖지 못한 점을 봐야 됩니다. 남의 아내 좋은 점만 보면 안 돼요. 남의 아내가 갖지 못한, 내 아내가 가진 좋은 점을 봐야 돼요. 그러면 아내에 대한 애정이라든가, 이런 고마운 마음이 저절로 듭니다.

특히 저 같은 입장에서는 아내한테 무척 고생을 시켰기 때문에 정말 할 말이 없지요.

아내가 무릎 관절염으로 고생하고 있는데, 그것도 제가 지방 교도소에 있을 때 한 달에 한 번밖에 면회가 안 됐는데, 매일 교도소 밖에 와서 제가 외롭다고 계란이나 건빵 같은 것을 사서 자기 이름으로 넣어 주고, 여기 내가 있으니 외로워 말라고, 그런 일을 한 일이 있어요. 또 청주교도소에 있을 때는 양말까지 전부 다려 주고, 그리고 내의에 향수를 뿌려서 보내고, 이렇게 해서 내 마음을 위로해 주고 했습니다.

저는 전처를 상처喪妻하고, 지금 처하고 재혼을 했는데, 전처 자식들이나 며느리, 손자들한테 그렇게 친자식 이상으로 할 수가 없어요. 이런 모든 것을 생각하니까 아내에 대해서 감사하기 짝이 없는 그런 심정을 안 가질 수가 없어요. 안 가지면 잘못된 거죠.

사실 오늘이 저와 아내의 결혼 36주년 기념일입니다. 그래서 자식들하고 케이크도 자르고 그랬는데, 가만히 생각해 보니까 그동안 아내한테 해 준 것이라고는 30년 전부터 문패 하나 걸어 준 것밖에는 없어요. 그래서 입원했을 때 겁이 더럭 나기도 하고, 이런 때 열심히 문병을 다녀야 점수도 딸 것 같고, 그래서 다니게 되었는데, 여하튼 저는 좋은 아내 덕택에 행복한 가정을 가질 수 있었다는 것에 대해 감사하게 생각하고 있습니다.

광복회 부회장 저는 50년 전에 김구 선생님을 모시고 남북정상회담에 참여했던 한 사람이고, 현재는 광복회 부회장 일을 하고 있는 김우정입니다. 오늘 이 자리에서 대통령을 뵙게 되니 반갑기도 하고, 또한 통일 문제를 갖고 이야기를 하게 되니까 감회가 새롭습니다. 50년이 흘렀지만, 아직도 우리 민족이 바라는 남북통일이 안 되고 있어서 정말 한스럽습니다.

제가 알기로는 대통령께서는 역대 대통령 누구보다도 통일 문제에 크게 관심을 갖고 계신다고 들었습니다. 그런데 국민의정부가 출범한 이래 남북 대화를 살펴보건대, 북측의 자세가 별로 변한 것 같지 않습니다.

대통령께서는 앞으로 어떻게 헤쳐 나갈 것인지, 특히 통일 문제에 있어서는 남북이 화해와 교류와 협력을 해야 되는데, 오늘 이 자리에서 대통령께서 솔직하게 알기 쉽게 말씀을 해 주셨으면 좋겠습니다.

북한에 대해 성의를 가지고 대해야

김대중 제가 질문하신 김 선생님을 잘 압니다. 참 안타깝게 생각합니다. 빨리 고향에 가셔야 하는데, 지금 제가 단언할 수는 없지만 이제 변화가 올 것입니다. 또 그렇게 국제 정세가 돌아가고 있고, 북한 내부 사정에도 그렇게 볼 만한 점이 있습니다. 여기에서 구체적으로 말씀드리는 것은 피합니다만, 그렇게 믿습니다. 또 그렇게 변화하지 않고는 북한이 아주 어려운 상황을 겪게 될 것입니다.

저는 대통령에 당선된 이후 북한에 대한 3대 정책을 발표했습니다. 남침은 절대 안 된다, 우리는 북한을 흡수 통일하거나 괴롭히지 않겠다, 그리고 서로 교류·협력하자, 이 세 가지를 했습니다. 이것을 지금 전 세계가 지지하고 있습니다.

우리는 북한에 대해서 경제 협력에 관한 3원칙을 가지고 있습니다. 하나는, 거저 주는 것은 거저 주는 것이다, 말하자면 국제 식량기구라든가, 적십자사에서 주는 것은 아무 조건 없이 줍니다. 그다음, 기업인들이 정경분리 원칙에 의해서 사업차 접촉하는 것은 자유롭게 합니다. 그러나 정부 대 정부 입장에서는 우리가 하나 주면 반드시 그쪽도 반대급부로 하나 내놓아야 합니다. 베이징회담에서 비료를 줄 테니까 이산가족 상봉하자, 이런 문제와 같은 경우입니다.

저는 이산가족이 아닙니다. 그렇지만 저희같이 매일 가족을 상대하는 사람들이 볼 때 이산가족을 보면 꼭 무슨 죄지은 것 같아요. 50년 동안이나 죽었는지 살았는지도 모르고 있어요. 남하해 온 분들의 60퍼센트 정도가 세상을 떴어요. 나머지 분들은 생사라도 알아야 될 것 아닙니까? 이런 비인도적인 일이 없어요. 그래서 이 문제에 대해서 제가 굉장히 집념을 가지고 있습니다. 이 문제를 반드시 해결해 줘야 비료 주겠다, 이런 이야기가 이번 회담에서의 내용인데, 얘기가 덜 됐습니다. 앞으로 변화가 올 것으로 생각합니다.

우리가 성의 있게 노력해야 됩니다. 북한에 대해 같은 동족으로서 성의를 가지고 대해야 합니다. 남침이나 그런 부당한 일에는 반대하지만 그렇지 않은 이상은 동족 간에 서로 화해·협력하고 교류하는 데에 최선의 노력을 다함으로써 남북 관계를 풀어 나가겠습니다.

여기에 대해서는 미국·일본·중국·러시아가 모두 협력하고 있습니다. 이번 아시아유럽정상회의(ASEM)에 가서 이야기할 때도 전부 지지했습니다. 저는 뭔가 여기서 해낼 수 있다는 희망을 가졌습니다. 제가 지금 할 작정입니다. 여러분께서 기도하고 성원해 주시기 바랍니다.

주부 안녕하십니까? 저는 서울 종로에 사는 주부 유정아입니다. 어려운 질문을 지금까지 많이 받으셨는데요. 대통령께서 수고가 너무 많으십니다. 요즘 텔레비전을 보면 대통령께서 무척 바쁘신 것 같고, 또 잠도 제대로 못 주무신다고 들었습니다. 너무 무리하게 일하시지는 않는지요? 대통령의 건강은 온 국민의 관심사이고, 또한 바람이기도 합니다. 건강 관리는 어떻게 하시는지 여쭈어보고 싶습니다.

김대중 정말 감사합니다. 제 건강 때문에 걱정하시는 분이 많은 걸 알고, 감사하게 생각합니다. 저는 나이는 좀 먹었지만 건강은 아주 좋습니다. 의사가 대통령을 의무적으로 매일 체크하게 돼 있습니다. 그런데 의사 체크 결과가 아주 좋습니다.

사실 제가 아주 일을 많이 합니다. 하루에도 10건 이상의 회의라든가 혹은 접견이라든가 이런 일들을 하고 있는데, 큰 지장 없이 하고 있어요. 이번에 영국 아시아유럽정상회의(ASEM)에 갔을 때도 제가 동분서주하고 돌아다니니까 저하고 같이 수행한 기자들이나 다른 수행원들이 쩔쩔매는데, 저는 잘 견뎠을 정도로 제가 건강이 괜찮습니다.

제가 건강을 유지하는 비결 하나는 잠을 잘 자요. 자려고 마음만 먹으면 언제든지 잘 자는데요. 특히 나는 토막잠을 조금씩 잡니다. 그래서 과거에 밖에 있을 때는 차 타고 한강변 돌면서 차 안에서 잤는데, 요새는 그럴 수가 없으니까 관저에서 잡니다. 낮에 잠깐 조는 것이 건강에 좋은 것 같아요.

저는 무엇이든지 음식을 잘 먹습니다. 그런 것이 건강에 좋은 것으로 생각되는데, 하나 결정적으로 도움이 되는 것이 제가 제 자신한테 묻는 것입니다. 거울 속에 있는 저를 보고 "너는 나라의 운명을 맡고 있다. 그러니 너는 병 걸릴 권리도 없고, 드러누워 있을 권리도 없다. 그랬다가는 국민이 걱정하고, 나랏일이 큰일이다. 지금 이때가 얼마나 중요한가. 그러니 제발 건강해야 한다." 그렇게 말하는 거죠.

또 계단 같은 데 올라가고 내려갈 때도 조심해서 실족하지 않도록 하고, 이렇게 건강을 위해서 최대로 노력하고 있는데 지금으로 봐서는 국사를 하는데 아무 지장이 없을 것 같습니다.

차인태 대통령께 묻고 싶은 질문들도 아주 많을 것입니다. 또 대통령께서 하실 말씀들이 아주 많겠지만, 정말 두 시간이 어떻게 지났는지 너무 짧게 느껴집니다. 아마 국민과 대통령의 솔직하고 진지한 대화가 오가는 자리가 아니었나 싶습니다.

사실 많은 국민은 장래에 대한 불안한 마음을 떨치지 못하고 있는 것이 솔직한 심정일 것입니다. 이러한 때 희망을 갖고, 이겨낼 수 있다는 확실한 의지와 방향을 제시해 주셔야 한다는 생각입니다. 이제 마지막으로 대통령께서 국민들에게 마무리 말씀을 해 주시겠습니다.

국난을 타개하고 태평양의 기적을 이룩하자

김대중 존경하는 국민 여러분, 오늘 두 시간 대화를 했는데, 소감이 어떻습니까? 오늘 대화하기를 잘했다고 생각하십니까?

여러분이 참으로 솔직한 말씀을 해 주셨는데, 그것을 제가 가슴에 새겨서 국정에 반영하겠습니다. 지난번보다도 훨씬 더 많은 분들이 질문하려고 손을 들고 하셨는데, 다 기회를 드리지 못해 죄송합니다.

처음에 여기 나오려고 그러니까 많은 사람들이 말렸어요. 지금 이렇게 어려운 때에 고생하고 있는데, 나가서 무슨 봉변당하려고 그러느냐, 나가지 말라고 그랬습니다. 그런데 제가 생각할 때 어려운 때일수록 나가야 되지 않겠느냐, 국민에게 어떻게 되어간다는 이야기를 시원하게 해 줘야 되지 않겠느냐, 그리고 앞으로 어떻게 우리가 풀어 나갈 수 있는지 그런 이야기도 국민에게 해서 같이 손을 맞잡고 나랏일을 걱정하고 상의해야 되지 않겠느냐, 이런 생각으로 여기 나왔습니다.

오늘 여러분의 충고, 격려, 가슴 뜨거운 여러 가지 말씀들을 듣고 보니까 정말 이렇게 하기를 잘했다는 생각이 들었습니다. 그리고 이런 국민이면 못할 것이 무엇이 있겠나 하는 생각도 듭니다.

저는 오늘 여러분께 솔직하게 어려운 것은 어렵다고 말했습니다. 그리고 현재 이러이러한 일들을 하고 있다고 구체적으로 말했습니다. 그리고 이것을 잘해 내면 금년에 이렇게 되고, 명년에는 이렇게 되고, 내명년에는 이렇게 된다고 이정표를 말했습니다. 저는 그대로 성실히 하도록 전력을 다해서 노력하겠습니다.

다시 말씀드리면, 금년은 고생을 안 할 수가 없습니다. 금년에 고생 안 하려다가 정말로 10년 고생해야 합니다. 금년 고생 이겨내면 명년부터 괜찮아집니다. 이것은 틀림없습니다.

저는 오늘 고생하게 된 것이 역대 정권, 특히 과거 5년 동안 잘못한 데 대해서 여러분과 더불어 참으로 어이없는 심정을 때로는 금할 수 없습니다. 우리가 1970년부터 제가 말해 온 민주주의와 시장경제를 그대로 했으면 정경유착도 없었고, 관치금융도 없었을 것입니다. 그랬으면 기업들은 권력과 손잡아 돈을 벌려고 하지 않고, 국내외 시장에 나가서 경쟁해서 이겨서 돈을 벌려고 했을 것입니다.

은행은 정부에서 명령한 대로 돈 빌려주지 않고, 가장 신용 있는 사람한테 빌려줬으면 돈 떼이지 않았을 것입니다. 그렇게 했으면 우리 기업도 체질이 튼튼하고 은행도 튼튼했을 것입니다. 세계시장에 수출하여 외화를 벌어들였으면 외화가 부족하여 일어난 이러한 난리도 나지 않았을 것입니다. 그러면 외환 위기가 안 났을 것입니다.

결국 정치를 잘못해서 오늘날 이 꼴이 됐는데, 이제 힘들지만 그 길로 가지 않을 수가 없습니다. 제가 앞장서서 가겠습니다. 이제 우리가 할 일은 안으로는 금융기관과 기업을 철저히 구조 개혁해서 세계 무대에서 이겨낼 수 있는 체질로 만드는 것입니다.

노동자들도 주장할 권리는 주장하지만, 기업을 살리는 방향으로 해야 합니다. 외국 자본이 들어오는 방향으로 협력할 것은 협력해 줘야 합니다. 그렇지 않으면 기업이 쓰러지고, 외국 자본이 안 들어오면 직장이 다 없어집니다. 그리고 또 정부는 국영기업체의 경영을 철저히 개혁해서 국민의 기금이나 세금을 과거와 같이 낭비하지 않도록 해야 합니다. 저는 이 세 가지를 반드시 할 것입니다. 그리고 밖으로는 수출과 외국 투자를 유치할 것입니다. 안으로는 구조 개혁을 해야 하고, 밖으로는 수출 증대와 외국 투자를 유치하는 것이 우리가 갈 길입니다.

금년에 전면적인 개혁을 성공해야 합니다. 명년에 국제통화기금(IMF) 졸업, 내후년에 새로운 도약, 그리고 2000년·2001년에 선진국 도약, 이렇게 될 것입니다. 이런 데 대한 준비가 저는 되어 있습니다. 여러분이 도와주시면 저는 반드시 나라를 구해내고 말겠습니다. 저와 굳게 손잡고 이 국난을 타개하고 다시 한번 일어서서 이제 한강의 기적이 아닌 태평양의 기적을 반드시 이룩하기를 여러분께 호소하면서 저의 이야기를 마치겠습니다. 감사합니다.

차인태 정말 잘 들었습니다. 라디오와 텔레비전을 통해 두 시간 동안 이어진 이 대화의 시간이, 정부는 모든 일을 숨김없이 국민에게 밝히고, 또 국민은 정부를 이해하면서 난국을 헤쳐 나가는, 국민과 정부 사이의 신뢰를 더욱 굳게 다지는 계기가 되기를 바랍니다.

김은주 지금의 어려운 상황도 그런 믿음이 바탕이 될 때 분명 극복할 수 있을 것입니다.

차인태 대통령 취임 후 방송을 통한 첫 국민과의 대화, 이 어려운 한국호의 순항을 기대하며, 여기서 모두 마치겠습니다. 참석해 주신 여러분께 다시 한번 고마운 말씀을 드립니다. 감사합니다.

총체적 국가 개혁으로 21세기를 준비

강연 고려대학교 명예 경제학 박사학위 수여 기념
일시 1998년 6월 30일

김대중 여러분, 안녕하십니까?

공자님에게 논어를 강의하고, 부처님에게 설법한다는 말이 있는데, 제가 비록 대통령이지만 여기 석학과 탁월한 지식인 여러분 앞에서 강의한다는 것이 좀 외람된다는 생각을 갖게 됩니다.

저는 오늘 우리 민족이 다 같이 존경하는 인촌 선생을 기념하는 이 인촌기념관에서 강의하게 된 것을 대단히 기쁘게 생각합니다. 또한 한국뿐 아니라 세계적으로 저명한 이 대학에서 명예 경제학 박사학위를 받고, 강의까지 하게 되어 오늘이 제게는 참 좋은 날이라고 생각합니다.

이번에 명예 경제학 박사학위를 주신다는 말을 듣고, 이것은 굉장히 의미가 있다, 길조가 아니냐는 생각을 했습니다. 왜냐하면 고려대학처럼 석학들이 모인 대학에서 저한테 다른 것도 아니고 경제학 박사를 주시겠다는 것은 제가 지금 일심전력해서 하고 있는 우리 경제의 구조 개혁과 발전이 틀림없이 잘될 것이라고 보기 때문이 아닌가, 이렇게 생각됩니다. 아마 여러분께서는 아전인수我田引水라는 말이 저런 때 쓰기 위해서 있는 것이다, 이렇게 생

437

각하실 것입니다.

그러나 그렇게만 생각하는 것이 아니고, 제가 정말로 경제를 잘 운영하는데 앞장서서, 물론 국민과 같이 하겠습니다만, 성공함으로써 오늘 고려대에서 이런 명예로운 박사학위를 주신 뜻에 반드시 보답하겠다는 것을 여러분께 다짐하는 바입니다.

우리 민족의 저력

김대중 저는 오늘 두 가지, 하나는 우리 민족의 저력에 대해서, 또 다른 하나는 우리 민족의 앞날에 대해서 간단히 얘기하고, 여러분의 질문을 가급적이면 많이 받는 방향으로 하겠습니다.

우리 민족을 생각할 때, 우리 머릿속에 동아시아를 생각하면 참 이상한 일이 하나 있습니다. 동아시아 전체, 베트남 국경에서부터 티베트·내몽골·만주까지 전부 중국입니다. 말이 동아시아 지역이지 전부 중국입니다. 그런데 여기에 조그마한 혹같이 붙어 있는 반도 하나, 이것이 우리 한반도인데, 이것이 어째서 중국화가 안 되고 남아 있는가 하는 것입니다.

몽골족은 12-13세기에 중국을 완전히 지배했습니다. 그러나 네이멍구(內蒙古)는 중국화되어 버렸습니다. 만주족은 1636년에 청나라를 세웠고 1911년에 망했는데, 이 만주족이 약 270년 통치하고 나니까 씨도 없이 중국화되어 버린 것입니다.

그러나 우리 한국 사람은 2,000년 동안 중국으로부터 정치·경제·사회, 모든 분야에 걸쳐 지배를 받고 사대국으로 섬기며 조공도 바치고 했는데, 왜 중국화가 안 됐는가, 정말로 희한한 일입니다. 세계 역사를 둘러봐도 이런 일은 적습니다. 그런데 그것이 이유가 있습니다. 몽골족이나 만주족이 그렇게 된 것은 중국의 고급문화, 중국식 문화를 받아들여 자기 것으로 재창조하지 못

하고, 그대로 받아들이니까 그 문화에 동화된 것입니다. 그러나 우리 한국 사람들은 반드시 문화를 받아들이면 내 것으로 재창조를 했습니다.

중국에서 불교를 받아들였을 때도 소위 말하는 해동 불교, 원효스님 같은 사람이 대표적인 사람인데, 여러분이 아시다시피 『대승기신론소大乘起信論疏』·『금강삼매경론』이라든가, 이런 독특한 우리나라 불교의 경전으로 개척했습니다. 석굴암·불국사, 백제 금동불상 등등 불경에서 건축까지 이것을 전부 한국적 특색을 가진 우리 것으로 재창조했습니다.

유교도 그렇습니다. 고려 말엽부터 들어와서 우리나라를 지배하게 된 성리학·주자학에 대해서도, 우리나라의 조선 유학, 이렇게 이름이 붙을 정도로 조선화했습니다. 이퇴계 선생의 이기이원론理氣二元論, 이런 것은 주자학의 이기이원론을 굉장히 깊이 독특하게 발전시켰고, 거기에 대해서 이율곡 선생은 이기이원론을 인정하면서도 그것은 분리될 수 없다는 이기이원론적 일원론이다, 이렇게 또 발전시켰습니다. 제가 알기로는 지금 이퇴계 선생의 성리학에 대한 학문 체계는 세계에 널리 퍼져 지금도 성균관을 중심으로 매년 20개국이 모여 연구를 하고 있다고 들었습니다.

이렇게 우리의 독특한 문화를 가지고 있었기 때문에 동화가 안 된 것입니다. 그래서 모든 민족을 보면 자기 문화를 못 가지고 있거나 문화를 가지고 있지만 그보다 더 강한 문화에 부딪혀서 이것을 재창조하지 못하거나 또는 수용을 안 해도 망하게 됩니다. 수용을 해도 창조하지 못하면 반드시 동화됩니다.

우리 민족은 그것을 해냈다는 것입니다. 그래서 이 점에 대해서 참으로 우리 조상들에 대해서 경탄스러운 생각을 가지지 않을 수가 없습니다. 우리 민족이라고 해서 다 자랑스러운 것은 아니지만, 이런 것이 우리에게 큰 저력이 되어 한민족이, 한반도의 7,000만이 중국으로부터 음식도, 말하는 것도, 의

복도 모든 것이 영향을 받았지만, 한국적인 문화민족이 존재하는 것입니다.

그다음 우리 저력의 두 번째는 교육열입니다. 이 교육열은 세계에 예가 많지 않습니다. 우리와 똑같은 교육열을 가진 민족은 아마 유대 민족일 것입니다. 제가 미국에 있을 때도 보면 유대 민족은 정말 지독합니다. 자기들 사회에서 공부 잘하는 아이를 골라서 돈을 대주고, 음악을 잘하는 아이에게도 엄청난 돈을 보태 주고, 그리고 부모들이 공부 열심히 안 하는 자식들은 지금도 매로 때립니다. 그렇게 해서 교육시킵니다. 하버드 대학 같은 일류 대학은 유대인들의 소굴입니다. 이렇게 교육을 시키는 것을 봤는데, 우리 한국 사람도 미국에 상당히 진출하고 있습니다. 하버드 대학 같은데 한국 사람 수를 제한할 정도라는 말이 나올 정도로 진출하고 있습니다.

우리 조상들이 얼마나 교육열이 강했느냐, 우리가 다 알다시피 옛날에는 마을마다 서당이 있었습니다. 훈장이 데려다가 숙식을 제공하면서 글을 가르치게 했습니다. 옛날얘기를 들어 보면 산에 나무하러 갔다가 걸어 다니면서 공부했다, 혹은 부엌에서 불을 때면서 그 불빛으로 공부해서 과거를 봤다고 그럽니다. 물론 상민은 과거를 볼 수가 없었습니다. 그런데 공부해 봤자 소용없는데도 공부를 했습니다. 그것은 일종의 소원의 표시인데, 우리 조상들이 사람은 알아야 한다, 자식들은 가르쳐야 한다, 내 세상은 이랬지만 자식만이라도 잘살도록 해야겠다, 그러려면 배워야 한다는 것이었습니다.

지금도 그렇지만, 6·25 전시하에서도 우리 부모들이 소 팔고 논 팔아서 자식들을 교육시키고, 젊은 처녀들이 자기 동생이나 오빠 공부시키기 위해서 자기는 험한 직장에 취직을 하기도 했습니다. 이런 것을 우리가 얼마든지 보지 않았습니까?

이런 교육열, 이것이 우리나라의 전통이 되었습니다. 한 해 두 해가 아니고 수백 년, 천 년 이렇게 전통이 되니까 우수한 인적 자원을 만들어 내는 그런 나라가 된 것입니다. 이런 전통을 우리에게 준 조상들이 정말 자랑스럽고, 감사하게 생각합니다. 우리 민족의 힘이 이런 데 있습니다. 이제부터는 지식의 시대인데, 그것이 우리에게 얼마나 큰 힘을 주는가, 그런 것을 생각해 볼 수 있습니다.

셋째는 우리 민족의 저항의식입니다. 6, 7세기에는 수나라·당나라와 전쟁을 했고, 몽골이 침입했을 때는 1231년부터 1270년까지, 제주도에서 마지막에 삼별초가 나갈 때까지 40년 동안 싸웠어요. 중국 같은 거대한 민족이 일패도지—敗塗地해서 원나라에 무릎을 꿇었는데, 우리는 그렇게 싸웠다는 말입니다. 그리고 임진왜란, 병자호란 때도 승리하지 못했거나 패배했거나 그랬지만 결코 간단히 굴복하지는 않았습니다. 그렇기 때문에 몽골족이나 만주족이 중국에 가서는 직할 통치를 했지만, 우리 한국에 와서는 직할 통치를 못했습니다. 민족의 저항의식이 강하기 때문에 차라리 자치 정부를 시키는 것이 낫다, 그래서 실질적인 독립을 준 것입니다.

또 일제시대를 보면 우리 민족의 저항력이 얼마나 강한가를 알 수가 있습니다. 1905년 을사조약이 이루어졌습니다. 그때부터 해방까지 40년 동안 국내에서 하다가 안 되니까 나중에는 만주·시베리아·중국 대륙으로 가서 40년 동안 무장투쟁을 했습니다.

세계에 수십, 수백 개의 식민지가 있었지만, 이렇게 지배 국가에 대해서 무장투쟁을 전 기간 전개한 민족은 우리밖에 없습니다. 이것이 정말 우리에게는 자랑스러운 역사입니다. 임시정부를 1919년에 만들어 1945년에 환국할 때까지 26년 동안 중국 전체를 헤매고 다니면서도 임시정부의 간판을 내리지 않았습니다. 이런 저항의식이 우리 조상들에게 있었습니다.

그것이 오늘날 우리가 이렇게 남아 있는 원인이 되고, 그것이 6·25전쟁 때 공산주의에 대해서 우리가 싸워서 결국 국토를 보전하고, 공산주의를 격퇴한 힘이 되었다는 것을 알 수 있습니다.

그리고 네 번째는 우리 한국 사람들의 특별한 정서, 즉 한이 우리 민족의 저력이 되어 왔습니다. 한이라는 것은 민중이, 국민이 소망을 안고 그것을 이루려고 몸부림치는 심정이라고 볼 수 있습니다. 민중들이 어떻게든 잘살아보자, 자식들이라도 잘살게 만들자, 교육시키자라든가 결코 포기하지 않는, 좌절하지 않는 것입니다. 내세로 도피하지 않는 현세에서 잘살아 보자는, 한국 사람들의 샤머니즘이나 이런 것을 보면 전부 현세에 잘살자는 문제입니다. 조상의 명당자리를 잡는 것도 전부 현세에 잘 살겠다는 겁니다. 내세 얘기가 없습니다. 이것은 굉장히 특별한 사고방식입니다.

우리 민족의 대표적인 이야기인 춘향이의 한은 이도령과 같이 행복하게 사는 것인데, 이것이 좌절됐습니다. 그런데 절대 포기 안 합니다. 변사또가 아무리 고문해도 듣지를 않았습니다. 방자를 서울에 보내 보고, 옥중에서 점쳐 보고, 어머니로 하여금 신령님께 빌게 하고 온갖 몸부림을 칩니다. 이것이 한입니다.

한국 사람들은 좌절이 있더라도 그것을 받아들이지 않고 몸부림치는 민족입니다. 심청이는 인당수에 몸을 던졌는데 용왕님이 살려서 황후가 됐습니다. 그런데 심청이는 행복하지 않았습니다. 심청이의 한은 아버지 눈 뜨는 것을 보는 것이었습니다. 그래서 결국 맹인 잔치를 열어 아버지 눈 뜬 것을 보고서야 한이 풀리는 겁니다.

이러한 한의 정신이 우리에게 있는데, 이것이 있는 한 우리는 국제통화기금(IMF) 외환 위기도 극복할 수 있고, 분단도 극복해서 통일을 할 수 있고, 그리고 선진 국가 대열에 들 것이 틀림없다고 저는 여러분께 강조해서 말하고 싶습니다.

우리 민족의 내일

김대중 우리 민족의 내일에 대해서 한마디 하겠습니다. 한국 민족이 21세기에 어떠한 위치를 차지할 것인가? 20세기는 우리 민족에게 가장 적합한 세기는 아닙니다. 조직적이고 단합하고 일사불란한 이런 면이 부족합니다. 그러나 21세기는 다릅니다. 20세기는 공업사회입니다. 20세기 경제의 핵심은 자본·노동력·자원·땅, 이렇게 손에 쥘 수 있는 물질입니다. 그러나 21세기에는 여러분이 알다시피 그런 것과는 관계없는 머릿속에 있는 지식, 정보 능력, 이런 창조 능력이 핵심입니다. 그래서 이런 것을 갖는 민족이 승패를 좌우합니다.

닷새 전에 빌 게이츠를 만났는데, 앞에 앉은 그를 보니까 미국 사람이지만 키도 저보다 작아요. 얼굴을 보니까 특별히 대단한 특색이 있는 것 같지도 않은데, 그 머릿속에서 나오는 지혜와 능력이 20년 만에 세계 최고의 부자, 500억 달러가 넘는 부자로 만들었습니다. 그 사람이 전 세계의 정보사회를 지배해 가는 사람이 된 것입니다.

지금 사회는 극단적으로 말해 미국이 2억 5,000만 인구인데, 룩셈부르크가 약 50만 명이 되니까, 빌 게이츠가 10명만 나오면 룩셈부르크가 미국보다 앞서가는 나라가 된다는 겁니다. 그래서 그러한 우수한 지적 능력을 가진 사람들을 많이 갖는 민족이 결국 21세기에 승리할 것입니다. 그런 점에서 문화 민족이고 교육 민족인 우리 한국은 가장 좋은 여건을 가지고 있다고 생각합니다. 우리는 전력을 다해 우리 민족의 소질을 발굴해 나가야 합니다. 우리가 대학도 많고, 공부한 사람도 많지만, 대학도 세계적인 수준에 못 미치고 있고, 또 큰 과학적인 발전의 성과도 이루지 못하고 있습니다.

그 큰 이유 중의 하나는 입시 위주의 교육 때문에 창의력을 발휘시키는 그런 교육이 못 된 데 원인이 있습니다. 교육은 반드시 일대 개혁을 해야 할 것입니다. 그래서 21세기에 적응할 수 있는 우수한 소질을 가지고 있는 우리 민족의 역량을 발휘시켜 세계 선진 대열에 당당히 나아가야 한다, 이렇게 생각합니다.

그리고 우리가 민족의 내일을 개척하기 위해서는 민주주의와 시장경제를 병행해 나가야 합니다. 우리가 만일 민주주의와 시장경제를 제대로 했던들 지금 국제통화기금(IMF) 관리하에 들어가지 않았습니다. 지금 이렇게 어렵지 않을 것입니다. 민주주의와 시장경제를 안 하니까 권력과 경제가 결탁하게 된 겁니다. 민주주의와 시장경제를 해서 모든 것이 투명하게 이루어지고, 국민이 유리창 속을 들여다보듯이 우리 국정과 경제를 들여다볼 수 있게 했다면 그런 일이 있을 수가 없는 것입니다.

그랬으면 기업들도 권력과 손잡고 특혜를 얻어서 돈을 벌려고 하지 않고, 경쟁을 통해서 국제 시장에서 이기는, 즉 경쟁을 통해서 돈을 벌려고 했을 것입니다. 정부가 은행장의 임명을 마음대로 하고, 대출도 마음대로 해서 부실 내출을 하는 이런 일은 할 수가 없었을 것입니다. 오늘날과 같은 구조 개혁이 필요 없었을 것이고, 또 국민이 수십조 원의 부담을 안을 필요 없이 은행은 잘되었을 것입니다. 그렇게 했으면 우리 경제는 이렇게 되지 않았을 것입니다. 이런 점에서 볼 때 우리가 민주주의와 시장경제를 하는 길만이 정경유착과 관치금융을 없애는 길입니다.

여기에서 제가 분명히 얘기하지만 이제 국민의정부 아래에서 기업인은 자유입니다. 국민의정부는 기업에 대해서 어떠한 간섭이나 지배나 위협을 주지 않습니다. 정부로부터 미움을 받으면 사업이 안 되는 그런 일은 이제 없습니다. 정부에 대해서, 특별히 여당에 대해서 정치자금을 줄 필요도 없습니다.

저는 30대 재벌 총수들을 모아 놓고 얘기를 했습니다. "이제 여러분은 자유다. 여러분은 두 가지만 해 주면 된다. 그 외 다른 것은 부탁하지 않겠다.

하나는 열심히 사업해서 흑자를 내 달라. 아무리 판매고가 많아 봤자 적자면 무슨 소용이 있느냐 적자가 되면 은행을 망치고, 그렇게 되면 국민이 부담을 져야 한다. 그렇기 때문에 여러분은 흑자를 내어 돈을 많이 벌고 나라에 세금을 많이 바쳐라. 그러면 애국자다. 둘째로 수출을 많이 해서 외화를 벌어 달라. 이 두 가지만 해 주면 대통령은 여러분을 업고 다니겠다. 그리고 여러분이 정치인에게 정치자금을 주어야 한다. 그러나 그것은 어디까지나 법에 의해서 조금씩 주어야 한다. 법에 의해서 주어야 한다. 여당도 그렇고, 야당도 그렇다. 절대로 여당이라고 뒤로 주어서는 안 된다. 야당에게 여러분이 정치자금을 주고 나서 정치자금을 주었다고 아무리 큰소리를 쳐도 아무 걱정 없으니까 정치자금 줘라." 제가 이런 말을 한 적이 있습니다.

정부가 과거처럼 정경유착을 하거나 은행을 좌지우지하거나 하면 국민이 이런 것을 용납해서는 안 됩니다. 더 이상 이렇게 되면 나라는 망합니다. 그런 점에 있어서 저는 반드시 민주주의와 시장경제를 병행 발전시켜 우리 경제를 세계 경제의 수준으로 올리는 토대를 닦고 그 방향으로 끌고나가겠다는 굳은 결심을 가지고 있다는 것을 여러분 앞에 다짐하는 바입니다.

세 번째 우리가 나아갈 길은 남북 문제입니다. 남북이 평화 공존과 협력을 해 나가야 합니다. 통일은 당분간 쉽게 실현될 것 같지가 않습니다. 세계에서 유일하게 분단된 나라로 남아 있다는 것도 억울한데, 이렇게 적대적인 관계를 피해서 평화적으로 지내야 합니다.

손바닥도 마주쳐야 소리가 나듯이, 대통령으로 당선된 바로 그날 3대 원칙을 선언했습니다. 여기에 대해서는 클린턴 미국 대통령도 전면적으로 지지를 했고, 주변 국가인 중국·일본·러시아도 지지를 했습니다. 3대 원칙은 "첫째, 북한의 남침을 절대 허용하지 않는다. 둘째, 우리가 북한을 해치거나 흡수 통일하지 않는다. 셋째, 남북한 간에 교류·협력하자. 그래서 양쪽이 서로 발전해 나가자"는 것입니다.

중국과 대만은 전쟁 일보 직전까지 가면서도 수천 개의 대만 기업들이 중국에 진출해서 합작 투자해서 돈을 벌고 있습니다. 왜 우리는 못 하느냐 말입니다. 그것이 이번에 현대가 소를 끌고 북한에 간 경우와 같습니다. 그런데 현대의 정주영 회장이나 그분들 평소에도 비범한 분들이라고 생각은 했지만 어떻게 소를 끌고 북한에 갈 생각을 했는지 모르겠습니다. 세계에서 정주영 회장이 저보다 더 유명합니다. 그런 일들을 했는데, 앞으로 금강산 개발도 잘 되기 바랍니다.

그러나 분명한 것은 북한이 무력 도발이나 남한을 정복하려는 것은 용납하지 않겠다는 것입니다. 햇볕정책이라고 하는 것은 감싸기도 하지만, 음지에 있는 악한 균들을 죽이는 것도 햇볕입니다. 그래서 햇볕은 결코 만만한 것이 아닙니다.

우리는 앞으로 확고한 자세로 안보 체제를 갖추고, 또 한편으로는 동족의 입장에서 남북이 화해·협력해서 경세 협력도 하고 북한도 잘되고 우리도 잘 되는 그런 일을 하고자 합니다. 이런 길로 나갈 때 통일은 좀 늦더라도 남북이 다 같이 평화 공존하고 우리가 경제를 다시 일으켜서 세계 속에 발전해 나갈 수 있는 가장 중요한 조건이 됩니다. 그래서 이런 점에서 우리는 인내심과 성의와 확고한 결의를 가지고 남북 문제를 해결해 나가야겠다, 이렇게 생각합니다.

여러분께서는 어떻게 보셨는지 모르지만, 제가 말한 3대 원칙, 즉 남침을 용납하지 않는다, 북한을 해치지 않겠다, 화해·협력해서 서로 잘해 나가자, 이 정책이 성공할 가능성이 충분히 있다, 또 그런 방향으로 북한을 유도하겠다는 결심을 가지고 있다는 것을 여러분께 말씀드리는 바입니다.

마지막으로 경제난 극복에 대해서는, 세계적인 석학들이나 전문 기관들이 전부 한국이 가는 길이 굉장히 바른길이라고 얘기하고 있습니다. 그리고 적극적으로 도와주고 있습니다. 미국에 갔을 때도 정말 기대 이상의 지원을 받았고, 격려를 받았습니다. 미국 정부만이 아니라 증권시장의 이사장 같은 분은 열 번 정도는 당신네 나라 도와줄 테니까 뭐든지 얘기하라는 말을 제가 들었습니다.

그래서 우리 경제의 외환 분야는 많이 좋아졌습니다. 제가 대통령에 당선되었을 때 가용 외환 보유고가 38억 7,000만 달러였습니다. 그런데 오늘 현재 369억 달러입니다. 10배예요. 그만큼 늘어났습니다. 작년에 무역 적자가 87억 달러였는데, 금년에는 흑자가 300억 달러 이상이 된다고 그럽니다. 400억 달러가 된다고도 해요. 이렇게 해서 우리나라에 다시 외환 위기가 오는 것은 일단 막았다고 봐야 됩니다.

문제는 국내에 있습니다. 국내 문제에서 금융 개혁, 기업의 개혁, 또 정부가 가지고 있는 공기업의 개혁, 그리고 노동의 유연성, 이 네 가지 개혁을 해야 합니다. 정부가 앞장서서 정부부터 개혁해야 합니다. 정부와 국영기업체도 적극적으로 개혁하고 있습니다.

또 제일 중요한 것이 은행입니다. 은행이 바로 서야 기업이 바로 섭니다. 그래서 은행을 개혁하고 있습니다. 또 기업에 대해서도 자율적으로 개혁하도록 하고 있고, 자율적으로 안 하면 앞으로 은행이 그런 부실한 기업은 상대를 안 할 것입니다. 정부가 기업에 대해서 간섭할 권한은 없지만, 은행에 대해서는 국민의 재산을 보호하는 입장에서 간섭도 하고 지도도 할 권한과 의무가 있습니다. 그리고 무엇보다도 정부가 앞장서서 개혁의 모범을 보이겠습니다.

우리 국민도 고난을 극복하는 데 적어도 금년 1년은 피나는 고통을 참아줘야 한다는 것을 제가 여러 번 얘기했습니다. 금 모으기는 한 달, 두 달에 그쳐서는 안 됩니다. 그런 국민운동이 앞으로도 계속돼야 합니다. 시간이 조금 지나고 나니까 해이해지는 이런 경향은 피해야 합니다.

우리는 국난을 극복할 때까지는 최대한도로 개혁에 협력하고, 국가의 경제가 잘되도록 절약하고, 혹은 사회 안정을 위해서 협력을 해 나가야 할 것입니다. 이렇게 하면 우리가 금년 1년은 고생을 하지만, 개혁을 전면적으로 해서 기반을 닦겠습니다. 그리고 내년부터 차츰 좋아집니다. 세계 각국이 다 그렇게 보고 있습니다. 내년 후반기부터는 "이 나라가 좋아지고 있구나." 하는 것을 느낄 수 있을 것이고, 국제통화기금(IMF)의 관리를 벗어날 수 있을 것입니다. 그리고 내후년부터는 정말 선진 국가로 가는, 한강의 기적만이 아니라 태평양의 기적이라는 그런 말을 들을 수 있도록 전진해 가는 일을 해야겠습니다.

저는 여기에 대해 우리 국민과 협력해 가면 해낼 수 있다는 확실한 소신을 가지고 있습니다. 제가 지금 맡고 있는 국사에 최선을 다하고, 국민의 기대에 부응하는 그러한 경제 개혁을 단행해서 내일의 희망된 발전을 가져오도록 노력하겠습니다.

저 혼자만으로는 안 됩니다. 국민 여러분의 적극적인 성원을 바랍니다. 한 가지 분명한 것은 이 정부는 어떤 일이 있어도 과거와 같이 정경유착해서 부정 불의한 일을 하지 않습니다. 어떤 일이 있어도 돈을 받거나 이권을 주거나 하는 일은 다시는 없을 것입니다. 노동자나 고통받는 사람들을 차별하고, 고통은 같이 분담하면서 성과는 일부 층이 나눠 갖는 그런 일은 없을 것입니다. 고통을 분담하면 성과도 분담합니다.

이런 일을 저는 소신을 가지고 반드시 해내서 국민 여러분이 앞으로 이 나라의 장래에 희망을 가질 수 있는 그러한 대통령으로서의 역할을 다하겠다는 것을 말씀드리며, 이제 여러분의 질문을 받겠습니다.

질의응답

질문 법과대학 2학년 이지은입니다. 대통령께서는 대선 출마할 당시부터 준비된 대통령이라는 모토를 사용하시면서 강력한 개혁 의지를 천명하셨는데, 요즘 경제 위기가 닥치면서 그런 개혁 의지가 일면에서 볼 때 국민에게 확고한 비전을 제시해 주지 못한 채 불안감만 주고 있다는 생각이 들었습니다. 얼마 후면 일어날 대대적인 실업 사태로 인한 국민의 불안감은 한층 더 고조될 텐데, 그에 대한 대책은 무엇이며, 또한 21세기로 도약할 우리 한국 사회를 이끌어 나갈 지도자로서의 비전을 설명해 주시기 바랍니다.

김대중 개혁 의지는 보기에 따라 다른 것이지만, 이 점은 세계 각국이 아시아에서 한국이 제일 강한 의지를 가지고 개혁해 나간다고 보고 있습니다. 도대체 이 나라 역사에서 언제 기업이 35개나 한꺼번에 퇴출되어 은행으로부터 대출이 정지되어 새로운 길을 모색하지 않으면 안 되는 일이 있었습니까? 언제 은행이 한꺼번에 5개나 문을 닫게 된 일이 있었습니까?

지금 개혁이 시작되고 있습니다. 그동안에는 외환 문제가 급해서 그쪽에 중점을 두었지만, 지금은 개혁을 금융과 기업, 공기업에 집중하고 있습니다. 그런데 기업 쪽에서도 물론 이해관계가 다를 때는 문제들이 있습니다. 특히 노조 측에서 문제가 많이 일어납니다. 지금도 폐쇄된 5개 은행의 인수를 제대로 못 하고 있는 상황입니다. 그래서 이런 것은 서로 대화로 설득하고, 또 법대로 진행하고 이렇게 하면서 풀어 나가야 합니다. 개혁은 속도가 중요합니다. 그러나 그 속도도 국민적 공감대를 얻어 가면서 해야 합니다.

그런데 현재 국민적 공감대를 얻고 있습니다. 국민의 80퍼센트 이상이 정부를 지지하고 있습니다. 그리고 국민의 절대다수가 정부가 좀 간섭하더라도 개혁하라, 이렇게 말하고 있습니다. 그래서 그런 방향에서 개혁에 노력하고 있습니다.

실업자 문제인데, 독일이나 프랑스 같은 나라도 실업자 비율이 11퍼센트, 12퍼센트 되고 있습니다. 그런데 우리나라는 평생직장을 가졌던 습관에다가 사회 안전망 같은 것이 제대로 안 됐기 때문에 충격이 큽니다. 그러나 1, 2, 3월까지는 한 달에 30만 명씩 실업자가 나왔습니다. 그러나 지금은 한 달에 실업자가 약 5만 명, 6만 명 이렇게 숫자는 줄었습니다. 그러나 전체적으로 늘고 있지 줄지는 않고 있습니다. 금년 1년은 도리가 없습니다.

적은 수의 실업자도 안 내면 전부 실업자가 되어 버립니다. 노동자의 20퍼센트를 해고해야만 기업이 유지된다는 것입니다. 일거리가 그만큼 없으니까 지금 20퍼센트를 줄여야 한다는 겁니다. 그러면 80퍼센트는 일자리가 유지되는 것입니다. 그런데 20퍼센트도 줄이지 않으려고 싸우면 기업이 무너져 버리고 100퍼센트가 전부 실업자가 되는 것입니다. 더구나 외국 기업들이 우리나라에 들어올 때 해고가 자유롭게 되느냐 안 되느냐, 이것을 보고 있습니다. 그것이 가능하면 들어오고 그렇지 않으면 안 들어오려고 합니다.

실업자에 대해서는 되도록 해고가 안 되도록 노력하는 직업의 안정, 새로운 직업에 대한 훈련, 직장 알선, 사회적 보장 등 여러 가지 시책을 추진하고 있습니다. 이렇게 노력하지만, 금년 1년은 실업 문제가 불가피한 면이 있다는 것을 이해해 주시고 내년 후반기쯤 가면 실업자가 줄어들 것입니다.

은행이 잘되고, 기업이 세계적 경쟁력을 가지게 되면 다시 직장이 늘어나는 것입니다. 그런 과정으로 이해해 주기 바라고, 21세기에 대해서는 아까도 얘기했으니까 그 정도로 하겠습니다.

질문 안녕하세요? 저는 정유철입니다. 남북 문제에 대해서 질문드리겠습니다. 며칠 전에도 텔레비전을 통해서 봤는데, 우리나라에서 북으로 남북 화합의 차원에서 소 500마리를 1차로 보냈고, 또 더 보내려 한다는 소식도 들었습니다. 그런데 어처구니없게 북한은 우리에게 잠수정을 침투시켰습니다.

이 일로 인해서 저를 포함해서 많은 사람들이 불안해하고 있는데, 대통령께서는 북한에 대한 햇볕정책을 이런 일이 있음에도 불구하고 계속 고수하시려는지 궁금합니다. 아울러 북한을 하루빨리 우리와의 협상 테이블로 이끌어 낼 제도적 장치를 마련해 놓으셨는지, 있으면 말씀해 주시기 바랍니다.

햇볕정책은 화해 협력의 길

김대중 햇볕정책은 아까도 말했지만, 유화정책이 아닙니다. 북한의 남한에 대한 도발적 행동을 절대로 용납하지 않으면서 화해·협력의 길을 간다는 것입니다.

제가 작년 4월 미국 국방대학원에서 미국의 중요한 정보기관원 60-70명과 얘기한 일이 있습니다. 그런데 거기서 클린턴 대통령의 포용정책, 말하자면 햇볕정책이죠. 그것을 반대하는 연구소에서 온 사람이 저한테 질문했습니다. 그 사람은 공화당 사람이었습니다. 그래서 제가 말했습니다. "내가 말한 햇볕정책을 제일 처음 한 사람이 닉슨 대통령이다."

닉슨 대통령이 1970년대에 소련에 대해서 데탕트 정책을 취했습니다. 헬싱키조약을 만들고, 이렇게 해서 경제적으로 문화적으로 교류를 확대했습니다. 그렇게 할 때, 한편으로는 철저한 안보 태세를 취하면서 다른 한편으로는 문호를 개방하는 노력을 했습니다. 소련이 거기에 응해 왔습니다. 그렇게 약 19년을 계속하고 나니까 총 한 방 안 쐈는데, 소련이라는 대제국이 그대로 무너지고, 동유럽 공산국가가 무너졌습니다.

중국에 대해서 미국이 '봉쇄 정책'(containment policy)이라고 해서 강한 압력을 가했을 때 마오쩌둥이 "우리는 인구가 6억이다, 1백만, 2백만 죽어도 좋다, 해 보자." 그랬는데, 결국 닉슨이 중국에 가지 않았습니까? 그래서 마오쩌둥을 만나서 그 마음을 돌려세워 국제연합(UN)에 가입하도록 해 주고 중국과 수교했습니다. 결국 미국과 소련 양쪽을 원수로 삼았는데, 중국으로서도 그것이 부담스러우니까 미국하고 손잡은 것입니다. 손을 잡게 되니까 숙청당했던 덩샤오핑이 등장한 겁니다. 그래서 오늘날의 개방이 있게 된 것입니다. 따라서 지금 클린턴 대통령이 중국에 가서 새로운 파트너로서 중국하고 손잡고 있지 않습니까?

또 그 연구소 사람에게 베트남 얘기를 했습니다. "베트남에 당신네도 가고, 우리도 파병했는데, 미국이 국력을 기울여도 못 이기고 나왔다. 그러나 지금 외교와 경제 협력을 하는 가운데 베트남이 거의 친미 국가가 되고 있다"고 말입니다.

결코 햇볕이라는 것이 패배주의가 아니다, 햇볕이야말로 강한 빛을 가지고 있는 것이다, 그런 얘기를 했더니 나중에 거기에 있던 현역 소장이 우리는 당신의 햇볕정책을 지지한다, 이런 말까지 했습니다.

햇볕정책이 약하거나 유화정책이 아니라는 것을 이해해 주기 바라고, 이것이 북한의 강경 세력에게는 가장 고통스러운 정책이라는 것입니다. 남한에서 자기들한테 막대해 주어야 되는데, 역대 정권이 그러지 않았습니까? 그래서 결국 북한의 강경 세력만 키운 결과가 되었습니다. 제가 대통령의 위치에 있기 때문에 여기서 국가적인 내용을 일일이 말할 수 없어서 그렇지, 북한에 상당한 온건 세력이 형성되다가 좌절되고 말았습니다.

지금도 나는 분명히 북한 내에는 강경과 온건 세력이 있다고 믿습니다. 그래서 우리는 강경이건 온건이건 반드시 강력한 안보 태세, 미국과의 굳건한 동맹 속에서 안보 태세를 갖추면서 북한이 개방으로 나올 수 있도록 유도하려는 것입니다. 이것이 남북이 평화 공존, 서로 공존공영하는 길입니다.

이것은 우리 주변 국가들, 미국·일본·중국·러시아가 다 지지하고, 지난번 아시아유럽정상회의(ASEM)에서도 전면적으로 이것을 지지했다는 것을 말씀드립니다. 대화가 언제 열릴 것인가? 지금 간접 대화, 정주영 회장이 소 떼를 몰고 북한에 간 것도 대화하고 있는 것입니다. 정주영 회장은 남한 사람이지 북한 사람이 아닙니다.

우리 한국 사람들이 성질이 너무 급하니까 일을 잘 그르칩니다. 얼마나 성미가 급하냐 하면 이런 말이 있지 않습니까? 섣달 그믐날 시집온 며느리한테 정월 초하룻날 시어머니가 "너 시집온 지 2년이 넘었는데, 아직도 애가 없느냐?" 이런 말이 있는데, 제가 집권해서 몇 달이나 됐습니까? 그러니까 그래도 한 1년쯤은 두고 보십시오. 그러면 뭔가 만들어 낼 테니까요.

질문 행정학과 2년 황수민입니다. 요즘 여소야대와 지역주의 극복을 위해서 정계 개편 논의가 오가고 있습니다. 그런데 인위적인 과반수 만들기에 의한 정계 개편이 필요한지, 그리고 그런 정계 개편에 의해서 우리나라의 고질적이고 뿌리 깊은 지역주의가 해소될지 의문입니다. 이런 정계 개편에 관한 대통령의 구체적 의견을 밝혀 주시기 바랍니다.

지역주의는 존재하지 않아야

김대중 오늘 여기 오면 이렇게 어려운 질문이 나올 것 같아서 주위에서 나가지 말라고 했는데……. 대통령이라는 것은 원래 적어 준 것 가지고 읽는 것이지 가서 맞부딪쳐 가지고 하다가 한마디만 삐끗해도 그것이 큰 문제가 된다면서 나가지 말라고 그랬어요. 그래서 주저하다가 나왔는데, 역시 어려운 질문만 나옵니다.

내가 여러분께 얘기하고자 하는 것은 지역주의를 반드시 없애겠다는 것입니다. 지금은 민족주의 시대도 아닙니다. 지금은 세계주의 시대입니다. 민족주의라는 것은 산업혁명 이후로 200년 정도 계속됐습니다. 그 전에는 민족은 있었지만 민족주의는 없었습니다. 민족주의라는 것은 민족 단위의 경제체제가 형성됨으로써 그 경제체제를 지키기 위해서 다른 민족과 투쟁하는 가운데서 일어난 것입니다.

민족주의에는 침략적 민족주의와 저항적 민족주의 등 여러 가지가 있습니다. 이러한 민족주의라는 열병은 모든 민족들이 걸렸던 것입니다. 그러나 지금은 세계무역기구(WTO) 체제에 들어가면서 경제적 국경이 없어집니다. 앞으로 6년이면 완전히 없어집니다. 모든 것이 자유입니다. 우리나라 사람이 어디 가서든지 장사할 수 있고, 외국 사람도 마찬가지입니다.

제가 항상 예를 들지만 강원도 산골의 옥수수 농가도 미국의 옥수수 농가와 경쟁에 들어가야 됩니다. 청량리 뒷골목에서 구멍가게 하는 아주머니도 세계의 슈퍼마켓하고 경쟁하고 있는 시대입니다. 지금이 그런 세상입니다. 우리는 하루속히 세계 속으로 나가야 됩니다. 세계를 우리가 안아야 됩니다. 한국 사람들의 가장 큰 결점이 세계를 모른다는 것입니다. 세계 사람들이 여행을 해 보면 제일 폐쇄적인 나라 중의 하나가 한국이라고 합니다. 외국 사람한테 제일 마음을 안 주는 나라가 한국입니다. 이것은 단일민족이었기 때문에 그렇습니다.

그런데 민족끼리만 한 나라를 만들어 경제 단위로, 혹은 생존 단위로 삼았던 그런 시대에는 그것이 장점이었습니다. 그러나 이제 세계 속에서 뒤섞여 살다 보면 친구를 얻어야 되는데, 친구를 잘 못 만듭니다. 미국에 가 보십시오. 로스앤젤레스에 가면 우리 동포들 중에 영어 하는 사람이 10퍼센트도 안 됩니다. 아침부터 저녁까지 한국말만 하고 있어요. 그래 가지고 영어 안 한 것을 무슨 민족 독립운동같이 생각합니다. 이래서는 안 됩니다.

그래서 우리가 세계 속에서 빨리 성공하려면 세계를 받아들이는 동시에 우리도 세계로 나가야 합니다. 그런데 지금 남북이 대립하고 있습니다. 그것도 문제인데, 여기에다 동서까지 갈리면 이 국가가 어떻게 되겠습니까? 이것은 한심한 나라의 현실입니다. 저는 여러분께 분명히 말해서 대통령을 못 하면 못 했지 절대로 동서 분단이라든가 지역주의라든가 이런 것에는 절대 용납하지 않습니다.

지금 바로 내 앞에 비서실장이 앉아 있는데, 경북 울진분입니다. 비서실장은 실질적인 정권의 제2인자입니다. 모든 인사 문제를 같이 의논합니다. 어저께도 인선을 하는데, 호남 사람이 1순위로 올라왔습니다. 그래서 안 된다고 했습니다. 그 이유가 있었어요. 여기에는 꼭 비호남 사람을 하라고 그랬습니다. 대통령이 그렇게 노력합니다.

그리고 대구에 가서 상당한 예산을 배정해 줄 것을 약속했습니다. 인재 등용에 있어서도 1급 이상의 인사에 있어서는 아직도 영남이 호남보다도 10퍼센트 이상 높습니다. 이런 것을 여러분이 생각해야 합니다. 저는 지역주의 때문에 아주 고생한 사람입니다. 저만큼 지역주의에 의해서 희생된 사람이 없습니다. 그런 제가 그런 일을 하겠습니까?

그래서 여러분께 분명히 얘기하는 것은 김대중 정권하에서는 지역주의·학벌주의·배경·돈 이런 것은 절대로 용납되지 않지만, 특히 지역주의만은 분명히 끝장내겠다는 것입니다. 그래서 여당도 동쪽으로 뻗쳐 나가서 전국 정당이 돼야 합니다. 그리고 한나라당도 서쪽으로 뻗어서 전국 정당이 돼야 합니다. 이렇게 해서 전국 정당을 만들어야 된다고 생각합니다.

정계 개편에 대해서는 국민의 절대다수가 정국의 안정을 위해서 필요하다고 말하고 있습니다. 그렇지만 단 한 사람도 돈을 주고 매수하거나 협박해서 데려오는 일은 없습니다. 본인들의 의사에 따라서 올 사람은 오고, 오기 싫은 사람은 안 오게 하는데, 저는 그렇게 하기 전에 야당에 대해서 애원하다시피 하지 않았습니까? 1년만 도와 달라, 그러면 이 나라를 구하겠다, 이렇게 했는데, 그것이 잘 안 됐습니다.

그러나 앞으로도 결코 무리한 일을 해서 야당에 피해를 주지 않을 뿐 아니라, 지역 인재 등용이라든가 지역 사업 발전에 있어서 결단코 지역주의는 존재하지 않을 것임을 제가 대통령으로서 국민에게 분명히 약속한다는 것을 여러분이 이해해 주시기 바랍니다.

질문 신문방송학과 4학년 황규란입니다. 최근 우리 사회의 위기로 인해서 중산층이 무너지고 있습니다. 실제로 전형적인 중산층인 저희 집만 하더라도 대학을 다니는 자녀가 두 명이나 있는데, 벌써부터 저희 부모님께서는 2학기 등록금 때문에 걱정이 무척 많으십니다.

대통령께서는 이렇게 위태로운 중산층 가정을 보호할 수 있는 구체적인 방안을 마련하고 있으신지 궁금합니다. 특히 저희 집과 같이 대학생 자녀를 둔 중산층 가계에 실질적인 도움을 줄 수 있는 방안이 있을지 궁금합니다.

좌절하지 말고 성공의 길로 나가자

김대중 지금 아주 중요한 질문을 했습니다. 우리 국가가 안정되려면 중산층이 튼튼해야 하고, 중산층이 안정되어야 합니다. 그런데 요즘 실업 사태가 나니까 많은 중산층 봉급자들이 일자리를 잃게 되고, 또 지금 장사가 잘 안되지 않습니까? 그러니까 자연히 중산층 상공인들도 문제가 있고 그렇습니다.

이것은 안타까운 일이지만 우리 현실이 터무니없이 과소비하고, 경제를 망치고, 아까도 말했지만 120조 원 정도의 돈을 은행이 부실대출 했습니다. 그래서 그 빚이 결과적으로는 국민적 부담으로 되고 있습니다. 이런 가운데서 기업들이 문 닫게 되고, 이렇게 된 것입니다.

이것을 해결하려고 필사적으로 노력해서 수출도 증대시키고, 해외에서 투자 유치도 하고 있는데, 지금 많은 성과를 올리고 있습니다. 지금 금융 개혁, 기업 개혁을 하고 있고, 노동의 유연성, 공기업의 개혁, 이렇게 하는 가운데서도 당장 우리 사회의 기반인 중산층과 실업 문제의 해결을 위해서 전력을 다해서 노력하고 있습니다.

노사정위원회에서 합의할 때 실업 대책에 5조 원을 투입하기로 했던 것을 7조 9,000억 원, 또다시 8조 4,500억 원까지 늘렸고, 또 필요하면 더 늘려서라도 할 생각입니다. 금년도에 8조 4,500억 원의 실업 자금을 풀어서 대책을 세우는데, 현재 27퍼센트 정도 돈이 나갔습니다.

모두 84조 원에 이르는 기업들의 대출금 상환 기한을 연장해 주었습니다. 이중 중소기업에 대해서만 22조 원의 상환 기한을 연기해 준 것입니다. 또 새로이 중소기업에 12조 원을 풀려고 하고 있습니다.

어떻게 하든지 중산층에게 힘이 되고 도움이 되도록, 중산층과 실업자들이 아주 쓰러지지 않도록 받쳐 주면서, 금융과 가업의 구조를 개혁해서 세계적인 경쟁력을 갖는 방향으로 나가기 시작하면 우리에게 훈풍이 불어오는 시대가 시작될 것입니다.

한동안은 우리가 최대한으로 노력해서 견뎌 내야 합니다. 우리가 해방 이후 지금까지를 볼 때, 좋은 정부와 좋은 국민이 손을 맞잡아야 나라가 잘됩니다. 국민은 참 많이 잘했는데, 정부가 잘못한 경우가 많았습니다.

그런 것을 교훈으로 삼아 좋은 국민과 좋은 정부가 하나가 돼서 해 나가되, 내가 여기서 여러분께 맹세코 얘기하는 것은 국민의정부는 결단코 부정부패가 없다는 것입니다. 그리고 소수의 이익에만 집중하는 그런 일도 없습니다. 결단코 지역차별주의를 하지 않습니다. 그리고 결코 법을 권력을 위해서 악용하지 않습니다. 이래서 국민 여러분이 신뢰 속에서 정부와 같이 갈 수 있도록 노력하겠습니다. 여러분께서도 그렇게 정부를 믿고, 잘못한 것은 비판하지만, 또 적극적으로 성원해서 정부를 위해서가 아니라 국민 전체를 위해서 이 난국을 넘어갑시다.

이번에 미국에 가 보니까 한국에 대한 평가가 너무도 높았습니다. 제가 이번에 상상도 못 했던 대우를 받았습니다. 미국 국회에서 20번이나 박수를 받았고, 여러 번 기립 박수를 받았습니다. 그렇게 한 적이 없습니다. 우리가 하고 있는 일에 대해서 높이 평가하고, 기대를 가지고 있습니다. 우리는 고통스럽지만, 세계는 우리가 상당히 괜찮다고 보고 있습니다. 괜찮으니까 괜찮다고 하는 것입니다. 그러니까 자신을 가지고 견디면서 이 고비를 넘깁시다.

6·25전쟁 이후의 폐허에서도 꿀꿀이죽을 먹고 염색 점퍼를 입고도 열심히 일해 이제는 세계의 11번째 경제 대국이라는 소리까지 듣습니다. 이만한 상황 속에서 못 해 나갈 이유가 없습니다.

우리를 도와줄 국제적인 힘도 상당히 큽니다. 우리만 잘하면 더욱 옵니다. 어제도 다우케미칼사의 회장이 와서 우리나라에 대해서 몇억 달러 투자를 하겠다는 얘기를 하면서, 한국이 지금 상당히 잘해 가고 있고, 세계 기업들도 이 나라에 투자하겠다는 분위기가 일어나고 있다는 말도 했습니다.

여러분, 우리가 다 같이 힘을 합쳐서 나라를 살립시다. 여기가 인촌강당인데 인촌 선생이 일제시대 때 이렇게 학교만 세우신 게 아니라 경방이라는 기업을 세웠습니다. 그때로서는 엄청난 기업이었습니다. 요즘으로 말하면 현대나 삼성, 그런 기업과 마찬가지입니다. 그런 기업을 세워 그 어려운 여건 속에서도 운영을 하고, 국민에게 긍지를 주었습니다. 또 동아일보사를 세워 민족을 대변한 것도 여러분이 잘 아실 것입니다.

우리에게는 그러한 많은 조상들의 전통이 있습니다. 우리가 그런 것을 잘 받들어 여기서 좌절하지 말고 일어서서 성공의 길로 나가자는 것을, 그것을 얘기하고 싶어서 제가 오늘 여러분을 찾아뵙게 되었습니다.

여러분의 앞날에 건투를 빌면서 제 얘기를 마치겠습니다.

열린 마음으로 국민과 함께

대담 정범구·김연주 외
일시 1999년 2월 21일

정범구·김연주(사회) 국민 여러분 안녕하십니까? 「김대중 대통령, 국민과의 대화」를 진행할 정범구, 김연주입니다.

정범구 외환 위기와 함께 출범한 국민의정부가 이제 출범 1주년을 맞습니다. 1년 전 그 아슬아슬하던 때를 생각해 보면 이제 힘든 고비는 넘겼습니다만, 여전히 21세기 대변혁의 시대가 우리를 기다리고 있습니다. 우리 앞에 놓인 도전과 과제 역시 만만치 않습니다.

오늘 세 번째 맞이하는 「김대중 대통령, 국민과의 대화」를 통해서 과연 이 개혁과 변화의 시대에 우리가 무엇을 어떻게 해야 할지 함께 생각해 보시기 바랍니다.

김연주 이곳 에스비에스(SBS) 등촌동 공개홀에서 앞으로 약 2시간 동안 생방송으로 함께하시겠습니다. 「김대중 대통령, 국민과의 대화」 프로그램은 한국방송협회가 주최하고 에스비에스(SBS), 한국방송(KBS), 문화방송(MBC)이 공동으로 주관합니다.

김연주 오늘 국민과의 대화를 위해 미리 여론조사를 실시했습니다. 우선 대통령께 질문드리고 싶은 분야는 경제 분야가 66.1퍼센트로 으뜸을 차지했습니다. 이어서 정치·통일·외교, 또 사회 일반에 관한 질문을 하고 싶다는 여론조사 결과가 나왔습니다.

또 경제 분야 가운데서도 가장 묻고 싶은 질문은 실업 대책이 40.9퍼센트로 수위를 차지했습니다. 물가 안정, 빈부 격차 해소, 경기 회복, 기업 구조조정에 관한 질문도 많이 해 주셨습니다. 그러면 이제 김대중 대통령을 모시겠습니다. 박수로 맞아 주시기 바랍니다.

정범구 대통령께서는 올 설을 처음으로 청남대에서 맞으신 것 같은데요, 일생에서 가장 기억에 남는 설이 언제였습니까?

김대중 설이야 언제든지 다 기억에 남지만, 나로서 특별히 기억에 남는 것은 1982년 설입니다. 그때 청주교도소에 있었는데, 아내가 세 자식들과 같이 교도소에 면회를 왔어요. 그런데 그때 교도소가 나에게는 대단히 엄격해서 직접 보지는 못하고 유리창을 사이에 두고 서로 얘기를 하는데, 큰자식들이 면회소 마루에 엎드려서 세배를 했습니다.

그때 제가 한문 시를 지었는데, "면회소 마루 위에 세 자식이 큰절하며 새해와 생일 하례. 그래서 보는 이 애끓는다. 아내여 서러워 마라. 이 자식들이 있지 않소." 하고 지은 일이 있어요. 그래서 지금도 그때가 참 기억에 남습니다.

김연주 오늘 질문을 주도해 주실 분으로 각계각층에서 모두 여섯 분의 패널을 모셨습니다. 그리고 직능·시민운동 등 각종 단체에서 많은 분들이 참석해 주셨습니다. 오늘 객석에는 600여 분의 방청객이 자리를 가득 메워 주고 계십니다. 이분들은 물론이고, 지방에 계시는 국민 여러분, 또 멀리 해외에 계시는 교민 여러분도 질문에 참여하실 예정입니다. 오늘 이 프로그램은 텔레비전과 라디오, 인터넷을 통해서 생방송으로 함께 하시겠습니다.

정범구 이제 오늘 세 번째 맞는 국민과의 대화, 오랜만에 다시 국민 앞에 나오셨는데요. 며칠 뒤 25일이면 대통령 취임 1주년을 맞이합니다. 돌아보시기에 스스로 생각하셔서 잘한 점은 무엇이고, 아쉬움이 남는 대목이라면 어떤 대목입니까?

힘들었던 4대 개혁

김대중 지난 1년의 성과도 나름대로 있지 않았는가 생각이 되고, 또 아쉬운 점도 많습니다.

성과를 먼저 말씀드리면, 우리가 6·25전쟁 이후 최대의 위기에 처했던 외환 위기를 극복했다는 것이 아닌가 생각합니다. 제가 대통령이 되었을 때, 38억 달러밖에 없었던 우리의 외환 보유고가 사상 최고인 520억 달러가 됐습니다. 수출도 80억 달러 이상 적자이던 것이 작년에는 399억 달러의 흑자를 냈습니다. 그리고 환율·금리·물가 모두가 안정되었습니다. 이것은 아직 안심할 정도는 아니지만, 그래도 우리가 외환 위기를 극복했고, 또 세계도 이것을 인정하고 있습니다.

힘들었던 일은 4대 개혁을 추진한 것입니다. 금융·기업·공공 부문, 그리고 노동 분야 등 4대 개혁을 추진했습니다. 은행은 완전히 부실채권만 안고서 빈 껍데기만 남아 있었습니다. 여기에다 64조 원이라는 공기업 자금을 일단 투입함으로써, 은행이 다시 금융기관의 역할을 하기 시작했습니다. 그런 가운데 5개 은행이 문을 닫고, 여러 개의 은행들에게 변화가 생겼습니다. 또한 기업들은 30대 재벌이 구조조정을 추진한 가운데 11개 재벌이 소멸되었습니다. 5대 재벌도 지금 철저한 구조조정을 하는 과정에 있으며 공공 부문도 개혁을 하고 있습니다. 또 노사정위원회에서도 그동안 상당한 협조를 해 주었습니다.

또 하나의 성과를 들자면, 작년에 외교적인 면과 남북 문제에 있어서 상당히 큰 진전을 보인 것입니다. 전 세계가 한국의 민주주의와 경제 발전, 그리고 북한에 대한 포용 정책, 이 세 가지 정책을 크게 지지했습니다. 또 우리는 처음으로 한국이 대북 정책을 주도해서 미국이나 일본이 여기에 협력을 하고 중국이나 러시아까지도 지원하는 성과가 있었다고 생각됩니다.

반면에 가장 아쉬웠던 점, 부족했던 점은 실업 문제입니다. 실업자가 이제 160만 명이 넘고 잘못하면 200만 명에 이를지 모른다는 소리까지 나오고 있습니다. 그런 실업자 문제, 경기가 아직 제대로 회복되지 않고 있는 문제, 또는 정치의 개혁이 진전되지 못하고 있는 문제, 그리고 노사 문제가 약간은 불안의 조짐을 보이고 있는 것 등이 미흡했던 것으로 여겨집니다.

이것을 금년에는 꼭 완수해야 하고, 특히 무엇보다도 아까 말한 4대 개혁을 완수해서 한국이 튼튼한 경쟁력을 가진, 어떠한 충격에도 끄떡하지 않는 그런 체제를 만들어야겠다고 생각합니다.

김연주 그러면 이제부터 본격적으로 국민과의 대화를 시작하겠습니다. 우선 서울의 한 전자 상가에 계시는 분의 질문을 들어 보도록 하겠습니다.

유지헌(아나운서) 이곳은 구의동에 있는 한 전자 상가입니다. 이곳에 계시는 분들은 어떤 의견을 가지고 계시는지 말씀을 들어 보겠습니다.

전자 상가 상인 저는 이곳 테크노마트에서 전자 제품 판매업을 하고 있는 사람입니다. 요즘 전반적으로 경기가 회복되고 있다는 보도를 듣고 있습니다. 그런데 우리 상인들은 경기가 회복되고 있다는 것을 전혀 느끼지 못하고 있습니다. 과연 경기가 회복이 되고 있는 것인지, 또 회복이 되고 있다면 언제쯤 피부로 느낄 수 있을 것인지를 말씀해 주시기 바랍니다.

김대중 저도 이 문제에 관심이 큽니다. 그런데 제가 말씀드릴 것은, 경기가 조금씩 나아지고 있다는 것입니다. 조금씩 나아지고 있는 것은 시민들의 소비 심리가 조금씩 살아나고 있고, 전부는 아니지만 어느 부분에서는 경기가 좀 살아나고 있다는 뜻입니다. 무엇보다도 여러 가지 경기를 예측하는 지수들이 상당히 좋은 결과를 보이고 있습니다.

특히 기업이 잘되고 있느냐, 못되고 있느냐는 것을 재는 가장 확실한 방법은 기업의 부도율인데, 1년 전인 작년 1/4분기에는 0.54퍼센트였습니다. 그런데 지금은 0.12퍼센트로 내려갔습니다. 약 5분의 1 가까이 내려갔습니다. 그래서 그런 점에 있어서는 나아지고 있지 않느냐는 생각을 하게 됩니다. 지금 우리 현실은, 차디찬 냉방의 아궁이에 불을 지피고 있는데 아랫목에 앉아 있는 사람은 훈기를 느끼고 있지만 윗목에 있는 사람은 여전히 차다는 것입니다. 불은 땐다고 그러는데 방이 왜 이렇게 차냐, 말하자면 경기가 좋다는데 왜 내게는 안 오느냐, 이런 것입니다.

그러나 시간이 지나면 자연히 훈기가 윗목에도 가듯이 그렇게 될 것입니다. 그러기 위해서는 우리가 금년에도 철저히 개혁을 하고 구조조정을 해서 우리 상품들이 경쟁력을 가지고 세계시장에서 팔려 나가도록 해야 합니다. 또 외국 상품들이 들어오더라도 우리 상품이 경쟁해서 국내 시장에서도 이겨내야 합니다. 그래야 경기가 좋아집니다. 그냥 좋아지지는 않습니다. 그렇기 때문에 금년에도 철저히 개혁을 해야 된다고 생각합니다. 이렇게 해서 지금 예측으로는 금년에 2퍼센트 이상 국내총생산(GDP)이 성장하고 내년에는 5퍼센트로 보고 있는데, 성장한 만큼 경기는 좋아질 것입니다.

그러나 워낙 잘못되었던 경제를 우리가 지금 되살리고 있는 것이기 때문에 그렇게 일거에 되기는 어렵습니다. 일거에 하려고 해서 쉽게 가면 구조조정을 철저히 못 하게 됩니다. 못 하게 되면 또다시 악화되어 버립니다. 영국 같은 나라들이 개혁을 철저히 해서 정말로 흔들림 없는 경기를 살렸듯이, 우리도 그렇게 해야 합니다. 정부는 경기를 살리기 위해 금년도 1분기에 사회간접자본 분야 등에 예산을 대거 집행하도록 하고, 정부 구매 물자도 1분기에 약 반을 사도록 하고 있습니다. 특히 중소기업에 대해서 그렇게 하고 있습니다. 그리고 중소기업 자금도 크게 방출하고, 서민들 가계 자금도 내놓고 해서 경기 부양에 노력하고 있습니다.

한 가지 말씀드리고 싶은 것은, 우리 국민도 사치와 낭비는 곤란하지만 건전한 소비는 해 주어야 합니다. 건전한 소비를 해 주어야 물건이 팔려 장사가 되고, 장사가 되어야 공장이 돌고, 그래야 일터가 생깁니다. 그렇기 때문에 건전한 소비는 미덕이라는 생각을 가지고—돈의 여유가 없는 분들은 도리가 없지만—돈 있는 분들은 물건을 사고 돈을 좀 써 주시면 경기가 더 좋아질 것 같습니다.

정범구 군불은 지피고 있는데 윗목에 앉아 계시는 국민들에게까지는 아직 온기가 안 느껴진다는 이런 말씀이셨습니다. 지금 이 자리에는 각계각층을 대표하는 여섯 분의 패널이 참석하고 계십니다. 패널 중에서 질문을 받겠습니다.

김재옥(소비자문제를 연구하는 시민의모임 사무총장) 지금 말씀하신 것처럼 경기는 조금 나아지는 것 같습니다만, 지난 1년 동안 우리 국민들의 소득은 줄어들고 치솟는 물가 때문에 사실 굉장히 어려웠습니다. 올해에도 과연 얼마나 물가가 오를까 굉장히 걱정스러운데요. 우리 국민들이 믿기 어려운 정부 통계만 보더라도 작년에 7.5퍼센트나 소비자 물가가 올라서 1991년 이후에 가장 높은 물가 상승을 보였습니다.

그런데 물가 인상을 보니까 작년에는 공공요금이 모든 물가를 주도하는 것으로 나타나고 있습니다. 올해에도 각종 공공요금들이 줄줄이 인상을 기다리고 있습니다. 전기료도 그렇고 통신요금도 그렇고 상수도 요금도 그렇습니다. 또 얼마 전 설을 앞두고도 농산물 가격이 굉장히 많이 올라서, 우리 소비자들은 물가에 대한 불안이 아주 심각합니다. 더욱이 지금 실질적인 소득도 줄어들고 또 많은 실직자들이 있는 이런 현실에서, 올해에도 물가가 많이 올라간다면 우리 서민들의 어려움은 대단히 커지리라고 생각합니다. 그런 의미에서 대통령께서는 정부가 올해 목표로 하고 있는 3퍼센트의 물가를 지키실 수 있으신지요?

또 이런 공공요금이 올라가는 것은 바로 공공요금을 감시하는 사람들이 별로 없기 때문인데, 시민 대표들이 감시할 수 있는 그런 방안을 마련해 주실 수 있는지 말씀해 주시기 바랍니다.

물가 안정이 기본이다

김대중 정부가 발표한 물가를 믿을 수 없다고 하는데, 이제는 믿으십시오. 왜냐하면 이제는 정부가 물가를 조작하지 않습니다. 이것은 내가 절대 용납하지 않습니다.

작년에 국제통화기금(IMF)과 합의할 때 연초에는 약 10퍼센트 물가 인상을 내다봤는데, 국민과 같이 노력해서 지금 말씀하신 대로 7.5퍼센트 선으로 억제했습니다. 그런데 금년에는 물가를 3퍼센트로 잡을 생각을 가지고 있습니다.

공공요금 인상 문제는 최대한으로 억제할 것입니다. 먼저 경영을 철저히 합리화하도록 하겠습니다. 또 공공요금을 올릴 때는 소비자 대표들이 참여해서 그것을 검증하도록 해 드리겠습니다. 그래서 꼭 올릴 필요가 있는 요금인가를 투명하게 검증해서 인상 조치를 하도록 하겠습니다.

무엇보다도 중요한 것은 국민의 생활, 그것도 서민 생활을 지켜 주는 물가 문제입니다. 그것은 정부가 굳게 결심을 하고 있습니다. 그래서 1999년도에도 지금 약속한 대로 반드시 물가를 안정시킬 것입니다. 물가 안정이 없으면 정치적 안정도 사회적 안정도 경제적 안정도 모든 것이 없습니다.

그래서 물가가 기본입니다. 정부가 그것을 잘 알고 해 나가겠습니다. 이것이 계절을 타고, 또 여러 가지 이유로 해서 가격을 통제하기가 어렵고, 뜻밖에 올라갔다 또 뜻밖에 폭락했다 하는 현상이 있습니다. 그런데 농·축·수산물의 가격이 올라간 최대의 이유가 어디에 있느냐 하면, 유통 구조가 잘못되어서 소비자와 생산자 사이에 있는 많은 중간 상인들이 중간 마진을 갖기 때문입니다. 그렇기 때문에 생산자인 농민도 밑지고, 소비자인 도시민도 큰 지출을 하게 됩니다.

이 문제에 대해서는 노태우 정권 이래 계속 대통령도 만나고 농협에도 가서 얘기했습니다. 제가 대통령이 된 이후에는 아주 강력히 요청해서 농협이 중심이 되어 소비자와 생산자를 직거래시키도록 했습니다. 그래서 상당히 발전되고 있습니다. 정부가 금년에도 소비자와 생산자를 직결시키는 유통 구조를 강화시켜서, 소비자는 싸게 사고 생산자는 제값 받고 파는 방향으로 물가를 잡을 작정입니다.

다시 말해서 물가는 바로 기본이기 때문에 정부는 책임지고 전력을 다해서 노력하겠다는 것을 약속하는 바입니다.

김연주 가벼운 질문 한 가지를 드리겠습니다. 사실 국제통화기금(IMF) 외환 위기 이후에 우리 서민들의 생활이 부적 많이 변모가 되었습니다. 모두 허리띠를 졸라매고 생계형 위주로 바뀌었다고 할까요? 그래서인지 국제통화기금(IMF) 외환 위기 이후에 라면의 소비가 무척 늘어났다고 하는데 평상시에 대통령께서 라면을 즐겨 드신다고 들었습니다. 청와대에 들어가신 이후에도 라면을 드신 적이 있으신지요?

김대중 청와대에 들어가서도 먹었고, 또 해외여행 갈 때도 가지고 가서 밤에 끓여 먹기도 했습니다. 대통령이 되기 전에는 내가 직접 끓여 먹기도 했습니다. 내가 라면 먹는 데 한 가지 문제는 집사람이 라면을 자꾸 먹으면 살찐다고, 그렇지 않아도 살쪘는데 그러면 되느냐고 옆에서 야단을 치고 해서 지금은 눈치 보느라고 라면을 잘 못 먹고 있어요.

김연주 방청석을 가득 메워 주신 방청객 여러분이 질문하고 싶은 분야가 무척 많으실 겁니다. 질문해 주시겠습니까?

중소기업 대표 서울에서 중소기업을 운영하고 있는 사람입니다. 우리 중소기업가들은 지금 중소기업을 마치 독립운동을 하는 것 같은 절박한 심정으로 운영하고 있습니다. 대통령께서는 중소기업과 벤처기업의 진흥을 통해서 경제 위기를 극복하고 또 세계 경제 주도국으로 도약하겠다는 의지를 여러 번 표명하셨습니다.

하지만 일선 은행 창구나 관청에 가 보면 아직 대통령의 의지와는 거리가 먼 것 같습니다. 아까 말씀하신 중소기업 지원 자금의 경우에도 막상 받으려고 하면 담보를 요구하기 때문에, 담보 능력이 없는 중소기업으로서는 실제로 도움이 안 되는 것이 사실입니다. 대통령의 중소기업 지원에 대한 확고한 의지가 일선에 전해져서, 중소기업이 창의력을 살리고 경쟁력을 가질 수 있는 방안은 없겠습니까?

중소기업 중심으로 경제 체질을 만들어야

김대중 아주 절실한 질문입니다. 중소기업 금융 문제는 조금 나아지고는 있습니다. 대출을 보더라도 작년 4/4분기에 대기업은 대출이 6조 원이 줄어들었는데 중소기업은 5조 원이 늘어났습니다. 과거에는 거꾸로였습니다. 은행 자금은 거의 대기업으로 갔었는데, 지금은 그렇게 바뀌었습니다. 우리가 정부를 맡은 이후로 이 문제에 대해 철저히 했습니다.

제가 지시해서 매일 각 은행이 얼마만큼 중소기업에 대출했는가, 얼마만큼 중소기업에 무역 자금을 주었는가를 보고하도록 해서 일일 보고를 받아 왔습니다. 은행장이 직접 일선 창구에 나가서 보도록 독려했습니다.

그런데 참 쉽지가 않았어요. 그렇지만 계속해서 쉬지 않고 노력을 해서 지금은 많은 점이 달라지고 있는 것은 사실입니다. 그리고 또 '꺾기'도 과거에는 보통이었는데, 최근 중소기업을 대상으로 여론조사를 해 보아도 75퍼센트의 중소기업들이 이제 꺾기는 없어졌다는 말을 하고 있습니다.

지금 질문하신 신용 대출 문제는, 지금 우리 중소기업들의 신용이 충분치 못하다는 이유로 잘 안 되고 있습니다. 일본과 우리나라는 대출 관행이 잘못되어서, 철저한 신용조사를 해서 좋은 기업, 돈을 바르게 쓴 기업, 돈을 제대로 갚을 기업한테 준 것이 아니라, 주로 부동산을 담보로 대출해 주었습니다. 그렇게 하다가 결국 일본이나 우리나라 은행들이 부동산 가격이 폭락하는 바람에 지금 부실 은행들이 되어 버린 겁니다.

이제 은행도 크게 반성해야 할 때가 왔고 방침을 바꾸어야 할 때가 왔습니다. 은행이 신용조사 기법을 철저히 연구하고 개발해서, 기업가들이라면 은행에서 서로 알고 믿고 돈을 빌려줄 수 있도록 하는 신용 대출 제도를 지금 강력히 밀고 나가고 있습니다. 아마 금년에는 이것이 상당히 실천될 것이라고 생각됩니다.

동시에 은행 금리가 시금 역사상 최서로 떨어졌습니다. 한때 30퍼센트까지 갔던 콜금리라든가 3년 만기 회사채들이 지금 6퍼센트, 8퍼센트 선으로 내려갔습니다. 중소기업들도 12-13퍼센트 정도에서 돈을 쓰고 있습니다. 그러나 이것도 정부가 더욱 노력해서 중소기업이나 가계 대출이 10퍼센트 미만으로 쓸 수 있도록 하려고 노력하고 있으며, 아마 금년에 그렇게 되어 갈 것입니다.

그래서 정부 금융 정책에 있어서 대출의 중점을 중소기업에 두고자 합니다. 중소기업과 벤처기업을 육성하는 것이 21세기의 다품종 소량생산 체제 시대, 정보화산업 시대, 지식산업 시대에 알맞은 경제 정책이기 때문에 여기에 집중해서 키워 나갈 생각입니다.

저는 박정희 정권 이래 우리나라를 중소기업 중심으로 건설해야 한다고 계속 주장했고, 1971년 대통령 선거 때도 이를 공약으로 걸었고, 또 미국 하버드 대학에서 『대중경제론』이란 책도 발간한 일이 있습니다. 그것이 모두 중소기업 중심으로 경제 체질을 만드는 것이었습니다. 중소기업이 잘되고 튼튼해야 중산층이 튼튼해집니다. 중산층이 튼튼해야 민주주의가 뿌리박고 사회가 안정됩니다.

그러므로 정부는 중소기업, 중산층의 정부라는 그런 결심을 갖고 앞으로 중소기업 육성에 전력을 다할 것입니다. 금년에는 그 점에 있어서 작년보다 훨씬 더 진보된 정책을 펴 나갈 것이라는 것을 이 자리를 통해서 국민에게 약속하는 바입니다.

김영대(한국경영자총협회 상무) 먼저 지난 1년간 우리 경제 위기 타개를 위해서 불철주야 노력하신 대통령님께 경영계를 대표해서 깊은 감사를 드립니다.

현재와 같은 경제 위기를 타개하기 위해서 우리 기업의 구조조정이라는 것은 어쩌면 필연적인 과제라고 할 수 있습니다. 특히 이러한 경제 위기의 재발을 방지하기 위해, 우리 산업과 기업의 구조조정이 이루어져야만 할 것입니다. 그래야 앞으로 안심하고 우리 국민과 모든 기업들이 경제 활동을 할 수 있으리라고 생각됩니다.

그러나 사실상 이러한 구조조정 과정에서 100퍼센트는 아닐지라도 불가피하게 항상 고용조정이 수반될 수밖에 없는 그런 환경을 가지고 있다 보니까, 기업들이 대단히 어렵습니다. 내실 있고 실속 있는 그런 구조조정을 하려고 하다 보니까, 역시 노동조합 또는 근로자들의 강력한 반발이나 저항에 부딪혀서 사실상 무늬만 구조조정이 될 가능성이 굉장히 큽니다.

그런 측면에서 볼 때, 우리 기업들이 안팎으로 이러지도 저러지도 못하는 어려운 사정에 있는데, 과연 지금 같은 어려움을 극복하기 위해서는 어떻게 해야 될지 대통령님의 견해를 한번 듣고 싶습니다.

정범구 경영자 쪽 입장에서는 고용조정이 보장되지 않는 구조조정이 무슨 의미가 있겠느냐는 얘기인데요, 이 자리에는 노동계에서도 대표가 나와 있습니다. 노동계 대표 얘기를 같이 들어 보시고 말씀을 좀 해 주시죠.

한국노총 조합원 한국노총에 있습니다. 경제 위기를 조기에 수습하는 데는 양대 노총 노동자들의 희생과 고통이 따랐다는 것을 전제하면서 대통령님께 말씀드리겠습니다.

실업 대책과 구조조정의 정책은 재벌들의 빅딜을 통한 기업에 대한 부실채권 탕감, 기업 이득만 봐주기식으로 일관성 없는 정책으로 표류하는 느낌입니다. 또한 많은 노동자들이 재벌들의 사업 교환이나 구조조정에서 대량 해고와 고용 불안 등으로 실직자가 되었습니다. 많은 실직자들에게 고용 승계가 될 수 있는 투명한 정책이 아니면 국민적 지지를 받지 못할 것입니다. 또한 두 번째로 노사정위원회가 국제통화기금(IMF) 경제 위기 극복을 위해 많은 기여를 했고, 민주주의와 시장경제의 병행 발전이라는 대통령님의 국정 철학 반영으로 국제적으로 좋은 평가를 받고 있습니다. 그러나 노사정위원회가 정부의 들러리라는 생각에서 노동자들의 강한 비판도 받고 있습니다.

앞으로 노사정위원회는 합의 사항을 충실히 이행하고 그 위상을 높여서 모든 현안들을 노사정위원회에서 논의함은 물론, 국민적 합의 기구로 법적 구속력이 따라야 할 것으로 생각합니다. 대통령님의 견해를 듣고 싶습니다.

고통도 성과도 분담해야

김대중 경총과 노총의 입장이 다르지요. 지금 양쪽 이야기 듣고 보면, 매도 내가 맞을 때는 아프고 남이 맞을 때는 별로 아프지 않은 그런 이야기가 있는데, 역시 자기 쪽이 제일 고통이 크다는 얘기를 한 것 같습니다.

먼저 경총에서 얘기한 구조조정에 있어서 정리해고 문제는 원칙적으로 기업이 정리해고의 자유를 가져야 합니다. 그것은 노사정 합의에 의해서 법으로 결정되어 있습니다.

다만 이것을 남용하지 않고 사전에 노조와 합의해서 서로 꼭 필요한 범위에서 하도록 그렇게 되어 있습니다. 여하튼 기업을 살리기 위해서는 두 가지가 가장 중요한데, 하나는 철저하게 마른 수건을 짜서 물을 짜내듯이 경영합리화를 해야 하고, 또 하나는 불가피할 때는 정리해고도 해서 기업을 살려 나가야 합니다. 기업이 살아야 노동자도 있고 기업가도 있다는 것을 얘기하고 싶습니다.

그리고 노총에서 말씀한 노동자들의 고충은 십분 공감합니다. 저도 일생을 노동자들을 생각하면서 살아온 사람이라는 것을 여러분이 잘 아실 겁니다. 그러나 한 가지, 노동자만 희생하고 있다는 것은 사실이 아닙니다. 왜냐하면 내가 대통령으로서 그런 일을 하지 않습니다. 노동자만 희생한 게 아니라 금융을 구조조정해서 5개 은행을 없애고 수많은 은행들이 모두 인수·합병을 통해서 금융계에서도 굉장한 희생이 생겨났습니다. 그리고 주식을 가지고 있던 분들의 주식이 휴지가 되어서 태워 버린 그런 예가 많이 있는 것을 여러분도 알지 않습니까? 금융계에서도 많은 희생이 있었습니다.

또 대기업들도 과거에는 마음대로 은행 돈을 가져다 썼지만 이제는 그것이 잘 안 되게 되어 있습니다. 그래서 우리나라 30대 재벌 중에 11개 재벌이 사실상 해체되어 버렸습니다.

그리고 5대 재벌도 다섯 가지 조건, 즉 투명성 보장, 상호지급보증 금지, 경영의 현실화, 오너들의 법적 책임, 그리고 주력 기업 중심으로의 경쟁력 있는 기업 체제 확립을 정부가 강력히 요구해서 법으로 만들어 놓았고, 실제 그렇게 되고 있습니다. 5대 대기업들도 자기 기업을 팔고 빅딜 같은 것도 하고 있습니다. 지난번에 어떤 반도체 회사가 정말 자기네 살같이 생각하던 기업을 눈물을 흘리면서 내놓은 일도 있습니다. 기업이라고 해서 희생 안 한 것이 아닙니다. 정부와 공공기업에서도 많은 부서를 줄이고 인원도 감축시키고 있습니다.

이렇게 해서 고통을 분담하고 있습니다. 어느 쪽이 더 많이 느끼느냐 하는 건 별개로 하더라도, 적어도 분담을 하고 있는 것은 사실입니다. 이 점에 있어서 정부는 양심의 가책 없이 하고 있습니다.

그리고 노동자 측에 대해서도 우리가 줄 것은 주고 있습니다. 예를 들면 민노총을 합법적으로 등록시키도록 했습니다. 교원노조도 만들었습니다. 노동자들의 정치 참여도 허용하고 있지 않습니까? 지난번 지방선거에도 노동계 출신이 나왔어요. 내년 국회의원 선거에도 나올 것입니다. 민노총에서 강력하게 주장하는 의료보험 단일화 문제 같은 것도 추진하고 있습니다. 임금 채권에 대해서 보증 제도도 하고 있고, 작년에는 노사정 합의에서 5조 원이었던 실업 자금을 정부가 자진해서 10조 70억 원으로 늘렸습니다. 이처럼 정부도 노동자들을 위해서 가능한 일은 하려고 나름대로 노력하고 있습니다. 작년 3월에도 노동운동으로 구속된 사람을 석방했지만, 이번에도 가급적 많은 사람을 석방하려고 노력하고 있습니다.

정부는 기업과 노동자의 중립적 입장에서 공정한 중재사 역할을 하고 법의 집행자 역할을 하겠다는 것입니다. 노동운동에 대해서도 과거에 비해서 이제는 집회나 시위를 포함해서 합법적이고 비폭력적으로 하면, 정부가 어떠한 탄압도 가하지 않고 있습니다.

노사정위원회 문제가 나왔는데, 법적 기구로 만들 수 있습니다. 그러나 한 가지 얘기하고 싶은 것은 노사정위원회는 노동자가 손해 보는 기구가 아닙니다. 노사정위원회는 기업가를 위해서도 필요하고 정부를 위해서도 필요하고 노동자들을 위해서도 필요합니다. 거기에 모여 서로 얘기해서 주장을 하고 합의가 되면 실천하는 그런 기구가 아닙니까?

그리고 노사 관계도 세계무역기구(WTO) 체제 이전, 국민 경제 시대에 국내에서 경쟁하던 때에는 노사 간에 이기고 지는 것이 의미가 있었습니다. 그러나 이제는 고무신 만드는 공장이건 양복을 만드는 공장이건 혹은 전자 제품을 만드는 공장이건, 모든 기업이 세계에 나가서 세계의 일등 기업과 경쟁하는 이런 시대이기 때문에 제일 좋고 제일 싼 물건을 만들지 않으면 성공할 수가 없습니다.

이런 때에는 노사가 협력해서 기업을 살려 고통도 같이 분담하고 그 결과도 분담하는 체제가 되어야 합니다. 정부는, 분명히 얘기해서 고통도 같이 분담하도록 노력하고 있지만, 우리 경제가 살아나서 잘 되면 그 결과도 노동자나 국민 모두에게 분담이 되도록 할 것이라는 것을 약속하면서, 노사 양측이 건설적으로 협력하는 길로 나가 주시기를 진심으로 부탁드려 마지않습니다.

정범구 구조조정 문제는 온 국민들의 관심이 집중되어 있기 때문에 방청석에서도 질문을 한번 받아보겠습니다.

중소기업 대표 금방 대통령님께서 노사 간에 공정한 중재자 역할을 하겠다고 말씀하셨는데, 그럼에도 불구하고 우리 사회에서 재벌 개혁의 문제는 어제오늘의 문제가 아니고 역대 정권에서도 출범 초기에 누구이 개혁을 약속했지만 한 번도 성취해 본 적이 없습니다.

다행스럽게 '국민의정부'가 들어서서 어느 정도 가시적인 성과가 있다고 생각은 되지만 아직 속단하기는 이른데, 이 점에 대한 대통령님의 확고한 의지를 다시 한번 여쭙고 싶습니다.

재벌은 비호받고 중소기업은 소외받는 관행은 사라져야

김대중 그 문제에 대해서, 오늘 아침 신문을 보셨겠지만 홍콩에서 나온 잡지에서 "한국의 경제 개혁이 크게 성공했다. 이제 김대중이란 사람이 아시아에서 가장 강력한 지도자다."라고 하면서 "기업들의 팔을 비틀고 협박을 해서 하고 있다"는 말까지 했습니다.

실제로 그렇게 팔을 비틀어 본 일은 없습니다만, 여하튼 그것은, 국내에 계시는 여러분은 절실히 못 느끼지만 해외에서 볼 때는 다른 나라에 비해서 우리나라가 기업의 구조조정을 기가 막히게 강력히 하고 있는 겁니다.

더구나 한국의 재벌이라는 것은 세계에 유례가 없는 강력한 재벌입니다. 그런데 그 재벌을 상대로 하고 있는 것이라는 말입니다. 재벌로부터 다섯 가지를 약속받아 구조 개혁을 하고 있습니다. 우선은 재벌의 투명성입니다. 거기에는 결합재무제표라든가 사외이사라든가 소액주주 권리 행사 같은 것이 포함되어 있습니다. 그렇기 때문에 깨끗하고 투명한 기업 회계가 이제부터 시작된 겁니다. 이런 개혁이 지금 되고 있는 것입니다.

두 번째는 재벌들이 서로 은행 빚을 보증해 주는데, 잘된 기업이 잘못된 기업을 보증한다는 말입니다. 그러면 잘된 기업은 못된 기업을 보증했기 때문에 망하고 못된 기업은 빨리 망해야 되는데 망하지 않는다는 것입니다. 그래서 우리 재벌 전체가 이렇게 된 것입니다. 이제는 이것을 못 하게 되었습니다.

세 번째는 기업들이 재무구조를 헌실화하고, 싸게 살 것을 비싸게 사 준다든가 비싸게 팔 것을 싸게 팔아 준다든가 하는 내부자 거래를 못 하게 하는 것입니다. 지금 이를 적발해서 과징금을 물리고 있습니다. 은행 계좌까지 뒤져 가면서 하게 되어 있습니다. 지난번에 법을 고쳤는데 이를 공정거래위원회가 하게 된 겁니다.

네 번째는 과거에는 재벌의 회장들이 회장이란 이름만 가지고 법적 등록을 안 하기 때문에, 잘못되어도 고용되어 있는 중역들이 해고를 당하고 오너들은 끄떡없었습니다. 이제는 모두 법적으로 등록해서 민사상, 형사상의 책임을 지게 되어 있습니다.

그리고 마지막으로 문어발같이 수십 개의 계열사를 가지고 있는 재벌에 대해서 채권자인 은행을 통해 강력하게 규제하고 있습니다. 몇 개를 갖든, 기업을 갖는 것을 문제 삼는 것이 아니라 기업이 국제 시장에 나가서 경쟁력 있는 기업이냐 아니냐가 문제입니다. 경쟁력 없는 기업은 결국 국민의 부담이 되고, 은행의 부담이 되는 것입니다.

이렇게 구조조정을 하고 있는 것입니다. 세계가 놀랄 정도로 하고 있다는 겁니다. 앞으로도 모든 기업은 독립적으로 운영해서 세계시장에서 경쟁에 이기는 그런 기업이 되어야 합니다.

저는 재벌 총수들에게 한 얘기가 있습니다. "어떤 사람이 애국자냐. 기업 경영을 철저히 잘해서 흑자 많이 내고 세금을 많이 낸 사람이 애국자다. 그리고 해외에 나가서 경쟁에서 이겨 외화를 많이 벌어 오는 사람이 애국자다. 그런 사람을 애국자로 대하겠다"고 했습니다. 지금 정부는 그러한 입장에서, 말하자면 재벌을 편달하고 있는 것입니다.

정부는 재벌을 미워하지도 않지만 특정 재벌을 비호하지도 않습니다. 나라를 위해서 경제적인 활동을 하고 있는 기업은 우리가 지지할 것이고, 그렇지 못한 기업은 도태될 것이며 용납되지 않을 것입니다. 정부는 절대로 그런 것은 용납하지 않습니다. 이미 기업 측에서도 그것을 잘 알고 많이 협조하는 방향으로 나가고 있습니다.

여러분, 1년만 두고 보십시오. 우리나라가 재벌 문제에 있어서도 얼마나 더 철저한 개혁을 하는가를 두고 보십시오. 재벌은 비호받고 중소기업은 소외받는 그런 과거의 관행은 이제 이 땅에서 완전히 사라질 것입니다. 제가 대통령으로 있는 한 반드시 그렇게 할 것이라는 것을 여러분에게 굳게 다짐하는 바입니다.

대학생 제가 질문드릴 것은 지금 경제 분야의 구조조정을 너무 급하게 하다 보니까, 우리나라 기업들이 해외에 헐값에 팔린다는 생각이 듭니다. 그리고 우리나라 주요 산업이 외국 자본에 의해 지배되면 오히려 우리나라가 외국 자본에 의해서 종속되지 않을까 걱정도 됩니다. 포항제철과 같은 이익을 잘 내는 기간산업의 지분까지도 외국에 넘긴다는 것은 이해가 가지 않습니다. 이에 대한 대통령의 의견을 듣고 싶습니다.

지금은 세계 경제의 시대

김대중 외국 자본을 받아들이는 것은 식민지가 되는 것이 아니라 경제 선진국이 되는 길입니다. 지금 세계 각국들이, 선진국이나 개발도상국을 막론하고 외국 자본 투자를 받아들이려고 모두 난리입니다.

예를 들면 지금 영국 같은 나라는 국내총생산(GDP)의 20퍼센트가 외국 자본에서 이루어지고 있습니다. 중국은 26퍼센트입니다. 말레이시아는 48퍼센트, 아시아에서 경제에 가장 성공하고 있는 싱가포르는 72퍼센트입니다. 그런데 우리나라는 2.6퍼센트밖에 안 됩니다. 아마 요즘은 비율이 조금 올랐을 것입니다. 그러나 우리는 아직도 멀었습니다.

외국인 투자가 얼마나 중요하다고 생각하느냐 하면, 영국에 우리나라 기업이 가서 공장을 지어 준공식을 하니까 여왕이 직접 와서 준공식 테이프를 끊었습니다. 지금 해외에 나가 보세요. 자기 나라에 투자해 달라고 부탁하는 사람이 한두 사람이 아닙니다. 그건 선진국도 그렇습니다. 지금 우리나라도 중국을 포함해서 여러 나라에 수백 개 기업이 나가서 투자하고 있습니다. 이것이 현실입니다.

만일 외국 자본을 유치하는 것이 식민지화되는 것이라면 여왕이 우리나라 공장 준공식 하는 데 테이프를 끊겠습니까? 시대가 그렇게 달라진 거예요. 지금은 민족 경제의 시대가 아니고 세계 경제의 시대인 것입니다. 외국 자본도 우리나라에 투자하면 그 기업은 우리 것입니다.

미국에 일본 자본이 가서 록펠러빌딩을 산 일이 있습니다. 뉴욕의, 미국의 상징 중의 하나죠. 뉴욕 시민들이 항의하니까 시장이 말했습니다. "일본 사람이 산다고 그 건물을 가지고 도쿄로 이사 가느냐"고 말한 일이 있습니다.

우리나라 기업도 외국 가서 투자하면 그건 외국 기업이고 외국 사람도 우리나라에 투자하면 우리 기업입니다. 우리가 돈을 빌려 오면 갚아야 하니까 외환 위기가 생기는 겁니다. 그러나 우리나라에 투자하게 하면, 우리 원화로 바꾸어 주면 원금도 이자도 갚을 필요가 없습니다.

그리고 외국 기업들이 들어오면 장부를 철저히 투명하게 하기 때문에 속임수가 없어집니다. 탈세도 못 합니다. 그리고 외국 기업이 들어오면 선진 경영 기법을 가져오기 때문에 우리나라의 기업들이 그것을 배워서 발전됩니다. 외국 기업이 여기 와서 투자하면 해외의 수출 시장도 함께 가지고 들어오게 됩니다. 그리고 외국 기업이 투자하면 우리나라의 실업자들에게 일터가 생기는 것입니다. 우리가 외국 기업 안 받아들이고 우리나라 공장들이 문 닫게 되어서는 발전할 수가 없는 것입니다. 그래서 그런 점을 이해해 주시기 바랍니다.

포항제철 이야기가 나왔습니다. 그런데 외국 사람한테 팔 때는 돈이 좀 남는 것도 팔고 안 남는 것도 파는 것이지, 돈 남는 것은 안 팔고 안 남는 것은 판다고 하면 누가 우리나라에 와서 투자하려고 하겠습니까. 주식 시장이 그런 것 아닙니까? 포철에 대해 지금 정부 소유 주식 약 3퍼센트 정도와 한국전력 소유 주식 23퍼센트를 합해서 약 26퍼센트를 팔려고 내놓고 있는데, 이것을 꼭 외국 사람 보고 사라는 것이 아닙니다. 그렇기 때문에 외국 사람이 마음대로 할 수가 없습니다.

다시 한번 이야기해서 이제는 세계 경제의 시대이고, 외국 투자 자본을 영입하는 것이 경제 발전의 가장 중요한 길입니다. 그런 점에서 외국 투자 자본에 대해 우리가 새로운 시각으로 볼 필요가 있습니다. 한국 사람도 외국에 가서 투자하고 있는 이상은 외국 사람도 우리나라에 와서 투자하는 것은 당연한 것입니다. 다만 우리나라 국익에 맞게, 부당한 행위를 못 하게 정부가 철저히 규제할 것입니다. 그 점에 대해서는 안심하기 바랍니다.

대학생 안녕하세요? 저는 조금 색다른 질문을 드려 보겠습니다. 대통령께서 지금 남태평양의 무인도에 가시게 되었어요. 그런데 딱 세 가지만 가져가실 수 있거든요. 그렇다면 무엇을 가져가실 건가요?

김대중 조금만 색다른 게 아니라 보통 색다른 게 아닌데요. 그런데 남태평양에 혼자 가는 것은 아니겠지요. 부부일심이니까 마누라와 같이 가야겠지요. 기왕 그렇게 갈 바에는 실업 문제와 부정부패와 지역감정, 이 세 가지를 송두리째 가져가 버리면 우리 국민들이 좀 행복하게 살지 않겠는가 그렇게 생각합니다.

정범구 이제 다시 토론자석으로 마이크를 옮겨 보겠습니다. 어느 분께서 질문해 주시겠습니까?

노성태(한화경제연구원장) 경기가 조금씩 회복되는 기미를 보이고 있습니다만, 실업 문제만큼은 아직도 전혀 개선되는 조짐이 안 보입니다. 오히려 악화되는 상황에 있다고 하겠습니다. 조금 전에 말씀하신 대로 2월 중에는 실업률이 9퍼센트를 넘어설 것으로 예상되고 있고, 그렇게 되면 실업자 수가 200만 명에 육박하는 사태가 벌어지게 될 것입니다. 그래서 특히 금년 졸업생들과 가족들은 아주 큰 좌절과 실망감을 느끼고 있다고 하겠습니다.

더구나 금년 봄부터는 공기업이 민영화도 되고 구조조정을 본격적으로 할 것으로 예상되고 있습니다. 또 대기업이나 금융기관들도 한 차례 더 살 빼기를 하게 되면 고용 사정이 훨씬 더 악화될 것으로 우려되고 있습니다.

대통령께서는 금년 이후의 실업 문제를 어떻게 보고 계시고 어떤 해결책을 마련하고 계시는지 알고 싶습니다. 금년 졸업자들의 취업을 위해서 특히 생각하고 계시는 방안이 있으시면 말씀해 주시면 감사하겠습니다.

이 정권은 실업 대책 정권

김대중 제가 대통령이 된 이후로 실업 문제만큼 노심초사한 일이 없습니다. 오죽하면 국무회의에서 이 정권은 실업 대책 정권이라고 생각하고 일해 달라는 얘기까지 했겠습니까? 제가 다른 문제 갖고는 지난 정부에 대해 원망스럽게 생각할 때가 별로 없지만, 경제를 이 꼴로 만들어 이처럼 실업자를 만들게 된 데 대해서는 때로는 원망을 많이 하고 있습니다.

그러나 제가 지금 책임을 전부 떠맡아 해야 하는데, 말씀하신 대로 아무래도 이번 1분기에는 실업자가 조금 늘어날 것입니다. 그리고 하반기부터 실업자가 줄어들기 시작할 것입니다. 지금 정부 목표는 하반기에는 150만 명까지 줄일 작정입니다. 금년에 정부 최대의 과제가 실업자 대책이라는 것은 두말할 것도 없습니다.

실업자 대책에 대해서는 제가 세 가지를 말씀드리겠습니다. 우선 근본적인 대책으로는 기업이 구조조정을 철저히 해야 합니다. 그런데 이 구조조정의 모순은 구조조정을 하면 때로는 정리해고를 해야 됩니다. 그럼 정리해고가 되면 실업자가 더 늘어나요. 그러나 구조조정을 안 하면 기업이 망하고 전부가 실업자가 됩니다. 여기에 모순이 있습니다. 그래서 일부 실업자를 내더라도 구조조정을 해야 한다는 얘기인데, 말이 쉽지 실업당한 분들의 입장에서는 말하기가 어렵습니다. 여하튼 그래도 구조조정 외에는 길이 없습니다.

우리 경제도 이제는 대기업들, 규모가 큰 산업을 중심으로 실업을 해결하려 해서는 안 됩니다. 공장은 발전되면 발전될수록 더 기계화되고 자동화되기 때문에 사람이 더 필요 없어집니다. 그래서 우리 기업은 앞으로 중소기업, 특히 벤처기업 중심으로 일자리를 만들어 나가야 하겠습니다. 미국에서 대기업이 20만 명의 실업자를 낼 때 벤처기업이 100만 명의 일자리를 만들어서 오늘날 미국이 저실업률을 나타내고 있는 것입니다. 그래서 벤처기업, 중소기업 육성에 전력을 다해 나가겠습니다.

또 하나는 관광산업, 서비스산업이 있는데, 이런 분야가 이제는 굴뚝에서 연기 안 나는 기간산업입니다. 작년에 관광산업이 37억 달러 흑자를 냈습니다. 재작년에 11억 달러 적자였는데 이렇게 엄청난 흑자를 냈습니다. 반도체보다 더 커요. 그래서 이런 관광산업을 적극 육성해야 합니다. 인간문화재들이 만드는 제품 같은 것을 계약제로 생산해서 관광 상품으로 팔라는 얘기도 했는데, 이렇게 해서 관광 분야에서 일자리를 만들어 가야 합니다. 영화나 만화영화와 같이 좋은 영상 매체 모두가 우리가 지금 개척해 나갈 새로운 분야입니다. 역시 지식산업, 정보산업 쪽으로 발전해서 일자리를 만들어 가야 되지 않겠는가 생각합니다.

또 하나 정부가 역점을 두고 추진하고 있는 것은 직업 훈련입니다. 이제는 육체만으로 하는 노동은 별 의미가 없습니다. 이제는 지적 능력을 가미한 노동자가 나와야 합니다. 그래서 일반 노동자는 한 단계 높은 기능공으로 만들어 내고, 일반 사부원은 컴퓨터와 같은 능력을 갖춘 고급 인력으로 양성해야 한다고 생각합니다.

단기적으로는 지금 공공근로사업 같은 데에 약 40만 명을 투입해서 일을 시키고 있습니다. 학생들도 3만 7,000명의 대학 졸업생을 인턴으로 채용해서 각지에 배치하고 있는 중입니다. 그리고 실업자들에 대해서 생계비로 매월 평균 100억 원씩 대출해 주어서 그것을 가지고 조그마한 장사를 하도록 하고 있습니다.

다음으로 사회 안전망을 통해 입는 것과 먹는 것, 병 고치는 것, 그리고 중학교까지 자녀 교육시키는 것을 정부가 책임지고 있습니다. 이를 위해서 금년도 예산에 4조 7,000억 원이 계상되어 있습니다. 이 예산이 모자라면 추가 경정예산을 편성해서라도 하겠다는 생각을 가지고 있습니다.

정부도 최선을 다하겠지만, 동시에 실업자 되신 분들의 각오도 필요합니다. 어제까지 하던 일만 생각하지 말고 눈높이를 낮추어서 해야 합니다. 지금 구인난 때문에 애쓰고 있는 중소기업이 많습니다. 그런 데에 가서 일할 수 있을 것입니다. 어떤 분은 아침에 신문 배달만 해서 한 달에 30만 원을 받습니다. 또 조그마한 장사를 해서 성공한 분들이 있습니다. 회사에 중역하던 분이 운전기사로 일하는 분도 있습니다. 여하튼 살고 봐야 합니다.

금년에는 경제 성장이 2퍼센트, 많이 보는 데서는 4퍼센트, 5퍼센트로 봅니다. 내년에는 더 나아집니다. 경제가 성장하면 성장한 만큼 일터가 더 생겨납니다. 그렇기 때문에 금년 후반기부터는 일터가 늘어나서 실업률이 줄어들 것입니다. 그런데 지금 유럽의 독일이나 프랑스 같은 나라도 실업률이 12퍼센트가 되고 있습니다.

우리는 모든 노력을 다해서, 무엇보다도 구조조정을 철저히 하여 일터를 많이 만드는 것을 중심으로 해서 내후년에는 실업률을 5퍼센트 선으로 다시 복귀시키겠다는 결심을 가지고 지금 해 나가고 있습니다. 저는 전력을 다해서 이 목표를 반드시 달성하겠습니다.

김연주 이번에는 시선을 해외로 돌려서 런던과 뉴욕에서 질문을 하시겠다는데, 그 질문을 들어 보도록 하겠습니다. 먼저 뉴욕입니다.

코오롱 뉴욕 지사 직원 작년 초 맥이 풀렸던 상황과는 달리 최근 들어 하나같이 국제적인 신용 평가 기관에서 한국의 신용 등급을 상향 평가하고 있습니다. 작년 초 암담했던 한국 상황과는 달리 우리나라에 서광이 비치는 것 같아 이제는 마음이 놓입니다만 이러한 국제적인 신인도가 계속해서 유지될지, 약간의 불안감도 없지 않습니다. 대통령께서는 이 점을 어떻게 생각하십니까?

김연주 이어서 국제 금융의 중심지라고 할 수 있는 런던에서도 질문을 하시겠다고 합니다. 들으시고 난 후에 함께 대답해 주시기 바랍니다.

신한은행 런던 지점 직원 영국도 과거에 국제통화기금(IMF) 지원을 받았습니다. 그러나 당시 대처 총리의 강력한 개혁을 통해 노사 안정을 바탕으로 위기 극복에 성공했습니다. 반면에 최근 브라질은 잘해 나가다가 정치 불안 때문에 경제가 다시 주저앉게 되었습니다.

이곳 런던에서 볼 때 우리나라의 정치 안정, 노사 안정이 걱정입니다. 우리가 너무 빨리 샴페인을 터뜨린 것은 아닌지 대통령께서는 어떻게 보고 계십니까?

샴페인 터뜨릴 때는 아니다

김대중 두 군데 질문을 듣고 우리 국민이 참 훌륭한 분들이라는 생각을 하게 되는데, 해외까지 나가서 저렇게 나랏일을 걱정해 준 분들에게 정말 감사하게 생각합니다.

우리가 국제 신인도를 유지할 수 있느냐, 할 수 있다고 봅니다. 다만, 아까도 얘기했지만 우리가 개혁을 제대로 해서, 기업의 구조조정을 제대로 해야 합니다. 그래야 경쟁력이 생깁니다. 경쟁력이 생겨야 수출이 잘됩니다. 수출이 잘되어야 외화가 들어와서 외환 위기가 오지 않습니다.

또 그렇게 경쟁력 있는 개혁을 하면 외국 투자 자본이 들어오기 때문에 그만큼 외화가 늘어납니다. 그래서 저는 우리가 작년에 국민과 같이 합심해서 해 온 것처럼 금년에도 잘해 나간다면 우리 경제는 결코 제2의 외환 위기는 맞지 않을 것이라고 확신합니다. 그러나 영국에 계시는 분이 이야기했지만, 지금이 샴페인 터뜨릴 때는 절대로 아닙니다. 아직도 우리는 경쟁을 해야 됩니다. 그렇기 때문에 정부도 저도 샴페인을 전혀 준비하고 있지 않습니다.

우리는 금년에도 허리띠를 졸라매고 개혁을 반드시 바르게 해내야 하겠습니다. 지금 영국과 브라질의 얘기가 나왔는데, 영국이 개혁을 하는데 10년 동안 여러 가지 고생을 했습니다. 뉴질랜드는 8, 9년 걸렸습니다. 그렇게 해서 지금 아주 튼튼한 기반을 만들어 승승장구 발전하고 있습니다.

우리 앞에는 아주 뚜렷한 두 가지 모범이 있습니다. 우리는 반드시 영국과 같이 개혁을 철저히 해서 우리 경제를 살릴 것입니다. 저는 대처 총리와 같이 훌륭한 사람은 못 되지만, 개혁만은 대처 못지않게 철저히 해서 우리나라 경제를 반드시 살리겠다는 것을 국민 여러분에게 굳게 다짐합니다.

정범구 다시 질문을 토론자석으로 옮겨 보겠습니다.

손혁재(참여연대 협동사무처장) 사회 안전망 말씀을 하셨는데, 최근 국민연금 확대 문제가 많은 국민을 흥분하게 만들었습니다. 사회보장제도를 확충하는 국민연금 확대는 원칙적으로 필요하다고 생각합니다. 그러나 천만 명이 넘는 국민들에게 연금을 확대하는 과정에서 정부가 준비를 게을리하는 바람에 군인이나 학생, 심지어는 직장을 잃고 하루하루 어렵게 살아가는 실직자에게까지 보험료가 부과되는 어처구니없는 일들이 일어났습니다.

그러다 보니 정부에서는 국민들의 반발을 무마하느라고 연금제도의 기본 틀마저 후퇴시키는 그런 모습을 보이고 있습니다. 국민연금 확대에 따른 혼란과 불만을 어떻게 해결하실 생각이신지, 또 졸속 행정에 따른 책임자 문책의 소리가 높은데 이 문제는 어떻게 하실 것인지 대통령님의 생각을 듣고 싶습니다.

김대중 국민연금 확대 문제에 대해 첫째는 혼란을 끼쳐서 국민에게 죄송스럽게 생각합니다. 둘째는 대통령으로서 참 어이없다는 생각을 하고 있습니다. 정말 국민을 위해서 좋은 일을 한다고 큰마음 먹고 한 일을 맡아서 한 분들이 기술적으로, 사무적으로 잘못을 해서 이렇게 큰 국민적 걱정을 끼친 사태를 가져온 데 대해서, 대통령으로서 큰 책임도 느끼고 또 실망감도 이만저만 크지 않습니다.

여러분이 아시다시피 복지사회를 만들려면 세 가지 보장이 있어야 합니다. 하나는 병들 때 보장해 주는 의료보험, 이것은 현재 전 국민이 가입되어 있습니다. 두 번째는 실업자가 되었을 때 생계비를 받는 것, 이것은 금년 4월로써 완성됩니다. 단 한 사람이 있는 직장, 임시 직원까지도 전부 고용보험에 가입할 수가 있습니다. 그렇게 하면 실업자가 되더라도 생계비가 나옵니다.

그리고 마지막으로 60세가 된 이후 생계에 대해서 보증하는 것이 국민연금입니다. 사람이 젊었을 때는 어떻게든 살지만, 나이 먹었을 때가 중요합니다. 국민연금은 120만 원쯤 소득 있는 분이라면 20년 정도 계속 붓고 나서 60세 이후 노후에는 약 38만 원쯤 받게 되어 있습니다.

지금까지의 국민연금은 1988년에 시작해서 직장인들이 가입을 했습니다. 세월이 얼마 안 지났지만 그때 가입했던 분들 중 60세 이상 되신 분들, 현재 19만 2,000명이 매달 14만 원 정도 받고 있으며, 본인이 사망했으면 유족이 13만 원 정도 받고 있습니다. 농민은 1995년에 가입했기 때문에 아직 못 받지만 머지않아 받을 것입니다. 여기에 도시민 1천만 명이 가입하게 되면, 우리는 사회보장의 틀을 완성하게 되는 것입니다. 이렇게 중요하고 이렇게 좋은 국민연금제도를 실천하는데 칭찬은커녕 큰 질책을 받고 있는 이런 현실이 참으로 안타깝게 생각됩니다.

그래서 저도 관계 부처에 엄중히 명령하고 질책해서 여기에 대해 근본적으로 생각하고 보완책도 생각하라고 했습니다. 이제 국민에게 걱정을 끼친 문제, 권장 보험료를 통고했던 것을 현실에 맞게 시정시키는 문제, 보험료를 지불할 필요가 없는 사람에게 했던 것을 취소시키는 문제 등을 직접 챙기면서 국민연금이야말로 국민을 위한 연금이 되도록, 국민의 걱정을 끼치는 연금이 안 되도록 책임지고 시정시켜 나가겠다는 것을 여러분에게 약속하는 바입니다.

그리고 한 가지 더 얘기하고 싶은 것은 우리 사회가 노령화 사회가 되어 가는데, 노후를 모두 자식들에게 의존할 수는 없습니다. 노후에도 자기 힘으로 살아갈 수 있는 준비를 해야 합니다. 지금 자식들에게 의존해서 비참한 부모들이 얼마나 많습니까? 그런 점을 생각하더라도 국민연금에 대해서는 여러분께서 근본 취지를 잘 이해해 주시기 바랍니다.

이현경(아나운서) 강원도의 한 농촌에 나와 있습니다. 지금 이곳에서도 대통령께서 무슨 말씀을 하고 계시는지 듣고 있는데요. 과연 이곳에 살고 계시는 분들은 어떤 점들이 궁금한지 한번 들어 보도록 하겠습니다.

농민 농사를 짓고 있는 사람입니다. 국제통화기금(IMF) 외환 위기 이후에 농촌 경제는 위축이 되고 각종 농자재 값은 많이 오르고 있습니다. 또 대출금리는 고금리가 되어서 농가 부담을 가중시키고 있습니다.

대통령께서는 농어가 부채 경감 등 농촌을 위해서 약속을 많이 했습니다만, 지금도 농촌 부채는 눈덩이처럼 불어나고 있습니다. 또 농가는 실망과 실의에 차 있습니다. 일부 농가에서는 파산 위기에 이르고 있습니다. 이 어려운 시기에 농어민을 위해서 획기적인 대책과 방법이 있으시면 말씀해 주시기 바랍니다.

농가 부채의 근본은 정책의 잘못

김대중 여러분의 부채 문제를 제가 잘 알고 있고, 또 선거 때 이 문제에 대해 많은 약속을 한 바가 있습니다. 그래서 국민의정부는 농협과 같이 협력해서 이미 1조 6,000억 원의 농가 부담을 경감시켰습니다.

그리고 1999년 말까지 상환 기간이 만료된 정책성 자금 14조 5,000억 원에 대해서 2년 동안 상환을 연기시켰습니다. 또한 농수산물 관련 중장기 자금에 대한 금리도 1-2퍼센트를 인하시켰습니다. 예를 들면, 중장기 정책 자금의 금리를 6.5퍼센트에서 5.5퍼센트로 인하하고, 상호 금융은 16.5퍼센트에서 14.5퍼센트로 인하했는데, 이것은 앞으로 상황을 보아 가면서 더 인하해야 한다고 생각하고 있습니다.

그런데 근본적으로 농가가 부채를 많이 지게 된 데는 여러 가지 이유가 있지만 가장 큰 것은 정책의 잘못에 있습니다. 지금까지 정책이 농지 정리나 농기계화 등 생산 증대에만 힘쓰고 가격 보장에는 등한시했습니다.

따라서 생산이 많이 되면 많이 될수록 오히려 가격이 폭락해서 손해를 보았습니다. 농산물은 비축해 놓기도 어려운 것입니다. 그래서 농가가 지금 부채투성이가 되었는데, 아까도 말했지만 농민들이 자기 생산품을 제값을 못 받고 중간상인들이 전부 차지하고, 도시 소비자들은 비싸게 사 먹는 체제가 계속되어 왔습니다. 농민들이 만일 제값을 받으면 많은 이득을 내고 부채를 지지 않게 될 것입니다.

이래서 저는 대통령이 된 이후, 농수산물이 제값을 받지 못하는 문제를 해결하는 길은 유통을 개선하는 데에 있다는 생각으로 이번 1999년 농업 부문 예산부터 유통 부문 예산을 대폭 늘렸습니다. 과거 농업 부문 예산에서 6퍼센트밖에 안 되던 유통 예산을 15퍼센트로 늘리고, 이것을 점차 30퍼센트까지 늘려서 농민들이 제값 받는 유통 구조를 만들고자 합니다. 농민들이 제값을 받으면 빚도 갚고, 돈벌이가 되면 생산을 하지 말라고 해도 열심히 하게 됩니다.

그래서 생산도 증대시키는 가운데, 정부가 여러 가지 농업정책을 통해 농어민들이 잘되어 나가도록 하겠다는 생각을 하고 있습니다. 또한 정부 재정의 한도 내에서 여러 가지 지원을 해서 농어민들이 몰락하지 않도록 해 나갈 것이라는 것을 여러분에게 약속하는 바입니다.

주부 저는 평창동에 사는 주부입니다. 지난 1차 대화 때는 국제통화기금(IMF) 외환 위기 때문에 밤잠을 거의 못 주무신다던 기억이 나는데요. 지금은 잘 주무시는지요. 그리고 또한 건강은 어떠신지 궁금합니다.

김대중 요즘은 잘 잡니다. 그것은 국제통화기금(IMF) 외환 위기도 한고비 넘겼고, 또 우리 국민이 국제통화기금(IMF) 외환 위기를 넘기기 위해서 금붙

이를 모두 모아 오고, 이런 것을 보니까 정말 자신이 생겼습니다. 제가 중국에 갔을 때 장쩌민 주석도 금 모으기 운동을 굉장히 부러워했습니다. 텔레비전으로 보았다고 합니다. 그래서 이런 국민이 어디에 있느냐고 하면서, 한국국민의 애국심과 나라의 위기를 극복하려는 그 정신을 높이 평가했습니다. 세계 도처에서 그러한 말을 들었습니다. 그래서 요즘은 국민과 같이하면 된다는 생각을 합니다. 중요한 것은 건강이다, 건강하기만 하면 우리가 해낼 수 있다는 생각을 하니까 잠도 잘 잡니다.

그런데 지난 연말에 감기에 걸렸는데 하루도 쉴 수 없고, 대통령이 누워 있으면 당장에 여러 가지 소문이 많이 나거든요. 그리고 그때 베트남까지 가기도 했는데, 아무래도 안색이 나쁘니까 여러 가지 이야기가 있었던 것 같습니다.

그래서 최근에 제가 정밀 검사를 받은 결과, 주치의 말이 "30대 건강이라고 말할 수는 없지만 노인 건강은 아니다."라고 해서 "그러면 장년쯤 된다는 얘기냐"고 했더니 "그렇다"고 했습니다. MRI라는 검사도 했는데, 특히 좋다고 했습니다. 그래서 아마 국사를 판단하는 데는 지장이 없을 것 같습니다. 안심하시기 바랍니다.

김연주 오늘 방청석에는 남녀노소 각계각층의 많은 분들이 자리를 하고 계시는데, 방청객 중에 제일 연소자가 아닐까 싶습니다. 낯익은 주인공입니다. 드라마 「은실이」에서 은실이 역할을 하고 있는데 실제 이름은 전혜진 양이라는 사실을 저도 오늘 처음 알았습니다. 혜진 양은 대통령께 어떤 점이 제일 궁금합니까?

전혜진(탤런트) 대통령 할아버지께서는 왕따에 대해서 아시죠. 왕따 때문에 많은 아이들이 괴로워하고 있는데요. 이런 문제를 해결해 주셨으면 좋겠습니다.

민주주의는 억압자에 대한 고발정신

김대중 그런데, 내가 「은실이」 팬인 줄 알아요? 은실이가 그 어려운 환경을 잘 참아내고, 또 버리고 간 어머니를 용서하는 것을 보고 정말 여러 가지 감동을 받았는데, 오늘 여기서 만나니 참 반가워요.

왕따는 물론 압니다. 왕따 문제는 참 기가 막힌 문제입니다. 학교 다니면서 친구들한테 따돌림받는다는 것이 얼마나 고통스러운 일입니까? 나도 조금은 그런 경험이 있어요. 그래서 요즈음 왕따를 당하고 있는 어린이들 심정을 잘 알게 됩니다.

이 왕따 문제를 해결하는 길은 가정과 학교, 사회와 수사기관 4자가 협력해서 이 문제를 반드시 뿌리 뽑겠다고 나서야 합니다. 그런데 그것만 가지고는 부족합니다. 왜냐하면 왕따를 당한 학생이 말을 하지 않으면 아무리 해결하고 싶어도 해결할 길이 없습니다. 지금 왕따를 당한 대부분의 학생들이 숨기고 있기 때문에 왕따 문제가 해결이 안 되는 겁니다. 그래서 이 문제는 우리 어린이들에게 조금 가혹할시는 모르지만, 왕따를 당한 학생들이 용감하게 고발해야 합니다. 고발해 주어야 알게 되고 이것을 처리할 수가 있습니다.

또 왕따 짓을 한 아이들은 고발하지 못할 것이라고 생각하니까 마음 놓고 그런 짓을 하는 거예요. 물론 왕따당하고 고발하면 죽인다고 하면 겁이 나겠지요. 그러나 그것을 이겨내는 용기를 길러야 됩니다. 민주주의라는 것이 어떻게 해서 되었습니까?

민주주의는 억압자에 대한 고발정신을 통해서 된 겁니다. 시민정신이란 것이 바로 그런 겁니다. 자기가 인격을 유린당하고 있는데 그것을 신고하지 않는 시민정신으로는 천년이 가도 민주주의가 안 됩니다. 또 어렸을 때 그런 짓을 당해서 그대로 가면, 자기 인생을 두고두고 후회하게 됩니다. 그래서 왕따당한 것은 참 안됐지만 정말 그것을 없애려면, 앞으로 계속 당하지 않고 남도 당하지 않게 하려면 고발해야 됩니다. 또 선생님이나 부모들도 그것을 권장해야 합니다. 일제히 고발해 보세요. 감히 할 수가 없어요. 그러면 왕따는 끝나는 겁니다. 그 외에 딴 길이 없어요.

나는 왕따 문제에 대해 우리 어른들이 반성해야 된다고 생각합니다. 지금 패거리가 되어 약자를 왕따시키고 있는데, 우리 사회가 지금 패거리 사회예요. 학교별로, 지역별로, 직업별로 모두 패거리가 되어 약자를 놀리고 있는 것이 우리 사회의 현실 아닙니까? 어린이는 어른들의 거울입니다. 그래서 우리 자신부터 그런 패거리 정신을 없애고 패거리 행동을 하지 말아야 합니다. 그래야 아이들이 어른들을 바라보고 그런 짓을 하지 않게 됩니다. 우리 국민 모두가 협력하고, 우리 어린이들도 용기를 가지고 이 나라에서 이 왕따라는 것을 없애야 합니다.

언제까지 이런 못된 버릇이 이 나라에서 횡행하도록 놓아두어야 되겠습니까? 우리가 이제 결심을 해서 왕따를 없애는 데 모두 협력하자는 것을 국민 여러분에게 호소하는 바입니다.

한성주(아나운서) 저는 지금 대전 고속버스터미널 대합실에 나와 있습니다. 대전 시민들도 여느 지역과 마찬가지로 현 정부에게 가진 기대가 큰 만큼 김대중 대통령께 직접 묻고 싶고, 또 듣고 싶은 얘기가 참 많다고 합니다. 여기서 대전 시민 한 분을 만나 뵙고 얘기를 들어 보도록 하겠습니다. 평소 대통령께 무엇을 가장 묻고 싶으셨나요?

대전 시민 얼마 전 경제 청문회에서 김영삼 전 대통령과 관련된 150억 원의 정치자금이 폭로되었습니다. 그리고 대통령께서도 야당 총재로 계시던 시절 사직동 팀에 의해서 은행 계좌가 추적되었던 것으로 알고 있습니다. 많은 국민들은 선거만 하면 엄청난 액수, 천문학적 액수의 정치자금을 연상하는데요. 그렇다면 대통령께서는 이러한 정치자금으로부터 정말로 떳떳하신

지 이 자리를 통해서 말씀해 주시면 고맙겠습니다.

법과 양심에 어긋나는 정치자금은 받은 일이 없다

김대중 저는 그 점에 대해서 이 자리에서 솔직히 말씀드리겠습니다. 저는 정치자금에 있어서 법률적으로 법을 어기거나 대가성이 있는 정치자금을 받은 일이 없습니다. 물론 저도 비공식적으로 정치자금을 받았습니다. 그것은 1997년 11월 14일까지는 그렇게 정치자금 받은 것은 대가성만 없으면, 말하자면 죄가 안 되었던 것입니다.

우리는 당시에 야당이었으니까 천문학적인 돈을 줄 사람도 없었고, 또 우리한테 무엇을 바라고 준 사람도 별로 없습니다. 그러나 무엇을 바라고 주는 그런 돈은 받지를 않았습니다.

그래서 저는 여기서 여러분께 분명히 얘기합니다. 저는 정치자금은 받았지만, 법에 어긋나거나 내 양심에 어긋나서 어떤 대가를 이유로 정치자금을 받은 일은 절단코 없다는 것을 여러분에게 말씀드릴 수 있습니다.

과거 정권이 5년 동안 그것을 갖고 저에 대해서 얼마나 문제를 삼았습니까? 여당의 간부들이 내가 몇백억 원을 받아서 어디에다 감추어 놓았다고 난리를 치고, 그리고 나타난 바와 같이 사직동 팀이 우리 친인척들 계좌를 뒤져 조작을 해서 발표하고, 또 한보 사건 때 여당 쪽은 다 놓아두고 "김대중한테 돈 얼마 주었다 해라. 그러면 너희 자식은 구속 안 하겠다"는 식으로까지 조사했습니다.

과거에 나는 전화 한 통화 자유롭게 걸지 못하고, 어디 가서 마음 놓고 사람 하나 마음대로 만나지 못하는 그런 생활을 했습니다. 심지어 아내와 집에서 얘기할 때도 조금 문제가 있는, 말하자면 남이 들어서는 안 될 말을 할 때면 전부 글로 써서 얘기를 했습니다. 그런 생활을 했기 때문에 내가 만일 그런 부정한 일을 했으면 벌써 나타났을 것입니다.

우리 사회가 과거에 권력만 가지면 천문학적인 수천억 원의 정치자금을 만들고 축재했던 것을 저는 알고 있습니다. 이런 일이 다시는 이 땅에서 일어나서는 안 됩니다. 그래서 여러분께 다시 한번 분명히 얘기하지만, 나 자신은 과거에 법에 어긋나거나 양심에 가책이 되는 그런 정치자금을 받은 일이 없다는 것을 말씀드립니다. 다만 일반적으로 선의에서 준 정치자금, 비공식적으로 받은 것은 있습니다. 그것은 준 사람 입장도 있기 때문에 그렇습니다.

또 새 정부가 들어서서 상층부는 이제 부패가 없습니다. 중하위층도 많이 달라졌습니다. 저는 끝까지 부정부패와 전쟁을 해서 반드시 일소할 것입니다. 정치자금을 포함해서 깨끗한 정치를 실현시키는 일을 제 임기 중에 국민 여러분의 협력을 얻어서 꼭 해내겠다는 것을 이 자리에서 다짐하는 바입니다.

정범구 국민으로부터 접수된 질문이 아주 많이 남아 있습니다. 이번에는 토론자석으로 다시 질문 순서를 옮기겠습니다.

김근(한겨레신문 논설위원) 국내 정치와 관련해서 질문을 드리겠습니다. 지금 이 자리에서도 정치 안정이 절실히 필요하다는 얘기가 여러 차례 나왔습니다만, 정치 안정을 위해서는 무엇보다도 여야 관계가 정상화되어야 된다고 봅니다. 문제는 지금까지 있어 왔던 여야의 대립인데, 그 대립의 내면을 들여다보면 주요 현안에 대한 여야 간의 인식의 차이가 현격히 있다는 것을 알 수 있습니다.

예컨대, 비리 정치인의 사정이나 국세청 불법 모금 사건, 판문점 총격 요청 사건, 또는 야당 의원 영입 문제들에 대해서 한쪽에서는 야당 부수기라는 주장이 있었고, 여당 쪽에서는 나라의 기강을 바로 세우고 개혁을 추진하거나 정국의 안정을 위해서 꼭 그렇게 해야 되고 불가피한 것이었다고 말했습니다.

그래서 지난 1년 동안 여야 간의 관계를 크게 악화시켜 온 이러한 여야 간의 인식의 차이에 대해서 대통령께서는 어떻게 생각하고 계시는지 그 견해를 듣고 싶습니다. 아울러 평소에 가지고 계시는 야당관이 있으시면 말씀해 주시기 바랍니다.

또 둘째로 지금 여야 관계 복원을 위해서 여야 총재회담이 추진되고 있습니다. 이 과정에서 야당이 정계 개편의 포기를 약속하라면서 회담의 전제 조건으로 내걸고 있습니다. 청와대나 여당에서 이 문제에 대해 입장 설명이 있었던 것으로 압니다만, 야당은 거기에 아직 만족해하지 않고 있습니다. 대통령께서는 정계 개편 문제에 대해서 어떤 생각을 가지고 계시는지 소상히 밝혀 주시기 바랍니다.

지금 정치는 국민의 직접 정치

김대중 지금 정치는 어떻게 보면 국민의 직접 정치입니다. 여론을 따라서 해야 합니다. 우리는 세풍 문제라든가, 총풍 문제 등에 있어서 국민 여론조사를 통해 압도적인 다수인 70-80퍼센트의 국민이 그것을 철저히 해야 한다고 해서 우리는 해 왔습니다. 정치인 비리도 마찬가지입니다.

그리고 야당이 새 정부 출범 후 6개월 동안이나 총리를 인준해 주지 않고 2개월이나 실업 예산을 통과시키지 않았을 때, 야당 의원을 영입해서라도 과반수를 만들라는 국민 여론이 압도적이어서 우리는 그렇게 한 일이 있습니다. 그래서 우리는 이 모든 문제의 기준을 국민 여론에 두고 그렇게 했다는 것을 말씀드립니다.

이제 우리는 야당에 대해서 인위적으로 사람을 빼 오거나 야당의 다수파를 공격할 생각이 없습니다. 또 야당이 말한 것과 같이, 우리는 야당을 국정의 정당한 파트너로 생각하고 대할 생각입니다. 필요하면 야당 총재와 대화도 하고, 여야 간 중진 대화도 할 것입니다.

다만 한 가지 야당에게 말씀드리고 싶은 것은, 우리가 인위적으로 그렇게 영입할 생각은 없지만, 야당 내에서도 지금 탈당해서 별도의 교섭단체를 만드느니, 신당을 만드느니 하는 얘기가 나오고 있습니다. 따라서 야당의 관리는 야당이 책임지고 해야지, 모든 책임을 여당이 지라고 하는 것은 이치에 맞지 않는다고 생각합니다.

다시 말하지만 우리는 야당을 파트너로 생각하고, 인위적으로 야당을 해치고 공작할 생각이 없다는 것을 다시 한번 여기서 분명히 말씀드리면서, 하루속히 정치가 원내에서 복원되고 또 그에 따라서 영수회담도 필요하면 언제든지 하는 이런 체제가 되기를 바라고 있습니다.

김광웅(서울대 교수) 지난 1년은 경제에 주력하셨습니다. 그런데 금년 1년을 포함해서 앞으로는 정치 분야의 개혁이 상당히 시급한 것으로 보입니다. 그중에서 가장 핵심이 되는 것이 역시 내각책임제 개헌에 대한 약속입니다. 내각책임제 개헌은 잘 아시듯이, 그 전제 필요충분조건이 상당히 많이 충족되어야 할 것입니다. 말씀하신 대로 경제가 회복되어야 하고, 그 밖에도 정당의 수나 구조와 체제 같은 문제라든가 또는 유럽에서 하고 있는 협의제 민주주의 같은 것이 우리나라에도 가능해야지만 이것이 이루어질 수가 있는 것입니다.

여러 가지 전제 조건이 과연 어느 정도 충족될 수 있는가에 궁금증을 가지면서도, 그러나 한편으로 역시 가장 중요한 것은 김종필 국무총리와의 약속입니다. 이것을 어떻게 지키시겠는지 정치적인 신의와 신뢰의 시금석이 될 수 있는 이 문제에 대해서 말씀해 주시기 바랍니다.

김대중 이 문제에 대해서는 저도 많이 생각하고 있고 또 국민의 여론을 아주 주의 깊게 살피고 있습니다. 그리고 저는 김종필 총리와 한 약속을 결코 잊지 않고 있습니다. 그래서 내각제 문제는 여러 가지를 감안해서 김 총리와 둘이 결론을 내릴 것입니다. 시간도 충분히 있으니까 여러분께서 좀 시간을 두고 기다려 주시면, 이 문제에 대해 양쪽이 원만한 결론을 내리도록 하겠습니다.

김연주 이번에는 계속해서 지방에 계시는 분들의 의견을 들어 보도록 하겠습니다. 대구로 가보겠습니다.

윤지영(아나운서) 이곳은 대구 동성로 대구백화점 앞입니다. 이곳에도 많은 시민들이 나와서 김대중 대통령과의 대화에 귀를 기울이고 있습니다. 그러면 시민 한 분을 만나 뵙고 질문을 받도록 하겠습니다. 어떤 점이 가장 궁금하십니까?

대구 시민 저는 대구에서 개인택시 회사를 경영하고 있습니다. 제가 택시 기사들의 고충을 경영에 반영하고자 직접 운전하면서 많은 시민으로부터 듣고 느낀 사항인데요. 최근 대구와 경북 지방에는 현 정부와 관련하여 지역감정을 자극하는 많은 유언비어들이 난무하고 있습니다.

특히 경제 사정도 좋지 않은 상황에서 이러한 유언비어들은 국민의 정서를 더욱 불안하게 하고 있습니다. 이러한 지역감정들을 대통령께서는 어떻게 해소하실 것인지 묻고 싶습니다.

전 국민이 하나 되는 국민 단합을

김대중 저는 대통령으로서 아주 굳게 결심하고 있는 것이 내가 대통령으로 있는 한 반드시 지역감정을 해소시키고, 영호남만이 아니라 전 국민이 하나가 되는 국민 단합을 이룩하겠다는 것입니다.

여러 가지 유언비어를 퍼뜨리고 있지만 사실이 아니라는 것을 우리가 잘 알지 않습니까? 선거 때 호남에 가서 영남 사투리 쓰면 식당에서 점심을 안 준다, 휘발유를 안 넣어 준다, 그것이 아니지 않습니까? 영남에 있는 공장을 호남으로 가져간다는데 어디에 가져간 공장이 있습니까? 이런 것을 유언비어로 퍼뜨리는 사람들을 우리는 경계해야 한다고 생각합니다.

제가 대통령이 된 후에 모든 신문들이 보도하듯이, 인사 문제에 있어서도 영남이 가장 많은 진출을 하고 있습니다. 예산 배분에 있어서는 전국의 시장, 도지사를 모은 가운데 고르게 분배해 주었습니다.

대구에 사시니까 예산을 얼마만큼 공정하게 배분했는가를 대구 시장이나 도지사에게 한번 물어보십시오. 뿐만 아니라 저는 강원도건, 제주도건, 경기도건 어느 도를 막론하고 모두를 똑같이 사랑하고 똑같이 아끼는 그런 대통령이 될 것입니다.

저는 일생 동안 온갖 박해를 받으면서 싸워 왔습니다. 그러면서 지역차별에 굉장히 시달린 희생자입니다. 저는 전 국민의 대통령이 되지, 결코 일부 지역의 대통령은 안 되겠습니다. 제가 이 세상을 뜬 후에 모든 국민으로부터 추앙받는 그런 인물이 되고 싶지, 어느 한 지역의 사람이 되고 싶지는 않습니다.

그래서 여러분께서도 저의 이 진심을 이해하시고 제가 차별하지 않는 이상, 제가 모두를 사랑하고 노력하는 이상, 여러분도 거기에 같이 호응해서 지역감정이라는 악마의 주술 같은 이 못된 것을 이제 끝내고, 세계화의 시대에 하나가 되어서 나가야 한다는 것을 진심으로 호소해 마지않습니다.

김연주 마지막으로 방청석에서 질문을 한 번 더 받아 보겠습니다.

서울 시민 서울에서 직장을 다니고 있는 사람입니다. 지금까지 좀 무거운 얘기들이 오간 것 같은데요. 다소 부드럽고 훈훈한 질문을 드리려고 합니다.

지난 한 해 동안 저희 모든 국민들이 경제 위기, 국제통화기금(IMF) 한파에 몸을 움츠려야 했고 또 위기 극복을 위해서 노력해 왔습니다. 이렇게 어렵고 힘든 시기에는 서로 간의 격려와 칭찬이 아주 큰 힘이 된다고 생각됩니다. 대통령께서 개인적으로 칭찬해 주고 싶은 분이 계시면 이 자리를 빌려서 말씀해 주십시오.

김대중 국난 극복에 모두 동참한 4,500만 국민, 금 모으기·결식아동 돕기·수재민 돕기, 이런 일에 동참해 준 국민께 찬양을 드려 마지않습니다.

그러면서도 우리 국가의 내일, 21세기에 적응하기 위해 고부가가치·고능률의 신지식을 개발해 낸 사람들이 있습니다. 요즈음 말하는 신지식인입니다. 신지식인은 학벌이 중요한 것이 아니고, 머리를 써서 생산을 증대시킨 사람들입니다. 이런 분들이 농촌에서도 나오고 있습니다.

예를 들면 고추를 1년 내내 딸 수 있고 좀 더 맵고 혹은 덜 매운 것까지 조절하는 이런 것을 개발한 농민도 있습니다. 우편배달부가 컴퓨터로 관내의 모든 안내서를 만들어서 누구든지 처음 취직한 사람도 바로 알 수 있게 만든 사람도 있습니다. 중소기업 하던 사장과 유치원 보모 하던 부인이 같이 농촌에 내려가서 선인장을 개량해서 국제 시장에 진출시켜 성공하고 있는 예도 있습니다.

이러한 모든 사람들, 말하자면 절망하지 않고, 그러면서 단순히 노력만 한 것이 아니라 머리를 써서 더 개량되고 더 좋은 것을 만들어 내는 모든 사람들에 대해서 저는 마음으로부터 칭찬하고 싶습니다.

우리나라의 신지식인들 중에는 가정주부도 있고, 농민도 있고, 노동자도 있고, 기업인도 있고, 기술자도 있습니다. 모든 신지식인께 우리가 격려의 박수를 보냅시다.

정범구 대통령께서 취임하실 때 석 달에 한 번은 국민들과 이렇게 텔레비전을 통해서 대화를 하시겠다는 말씀을 하셨는데, 그동안 국정에 바쁘셔서 참 오랜만에 만나셨습니다. 그래서 아마 평소 하시고 싶으신 말씀도 많았을 것 같은데요. 대통령께서 마지막으로 하실 말씀이 있으시면 한 말씀 해 주시죠.

김대중 국민 여러분께 말씀드리고 싶은 것은, 우리가 암흑 같은 컴컴한 터널 속에 갇혀 있었는데, 이제 열심히 앞을 향해서 온 결과 제대로 길을 잡았습니다. 그래서 저쪽에서 희미한 빛이 비치고 있습니다. 이제 금년에 그 빛을 향해서 우리가 쉬지 않고 나아가면, 그 앞에는 백화가 만발한, 말하자면 넓은 초원이 전개될 것입니다. 저는 그것을 확실히 믿어 의심치 않습니다.

우리가 지금과 같이 개혁을 해 나가면 동북아시아의 중심이 될 수가 있습니다. 한국 국민은 그렇게 인정받고 있습니다. 외국에서 그렇게 말합니다. 그렇게 하면 우리는 세계의 선진 대열에 설 수가 있습니다.

21세기는 교육 수준이 높고, 문화 수준이 높은 우리 국민의 세기입니다. 21세기는 지식산업 시대, 문화산업 시대이기 때문에 우리 국민이 가장 알맞습니다.

저는 국민 여러분과 더불어 힘을 합쳐서 임기 동안에, 특히 우리의 젊은 세대들이 21세기에 세계 무대의 주인이 되어 진출할 수 있는 그런 나라를 만들어 나갈 것입니다.

오늘의 이 고통과 노력이 모두 그런 일을 위한 귀중한 씨앗이 될 것이라는 것을 여러분께 말씀드립니다. 저는 준비가 되어 있습니다. 감히 말씀드려, 준비된 대통령이라고 스스로 믿고 있습니다. 우리들이 같이 가면 반드시 이 나라가 성공한다고 굳게 믿고 있습니다.

여러분의 건강과 건투를 빌면서 여러분께 감사의 말씀을 드립니다.

놀라운 용기와 애국심, 그리고 헌신적인 노력

대담 내외신 기자
일시 1999년 2월 24일

김대중 존경하는 국민 여러분, 그리고 이 자리에 계시는 언론계 여러분!

지난 1년 동안 국민 여러분께서는 정말 놀라운 용기와 애국심, 그리고 헌신적인 노력을 통해 이 나라의 국난을 극복해 왔습니다. 작년 이맘때 우리가 가졌던 그 절망적인 사태는 이제 극복되고, 우리는 파국의 위기를 일단 모면한 것입니다.

국민 여러분께서 성원해 주신 덕택으로 외환 위기를 극복하고 무역 흑자를 확대시키고, 4대 개혁을 차질 없이 진행시켜 왔습니다. 이제 우리는 모두가 "하면 된다. 우리에게는 어떠한 난관도 극복할 역량이 있다"는 확신을 갖게 되었습니다. 저는 이것이 무엇보다 가장 소중한 자산이라고 생각합니다.

올해에도 우리는 그러한 우리들의 역량을 바탕으로 조금도 방심하지 말고 개혁을 추진해 나가면 경제가 반드시 올해부터 살아날 것이며, 내년부터는 정상적으로 승승장구 발전할 것으로 확신합니다.

저는 지난 1년간 국민 여러분에게 참으로 어려운 고통을 요구했고, 국민 여러분께서는 이를 잘 감내하고 극복해 주셨습니다.

저는 두 가지 점에서 우리 국민에게 자랑스러운 결과가 왔다고 생각합니다. 하나는 이미 말한 바와 같이 우리가 6·25전쟁 이후 최대의 국난을 "우리가 단결해서 나아가면 못 할 일이 없다"는 우리 자신의 역량을 다시 한번 확인한 사실입니다. 이러한 자신이야말로 21세기에 우리가 동북아시아의 중심 국가, 세계의 선진 국가 대열에 나갈 수 있는 원천이 되는 것입니다.

두 번째로 우리는 전 세계로부터 우리 한국에 대한, 우리 국민에 대한 기대 이상의 높은 평가와 찬양을 받았습니다. 작년 외환 위기가 왔을 때 세계는 우리에 대해서 걱정하는 눈초리, 또는 약간 빈정대는 그러한 언사로 "한국은 이제 큰일 났구나. 희망이 있을 것인가?" 하는 여론이 팽배했습니다. 그러나 이제는 세계가 한결같이 한국에 대해서 "한국은 다르다. 한국인은 정말 놀라운 사람들이다."라고 높이 평가하고 있습니다.

저는 이번에 요르단 국왕 장례식에 참석했다가 돌아오신 김종필 총리로부터 이런 이야기를 들었습니다. 세계 각국의 정상들이 한결같이 "한국은 어떻게 해서 그렇게 빨리 극복했느냐. 한국 국민은 정말 훌륭한 국민이다. 우리도 한국에서 좀 배우고 싶다"고 말하는 것을 들었다고 합니다.

그러나 우리에게 모든 것이 장밋빛이고, 모든 것이 자랑스러운 것만은 아닙니다. 우리는 올해에 극복해야 할 문제, 또 극복하지 못하면 작년 1년 동안의 성과가 허사가 될 수 있는 많은 문제를 안고 있습니다.

첫 번째는 실업 문제를 해결하는 것입니다. 실업 문제는 뭐라고 해도 우리의 최대 과제가 되었습니다. 지금 실업의 고통을 안고 있는 각 가정을 생각할 때, 한시도 마음이 편할 때가 없습니다. 이 실업 문제는 그 극복도 쉽지가 않습니다. 개혁을 하면 실업이 늘어나고 개혁을 안 하면 나라 경제 전체가 좌절되는 모순 속에서 우리는 지금 이 문제와 씨름하고 있는 것입니다.

그러나 개혁은 반드시 해야 합니다. 개혁 과정에서 실업을 최대한 줄이고 사회적 안전망을 확대시켜서, 어떠한 경우에도 국민이 좌절하거나 가정이 파멸되지 않도록 최대의 조치를 취하는 것이 정부가 할 일입니다. 또 할 수 있고 반드시 하겠다는 것을 말씀드리는 바입니다.

두 번째는 작년부터 해 온 금융·기업·공공 부문·노사 문제 등 4대 개혁을 금년에도 흔들림 없이 추진해서, 작년에는 마이너스 성장 속에 위기 극복에 몰두했지만 금년에는 플러스 성장 속에 내년의 비약을 준비하는 그런 해를 반드시 만들어야겠습니다.

세 번째는 정치의 안정과 개혁을 실현시켜야 하겠습니다. 지금 국민이 가장 걱정하는 것이 첫 번째는 실업이고, 두 번째는 정치적 불안정인 것 같습니다. 대통령에 대해서도 이 두 가지 문제에 있어서의 실적이 제일 좋지 않다는 평가를 하고 있습니다.

저는 작년 1년은 경제 건설에 몰두했고, 정치는 정치권에서 처리하도록 했습니다. 그러나 금년에는 반드시 정치를 안정시켜야 경제 발전의 발목을 잡는 것을 막을 수 있다는 국민의 강한 바람에 부응해서 반드시 정치를 안정시키고 국회, 선거, 정당 조직 등등의 개혁을 실현시켜야 하겠습니다.

그리고 또한 우리에게 가장 큰 과제는 국민적 총화 단결을 이룩하는 것입니다. 작년 1년 동안 가장 불행했던 것은 일부에서 지역감정을 선동하고, 또 이런 것이 상당한 영향을 준 사실이었습니다. 지금 세계화를 지향하는 마당에 나라가 산산이 갈라져서, 도별로 갈라지고, 또 북도 남도로 갈라지고, 이런 식으로 분열되어 나간다면 우리 정치는 앞으로 어떻게 되겠습니까? 이것은 결국 우리의 지금까지의 모든 업적을 허사로 만드는 길밖에 되지 않습니다.

나는 대통령으로서 이 문제에 있어서 작년에 최선을 다해 노력했습니다. 지역차별 없이 모든 지역의 국민을 똑같이 존경하고, 사랑하고, 인재를 고르게 등용하고, 예산은 16개 시·도 책임자와 같이 앉아서 분배하는 등 전례 없는 그러한 노력을 했습니다.

이번에 아직도 지역감정의 소용돌이가 있는 가운데서도 참으로 감사하게 생각한 일이 있습니다. 바로 지난 22일 우리나라에서 가장 저명한 여론조사 기관에서 조사한 것을 보니까 저에 대해 과분하게도 국민의 82퍼센트가 지지를 보냈습니다. 그중에 영남 지역도 70퍼센트 이상 지지가 나온 것을 보았습니다. 그동안 대통령 임무를 잘 수행했다는 평가를 해 주는 것을 보았습니다.

또 지난번에 마산이나 구미에서 지역감정을 조장한 그러한 큰 집회들이 있었지만, 그 지방 지도층의 뜻있는 사람들이 이런 지역감정 조장을 반대했고, 또 그 후로 정국의 여론도 그러한 일에 대해서는 극히 부정적으로 나타난 사실입니다.

저는 금년 1년 동안 국민과 협력해서 국민 총단합의 길로 나가는 이 일을 반드시 해내겠습니다. 그런 점에 있어서 종교계, 지식인, 그리고 무엇보다도 언론계 여러분의 협력이 필요하다고 생각하고 있습니다.

세계가 우리 국민을 높이 평가하고 있는데, 우리가 우리끼리 싸워서 세계의 기대를 저버릴 수는 없는 것입니다. 우리의 후손들에게 참담한 실패의 결과를 넘겨주는 조상이 되어서는 안 되겠습니다.

저는 금년 1년 최선을 다하겠습니다. 우리 정부의 모든 사람도 그러한 결심을 하고 있습니다. 국민 여러분이 변함없는 지원을 보내 주시면 작년에 잘했던 점은 더욱 다지고 못 했던 점, 미진한 점은 각오를 새로이 가다듬어 이것을 실천함으로써 금년에 해결하겠습니다. 그리고 내년 2000년에는 우리나라가 세계 선진 국가의 대열에 들어갈 수 있는, 그러한 힘을 갖춘 나라를 금년 1년 내에 반드시 만들어 내도록 하겠습니다.

저는 지금 일본·러시아·브라질의 경제 사정 등을 감안할 때, 우리가 어쩔 수 없는 여러 가지 문제들 때문에 많은 걱정을 하고 있습니다만, 그런 문제에도 차질 없이 대비해 나가겠습니다.

또한 금년은 남북 문제에 있어서도 국민과 더불어 신중하게, 그러나 필요하면 과감하게 한반도에서의 전쟁 억제와 화해·협력의 길을 열어 나가는 노력을 우방과의 밀접한 협력 속에서 해 나갈 생각입니다.

금년 1년에 우리들이 할 일에 대해 많은 성원이 있으시기를 바랍니다. 다시 한번 그동안의 지원에 감사의 인사를 드리면서, 이제부터 여러분의 질문을 받도록 하겠습니다.

질의응답

한국방송(KBS) 기자 지난 1년간을 평가하시면서 미진한 부분도 있었고 앞으로 1년간 최선을 다하겠다고 말씀하셨습니다. 그러나 거기에는 어떤 조건이 필요할 것 같습니다. 이틀 전 대통령께서는 국무회의 석상에서 여기 배석하신 장관들을 질책하신 바가 있습니다. 그리고 당의 일부에서도 개각의 요인이 있다고 이야기하고 있습니다. 이달 말로 정부 부처에 대한 경영 평가가 끝나 가고 있습니다. 개각이 예상되는 상황입니다.

언제쯤 어느 폭으로 어떤 기준으로 하실 것인지요? 그리고 이와 함께 청와대 비서실 개편도 거론되고 있습니다. 이 문제도 그때 같이 하실 것인지 먼저 하실 것인지 답변해 주시기 바랍니다.

김대중 결론적으로 말하면 지금 당장 개각을 서두를 생각은 가지고 있지 않습니다. 청와대 비서실은 지금 생각으로서는 사회복지 분야가 교육과 사회 문제, 의료 문제, 그리고 문화와 관광 문제 등 업무가 너무 과중할 뿐 아니라, 여러분이 아시는 대로 문화·관광이 굉장히 중요한 일이기 때문에, 이것을 둘로 나눌 필요가 있지 않은가 생각하고 있습니다.

여하튼 정부 조직에 대해서는 아직 진단이 끝나지 않았고 개편이 이루어지지 않았기 때문에, 현 단계에서는 개각을 서두를 생각이 없다는 것을 말씀드립니다.

조선일보 기자 대통령께서 밝히신 대북 일괄 타결 구상에 대해서 질문드리겠습니다. 현재 미국이 북한과 금창리 시설 문제에 대해서 협상을 진행 중입니다. 당면한 현안들부터 일괄 타결 구상안을 적용하자는 것인지, 아니면 대통령께서 말씀하시는 일괄 타결 구상이 이와는 별도의 장기적인 구상인지를 명확히 해 주시기 바랍니다.

그리고 대통령께서 말씀하시는 일괄 타결 협상의 가장 중요한 내용은 미국과 북한 간의 수교인 것 같습니다. 미국과 북한 간의 수교가 언제쯤 이루어지는 것이 바람직하다고 보시는지, 또 언제쯤 이루어질 수 있다고 보시는지 말씀해 주시기 바랍니다.

마지막으로 북한이 일괄 타결 구상을 받아들이지 않을 경우, 그 경우의 대안도 갖고 계시는지 말씀해 주시기 바랍니다.

전 세계가 햇볕정책을 지지

김대중 일괄 타결은 양측 간에 있는 모든 문제를 한꺼번에 타결하자는 것입니다. 따라서 당연히 금창리 지하 시설 문제도 포함됩니다. 우리가 북한에 대해 원하는 것을 북한이 수용하도록 요구하고, 또 북한이 우리에게 원하는 것을 우리도 동시에 주는 것이 좋겠다는 것입니다. 그렇지 않으면 우리가 지금까지 경험한 바와 같이, 한 문제가 끝나면 또 다른 문제가 생겨나서 혼란과 긴장이 계속됩니다. 우리는 1994년 제네바협정이 체결되고 나서 이제는 남북 문제가 원만히 해결되고 양측의 국교도 정상화되고 모든 것이 잘될 줄 알았는데, 지금까지 되지 않고 있습니다. 또다시 금창리 지하 시설 문제와 미사일 문제 등이 등장하고 있습니다. 이렇게 되면 계속적으로 긴장이 연속되고 대결이 연속됩니다.

이것은 대단히 바람직하지 못한 일이기 때문에 우리는 일괄해서 이 문제를 처리하자는 것입니다. 더구나 북한은 국민 여론도 찬반의 방향으로 형성되지 않고, 또 정부를 비판하는 야당도 없습니다. 그러나 우리 측은 매일같이 국민 여론의 비판을 받아야 되고 야당의 비판을 받아야 합니다. 이런 데서 몇 년이고 남북한 간의 문제를 미결 상태로 계속 끌고 가거나, 하나 끝나면 또 하나 문제가 생기는 것은 우리의 현실로 보아서 바람직하지 않다고 생각합니다.

우리는 북한이 대량살상무기의 개발을 중지하고 국제사회에서 책임 있는 일원이 되고, 그리고 남북 간의 평화와 교류·협력에 의해서 한반도가 더 이상 시빗거리가 없도록 북한이 태도를 취해야 한다고 생각합니다. 동시에 우리도 북한에 대해서 그들이 원한다면 안전을 보장하고 경제적 지원을 하고, 국제사회의 일원으로서 활동하는 것을 도와주어서 북한이 바라는 것을 주어야 합니다. 따라서 미국이나 일본이 북한과 수교하는 것이 바람직합니다.

이런 문제를 일괄해서 해결하면 양측은 더 이상 시빗거리가 없을 뿐 아니라, 50년 이상 계속되어 온 한반도에서의 냉전 상태를 끝낼 수가 있다고 생각합니다. 세계의 냉전은 이미 끝났고 냉전의 당사자들도 화해했으며, 그중에 하나인 소련은 이미 소멸되었는데 우리만 냉전 상태에 있습니다.

그래서 일괄 타결을 주장하는데, 다행히 우리의 우방 국가인 미국이나 일본에서도 이것을 적극적으로 이해하고 보조를 같이해 북한에 대처하고 있는 중입니다. 그러나 이러한 문제를 우리가 해결하는 데는 많은 인내심과 노력이 필요합니다. 또 우리의 대북 정책에는 주변 4강인 미국과 일본, 중국과 러시아, 그리고 전 세계의 지원도 필요합니다.

제가 지난 1년 외국을 돌아보고 또 외국 손님들을 맞이하면서 정말 큰 감명을 받은 것은 전 세계가 우리가 제시한 안보와 화해·협력, 소위 말하는 햇볕정책을 아주 적극적으로 지지해 주고 있다는 것입니다. 저는 이것이 북한에 대해서도 국제적인 큰 영향이 되고 있다고 믿습니다. 이러한 모든 대북 정책은 우리가 미·일과 긴밀히 협조하고 중국이나 러시아의 협력을 얻어 가면서 해 나가겠습니다.

그리고 안 되었을 때 어떻게 할 것이냐는 문제가 제기되고 있는데, 우리는 지금 북한에 대해 아무런 준비도 하지 않고 어떠한 안보 태세도 없이 그저 좋게 지내자고 하는 것이 아닙니다. 우리는 먼저 북한이 전쟁을 도발하지 못하도록 철저히 대비하고 있으며, 만일 불행한 일이 일어나서 전쟁이 나더라도 이것을 우리가 확실히 극복할 수 있는 그러한 준비를 하고 있는 것입니다.

우리는 북한과 합의가 잘 안 되었을 때 북한은 상당한 국제적 압력을 받게 될 것이며, 국제적 원조를 얻는 데 여러 가지 어려움을 겪을 것으로 봅니다. 우리는 그때는 또다시 국제적으로 협력해서 북한이 전쟁을 도발하지 못하도록, 그리고 마음을 바꾸어서 다시 협력의 길로 나오도록 계속 노력해야 하지 않겠는가 생각합니다.

중앙일보 기자 북한 적십자사가 미전향 장기수에 대해 무조건 송환을 요구하고 나섰습니다. 정부도 이들에 대해 특단의 조치를 강구 중이라고 밝힌 바 있습니다. 이들을 어떻게 처리하실 건지 말씀해 주십시오.

아울러 대통령께서는 금년에 남북 관계에 상당한 진전이 있을 것이라고 말씀하신 바 있습니다. 남북 관계를 전망해 주십시오. 이산가족 문제에 진전이 없더라도 비료를 지원하실 용의가 있으신지도 말씀해 주십시오.

김대중 이번에 석방된 남파 간첩 17명에 대해서 북한이 송환을 요구하고 있습니다. 우리는 이 점에 있어서 북한이 인도적 입장에서 17명을 가족의 품으로 보내 주도록 요구한 것을 이해할 수 있습니다. 그러나 이와 동시에 우리도 북한에 있는 국군 포로, 혹은 납치된 사람들이 가족의 품 안에 안기기를 절실히 바라고 있다는 것을 북한이 이해해야 합니다.

양쪽이 이런 문제를 안고 있는데 한쪽만 송환하고 한쪽은 안 한다면 그것은 공정하지도 않지만, 우리 국민의 여론이, 국민감정이 용납하지 않을 것입니다. 정부는 국민의 의사를 무시하고 행동할 수는 없습니다. 따라서 이 문제에 있어서는 앞으로 북한과 우리 사이에 국민이 이해할 수 있는 공정한 대화가 있기를 바랍니다.

그리고 지금 북한과는 공개 또는 비공개의 어떠한 접촉도 없습니다. 그러나 필요하면 앞으로 얼마든지 접촉을 해 나갈 수 있습니다. 다만 우리는 과거와 같이 정부를 제쳐 놓고 하는 그러한 대북 접촉 방식은 취하지 않는다는 것은 이미 말씀드린 바 있습니다. 우리는 북한에 대해서 계속 대화를 주장해 왔고 제가 취임하면서도 특사 교환을 주장한 바가 있습니다.

북한은 지난 2월 3일 당국 간의 대화를 처음으로 제의하고 나왔습니다. 이것은 양측의 의견이 지금 맞아 가고 있는 과정에 있다고 보며, 앞으로 계속 연락하고 대화를 추진해서 남북 정부 간의 대화가 이루어지기를 기대하고 있습니다.

북한의 식량난 문제를 해결하기 위해서 식량이나 비료를 지원하고 싶다는 생각을 하고 있습니다. 여기에는 적십자사 같은 곳을 통해서 인도적인 방법으로 하는 길도 있습니다.

우리는 상호주의 원칙을 버리지 않지만, 이것을 융통성 있게 이용하는 것도 검토할 필요가 있지 않겠는가 생각하고 있습니다.

워싱턴포스트 도쿄지국장 대통령께서도 아시다시피 한국의 햇볕정책에 대해서 미 의회와 행정부에서 약간의 의구심을 갖고 있는 부분이 있다고 알고 있습니다. 혹시 미 의회나 행정부에서 대통령의 이와 같은 햇볕정책을 지지한다고 믿고 계십니까?

김대중 우리의 햇볕정책은 그냥 일방적인 유화정책이 아니라 안보와 화해·협력을 병행하는 정책입니다. 이것은 미국이 지금까지 취해 온 정책과 차이가 없습니다.

다만 우리는 북한에 대해서 보다 좀 적극적으로 개방으로 유도하는 그런 노력을 하고 있습니다. 우리는 이런 정책이 지금 취할 수 있는 가장 최선의 정책이라고 생각합니다. 북한과 전쟁을 서두르는 정책을 우리 쪽에서 취해서는 안 됩니다. 전쟁에 대해서는 철저하게 봉쇄하되, 한편으로는 북한이 화해·협력에 응할 수 있는 그러한 적극적인 이니셔티브를 취해서 노력할 필요가 있습니다.

저는 지난 6월 미국을 방문했을 때 클린턴 대통령에게 이 점을 충분히 설명했습니다. 미국이 소련과 했던 데탕트의 결과로 소련이 붕괴되었는데, 그 정책도 말하자면 포용정책입니다. 닉슨이 중국을 방문해 마오쩌둥을 만나고 중국을 국제연합(UN)에 가입시키는 등 미국이 중국과 수교한 일련의 정책이, 그 이후 덩샤오핑이 등장하고 중국이 오늘날과 같이 변하는 계기가 되었습니다. 그것도 일종의 포용정책이고 햇볕정책입니다.

우리는 북한에 대해서 이러한 정책이 반드시 성공적으로 이루어진다고 단언하지는 않지만, 북한이 협력해 온다면 북한도 안정과 번영을 얻을 수 있고, 또 우리도 한반도의 평화와 안정을 얻을 수 있다고 생각하고 있습니다. 이 점에 있어서는 클린턴 대통령도 전폭적으로 지지하고 있습니다.

미국 국회 내에서 일부 비판이 있는 것을 알고 있습니다. 그래서 지난번에 제가 미국 의회의 지도자들에게 편지도 보냈고, 또 그 이전 6월 미국을 방문했을 때의 의회 연설에서도 햇볕정책의 필요성을 제시했습니다. 그때 많은 박수와 더불어 지지를 받은 일이 있습니다. 또 최근에는 우리나라 국회에서 여야 사절단이 가서 미국 의회의 많은 지도자들을 만나 이야기를 했는데, 큰 이해를 얻은 것으로 알고 있습니다.

우리는 앞으로도 계속 대화해서 대북 정책에 있어서 서로 차질 없이 협력해 나갈 수 있도록 노력할 작정입니다.

신화사통신 서울지국장 올해 들어와서 내각제 개헌 문제가 언론계에 중대한 관심사가 되고 있습니다. 이 문제와 관련해서 대통령께서는 작년에 "약속을 꼭 지킬 것이다." 그렇게 말씀하신 적이 있습니다. 얼마 전부터 김종필 국무총리와 두 분이 마주 앉아서 잘 의논해서 해결할 것이라고 말씀하신 적이 있습니다. 이렇게 말씀하신 것은 꼭 개헌을 실행하겠다는 것을 뜻하는 것입니까? 혹은 다른 방법으로 약속을 풀 수 있다는 뜻입니까?

김대중 내각제 문제는 우리 국민만 관심이 큰 줄 알았더니 중국까지도 관심이 커서 아주 중요한 문제인 것 같습니다. 그 문제에 대해서는 우리가 약속이 되어 있다는 것을 조금도 부인하지 않습니다. 다만 실천 방법에 대해서 생각할 점이 있어서 서로 생각들을 정리하고 있는데, 이 점에 있어서는 지난번에 국민과의 대화에서 이야기했습니다. 국민의 여론을 살펴가면서 김종필 총리와 이 문제에 대해 원만하게 매듭짓겠다고 말했습니다.

와이티엔(YTN) 기자 재벌 개혁과 규제 개혁에 관해서 질문을 드리겠습니다. 지난 국민과의 대화에서 대통령께서는 재벌 개혁을 대단히 강조하셨습니다. 물론 여러 가지 방안이 있겠습니다만, 재벌의 빅딜만이 구조조정을 위한 최선의 방책인 것처럼 지나치게 강조되다 보면 구조조정의 본질이 흐려지는 것이 아니냐는 일부 지적도 있습니다. 이와 관련해서 취임 2년째를 맞으신 대통령의 재벌 구조조정 방안이 어떤 것인지에 대해서 말씀 주십시오.

두 번째로 대통령께서는 21세기 지식정보산업의 육성을 특히 강조해 오셨고 올해 국정 지표에도 반영되어 있습니다. 기존의 제조업 개념이 아닌 새로운 지식정보산업의 육성을 위해서 규제를 추가로 풀어야 하는 필요성이 있다고 보시는지, 이에 대한 견해도 아울러 밝혀 주시기 바랍니다.

필요 없는 규제는 철폐

김대중 재벌 개혁은 빅딜이 전부가 아닙니다. 빅딜만 하면 된다는 그런 생각을 갖고 있지 않습니다. 여러분이 아시는 대로 재벌 개혁에 대해서는 재벌과 정부가 협의해서 5개 항목의 개혁을 추진하고 있습니다.

첫 번째는 기업의 투명성 보장입니다. 요즘 주주총회가 시작되었는데, 소액주주들이 지금 주주총회에서 어떻게 나오냐는 것이 각 기업들의 큰 관심거리가 되어 있습니다. 그것도 우리가 법을 고쳐서 투명성을 보장하기 위해 그런 조치를 취한 것입니다.

두 번째는 재벌이 내부 기업끼리 상호지급보증하는 것을 금지시켰습니다. 이것은 굉장한 개혁입니다. 과거에는 잘된 기업이 못된 기업을 보증해 주면 잘된 기업도 망하고 못된 기업은 빨리 망해야 하는데 망하지 않고 있어요. 그래서 전체가 잘못되게 되었는데, 이제는 그 일을 못 하게 했습니다.

세 번째는 재벌의 재무구조를 철저히 개선하도록 했습니다. 그야말로 마른 수건을 쥐어짜서 물을 뽑아내듯이 재무구조를 개선해야 합니다. 그리고 내부자 거래로 서로 적당히 봐주는 일을 못 하게 만들고 있습니다. 지금 그런 것을 적발해서 과징금을 물리고 있지 않습니까?

네 번째는 재벌 총수들이 과거에는 아무런 법적 책임을 지지 않았던 것을 이제는 전부 민사상, 형사상의 책임을 지게 만들었습니다.

그리고 다섯 번째는 주력 기업 중심으로 개편하는 문제인데, 이것이 지금 진행되고 있습니다. 그래서 희망이 없는 기업들은 도태되고 있습니다.

기업이라는 것은 장사입니다. 장사는 돈을 벌어야 됩니다. 돈을 못 버는 기업은 기업이 아닙니다. 정부의 그러한 강력한 의지를 잘 알고 있기 때문에, 전경련이 자율적으로 협의해서 기업을 서로 교환하는 빅딜을 한 것입니다. 정부는 단 한 건에 대해서도 어느 기업은 무슨 종목을 주고, 또 다른 기업은 무슨 종목을 주고 하는 식으로 개입한 일은 없습니다.

다만, 정부가 간섭했다면 법에 따른 금융감독 기능을 발휘해서 은행들이 채권자로서 채무자인 재벌 기업들의 불건전한 재무구조를 개선해서 경쟁력 있는 기업으로 나가도록 강력히 독려한 것은 사실입니다. 그건 정부가 해야 할 권리이고 정부가 해야 할 국민에 대한 의무입니다. 이에 따라 재계에서 자진해 서로 협의해서 지난해 12월 7일 대통령 앞에서 서명을 하면서 빅딜을 발표한 것입니다. 일단 정부에 약속하고 국민에게 약속했으면 이행해야 합니다. 그래서 이행을 제대로 하도록 정부도 권하고 있고 은행도 강력히 감독하고 있다고 생각합니다.

규제의 철폐는 어떠한 벤처기업이나 새로이 시작되는 정보산업에만 필요한 것이 아니라 전체적으로 필요합니다. 그래서 우리는 작년 1년 동안 철저하게 규제 개혁을 추진해서 1만 1,000개의 규제 중에서 약 5,000개의 규제를 철폐시켰습니다. 이것은 혁명적인 일이고, 또 이것으로 인해서 국민들이 얻는 편의, 기업이 입게 된 자유로운 활동, 외국 투자가들이 번잡한 여러 가지 간섭을 피해서 투자할 수 있는 것 등 모든 면에서 아주 큰 결과를 가져왔다고 생각하고 있습니다.

1999년에는 고부가가치를 창출하는 기업에 대해서는 더한층 규제를 폐지하도록 하고, 금융·물류 등의 산업을 활성화시키는 데 장애가 되고 있는 모든 규제를 혁파하는 동시에, 문화·관광이나 전자 상거래에 대해서도 불필요한 규제는 전부 폐지하겠습니다. 금년에도 다시 민간 조사 기관에 용역을 주어서라도 나머지 규제에 대해 필요 없는 것은 철폐하는 노력을 진행시키겠습니다.

문화일보 기자 제2의 건국운동은 대통령께서 취임 이후에 추진해 오신 여러 가지 역점 사업 중 하나입니다. 그러나 이 운동은 출범 초기부터 적잖은 문제점을 노출시켰고, 또 많은 논란을 불러일으켜 왔던 것이 사실입니다. 야당인 한나라당에서는 정치운동이라는 비난을 계속해 왔고, 특히 여당인 국민회의 내부에서도 지방 조직의 실례를 들어가며 개혁과는 거리가 먼 구 여권 인사들의 잔치라는 지적도 하고 있습니다.

좀 서운하게 들릴지는 모르겠지만 최근 들어서는 되는 것도 없고, 안 되는 것도 없는 것이 바로 이 운동이라고 하는 자조 섞인 이야기마저 나옵니다. 차제에 집행 기구를 포함한 모든 운동의 조직, 그리고 운동의 방향에 관해 전면 재검토할 용의는 없습니까?

김대중 제2의 건국운동은 이제 본격적으로 시작하려는 단계이기 때문에 여러 가지 문제점들이 있는 것은 전부 수용해서 시정할 것은 시정하도록 하겠습니다. 제2의 건국운동은 결단코 정치적으로 이용되어서는 안 되고 이용하지도 않겠습니다. 제2의 건국운동에 대해 야당이 걱정하는 그런 일은 전혀 없을 것입니다. 왜냐하면 정치적으로 이용하면 운동은 실패합니다. 그리고 또 그런 것을 이용하면 정부나 여당에 도움이 되지 않습니다.

또 제2의 건국운동을 이끌고 나가는 상부 지도층들은 우리나라에서 가장 신망 있고 깨끗하게 살아온 분들이 중심이 되어 있습니다. 물론 지방에 내려가면 과거 여당이나 권력에 가까이하던 분들이 앞장서고 있다는 이야기도 들었습니다. 그런 것이 부분적으로 있을 것이라고 생각됩니다.

그러나 그것은 중앙이 중심을 잡고 제2의 건국운동을 바르게 끌고 나가는

데 큰 영향을 주지 못합니다. 동시에 제2의 건국운동의 취지에 찬성해서 참여한 사람에 대해 과거를 꼭 문제 삼는다는 것은 바람직한 일이 아니라고 생각합니다. 사람은 어느 때는 좀 잘못할 수도 있고, 그러다가 또 잘할 수도 있는 것이고, 또 잘하다가 잘못할 수도 있는 것입니다.

결국에는 큰 물줄기가 올바른 방향으로 가면 그 물줄기에 탄 모든 물체들은 올바른 방향으로 흘러가는 것과 마찬가지로 제2의 건국운동은 우리가 올바른 방향으로 끌고 갈 때, 여기에 참여한 분들이 과거에 좀 잘했건 못했건 결국 올바른 방향으로 협조해 나가지 않을 수가 없게 되는 것입니다.

제2의 건국운동을 추진하는 데는 두 가지 취지가 있습니다. 하나는 과거의 부조리와 부패, 무능과 낭비, 그리고 이기주의 등등 우리가 버려야 할 부정적인 것, 또 앞날의 발전에 지장이 되는 것을 청산하는 정신 혁명 운동입니다.

둘째는 인류 역사상 전혀 새로운 혁명적인 시기가 될 21세기에 대처하는데 알맞은 국민을 형성해 나가기 위한 세계화나 지식 인간화, 그리고 정보화와 같은 것을 만들어 가는 것입니다. 이것도 역시 정신 혁명 운동입니다.

제2의 건국운동은 구체적인 조직을 갖고 무엇을 실천해 가는 것이 아니라, 의식개혁 운동이기 때문에 다른 정치적인 오해가 존립할 수 없을 것이라고 생각합니다.

이번 취임 1주년을 계기로 앞으로 제2의 건국운동도 가닥을 잡아 활발히 바르게 진전될 것으로 봅니다. 그렇지만 다시 한번 말씀드리지만 제2의 건국운동은 조직을 해서 어떤 구체적인 업무를 수행하는 단체가 아니라 의식 개혁과 정신 혁명을 하는 것이기 때문에, 눈에 보이거나 손에 쥐어지는 그러한 업적을 추구하는 것은 아니라는 것을 이해해 주시기 바랍니다.

연합뉴스 기자 모두冒頭 발언에서 언급하셨던 지역감정 문제에 대해 질문을 드리겠습니다. 최근 있었던 검찰과 경찰의 인사에서 "호남은 역차별을 받는다."라는 말이 나올 정도로 지역성을 고려한 인사였다는 평가가 있었습니다.

그럼에도 불구하고 한편으로는 지역감정이 오히려 심화되고 있다는 걱정도 많이 나오고 있습니다. 특히 정치권에서 이 문제를 조장하고 있다는 여론이 높아지고 있습니다. 그래서 이와 같은 지금까지의 노력만으로는 이 문제의 해결이 어려운 것이 아닌가 하는 걱정들이 많이 나오고 있습니다. 국민 통합 차원에서 지역감정 해소를 위한 어떤 특단의 대책이 있으시다면 밝혀 주시기 바랍니다.

지역감정을 극복하지 못하면 삼류 국가로

김대중 이 문제는 성급하게 생각하지 말고 꾸준히 대처해 나가면 반드시 해결된다고 생각합니다. 여기에는 정권이 바뀐 후 약간의 심리적인 갈등도 포함되어 있고, 또 가장 직접적인 것은 그처럼 심리적으로 공허한 점을 이용해서 정치적으로 소득을 보려는 사람들의 선동 영향도 있다고 생각됩니다.

그러나 크게 볼 때, 결국 모든 사람들이 지역감정에 좌우되지는 않습니다. 앞에서도 말한 것처럼 이번에 영남 지역에서 대통령에 대한 평가가 높이 나온 것을 보더라도 알 수 있습니다.

또 지난번에 마산과 구미에서 지역감정을 부추기는 대대적인 선동이 있었습니다만, 그 지역의 지도층들도 공개적으로 지역감정을 이용하는 그러한 행태에 대해 반대한다고 설명하고 나섰습니다. 또 그 뒤의 여론을 들어 봐도 결코 잘된 일이라고 평가하고 있지 않습니다. 여러분이 아시다시피 그렇게까지 지역감정을 선동했지만, 그렇게 한 정당들의 지지율이 얼마나 올라갔습니까? 제가 볼 때는 오히려 내려가고 있습니다.

결국 국민은 지역감정을 갖고 국민을 분열하는 데 결코 동조하고 있지 않다는 것입니다. 또 이 문제는 반드시 극복해야 합니다. 지금 이것을 극복하지 않으면 정당이 도별로 나오게 됩니다. 북도, 남도끼리 대립한 일도 있습니다. 심지어 같은 도 내의 시·군끼리도 서로 이해관계를 갖고 다투고 있는 일이 얼마든지 있습니다. 자꾸만 정치하고 결부시키고 있습니다. 이렇게 되면 나라가 안 됩니다.

만일 우리가 지역감정을 극복하지 못하면 모처럼 되살려 가는 경제 재건이 수포로 돌아갑니다. 그리고 우리는 비참한 삼류 국가로 전락할 것이며, 우리 후손들에게 정말 원망받는 조상이 될 것입니다.

그러나 저는 절대로 그렇게는 안 된다고 생각하고 있습니다. 여기에 대해 저는 확고한 자신이 있습니다. 왜냐하면 지역감정은 본시 있었던 것이 아닙니다. 이것은 최근 30-40년 사이의 일입니다. 우리는 통일신라 시대 이래 완전히 하나로 융합이 되었습니다. 과거 자유당·민주당 때는 영남에서 호남 사람 3, 4명이 국회의원이 되고, 호남에서 영남 사람 5, 6명이 국회의원이 되었습니다. 저도 그중의 한 분을 밀어서 당선시켰지만, 한 번도 고향이 경상도니까 못 찍는다는 말을 들어 본 적이 없습니다.

이처럼 지역감정은 최근에 일어난 일입니다. 근본적인 것이 아닙니다. 그러므로 극복할 수 있습니다. 그리고 저는 대한민국의 모든 국민, 경상도·전라도·충청도·강원도·경기도·제주도, 어느 하나 빠짐없이 똑같이 사랑하고 있다는 것을 천지신명을 두고 이야기할 수 있습니다.

대통령이 모두를 사랑하고 인사를 공정히 하고 예산을 16개 시·도와 같이 논의해서 분배하고 있는데 왜 지역감정이 일어납니까? 문제는 과거 수십 년 동안의 후유증이 지금 이렇게 우리를 괴롭히고 있지만, 이것은 마치 밤중에 우리를 괴롭히던 유령이나 도깨비가 새벽이 되면 전부 사라지듯이 머지않아 사라질 때가 반드시 온다고 확신하고 있습니다.

대한매일 기자 여야 관계에 대해서 묻겠습니다. 대통령께서는 국민과의 대화에서 정국 정상화에 대한 강한 의지를 피력하신 바 있습니다. 그러나 야당 내의 교섭단체 구성이나 신당 창당 가능성을 언급해서 여야 관계가 더욱 꼬이는 감이 있습니다. 구체적인 근거를 갖고 말씀하신 것인지, 아니면 야당 내 문제는 야당 스스로 관리해야 한다는 원론적인 입장을 표명한 것인지 밝혀 주십시오. 아울러 총재회담 성사를 위한 추가 구상을 말씀해 주십시오.

지금 국민이 정치를 어떻게 보고 있는가

김대중 여러분의 신문 보도에서 그런 말이 있다고 해서, 저도 그것을 인용한 것뿐입니다. 그리고 저는 남의 당의 내분에 대해 큰 관심도 없고, 또 야당이 그렇게 되기를 바라지도 않습니다. 이것은 형식적으로 한 말이 아니라 1년을 해 보니까 정치가 잘되려면 여당과 정부도 잘해야 하지만, 야당도 잘해야 된다고 생각하기 때문입니다.

물론 작년 1년 동안 우리의 잘못도 많았지만, 저는 야당의 잘못도 있다고 생각합니다. 제가 작년에 대통령이 되었을 때 야당이 어떻게 했습니까? 오전에 의사당 앞에서 취임식을 했는데, 오후에 국무총리 인준을 하지 않고 반년을 끌지 않았습니까? 실업 예산을 2개월이나 통과시키지 않았습니다. 제가 야당에 대해서 "1년만 도와주시오. 이 난국을 나 혼자 헤쳐 나가기가 너무 힘드니까 1년만 도와 달라. 또 솔직한 이야기로 이러한 현실에 대해서는 과거에 집권당이었던 여러분도 책임이 있지 않습니까? 1년만 도와주시오." 그렇게 몇 번을 이야기했습니다. 그리고 1년만 도와주면 야당 의원들 영입이라든지 이런 것을 하지 않겠다고 얘기했습니다.

그러나 여러분이 아시다시피 도움을 못 받았습니다. 정부가 출범하면서부터 야당으로부터 거센 반대만 받아 왔습니다. 만일 그때 야당이 총리를 즉각

인준해 주고, 그리고 "과거에 대해서는 우리도 책임이 있으니 무엇을 도와줄 것인가. 필요한 법령이 있으면 내놓아라. 그러면 전부 도와주겠다, 그 대신 우리는 야당이니까 잘못하는 것은 비판할 것이고 잘못된 법령은 불신임하겠다." 이런 식으로 나왔다면 정치도 잘되었을 것이고, 야당도 오늘날 국민으로부터 훨씬 더 지지를 받지 않을까 하고 생각됩니다.

결국 지난 1년 동안의 그러한 소모적인 정쟁 때문에 여당도 손해 보고, 야당도 손해 보았습니다. 우리가 같이 뼈저린 반성을 해야 합니다. 지금 국민이 정치를 어떻게 보고 있는가에 대해 우리가 정말 두려운 마음으로 위기의식을 가지고 대처해야 한다고 생각합니다.

저는 분명히 말합니다. 이제 야당을 개별적으로 빼내 오는 일은 하지 않겠습니다. 이제는 안정 의석을 갖고 있기 때문에 그렇습니다.

둘째는 야당을 국정의 동반자로서 존경하고 협조하겠습니다. 야당도 책임 있는 정당으로서 협력해 주시기 바라고, 우리는 모든 것을 원내에서 대화와 협력으로 풀 것입니다. 그리고 설사 이득이 된다고 하더라도 지역감정을 조장하는 것은 할 일이 아닙니다.

우리도 야당이 요구하는 문제 중에서 고쳐야 할 점은 고쳐 가면서 앞으로 1년 동안은 여야가, 정말 한국은 경제만 제대로 하는 것이 아니라 정치도 제대로 한다는 말을 국제적으로 듣고, 국민들도 평가할 수 있는 그런 정치를 복원시키는 데 합심해야 할 것이라고 생각합니다.

동아일보 기자 지난 1년 동안 국민을 불안케 한 여야 정쟁의 한 축은 대통령께서 총재로 계시는 국민회의입니다. 그러나 현재와 같은 국민의 지지로는 내년 총선에서 성공하기가 어렵다는 얘기들이 국민회의나 여권 내에서 많이 나오고 있습니다. 그와 관련해서 영남 대표설이니, 공동 대표설이니 하는 이런 지도 체제 개편론도 무성합니다. 당 체제를 어떻게 바꾸시고 어떤 분들로 지도부를 구축하실지 밝혀 주시고, 국민회의 전당대회는 예정대로 5월에 치를 것인지, 아니면 정국 여건상 연기할 수도 있을 것인지 밝혀 주시기 바랍니다.

김대중 요즘 신문을 보면 국민회의 문제에 대해서 여러 가지 기사가 나오는데, 그 대부분이 총재인 제가 전혀 모르는 것을 쓰고 있어서 우리나라 정치는 언론이 상당히 많이 하는구나 하는 생각을 갖습니다. 아직 당의 문제에 대해서는 생각의 정리가 되지 않았습니다. 그래서 여기에 대해 구체적인 것은 아직 생각을 못했습니다.

다만 앞으로도 국민회의가 공동 정권으로서의 협력 체제를 강화시키고, 국민을 화합·단결시키는 여건을 성공적으로 실현시키는 가운데 정치 개혁을 해야 하고, 민생 해결에 최대의 역점을 두고 노력하는 방향으로 운영되고, 그러한 체제가 되어야 하겠다는 생각합니다. 여기에 알맞은 체제가 무엇이겠는가를 당 내외의 의견을 수렴해서 생각해 봐야 하겠습니다.

로이터통신 서울지국장 앞에서 말씀하신 한반도 문제 해결에 있어서 대북 정책의 일괄 타결 문제에 대해 좀 더 소상하게 설명해 주시기 바랍니다. 특히 대북 경제 제재에 대해 해제 문제나 식량 원조 문제, 개발에 대한 도움과 같은 구체적인 요소들이 그 일괄 타결에 들어 있는지에 대해 설명해 주십시오. 또 정부 차원에서 미전향 장기수에 대한 북한과의 협상 문제나 북한 적십자가 최근 요구한 정부 차원의 대화와 같은 것들이 이와 같은 일괄 타결의 환경을 만들어 주는 그러한 주문이라고 느끼시는지 대답해 주시기 바랍니다.

김대중 우리가 북한에 대해 요구하는 한반도 평화나 대량학살무기 제조의 중지, 또는 국제사회에서 책임 있는 일원으로서의 활동 등의 문제, 이와 동시에 북한의 미·일 등과의 국교 정상화 문제나 경제 협력 문제, 제재를 해제하는 문제 등등을 포함해서 북한과 우리 사이에 정상적이고 평화로운 국가로서의 관계가 성립될 수 있도록 하는 그러한 일괄 타결이 필요하다고 생각합니다. 결국 이렇게 일괄 타결할 때 한반도에서 냉전의 종식으로 연결될 수 있다고 생각됩니다.

여하튼 우리는 지금 북한에 대해 무엇보다도 안보와 화해·협력을 병행하는 정책을 추진하고 있습니다. 그래서 이런 일괄 타결이 이루어지기 위해서도 튼튼한 안보를 배경으로 남북 사이에 더 이상 긴장이 계속되지 않도록 미국·일본과 협력하면서 해 나가겠다는 생각을 하고 있습니다.

일본 요미우리신문 서울지국장 다음 달에는 오부치 총리의 한국 방문이 예정되어 있습니다. 작년 10월 김대중 대통령의 일본 방문은 일·한 관계의 발전에 획기적인 기여를 했습니다. 대통령께서는 이번 오부치 총리와의 정상회담에서 어떤 성과가 나오기를 바라고 계십니까? 또 이번 정상회담에서 대북 정책은 어디에 역점을 두려고 하는지 말씀해 주십시오.

한·일 관계의 획기적 발전

김대중 작년의 방일은 일본 국민과 정부의 협력에 의해서 큰 성과를 얻었습니다. 이제 가장 중요한 것은 한국과 일본 양국 국민들이 서로 마음을 열고 같이 협력해 나가자는 상황이 되었다는 것입니다. 그런 분위기 속에서 일본의 지도자가 방문하게 되는 것입니다.

따라서 저는 오부치 총리와 이러한 양국 국민의 우호 협력을 향한 분위기를 잘 활용해서 양국 관계가 더한층 긴밀하게 발전해 나갈 수 있도록 정치·경제·문화·환경·인적 교류 등 모든 분야에 걸쳐 논의해야겠다고 생각하고 있습니다.

또 지금 우리가 엔화 약세 등 일본 경제의 여러 가지 문제 때문에 큰 영향을 받고 있는데, 이처럼 우리 경제에 주는 영향을 설명하고 일본 정부의 대책에 대해서도 상당한 비중을 가지고 논의해야 하지 않겠는가 생각합니다.

북한에 대해서는 우리가 같이 협력해서 북한이 대량살상무기를 개발하는 문제, 인접 국가들에 대해서 위협을 주는 그러한 문제에 대해서 이것을 중지시키는 방법이 무엇이겠는가를 비롯해서 앞에서 말한 것처럼 포괄적 대응 문제를 심도 있게 논의할 것입니다.

코리아헤럴드 기자 대통령께서도 관심을 갖고 계시는 국가인권위원회 구성에 대해서 정부, 여당, 그리고 시민단체들의 의견들이 아직도 정리가 되지 않고 있습니다. 이 문제에 대한 견해를 밝혀 주시고, 이와 관련해서 국가보안법 개정안은 언제 어떤 방식으로 추진할 것인지 말씀해 주시기 바랍니다.

김대중 국가인권위원회 구성은 당초 법무부 안을 채택하지 않기로 했습니다. 또 인권위원회를 대통령 직속으로 하는 것도 국제적으로 별로 예가 없을 뿐 아니라 국제연합(UN)에서도 권하고 있지 않습니다.

대통령이 인권위원회를 관장하게 되면, 잘못하면 인권위원회가 권력에 의해서 영향을 받는 문제가 생기기 때문에 법무부도 관여 안 하고 대통령도 관여하지 않는 자유로운 민간 기구로 구성하는 그런 방향으로 정리가 되어 가고 있습니다. 여기에 대해서는 앞으로도 계속 관계되는 분들과 상의할 것입니다. 국가인권위원회는 정부의 인권 보장 기능의 허점을 감시·보완하는 것입니다. 그렇기 때문에 정부 기구가 되는 것은 마땅치 않다고 생각합니다. 정부로부터의 독립성과 자율성 확보가 무엇보다도 중요합니다.

인권위원으로는 명망과 능력을 겸비한 인권 전문가들을 위촉해서 운영과 업무에 있어서 정부가 관여하지 않는 독립적인 기구를 만들 작정입니다. 금년 중에 인권위원회가 출범하도록 서둘러 노력하도록 하겠습니다.

국가보안법 개정 문제는 국제연합(UN)의 권고 조항 같은 문제도 있어서 개정할 필요가 있다고 생각하고 있습니다. 이 문제에 대해서는 정부와 공동 여당 내에서 논의를 진행시키고 있는 단계에 있으므로 머지않아 태도를 밝히도록 하겠습니다.

광주일보 기자 대통령께서는 지역감정 해소 방안의 일환으로 국회의원 선거에 있어서의 정당명부제 도입을 강력히 주장해 오고 계십니다. 그러나 정치권 일각에서는 정당명부제에 대한 거부 반응도 상당히 있는 것으로 알고 있습니다. 현시점에서 대통령께서는 정당명부제 도입의 실현이 가능하다고 보시는지 말씀해 주십시오.

김대중 이 문제에 있어서는 의견이 각 당마다 다른 것으로 알고 있습니다. 그러나 절대적인 문제는 우리가 다음 선거를 계기로 해서 지역대립을 종식시키는 정치체제를 만들어야 한다는 것입니다. 모든 정당이 전국 정당이 되어야 한다는 생각입니다. 그래서 그중 하나의 방법으로서 정당명부제가 제시되고 있는 것입니다.

따라서 반대하는 분들도 반대만 하지 말고, 어떻게 하면 현재와 같은 지역 정당화 경향을 막고 모든 정당들이 전국 정당으로 나갈 수 있는가에 대해 제안해야 할 것입니다. 그런 제안이 있으면 우리는 그 제안에 대해서 기꺼이 토론하겠습니다.

문제는 정당 명부식이냐, 아니냐는 것이 중요한 것이 아니라, 지금 말씀하신 바와 같이 지역 정당화를 막는 길이 무엇인가 하는 것이 중요합니다. 그 점에 중점을 두고 앞으로 논의했으면 좋겠습니다.

대통령 당선 2주년 기념 한국방송(KBS) 특별 대담

대담 홍성규 외

일시 1999년 12월 19일

홍성규(KBS 보도국장) 요즘 일정이 굉장히 많은데요. 아주 건강해 보이십니다.

김대중 하루 종일 아주 바삐 사람도 만나고, 돌아다니고 그러다 보면 하루가 그냥 지나가지요.

김주영(작가) 저 시골 고향에 계시는 어머님이 아마 이 프로그램을 보시면 대단히 감동받으실 것 같습니다. 산골의 아들이 대통령님 관저, 그것도 안채에 와서 대통령님을 뵙고 있는 것을 보시면 많이 놀라실 것 같습니다.

김대중 그것도 놀랍지만 저 시골 하의도의 섬사람이 와서 대통령을 한 것도 놀라운 거예요.

이나미(의사) 저희 같은 주부들은 어떻게 사시나 굉장히 궁금하고 그런데요. 막상 와 보니까 단순하고 소박해서 참 좋습니다.

홍성규 오늘이 대통령께서 당선되신 지 꼭 2년째가 되는 날이 아닙니까? 그동안 참 일도 많았고 그만큼 저희들이 나누고 싶은 이야기도 많은 것 같습니다. 오늘 시청자들을 위해서 청와대 집무실이 아닌 살림집 거실까지 저희들에게 공개해 주셔서 대단히 고맙습니다.

분위기도 굉장히 아늑하고 편안해서 대통령께서도 그동안 마음에 있던 이야기를 다 들려주시리라고 기대를 하고 질문을 드리겠습니다. 요즘 보면 정말 복잡한 일도 많고 힘든 일도 많고 그런데 어떻게 잠은 잘 주무십니까?

국민을 행복하게 하는 대통령

김대중 잠은 그저 잡니다. 그런데 여러 가지 고민이나 걱정은 많습니다. 그리고 소위 옷 로비 사건이라든가, 여러 가지 불미한 사건으로 국민 여러분께 너무도 걱정을 끼치고 해서 사실 이번에 텔레비전에 나오는 것도 굉장히 주저했습니다. 또 개인적으로도 별로 좋은 타이밍이 아니라고도 생각했습니다. 그러나 이런 때일수록, 더구나 20세기를 보내는 마당에 2년 동안 무엇을 어떻게 했고 또 앞으로 어떻게 할 것인가, 이런 이야기를 하는 것이 내 책임이 아닌가 해서 이 자리에 나왔습니다.

무엇보다도 국민 여러분께 그동안 심려를 끼친 점, 걱정 드린 점을 대단히 죄송하게 생각합니다. 오늘을 계기로 앞으로 모든 것을 투명하고 엄정하게 의혹 사건을 처리하는 동시에 그런 것을 깨끗하게 청산하고 새해를 맞이했으면 싶다는 생각으로 이 자리에 왔습니다.

김주영 2년 전 이야기입니다만, 대통령에 당선되었던 2년 전 선거 결과는 사실 우리나라 헌정사상 여야의 정권 교체라는 역사적인 사건으로 귀결이 되었는데, 저도 그때 개표 방송을 끝까지 지켜보았습니다만, 참 아슬아슬했습니다. 그때 처음부터 지켜보셨습니까?

김대중 보다 안 보다 했습니다. 답답하면 안 보고 잘된다고 하면 또 나와서 보고……

이나미 당선되신 지 2년이 되었는데 굉장히 시간이 오래된 것 같습니다.

그때 들었던 생각들은 어떠한 것이었는지요. 그리고 2년 후가 지난 지금까지도 그 생각에는 변함이 없으신지요.

김대중 대통령에 당선되었을 때, 네 번째만이거든요. 그때 심정은 마침내 해냈다는 그런 생각이었습니다. 그리고 이제 정말로 대통령이 되었으니까 잘해야지, 그래서 훌륭하게 역사에 남을 대통령이 되도록 노력하고 무엇보다도 국민을 행복하게 하는 그런 대통령이 되어야지 하는 생각을 했습니다.

2년이 지나서 그동안에 여러 가지 문제도 있고 최근에는 본의 아니게 국민에게 걱정 끼치는 일이 참 많지만, 그러나 그 정신 가지고 일관되게 온 것은 사실이 아닌가 그렇게 생각합니다.

홍성규 조금 전에 네 번째라고 말씀을 하셨습니다만, 정말 힘들게 당선되셨는데 그 후에 더 힘드시지 않았는가 그렇게 생각합니다. 국제통화기금(IMF) 사태 이후에 국가가 정말 바람 앞의 등불과 같은 그런 사태에서 나라 살림을 맡으셨는데, 혹시 왜 내게는 이렇게 많은 시련만 다가오는가, 이런 생각을 해 보신 일 없으십니까?

김대중 생각했어요. 사실 대통령 선거를 하면서 당선될 것이다 하는 그런 이야기도 있고 또 개표 때는 출구 조사에서 된다고 하고, 그래서 그때 제일 절실히 소원한 것은—당선되면 취임까지 2개월이 있거든요.—2개월 동안 실컷 발 뻗고 쉬었으면 좋겠다는 생각을 했지요. 그러나 쉬는 정도가 아니라 당선되자마자 바로 이 국제통화기금(IMF) 외환 위기에 말려들어서 축하 파티는 고사하고 무슨 식사 한 끼 얻어먹지 못하고, 그렇게 들어와서 참 억울하다는 생각도 들었습니다. 나는 이렇게 고생만 하는 팔자인가 보다 하는 생각도 했습니다.

이나미 당시 상황이 워낙 어려워가지고요, 국민들이 굉장히 기대가 컸습니다. 그런데 그만큼 지지도도 높았고 그런데 요즘에는 지지도가 그 당시에 비해 많이 떨어진다는 보도도 있고 그래서 안타까운 심정도 좀 드실 것 같은데요.

김대중 네, 그렇습니다. 그런 심정이 있고 내 지지도보다도 생각하지도 않은 일들을 가지고 자꾸 국민들을 걱정시키는 것을 보면 한탄이 저절로 나오고 이것이 무슨 팔자인가 하는 그런 생각이 듭니다.

예를 들면 옷 로비 사건 이야기인데 부인들이 청문회에 나와서 하는 것을 보고 제가 옆에 있던 부인 보고도 이야기를 했는데, 네 명 중에 한 사람도 "국민에게 걱정 끼쳐 미안하다"는 말 한마디 하는 사람이 없느냐, 대통령도 직접 관계가 없으면서도 국민한테 사과를 했는데, 이런 생각을 가졌습니다.

그리고 사실 옷 로비 사건이라는 것은 말하자면 로비해서 신동아그룹 총수의 구속을 면하고 재산을 보존하려고 하다가 실패한 것이거든요. 그렇기 때문에 처리는 제대로 한 것입니다.

그런데 부인들의 그 불건실한 태도, 떼 지어서 고급 의상실을 다닌다든가, 거짓말을 한다든가, 또 정부의 책임 있는 입장에 있는 검찰의 고위 관리가 문서를 상대방들 피의자 측에 유출한다든가, 이런 상식에 없는 일 때문에 국민들을 동요하게 만들고, 이렇게 정부를 난처하게 만들었습니다.

이렇게 된 것은 물론 모두 내 책임입니다. 나는 대통령이 되어 과거에 하지 않은 일을 하나 했습니다. 그것은 장관이나 고위직 사람들을 임명할 때는 꼭 부인을 오라고 해서 같이 임명장을 주었습니다. 그래서 부인들로 하여금 "내조를 잘해야 남편이 훌륭한 일을 할 수 있다는 부탁을 하기 위해서 당신들을 오라고 한 것이다."라는 말도 했는데 그런 것이 아무 효과가 없었다는 생각도 들었습니다. 그래서 지금 솔직한 이야기로 안타깝기도 하고 억울하기도 하고 국민에게 면목도 없고 그런 심정입니다.

김주영 사실 옷 로비 사건이라고 말들을 하고 있습니다만, 모피 코트가 문제가 되고 있는데 아무것도 아닌데 거짓말을 자꾸 덧씌우게 되면서 심지어는 대통령님께까지 거짓 보고가 되었다는 것입니다. 국민들이 분개하고 있는 것은 바로 그런 점이라고 생각됩니다. 이 사건의 실체가 아닌지는 모르겠습니다만, 바로 그런 점이거든요. 대통령님께까지 거짓 보고가 되는 나라라면 이것 걱정스럽지 않으냐 이렇게 이야기하는 분들이 사실 많습니다.

김대중 그런데 국민들에 대해서는 저도 알고 있고 또 만일 거짓 보고를 했다면 참 큰일입니다. 절대로 그냥 넘어갈 수가 없는 문제입니다. 수사 중이니까 곧 밝혀질 것입니다만 큰 줄거리를 말하자면 대한생명(현 한화생명)에 대한 여러 가지 비리, 구속 수사해야 한다는 방침, 그리고 대한생명이 아주 부실화되었기 때문에 퇴출시켜서 새로이 살려 나가야 한다, 이런 줄거리는 전부 보고되어 있고 또 그것도 전부 내 승낙을 받아 실천한 것입니다.

그래서 큰 줄거리는 다 보고가 되었는데 이제 부인들이 무슨 날짜 가지고 조작하고 이런 것, 그런 거짓말은 내가 알지 못했습니다. 사실 몰랐습니다.

이나미 문제가 생길 때 일하는 사람들이 좀 더 투명하고 철저하게 하면 이렇게 일이 꼬이지 않았을 텐데 하는 생각도 하는데요. 그래서 정치에 대해서 굉장히 냉소적인 국민들도 많습니다. 신문에는 대통령의 영이 서지 않는다는 이야기까지 나오는데요. 좀 더 강력하고 단호한 대통령상을 원하는 사람들도 있는데요.

강력한 정부는 국민에게 자유와 평화를 보장

김대중 우리가 국민들과 함께 이 문제를 한번 생각해 볼 필요가 있는데요. 단호하게 화끈하게, 이렇게 해야 한다……. 그런데 사실 과거 군사정권 시절 수십 년 동안 그 '화끈' 때문에 우리가 얼마나 고생했습니까? 인권이 유린되고 경제가 왜곡되고 소수에게 부를 집중시키고 서민들이 완전히 말살당하고 노동운동의 자유도 없고 온갖 고통을 받지 않았습니까? 부정선거를 하고……. 그래서 이 '화끈'을 함부로 좋아할 것이 아닙니다. 진정으로 강력한 정부란 것은 국민에게 언론 자유를 보장하고……. 지금 언론 자유가 얼마나 만발해 있습니까?

이나미 언론 때문에 힘드시죠.

김대중 또 인권을 보장하고 그렇게 해서 국민들의 권리가 다 보장되고 있습니다. 지금 옛날에 없던, 시위·집회·파업의 자유가 합법적으로 하면 다 보장되고 있지 않습니까? 민노총이나 전교조 등 불법 단체가 전부 합법화되었습니다. 여성들의 권리도 말하자면 성폭행이라든가, 가정 폭행이라든가, 이런 것 처벌하는 것이 강화되었습니다. 그래서 이렇게 하면서 국가 질서가 잡혀 가야 합니다.

그럼 국가 질서가 잡혀 가고 있느냐, 과거에 1년에 최루탄을 20만 발, 30만 발 쏘았습니다. 적은 것이 1997년에 13만 3,400발을 쏘았습니다. 그런데 우리가 정부를 맡은 후 작년에 3,000발, 그 이후에는 한 발도 안 쏘았습니다. 그런데도 사회는 안정되어 있습니다.

노동 관계 교섭이 금년에는 95퍼센트 이상이 노사 합의로 타결되었습니다. 지금 일부에서 보도된 것같이 노동계가 그렇게 불안한 것은 아닙니다. 그리고 국민들도 모르는 사이에 매일 2만 명, 3만 명이 서울 혹은 지방에서 시위하고 집회하지만 누가 시위를 하는지도 모를 때가 많습니다. 그것이 진짜로 강한 것입니다.

그리고 북한이 서해 해전을 도발했을 때 단호하게 군사적으로 응징하지 않았습니까? 과거 그 강력하던 군사정부 밑에서 울진 공비 사건, 1·21 무장 공비 사건, 판문점 도끼 사건 등 수없는 군사 도발이 있었지만 한 번도 군사적으로 응징하지 못했습니다. 이번에 처음 한 것입니다. 북한이 아주 굉장한 타격을 받고 교훈을 받았을 겁니다. 그러면서도 전쟁으로 확대되지 않도록 노력했습니다. 그래서 강력한 정부는 국민에게 자유와 평화를 보장하면서도 질서를 잡아 가는 것입니다.

여러분이 아시다시피 우리나라 재벌이 얼마나 막강합니까? 그 재벌들을 전부 구조조정해서 옛날하고는 체질이 완전히 달라졌습니다. 과거에는 적자만 내던 우리나라 재벌이나 기업들이 이제 우리가 구조조정을 강력히 해서 경쟁력을 강화시켜 놓으니까 금년이 역사상 최고로, 상장 기업들 400여 개가 전부 역사상 최고로 흑자를 냈습니다. 그것은 그만큼 국가의 부가 늘어난 것입니다. 기업도 돈을 벌지만 노동자도 일터가 생겨나는 것입니다. 이렇게 해 나가는 것이 정말 강력한 것이 아니냐, 그런 생각을 합니다.

다만 지금 못 하고 있는 점이 있습니다. 그래서 국민이 안타까워하는데 첫째는 부정부패 척결인데, 나는 윗물만 맑으면 아랫물도 자연히 맑아질 줄 알았는데 역시 아직도 미흡한 점이 너무 많습니다. 그것은 제가 인정을 합니다.

둘째는 정치가 안정이 안 되고 있습니다. 정치가 지금 국민의 불신의 대상이 되고 있습니다. 이것을 옛날식으로 억압과 탄압으로 할 것이냐, 결국 그런 것은 안 되는 것이고 국민이 선거를 통해서 정치에 대해 심판을 해야 할 것입니다. 여당이건 야당이건 잘하면 잘하는 대로 못하면 못하는 대로 심판하는 풍토가 조성되어야 안정될 것이라고 생각됩니다. 물론 한술에 배부를 수는 없지요.

또 민주주의는 속도가 느린 것이 특성 아닙니까? 그러나 우리가 바른 방향으로 가고 있느냐, 안 가고 있느냐가 중요한 것인데 크게 보면 바른 방향으로 가고 있고 정부는 흔들림 없이 하고 있습니다. 인권이라든가, 안보라든가, 경제라든가, 다 제대로 가고 있는 면이 많다고 생각합니다, 전부 잘한 것은 아니지만. 다만 정치가 좀 문제인데 이것은 새해에 정치 안정을 해결해야 되지 않겠는가 그렇게 생각합니다.

홍성규 조금 전에 경제 말씀을 해 주셨습니다만, 지난 17일 국제통화기금(IMF) 이사회가 한국은 공식적으로 국제통화기금(IMF)을 졸업했다는 발표가 있었고, 또 올해 경제협력개발기구(OECD) 국가 가운데 한국의 경제 성장률이 1위다, 이런 발표도 있었습니다. 그래서 경제적인 성공이나 외교적 성과 같은 것에 대해서는 외신에서도 상당히 평가를 하고 있는 것으로 알고 있습니다. 그렇지만 끝없는 정쟁, 또는 옷 로비 사건 같은 이런 스캔들 때문에 아까 말씀드린 그런 것들이 가려지지 않나, 혹시 손해 보는 것 같은 기분 안 느끼십니까?

김대중 그런 감이 있는 것도 사실이지만 지금 국민을 걱정시키고 있는 마당에 외교를 잘했다, 경제 잘했다, 이런 것을 내세울 그런 면목이 없습니다. 그것은 제가 말 안 해도 국민이나 세계가 다 아는 것입니다.

아무리 외교를 잘하고 경제를 잘했다고 하더라도 옷 로비 사건은 있어서는 안 되고 또 정치도 잘해야 하는 것입니다. 그래서 그런 부족한 점, 잘못된 것은 철저히 밝혀서 처벌할 것은 처벌하고 또 정치는 개혁해서 안정적으로 가져가야 하지 않는가 생각합니다.

김주영 대통령님께서는 취임 초에 말씀하시기를 1년 반 안에 우리나라의 외환 위기를 극복하겠다, 이렇게 약속을 하셨습니다. 사실 지금 생각해 보면 탁월한 통찰력이 없으면 하실 수 없는 말씀 같은데, 그 당시에는 별로 믿은 사람이 없었지 않으냐 이런 생각이 들거든요. 그때 어떤 복안이 있어서 그런 약속을 하셨는지 모르겠습니다.

우리 국민의 훌륭함

김대중 사실 저도 그 말을 해 놓고 속으로는 상당히 걱정했습니다. 그런데 제가 무턱대고 했느냐, 그것은 또 아닙니다. 그렇게 한 이유가 서너 가지 있습니다. 하나는 6·25전쟁 이후 최대의 국난에 부딪힌 것 아닙니까? 그런데 우리 국민들이 좌절하는 것이 아니라 모두 금을 들고 나와서 금 모으기 운동을 하더라고요. 깜짝 놀랐습니다. 그것은 상상도 못 했습니다. 우리 국민이 옛날 국채보상운동하는 그 식으로 모두 하더라고요. 그래서 야, 이 국민 같으면 뭐가 되겠다는 이런 생각이 들었습니다.

그런데 저만 그렇게 생각하는가 했더니 나중에 보니까 세계가 그렇게 생각을 했어요. 중국에 가니까 장쩌민 주석이 그 이야기를 하더라고요. 텔레비전을 보고 정말로 감복했다, 한국 사람 정말로 훌륭한 사람이다, 이런 이야기를 하더라고요.

캐나다의 어떤 재단의 이사장은 그 사진 한 장을 보고 이 국민은 희망 있다, 우리가 돕자, 이렇게 주장했다는 것입니다. 또 이번에 마닐라에 갔더니라오스 총리가 금 모으기 운동 이야기를 하면서 지금 라오스에서는 한국 국민한테 배우자는 운동이 일어나고 있대요. 전 세계가 그래요.

그래서 금 모으기 운동이 준 감동이라는 것은 이루 말할 수 없습니다. 이것은 우리 국민이 아니면 못 하는 운동이었다고 생각됩니다.

그리고 두 번째는 제가 대통령이 되었는데 클린턴 대통령한테서 당선된 그다음 날 전화가 왔어요. 나는 축하 전화인 줄 알았습니다. 축하 말도 한마디 하기는 합디다. 그런데 그것이 문제가 아니고 당신네 나라 큰일 났다 이것입니다. 지금 이대로 가면 국제 부도가 난다, 그러니까 정신 차려서 해야 한다, 그러면서 우리 재무차관을 보낼 테니까 서로 협의하라고 했어요. 이틀 있으니까 재무차관이 왔어요. 그런데 이 사람이 방에 들어오는데 얼굴이 굳어져서 들어와요. 그 사람이 나한테 내가 정말로 시장경제의 원리에 의해서 철저하게 개혁할 의지가 있는가, 둘째는 필요하면 노동자들을 정리해고를 해서라도 기업부터 살리는 그런 일을 하겠는가 이 두 가지를 알아보러 왔어요. 그 두 가지를 봐서 합당하면 우리를 돕고 그렇지 않으면 손을 뗄, 그러니까 이 사람이 천사도 되고 저승사자도 되는 그런 입장에서 왔어요.

그는 저의 시장경제에 대한 소신도 듣고, 기업이 살아야 노동자도 일터도 있는 것이 아니냐, 기업이 죽는데 노동자가 어디 있느냐 하면서 설명을 했는데 그것을 듣고 이 사람이 돌아갔어요.

그가 돌아가 이야기를 해서 국제통화기금(IMF), 세계은행(IBRD), 미국·일본 및 유럽의 선진 국가들이 전부 한국을 돕자고 나선 것입니다. 그래서 아까 말씀드린 것과 같은 국민의 그런 자세, 그리고 국제적인 지원, 그러니까 지불 기간이 돌아온 어음들이 연기가 되고 새로운 차관이 들어오기 시작한 것입니다.

그런 두 가지 원인을 보면서 또 평소에 내가 다소 경제에 대해서 일해 왔기 때문에 내 자신이 해낼 수 있지 않았나 하는 자신감도 생겼습니다. 그래서 전체적으로 1년 반이면 해낸다는 이야기를 했습니다.

이나미 경제가 회복되었다는 통계가 많이 나오고, 또 한편에서는 국가 신용 등급이 많이 올라가면서 외환 위기가 다시 올지 모른다는 걱정들도 하거든요. 저희들로서는 너무 일찍 샴페인을 터뜨리면 또 한 번 고생하지 않을까 하는 사람들도 있거든요.

김대중 우리 한국은 국제통화기금(IMF)을 정식으로 졸업했다고 말했습니다. 국제통화기금(IMF)의 빚을 다 갚았고, 그리고 더 빌려주겠다고 약속받은 돈도 이제 필요가 없어 안 가져옵니다. 그래서 외환 위기를 극복한 것은 사실입니다.

그리고 일반적으로 보면 경제 성장률이라든가, 물가라든가, 금리라든가, 주식이라든가 대체적으로 국제통화기금(IMF) 외환 위기 이전으로 회복된 것은 사실입니다. 그러나 그런 과정에서 희생되었던 서민들, 중산층들이 회복을 못 하고 있는 것도 사실입니다.

이제 중요한 것은 우리 경제가 국제통화기금(IMF) 외환 위기 이전으로 회복되면 안정이 되느냐, 그것은 아닙니다. 아시다시피 21세기는 전혀 새로운 경제체제로 들어갑니다. 지식기반 경제, 정보화 시대, 세계화 시대, 국내외에서 경쟁하는 것은 아무 의미가 없습니다. 세계 속에서 1등을 해야 합니다. 급속한 변화 속으로 나가야 하는 마당에, 남들은 고속으로 질주해서 발전하는데, 우리가 그것을 못 따라가면 우리가 경제를 회복한 것이 아무 의미가 없습니다. 격차가 있으니까요.

앞으로 계속 금융 개혁, 기업 개혁, 공공 부문 개혁, 노사 개혁을 해서 세계와의 경쟁에서 이기는 경제를 만들어 나가야 합니다. 그것을 우리가 목표로 해야 합니다. 일단 위기는 넘겼지만 새로운 도전에 응전할 준비를 해야 합니다. 도전에 응전을 제대로 못 하면 또 위기가 온다는 것은 사실입니다.

홍성규 얼마 전에 우리는 서해에서는 교전을 하고, 또 동해에서는 관광을 하는 그런 아주 이상하고 이해 안 되는 경험을 하지 않았습니까? 그럼에도 불구하고 금강산 관광객은 15만 명을 넘어서고 있습니다. 또 오는 23일 서울에서 남북한 농구 대회가 열릴 예정이죠. 이것을 볼 때 남북 관계가 획기적으로 변화를 했는지, 어떻게 변할 것인지 거기에 대해서 말씀을 해 주시죠.

평화적으로 공존하고 교류하자

김대중 결론부터 말하면 남북 관계가 획기적으로 변화했다고는 할 수 없습니다. 그러나 변화의 조짐이 나타나고 있습니다. 그러나 앞으로 이것이 획기적으로 변할 것인지, 다시 후퇴할 것인지는 모릅니다. 현재로 봐서는 앞으로 더 변화할 가능성이 큰 것은 사실입니다.

그것의 하나는 한반도에서 전쟁의 위기가 감소되었습니다. 그것은 북한이 금창리 지하 시설 사찰 허용에서도 보듯이 핵을 갖지 않겠다는 약속을 현재 지키고 있다고 볼 수 있습니다. 두 번째는 미사일 2차 발사를 중단하지 않았습니까? 2차 발사를 하면 전쟁으로 갈 가능성을 배제할 수 없는 상태인데, 그것을 안 하는 것은 상당한 성과라고 볼 수 있습니다.

우리가 서해 해전에서 철저히 이겼습니다. 그래서 북한에게 대단히 심각한 교훈을 주었습니다. 함부로 못 건드린다는 상당히 심각한 교훈을 주었습니다. 미국의 어떤 대사도 얘기했지만 역대 정권이 군사적으로 북한을 응징한 것은 이번이 처음입니다. 과거에는 군인 출신 대통령도 못 했는데, 민간 출신이 했다는 말도 합니다.

이런 점에서 전쟁의 위기를 감소시켰고, 우리가 또 그런 힘을 가지고 있습니다. 특히 한·미의 군사 공조는 어느 때보다 강하고 또 일본이 협조하고 있습니다. 그리고 또 우리에게 도움이 되는 것은 중국이나 러시아가 우리 한반도 평화 정책을 지지하고 있기 때문에 북한이 꼼짝 못하게 되어 있습니다.

남북 교류가 이제 시작되고 있습니다. 금강산 관광으로 15만 명이 갔다 왔는데, 남한 사람이 북한 땅을 밟는다는 것을 우리가 언제 생각했겠습니까? 이것은 큰 변화입니다. 중국의 외상도 햇볕정책의 성공 사례라고 말한 바 있습니다. 키신저가 와서 이것은 정말 상징적인 의미가 크다는 것을 보고 확인했습니다.

그 외에도 판문점에서 군사정전위원회가 7년 만에 재개되었다든지, 남북한 간의 농구라든지, 문화 교류를 하고 있다든지, 현대나 삼성이 경제 교류를 시작했다든지, 미·북, 일·북 간에 국교 정상화가 시작되었다든지, 많은 변화가 있습니다. 지금 큰 성과는 없지만 남북한과 미국·중국이 참여하는 4자 회담에서 북한이 우리와 대화를 하지 않는다고 하면서도 4자 회담을 통해 직접 대화를 하고 있는 면이 있습니다.

그래서 우리는 북한에 대해서 분명한 메시지를 전하고 있는 것입니다. 우리는 "북한의 어떤 도발도 용납하지 않는다, 그 대신 우리도 북한을 해치지 않는다, 그러니까 우리는 화해·협력해서 평화적으로 공존하고 평화적으로 교류해 나가자, 당신네 도와주고 당신네하고 같이 협조하겠다"는 것을 분명히 하고 있습니다. 북한도 이제 압니다.

북한이 햇볕정책을 진심으로 압니다. 우리가 미국이나 일본한테 북한하고 자꾸 접촉하라고 권하고 있거든요. 그 전에는 다 막았습니다. 그러한 우리의 선의를 알기 시작했습니다.

저는 1999년에는 상당히 의미 있는 변화가 있었다고 생각합니다. 내년에는 우리가 기대하는 이상으로 변화가 일어날 가능성도 있다고 보고 있습니다.

김주영 지난 2년 동안 대통령께서 이루어 오신 성과 중에는 외교적인 성취를 빼놓을 수 없는데, 전통적으로 북한 편만 들어 오던 러시아라든지 중국이 우리를 지지하게 만든 중요한 포인트가 햇볕정책이 아니었나 하는 생각이 듭니다. 햇볕을 더 쬐는 방법은 없겠습니까? 구상하고 계시는 것이 있다면 말씀해 주시죠.

김대중 이 문제는 일관성과 인내심과 성의가 필요합니다. 동시에 남북 관계는 양쪽이 서로 덕을 봐야 합니다. 한쪽만 덕을 보아서는 안 됩니다. 이런 목적으로 꾸준히 하면 성과는 나오리라고 봅니다.

북한은 지금 택할 길이 셋 중의 하나입니다. 하나는 전쟁하는 것입니다. 전쟁하면 우리에게 상당한 피해를 줄 수 있지만, 북한 자신은 괴멸할 겁니다. 북한은 쉽게 전쟁할 수 없습니다.

둘째는 현재대로 가는 것입니다. 그러나 과거 20여 년 동안 우리식 사회주의니, 자급자족이니, 주체사상이니 하다가 오늘날처럼 되었습니다. 이대로 갈 수가 없습니다.

그러면 북한이 갈 길은 딱 하나입니다. 중국이나 베트남처럼 공산주의 체제를 유지하면서 개혁·개방을 하는 것입니다. 그 사람들이 제일 걱정하는 것은 문을 열었다가는 북한 체제를 유지할 수 없지 않은가 하는 것입니다. 남한은 미 제국주의의 식민지다, 남한은 몇 사람 빼놓고는 전부 거지다, 남한의 젊은 여성들은 전부 미국의 노리개다, 이렇게 선전해 놓았는데, 이런 것이 아니라는 것을 알게 되면 그다음에는 체제 유지에 큰 문제가 생기는 것입니다. 그런 것을 북한이 걱정하고 있는 것입니다.

그래서 우리가 현재 북한에 대해서 계속 보내는 메시지는, "우리는 북한을 흡수하거나 망하게 할 생각은 추호도 없다. 지금 북한도 통일이 되면 곤란하다. 통일은 다음으로 미루고 우선 동족끼리 평화적으로 전쟁하지 말고 서로 돕자. 북한은 지금 곤란하지 않으냐. 우리가 도와야 세계가 뒤따른다. 우리가 북한에 투자하지 않는데, 남북이 언제 전쟁할지 모르는데, 어느 기업가가 북한에 투자하겠느냐? 안 한다." 이것입니다. "우선 체면이 있으니까 민간기업들과 얘기해라. 그러나 장차는 정부끼리 해야 한다"는 이런 주장을 하고 있습니다.

한·미·일 공조가 지금처럼 잘된 때가 없습니다. 북한의 전통적 우방인 러시아·몽골, 혹은 베트남·이집트가 전부 우리를 지지합니다. 정상회담 후 정식 성명으로 지지했습니다. 유럽이나 동남아시아나 아프리카나 중남미나 지지하지 않는 나라가 없습니다. 전 세계가 우리 햇볕정책을 지지합니다.

이런 것은 외교상에서도 예가 드문 일입니다. 이것이 우리 힘입니다. 이것이 전쟁을 막고 있고 북한을 개방으로 이끌고 있는 것입니다.

우리 국민들이 햇볕정책을 강력하게 지지하고 있고, 우리가 주도권을 갖고 한반도 정책을 하고 있고, 미국과 일본이 지지하고 있습니다. 이렇게 해서 나는 이러한 체제로 노력하면 남북 문제는 풀려 가고, 내년에는 상당한 변화가 있을 것이라고 생각합니다.

이나미 국내 문제인데, 저희 세대만 해도 시위를 해도 그저 맞고 끌려가는 정도였는데, 서로 양쪽에서 다치는 사람들이 많은 것 같습니다. 제가 아들을 둔 입장에서 남의 일 같지가 않습니다.

아까도 얘기했지만 최루탄을 쏘지 않겠다고 했는데, 다치느니 차라리 최루탄을 쏘는 것이 낫지 않겠느냐고 하는 사람이 있거든요.

최루탄 한 발도 안 쏘았다

김대중 네, 그런 말도 있습니다. 물론 국민의 생명과 재산이 위태롭다든가 질서가 위태로울 때에는 여러 가지를 써야 되겠지요. 그러나 최대한으로 인내하는 것이 중요합니다. 이번에는 폭력 시위가 있었는데, 재작년 한해에는 최루탄을 13만 3,400발을 쏘았습니다. 그런데 작년에는 3,000발밖에 안 쏘았습니다. 그런데 금년에는 한 발도 안 쏘았습니다. 그렇게 되니까 쇠파이프도 없고 화염병도 없게 되었습니다. 이번에 쇠파이프가 나왔어요.

그런데 이것 때문에 최루탄을 쏘아야 할 것이냐, 안 하고도 해내느냐, 지금은 안 하고도 해낼 정도입니다. 우리가 안 하면 역시 폭력도 약해집니다. 그러나 한 가지 분명한 것은 있습니다. 어떠한 경우에도 불법이나 폭력은 용납하지 않습니다. 지금 수사해서 구속하고 처벌하고 있습니다. 내가 노조분들에게도 얘기했습니다.

"과거에 시위·집회 같은 것을 원천적으로 봉쇄할 때, 당신들 노동조합을 원천적으로 인정하지 않을 때는 기본권 침해라고 당신들의 정당성도 없지 않았다. 그러나 지금은 시위든지 집회든지 파업이든지 합법적인 것, 평화적인 것은 다 용납하지 않느냐? 민노총도 전교조도 다 합법화시켜 주지 않았느냐? 세계 어느 나라를 가서 보더라도 정부가 민주주의를 보장하는데 폭력을 사용하는 것을 용납하는 나라가 있느냐? 자유에는 반드시 책임이 뒤따르는 것이다. 자유에 책임이 없다면 그것은 방종이고, 그것은 허용할 수가 없다. 따라서 정부는 자유를 지키기 위해서도 폭력과 불법은 용납하지 않는다."라고 분명히 말했습니다. 그런 것은 분명히 처리하고 있습니다.

여러분이 보면 굉장히 사회가 어지러운 것 같지만 최루탄을 쏘지 않고도 하고 있습니다. 지금 강도·절도가 작년에 비해서 15퍼센트가 줄어들었습니다. 검거율도 10퍼센트로 늘어났습니다. 그리고 지금은 매일같이 2만 명, 3만 명씩 시위하지만 하는 것도 모를 정도로 조용히 하는 경우가 대부분입니다. 이 문제를 계기로 다시 한번 이것을 엄격하게 다스리고 시위를 주최하는 사람들에게 평화적 시위를 하도록 책임을 지우고 있습니다. 허용은 하되 책임을 지도록 하겠습니다.

홍성규 지금 말씀하신 것처럼 시위 문화는 확실히 바뀐 것 같습니다. 그런데 최근에 노동계의 움직임을 보면 겨울 들어서 심상치 않다는 걱정을 하고 있습니다. 노조 측은 노조 전임자의 임금 지급 문제를 놓고 파업까지 거론하고 있는가 하면 재계에서는 의정평가위원회까지 구성하겠다는 얘기를 하고 있습니다. 국제통화기금(IMF) 사태가 진정이 되면서 노사 갈등이 오히려 증폭되는 것이 아닌가 하는 말들이 있습니다. 좋은 해결책을 제시해 주십시오.

김대중 결론적으로 얘기하면 노사 갈등은 아주 줄어들었습니다. 옛날을 한번 생각해 보세요. 현대자동차 파업이 얼마나 엄청났습니까? 금년에는 목포 쪽의 한라중공업에서 서너 달 했고, 그 외에는 큰 것이 별로 없었습니다.

현재 금년 노사 교섭이 95퍼센트가 타결되었습니다. 그런데 노조 전임자에 대한 임금 문제는 여러 가지 복잡한 주장들이 있지만 정부가 주도해서 하는 공익위원회가 조정안을 냈습니다. 그래서 조정안이 법안이 되면 그것을 기초로 해서 타결될 가능성이 큽니다.

또 하나 노동자 근로시간을 단축시키라는 문제는 논의할 수 있습니다. 이것은 시위나 파업으로 해결될 문제가 아니라 노사정이 머리를 맞대고, 전문가들이 같이 앉아서 우리의 모든 여건으로 봐서 조정할 필요가 있느냐, 개선한다면 어떻게 하겠느냐 하는 것을 합리적으로 논의해서 처리할 문제입니다. 그래서 합의된 대로 처리하면 됩니다. 못 할 것이 없습니다. 제가 일선 현장의 모든 보고를 받아 봐도 노동자들이 지금 상당히 협력적으로 나오고 있습니다.

사실 우리가 여기서 하나 강조할 것은 국제통화기금(IMF)을 극복한 것은 노동자들이 임금 삭감도 감수하고 또 정리해고도 감수하고 협력해 준 공이 컸다는 것입니다. 우리가 감사히 생각해야 합니다.

그리고 정부는 기본 방침이 중립적 위치에서 노와 사를 조정해 주는 입장입니다. 모든 것을 합법적으로 하는 것입니다. 기업을 살리는 가운데 노사의 이해가 있습니다. 기업이 죽어 버리면 아무것도 남지 않습니다. 그래서 이 원칙하에서 정부는 노勞도 좋고 사使도 좋은 방향으로 하는 것이기 때문에 이 문제에는 성의 있게 해 나갈 작정입니다.

이나미 2년간 국정을 해 보시니 어떠셨습니까? 개혁을 원하는 쪽에서는 굉장히 미진하다고 하고, 그렇지 않은 쪽에서는 불만이 많고요. 청소년·교육·의료·환경 문제 등 어느 것 하나 쉬운 것이 없다고 생각됩니다. 대통령께서 원하신다고 다 뜻대로 되는 것은 아닌 것 같고요. 매일 두통약을 먹어야 될 것 같은데, 어떠셨습니까?

김대중 아닌 게 아니라 때로는 두통약 생각날 때도 있습니다. 그리고 언제든지 일이 잘못될 때는 국민으로부터 비판이 일어나지만, 일이 잘되어도 분배가 좀 왜곡되거나 상대적 박탈감이 있을 때는, 내 몫은 늘어났지만 상대방의 몫이 너무 늘어나면 반발이 생깁니다. 일부 부를 축적한 사람들이 낭비하고 과시해서, 국민들을 자극하는 면이 있습니다.

아직 빈곤층을 제대로 해결하지 못하고 있고, 이런 문제에 국민들의 불만이 있는 것은 사실입니다. 그래서 그것을 정부가 인내심을 가지고, 또 정말로 우리 정부가 중산층과 서민을 위주로 하는 입장에서 하나하나 풀어 나가는 노력이 필요하다고 생각합니다.

거짓말, 위증, 이런 것이 국민들을 화나게 만들어서 정부가 그 와중에 끌려들어 가서 지금 고통을 겪고 있습니다. 물론 국민들도 억울하겠지만 정부도 억울할 때가 많습니다.

김주영 그런 것이 혹시 대통령께서 혼자 다 하시려고 하시다가 생긴 부작용은 아닌지 모르겠습니다.

큰 정책 방향은 대통령이 쥐고 나가야

김대중 그런 말도 듣습니다. 그런데 내가 혼자 했다면 서해 해전을 어떻게 했겠습니까? 기업의 구조조정을 혼자 어떻게 하겠습니까? 외교를 어떻게 다 하겠습니까? 소임을 맡은 분들이 열심히 잘해 주었기 때문입니다.

그러나 중요한 것은 그 모든 분야에 대해서 대통령의 눈이 가야 합니다. 그리고 모든 장관이나 책임자들이 대통령이 나를 지켜보고 있다고 느껴야 합니다. 우리 제도는 대통령중심제입니다. 누가 잘못해도 책임은 대통령이 져야 합니다.

마지막으로 결정하는 책임과 의무는 대통령에게 있습니다. 그래서 대통령이 둔한히 해서 장관이나 이런 사람들이 대통령을 전혀 의식하지 않고 멋대로 가면 과거와 같은 사태가 일어납니다. 그래서 외환 위기가 온 것 아닙니까? 제가 경제에 대해 중심을 잡고 재벌 개혁을 했습니다. 우리나라 재벌이 얼마나 강한 재벌입니까? 은행 등 금융기관이 100여 개가 문을 닫았습니다. 이런 일을 중심을 잡고 지금까지 해 오지 않았으면, 우리나라 대재벌인 대우를 어떻게 해체합니까?

그러니까 대통령이 일을 사무적으로 간섭해서는 안 되지만 큰 줄거리에 대해서는 꼭 쥐고 있어야 됩니다. 안 그러면 잘못됩니다. 그런 점에 있어서 중요한 업무는 맡기지만 큰 정책적 방향은 대통령이 쥐고 나가야 한다고 생각합니다.

홍성규 최근에 있었던 국정원장 발언 파문이라든가, 옷 로비 사건이라든지, 파업 유도 발언이라든지 일련의 사태를 보면 대통령을 보좌하는 분들이 오히려 대통령을 더 어렵게 하는 것 같은데 어떻게 보십니까?

김대중 그 점에 대해서는 유구무언입니다. 저를 위한다는 사람이 오히려 위한 것이 아닌 결과를 보면 참 어이가 없는 때가 있습니다.

이나미 연초에 불을 때면 아랫목부터 따끈따끈해지지만 시간이 지나면 윗목도 뜨거워진다는 말씀을 하셔서 제가 문학적으로도 멋진 비유라고 생각을 했습니다. 그리고 아까 상대적인 박탈감을 언급하셨는데 아직까지 중산층이나 서민들은 굉장히 위화감 같은 것을 많이 느끼고 있는데, 언제쯤 윗목도 따끈따끈해질 것인지 직관력 같은 것을 가지고 계십니까?

김대중 방 가운데까지는 훈기가 오기 시작하고 있습니다. 예를 들면 엊그제 동대문 시장을 가 봤습니다. 2년 전 제가 대통령이 되기 전에도 거기를 가 봤는데 2년 후에 가 보니까 세상이 달라졌습니다. 동대문 시장이 세계 최대의 의류 시장이 됐습니다.

새벽 2시가 되면 발 디딜 곳이 없이 사람이 몰려듭니다. 중산층들이 좀 나아진 것은 사실입니다. 우리나라에서 중소기업이 2만 3,000개가 문을 닫았습니다. 그런데 지금 중소기업, 벤처기업 합쳐서 3만 5,000개가 문을 새로 열었습니다. 그 전보다 훨씬 더 우수한 기업들입니다. 지금 늘어나고 있습니다.

통계청의 통계를 보면 과거 국제통화기금(IMF) 외환 위기 전에 우리나라 중산층이 약 40퍼센트였는데 금년 연말로 다시 40퍼센트 정도 되고 있습니다. 그래서 중산층 선까지는 어느 정도 훈기가 왔습니다. 최근 일출 등을 보기 위해서 서울 시민 세 사람 중에 한 사람이 여행을 간다는 것도 하나의 예입니다.

그러나 중산층도 지금 상대적 박탈감을 느끼고 있습니다. 고소득층의 소득이 워낙 늘어났고 그 사람들이 너무 사치 생활을 하니까 내가 늘어난 것은 생각을 안 하고 오히려 그것만이 화가 난 것입니다.

서민층을 보면 이제 윗목 쪽은 아직도 훈기가 제대로 안 간 것이 사실입니다. 실업자 수가 170만 명에서 70여 만이 줄었지만 아직도 백만의 실업자가 남아 있습니다. 금년 지나고 내년부터 본격적으로 서민들에게 훈기가 가는 시대가 옵니다. 그것은 막연히 그러는 것이 아니라 이번에 법을 만들어서 예산에 반영시켰습니다. 예를 들면 국민기초생활법으로 해서 164만 명에 대해서 내년에 기본 생활을 정부가 모두 보장해 줍니다. 40만의 중고등학생이 돈이 없어도 학교 갈 수 있도록 장학금을 대 줍니다.

30만 명의 대학생들에 대해서 지금까지의 대여장학금을 배 이상 늘려 주면서 정부가 400억 원의 금리를 보장해 주고 그 사람들에게 장학금을 줍니다. 이제는 돈이 없어 학교 못 가는 사람은 없습니다. 그리고 유치원이라든가 영아원 애들까지 돌보아 주고 있고 2002년에는 주택 보급률이 100퍼센트가 됩니다.

지금 농민들에 대해서는 여러 가지로 금리를 인하해 주고, 과거에 농민들이 빚보증을 섰다가 그것 때문에 망하게 된 것을, 그 빚보증을 전부 정부가 안아 주었습니다. 이런 일을 정부가 해 주고 있고 노동계나 봉급자들의 근로소득세도 대폭 인하해 주고 여러 가지 노력을 하고 있습니다. 그래서 내년에 가면 윗목에서 훈기를 느끼기 시작할 것입니다. 그 준비가 다 되어 있습니다. 막연히 입으로 하는 것이 아니라 예산으로 되어 있고 법으로 되어 있습니다.

경제는 어느 나라나 그렇습니다. 나빠질 때는 급속히 나빠지는데 좋아질 때는 서서히 좋아집니다. 그런데 서서히 좋아지니까, 시간이 걸리니까 아무래도 약한 쪽, 즉 서민들이나 이런 쪽이 늦게 좋아집니다.

그리고 제일 위험한 것은 상대적 박탈감을 느끼는 문제입니다. 민주주의 국가이고 자본주의 국가에서 자기 돈 가지고 제가 쓰는 것을 어떻게 할 수 없지 않습니까? 그래서 그런 사치에 대해서는 철저히 과세하고 대중들이 소비하는 품목에 대해서는 특소세를 폐지시키고 일반 이용품에 대한 세율을 낮추어 주는 등 여러 가지 노력을 기울이고 있습니다.

요컨대 국민의정부는 우리나라 역사상 처음으로 중산층과 서민의 정부입니다. 이것을 펴고 나온 정부는 이번이 처음입니다. 그래서 그렇게 말한 값을 할 것입니다.

지금까지 2년은 한마디로 말하면 외환 위기 극복, 경제를 옛날 정도로 돌리는 것, 여기에 사력을 다 했습니다. 뭐가 있어야 나아지죠? 경제가 침체되어서 생산이 없는데 어떻게 나아집니까? 이제 어느 정도 목표 달성을 했으니까 이제는 제일 어려운 분들을 중점적으로 지원해 나가겠다는 생각입니다.

홍성규 조금 전에도 잠시 말씀이 있었습니다만 바깥에서는 대통령께서 워낙 모든 분야에 있어서 논리적으로 해박하셔서 너무 꼼꼼하게 너무 야무지게 챙기시기 때문에 참모들이나 장관들이 좀 더 소극적인 것이 아니냐 그런 얘기들을 합니다. 정책적으로는 어떻습니까? 지금 참모들이나 장관들이 정책과 관련해서 대통령을 설득할 수 있습니까? 어떻습니까?

김대중 그렇지요. 장관뿐만 아니라 비서관 등이 자주 대통령한테 면담 신청을 해서 건의하고 이렇게 하고 있습니다. 또 내가 하라고 그러고요. 그래서 내가 알 것은 알고 있습니다. 언로는 완전히 개방되어 있습니다.

김주영 요즘 정치권에 대한 불신이 국민들 사이에 만연되어 있는 것 같습니다. 이를테면 민생을 위한 입법을 소홀히 하고 정쟁에만 몰두한다든지 그런 점 때문이라고 생각되는데요. 그런데 국민들이 걱정하는 것은 앞으로도 계속 이럴 거냐, 이러면 참 걱정스럽지 않으냐 이런 얘기들을 하시는 분들이 많습니다.

국정의 발목을 잡는 정치

김대중 지금 우리나라에 가장 큰 위험 요소는 국민들의 정치 불신입니다.

국민의 정치 불신은 여나 야나 양쪽에 다 마이너스를 주고 있습니다. 여당의 지지가 내려간다고 야당으로 가지 않고 있습니다. 전부 유보하는 쪽으로 가고 있어요. 이것이 어디로 갈지 모릅니다.

그래서 여당, 야당이 다 같이 위기의식을 느껴야 한다고 생각합니다. 그중에 가장 책임을 느껴야 하는 것은 물론 대통령인 저라고 생각합니다. 지금 우리 국사가 대체적으로 외교나 안보나 혹은 남북 문제나 경제나 여러 가지 문제들이 어느 정도 성과가 올라가고 있습니다. 그것은 세계가 인정하고 있습니다. 그런데 정치 하나가 국정의 발목을 잡고 있습니다. 그래서 참 안타까운 일입니다.

그래서 제가 얘기하고 싶은 것은 여당이 잘해야 하는데, 물론 우리도 반성은 많이 하고 있습니다. 더구나 최근에 옷 로비 사건이라든가 이런 것은 누구에게 책임을 미루겠습니까? 우리의 책임이지요. 그런데 문제는 아까도 강력히 하라는 말이 나왔는데 정치란 것은, 국회는 의석 가지고 결정을 합니다. 그런데 명색이 여당이 정권만 잡았지 국회 299석 중 105석밖에 안 돼요. 3분의 1밖에 안 됩니다. 그 어려운 일이 여간 많지 않습니다.

이런 때는 야당이 도와주어야 합니다. 야당이 과거에 집권당이었기 때문에 오늘 나라가 잘못된 책임도 있습니다. 또 나는 야당 할 때 노태우 정권 때인데 여소야대였습니다. 그때 내가 제1야당의 총재로서 원내 안건 90퍼센트 이상을 여야가 합의해서 통과시켜 주었습니다.

김영삼 정권 때는 미국이 우리나라에 무역 압력을 가하니까 제가 미국에 건너가서 미국 상공회의소에서 연설하고 국무차관을 만났습니다. 그 자리에서 우리는 당신네가 1980년도에 무역 역조에 시달릴 때 구매 사절단을 보내서 30억- 40억 달러를 사 주었는데 이제 우리나라에 대해 무역 적자 좀 난다고 이럴 수가 있느냐, 약자는 강자를 도와주고 강자는 약자를 안 도와주고 이런 법이 있느냐, 그랬더니 그 사람들이 그 내용을 듣고 깜짝 놀라서 내가 말한 것을 상공회의소 회보 전면에 실었어요. 그리고 태도를 바꾸었어요. 저는 이런 것이 야당이 할 일이라고 생각합니다.

야당은 이렇게 나라를 위하는 일도 해야 됩니다. 노태우 정권 때 소련과의 수교, 남북합의서를 지지해 주었습니다. 저는 야당에 대해서 대통령에 당선된 뒤 1년만 도와 달라고 간청을 한 적이 있지만 결국 그것을 얻지 못했습니다. 야당과 언론은 정당한 비판을 하기 위해서 있는 것입니다.

그러나 동시에 잘한 일에 대해서는 국민 앞에서 그것을 인정하고 또 잘하도록 도와주고 할 때 나라가 잘됩니다. 그래야 그다음에 자기네가 여당이 되었을 때 야당의 도움을 받을 수 있는 것입니다. 이런 정치 풍토를 만들어 가야 한다고 생각합니다. 그런 것을 야당에 자꾸 메시지를 보내고 대화를 할 준비를 하고 있습니다.

이제 우리가 기로에 서 있는데, 정치를 개혁해서 정치 안정을 가져오는 것이 중요합니다. 그러면 내년 이후 21세기에 우리는 지식기반 시대, 세계화 시대, 정보화 시대, 무한 경쟁 시대, 이런 시대에 한국 국민이 한번 일어설 수 있습니다. 왜냐하면 지금까지는 국토가 넓고 자원이 많고 인구가 많은 나라가 강국이었습니다. 그러나 이제부터는 그것보다는 지식이 높고 문화 창조력이 강한 사람이 많은 나라가 강국이 됩니다. 그런데 그런 점에 있어서 한국 사람들은, 아시다시피 세계에서 가장 교육 수준이 높고 문화 창조력이 강합니다.

중국에서 불교를 가져오면 해동 불교를 만들고 유교를 가져오면 조선 유학을 만들고 이런 사람들입니다. 그렇기 때문에 이러한 한국 국민의 특성을 살려서 우리 역사상 처음으로 우리가 세계 속에서 일류 국가가 될 계기가 지금 왔습니다.

여기에서 우리가 좌절하느냐 혹은 비약하느냐 하는 것은 내년에 정치가 안정을 기하느냐 못 하느냐에 달려 있다고 생각합니다.

홍성규 대통령께서는 새천년 한국의 첫 지도자가 되시지 않았습니까? 새천년을 앞두고 우리 모두가 크게 달라져야 된다, 이런 게 우리 국민들의 대부분의 소망인 것 같습니다. 새천년을 맞는 심경이나 혹은 계획, 그리고 국민들에게 드릴 당부가 있으시면 이 기회에 말씀해 주시죠.

김대중 다시 한번 말씀드리고 싶은데, 제가 본의건 본의 아니건 여러 가지 최근의 불미스러운 일들로 국민 여러분께 걱정을 끼친 것을 참으로 송구하게 생각하고 국민 여러분께 위로의 말씀을 드립니다.

동시에 이왕 벌어진 일인데 중요한 것은 이것을 투명하게 하고, 그리고 분명하게 책임을 가려서 처벌할 것은 처벌하고 이렇게 해야 한다고 생각합니다. 그래서 금년 내에 그러한 문제를 마무리 짓도록 노력하겠습니다.

지금까지 우리가 가지고 있던 좋지 않은 유산, 즉 지역감정이라든가, 이기주의라든가, 부정부패라든가, 사치·낭비라든가, 나만 잘살면 된다는 식의 이런 일들은 이제 버려야 합니다. 그리고 21세기는 우리가 세계 속에서 경쟁해서 1등 하지 않으면 살아남지 못합니다.

세기만 바뀌는 것이 아니라 인류 역사상 가장 큰 혁명을 하는 그런 시대가 등장합니다. 아까도 말했다시피 우리에게는 지식과 문화 창조력이 있는 국민으로서 희망이 있습니다.

그렇기 때문에 좋은 유산은 가지고 가고 나쁜 유산은 버리고 가서 새천년을 맞이해서는 자랑스러운 조국을 만들어 가야 합니다. 그리고 모든 국민이 아랫목부터 윗목까지 고르게 훈기를 느낄 수 있는 행복하고 풍요로운 나라를 만들어 가야 한다고 생각합니다.

노벨평화상 수상 영광을 국민 여러분께

대담 청와대 출입 기자
일시 2000년 10월 16일

양승현(대한매일 기자) 대통령께서 노벨평화상 수상자로 확정되는 것을 텔레비전으로 지켜보면서 출입 기자가 아닌 국민의 한 사람으로서 진한 감동을 맛보았습니다. 우리나라에도 노벨상 수상자가 있었으면 했던 어린 시절의 오랜 꿈이 실현되는 순간이기도 했습니다.

그때 저는 많은 전화를 받았습니다. 친지들로부터 대통령 덕분에 축하 인사를 받았고 모 장관께서는 제 휴대전화에 오늘은 우리 민족이 승리한 날로 기록될 것이라는 감격 어린 메시지를 남기기도 했습니다. 어쨌든 대통령님의 이번 수상이 우리 민족 중흥의 계기가 되고 위대한 한민족의 시대를 여는 디딤돌이 되기를 축원합니다.

바쁘신 데도 수상 이후 제일 먼저 우리 기자들과 귀한 대화의 시간을 마련해 주신 데 대해 다시 한번 감사드리며, 우리 기자들은 다시 한번 감사의 박수를 쳐 주시기 바랍니다.

김대중 오늘 기자들을 만났는데 박수도 쳐 주고 평소하고 다르게 됐습니다. 기자회견 할 때 이렇게 박수가 나왔으면 좋겠어요.

여러분이 그런 마음으로부터의 축하를 해 주신 데 대해 진심으로 감사하고, 또 이 자리를 통해서 그동안 저를 성원해 주신 우리 국민과 세계의 많은 민주 인사들, 친구들에게도 감사드립니다.

저는 여러분이 아시는 대로 조금 고생을 했는데, 제가 일본에서 1973년에 납치되어서 배 선창 밑에서 전신이 꽁꽁 묶여 물에 던져지려 할 때 기다리는 시간이 몇 시간 있었습니다. 또, 1980년도에 사형 선고를 받아서 1심, 2심, 3심까지 가는 동안 많은 시간이 있었습니다. 그럴 때 저는 참 많은 생각을 했습니다. 그리고 내가 죽는다고 생각하니까 무섭기도 하고 겁나기도 했습니다.

그런데 결국 그런 어려움들을 극복했다고 볼 수가 있는데, 그렇게 극복할 수 있었던 힘 중 하나는 신앙의 힘이 아주 컸다고 생각하고 있습니다. 그러나 신앙은 마음의 결단이지 우리 손에 쥐어지는 아주 구체적인 증거는 없습니다. 그러나 아주 구체적인 증거가 우리에게 있습니다.

정의 필승

김대중 그것은 역사를 통해서 고금동서 어디에서건 정의롭게 산 사람이 당대에는 성공을 못 하더라도 역사를 통해서 보면 한 사람도 빼놓지 않고 패배자가 없습니다. 다 성공했습니다. 적게는 가족들 마음속에, 크게는 국민의 마음속에, 또 크게는 세계 사람들의 마음속을 통해 성공했습니다.

그래서 정의 필승이라는 말은 구체적이고 증거가 수없이 많은 일이지, 절대로 그냥 헛소리가 아니라는 생각을 옥중에서 했습니다. 내가 이렇게 세상을 뜨더라도 우리나라의 민주주의와 평화 통일을 위해서 쌓아 온 내 인생은 반드시 역사 속에서 국민에 의해서 정당하게 평가될 것이라고 생각하니까 사형 선고의 와중에서도 마음이 굉장히 안정되었습니다.

그렇게 고비를 넘겼습니다. 그런데 너무도 다행스럽게도 죽지 않고 살아서 대통령도 되고, 노벨평화상을 받는 영광까지 얻었으니까 나로서는 그 행운을 뭐라고 감사해야 좋을지 모른다는 심정을 이번에 또 한 번 가졌습니다.

제3차 아시아유럽정상회의(ASEM)가 곧 열립니다. 세계 26개국의 정상들이 우리나라에 모여 아시아와 유럽 간에 정치·군사 분야, 그리고 경제·재정 분야, 사회·문화 분야에서 아주 큰 테두리를 잡아서 장래의 협력 관계를 발전시키는, 비로소 확고한 기반을 세우는 회의가 열리게 됩니다. 이것은 우리나라에도 큰 국가적 경사입니다만 아시아·유럽의 공고한 협력과 발전 등에 있어서 아주 중요한 계기가 될 것입니다.

준비를 충분히 했습니다. 한반도에서의 남북 간 평화에 대해서도 서울 선언을 통해서 이를 지지하고, 유럽과 아시아 간의 문화 교류, 유학생 교류 등 구체적인 많은 일을 하게 됩니다. 여러분이 장차 회의를 통해서 알게 될 것입니다. 이것은 국가 발전에도 큰 도움이 되기 때문에 행사를 반드시 성공리에 마치도록 해야 하겠습니다. 지금으로서는 모든 것이 잘 될 것으로 믿고 또한 끝까지 여러분의 협력을 바랍니다.

제가 수상자가 되고 나서 많은 생각을 했지만, 요즘 워낙 아시아유럽정상회의(ASEM) 문제에 몰두하다 보니까 시간적 여유가 없습니다. 어제도 일요일인데 종일 외교안보수석과 함께 관계 서류를 검토하고 점검하는 데 보냈습니다.

그래서 아직 충분한 구상은 없지만, 앞으로 무엇보다도 화합의 정치를 하겠습니다. 모든 분야, 특히 여야 간에도 화합의 정치를 해서 노벨평화상을 받은 나라의 정치답게 평화 속에 서로 격려하고 정책으로서 대결도 하는, 하지만 화합의 틀을 깨지 않는 그러한 정치를 했으면 좋겠다고 생각합니다. 이 점에 있어 제가 앞장서서 최선을 다할 작정입니다.

둘째로 이번에 제가 노벨평화상 수상자로 선정된 이유는 제가 인권과 민주주의에 약간의 공헌을 했기 때문이라고 생각합니다. 이 취지에 부끄럽지 않고 한국이 인권과 민주주의의 세계적인 모범국가가 되도록 여러분과 같이 또 국민과 같이 최선을 다해서 노력하고 또 해낼 작정입니다.

셋째로 평화상을 받은 가장 큰 이유 중의 하나가 남북 관계의 진전이라는 것을 여러분이 잘 아실 것입니다. 따라서 남북 관계를 앞으로 착실히 발전시켜 한편으로는 긴장 완화를 통해 평화를 정착시키고, 또 한편으로는 교류를 통해 이산가족, 경제 협력, 문화·스포츠 교류 등을 확대시켜서 새로운 남북 화해·협력 시대를 만들어 나가도록 하겠습니다. 이번에 노벨평화상위원회에서 저에게 상을 주면서 남북 관계에 대해서 특별히 지적한 점을 매우 중요하게 생각합니다.

넷째, 이 나라가 앞으로 세계적 경제 강국이 되어야 하겠습니다. 저는 될 수 있다고 생각하고 반드시 그렇게 되도록 국민과 더불어 노력하겠습니다. 그러기 위해서는 지금 우리가 하고 있는 금융·기업·공공·노동 등 4대 개혁을 약속대로 내년 2월까지 마무리 지어야 하겠습니다. 그리고 지금까지 추진해 온, 세계에서 가장 앞서가고 있는 정보화를 계속 발전시키고, 새로이 제4의 물결로 등장하고 있는 생명산업에 주력해서 4대 개혁, 정보산업, 생명산업을 삼위일체로 발전시켜 세계적 경제 강국을 만들어야겠다고 생각하고 있습니다.

다섯째는 무엇보다도 서민들의 생활을 안정시키겠습니다. 이번에 실시되는 국민기초생활보장법을 통해 이제는 누구도 생계를 거르지 않도록 하고 의료와 자녀들의 교육을 보장하도록 하겠습니다. 그러나 기초생활 보장도 중요하지만 더 중요한 것은 서민들을 포함해서 모든 국민을 평생 교육시키고 재교육시켜 새로운 정보화 시대, 생명산업 시대, 지식기반 시대에 알맞은 고급 인력으로 양성해서 소득과 지위를 향상시키는 노력입니다. 앞으로 이를 적극 추진해 나가겠습니다.

이러한 다섯 가지에 대해 앞으로 국민과 여러분의 협력을 얻어 가면서 최선을 다하겠다는 것이 저의 생각입니다. 구체적인 정책은 앞으로 아시아유럽정상회의(ASEM)가 끝나고 많은 분들의 의견을 듣고 저도 깊이 생각해서 다시 한번 여러분에게 저의 생각을 말씀드릴 기회가 있을 것으로 생각합니다.

오늘은 우선 여러분을 통해서 국민에게, 그리고 여러분께도 감사를 드립니다.

김기서(연합뉴스 기자) 그동안 인권과 민주화, 그리고 남북 관계 발전을 위해 평생을 헌신해 오신 대통령께서는 이번 노벨평화상 수상에 대해 남다른 감회를 느끼실 것으로 생각됩니다. 발표를 지켜보면서 어떤 생각을 하셨는지요? 또 이번 수상이 앞으로 남북 관계에 어떤 영향을 미칠 것으로 생각되는지 말씀해 주시기 바랍니다.

김대중 노벨평화상을 발표하는 6시에 안방에서 아내와 함께 지켜봤습니다. 평화상 발표가 되니까 창피스럽지만 아내와 껴안고 좋아했습니다. 제가 이렇게 평화상을 막상 받고 보니까 꿈같기도 하고 정말로 책임이 무겁구나 하는 생각을 많이 가졌습니다.

어떤 분이 명답을 했습니다. 올림픽 게임은 금메달을 얻으면 그것으로써 끝나는데 노벨평화상은 금메달을 얻으면 그때부터 책임이 더 무거워진다고 했는데, 그 말이 옳은 말이라고 느꼈습니다.

결국 남북정상회담이 노벨평화상을 받는 데 도움이 된 것이 사실이고, 그런 점에 있어서 내가 마음대로 할 수 있는 일은 아니었지만 김정일 위원장에게는 미안한 생각도 있고 감사한 생각도 있고 그렇습니다.

앞으로 남북 관계를 더 발전시켜서 노벨평화상을 준 의도에 부응하는 그러한 남북 관계가 되도록 성심껏 노력할 것입니다.

강동훈(불교방송 기자) 노벨상위원회가 수상 이유로 민주주의와 인권 신장에 크게 기여한 것으로 평가했는데, 김 대통령님이 수십여 년 동안의 고난을 견디게 한 힘은 어디에서 나왔다고 생각하시는지요. 그리고 이와 관련해서 각계에서 달라이 라마의 방한 추진 움직임이 일고 있는데 같은 평화상을 받은 달라이 라마의 방한에 대해 어떻게 생각하시는지 답해 주시기 바랍니다.

김대중 내가 조금 전에도 말했지만 결국 민주주의와 인권을 위해서 굴하지 않고 싸우게 된 힘은, 하나는 신앙이고 하나는 역사에 대한 믿음이었습니다.

달라이 라마 방한 문제는 정부에서도 여러 가지로 신중히 검토하고 있습니다. 아직 뭐라고 말씀드릴 수 없지만 정부에서도 이것을 검토하고 있다는 것을 알아주시기 바랍니다.

황정미(세계일보 기자) 오늘 김 대통령님의 사직동 팀 해체 발표가 있었습니다. 오래전부터 대통령께서 그런 생각을 하신 걸로 알고 있지만 노벨상 수상에 영향이 있지 않았냐 하는 해석도 있는데 어떻게 생각하시는지요? 또 앞으로 구체적인 방안은 나중에 말씀하신다고 들었는데, 인권법 제정이나 민주주의의 신장을 위한 어떤 구상이 있으시다면 말씀해 주십시오.

김대중 사직동 팀은 그동안 그곳에서 일하신 분들이 수고를 많이 해 주셔서 개인적으로는 감사히 생각합니다. 그러나 실제의 활동보다도 더 크게 과장된 인상을 국민들에게 주고 있었습니다. 과거부터 전례가 있어서 그렇지만 일하는 분들도 불편한 것들이 많고 정부에서도 플러스 요인이 안 된 것도 많이 있었습니다.

그동안 몇 번 검토를 한 일이 있었는데 이번에 약간 말썽도 있고 해서 이 기회에 정리하는 것이 국민에 대한 도리가 될 것 같았고, 더 이상 지연시키는 것은 국민에게 미안한 일이라고 생각해서 결정하게 되었습니다. 노벨평화상과는 직접적인 관계가 없습니다.

김영근(한국경제 기자) 간단한 질문 두 가지만 드리겠습니다. 하나는 노벨상 수상자 발표를 사전에, 단 1초 전에라도 모르셨습니까? 또 하나는 경제 문제와 관련된 질문인데, 노벨평화상 발표 이후에 국민들 중에는 경제와 민생 등에 대한 기대가 높습니다. 경제를 활성화시키고 민생 안정을 위한 구상을 밝혀 주시기 바랍니다.

세계적인 경제 강국의 토대를 만들어야

김대중 단 1초가 아니라 1초의 10분지 1 전에도 몰랐습니다. 정말 몰랐습니다. 경제 문제는 이미 우리 정부가 여러분께 발표했습니다. 12월까지 금융과 기업 문제는 마무리 짓고 나머지 공공 부문과 노동 부문은 내년 2월까지 마무리 짓는다고 했습니다. 그런데 어려운 점도 상당히 있어 12개 항목을 구체적으로 예시해서 국민들이 알게 하고 매월 국민들에게 보고할 것입니다. 그래서 저도 이달 말부터는 직접 챙길 생각입니다. 그동안 어떻게 진전시켰는지를 하나하나 챙겨 나갈 작정입니다.

우리가 어려운 것은 사실입니다. 그러나 우리가 해낼 수 있습니다. 이것은 확실합니다. 여러분, 우리를 믿으십시오. 나를 믿으십시오. 우리는 해냅니다. 과거에 힘을 합치니까 이보다 훨씬 더한 외환 위기도 극복하지 않았습니까?

지금 우리에게는 문제점도 많지만 좋은 점, 강점도 많습니다. 여러분이 알지 않습니까? 우리 자체에서 일어난 문제도 있지만 우리가 어쩔 수 없는 외부 문제도 있습니다. 유가 문제, 미국 증시 폭락, 대우자동차 문제, 반도체 문제 등이 있습니다. 이런 것들은 변합니다. 변하지 않으면 대책을 세워야 합니다.

유가 문제 같은 것은 우리가 이번 기회에 전화위복의 계기로 삼고 근본적 대책을 세워야 한다고 생각합니다. 국민들이 정말 '금 모으기' 하던 심정으로 한 번 더 협력을 하면 정부는 그 힘을 얻어서 경제를 반드시 살려내겠습니다. 살려낼 뿐만 아니라 세계적인 경제 강국의 토대를 만들어 놓고 다음 정부에 물려주는 정도는 하겠습니다. 그러니 여러분, 믿고 도와주시기 바랍니다.

송기원(MBC 기자) 노벨상 수상이 결정된 지 사흘이 지났고 여러 가지 구상을 하셨다고 말씀하셨는데, 우선 10억 원이 넘는 상금을 어디에 쓰실 것인지 말씀해 주시고, 덧붙여서 라프토인권상 상금의 용도도 말씀해 주십시오. 국내 정치 현안과 관련해서 야당에서 사정 정국이 전개될 것이라는 이야기도 있고, 야당이 큰 정치를 내세워 당적 이탈을 대통령께 요구하고 있는 것으로 알고 있습니다. 거기에 대한 생각은 어떠신지 말씀해 주시기 바랍니다.

김대중 노벨평화상 상금이 한 10억 원 정도 된다고 하는데 이 돈은 우리 국민이 지원해서 받은 상금이기 때문에 제가 개인적으로 쓰지 않고 우리 국민에게, 혹은 민족을 위해서 뜻있게 쓸 작정입니다. 이 문제는 어떻게 쓰는 것이 좋을지 여러분을 포함해 많은 아이디어를 얻어서 쓰겠습니다.

그리고 라프토재단에서 상금을 준다고 했습니까? 언제 또 그런 것까지 조사를 했어요? 오늘 그 희소식은 처음 들었습니다. 전부 합치면 많은 돈이 되는데 이것을 시드머니(seed money)로 해서 뭘 하든지 아니면 그대로 쓰든지 하겠습니다.

그리고 사정 정국은 전혀 근거 없는 소리입니다. 믿지 않는 것이 좋습니다. 그런 일을 한다면 노벨평화상을 준 데 대해서 도리가 아닙니다. 당적 문제는 현재 생각해 본 적이 없습니다. 여러분! 감사합니다.

4대 개혁 완수는 경제 회복의 선결 과제

대담 한수진 외
일시 2000년 11월 13일

한수진 대통령님, 귀한 시간 내주셔서 감사합니다. 먼저 노벨평화상을 수상하시게 된 것을 진심으로 축하드립니다.

제가 알기로는 노벨상 수상 발표 이후에 이렇게 텔레비전 화면을 통해서 국민과 마주하시는 것이 처음이라고 들었습니다. 공식적인 수상 소감은 이미 보고 들었습니다만, 이 기회를 빌려서 개인적인 감회를 다시 한번 여쭙고 싶습니다.

김대중 노벨상 수상자를 발표할 때 아내와 공관 안방에서 텔레비전을 지켜보았습니다. 그래서 제 이름이 나와 둘이 껴안고 아주 좋아했습니다. 아내가 고생 많이 했습니다. 그 어려운 고비를 많이 참아 주었고, 용기와 인내를 가지고 나를 뒷받침해 준 아내의 덕이 컸습니다.

또 뭣한 말이지만, 젊었을 때 전처가 민주화투쟁을 같이 하다가 세상을 떴거든요. 그 처 생각이 나고 또 자식과 형제간, 이웃 동지들……. 수많은 사람들이 감옥을 갔다 왔습니다. 고문도 당하고, 그러고 보니까 너무도 많은 사람들의 희생이 있었습니다.

거기에 국민 여러분도 계시고 또 세계에서 지원해 준 분들도 계시고 하니까 노벨평화상 하나에 얼마나 많은 사람들의 희생과 지원과 열망이 모여 있는가를 느꼈습니다. 내가 혼자서 영광을 차지한 것 같아서 상당히 죄송한 생각도 들었습니다.

김광두(서강대 교수) 노벨상 받으신 것 진심으로 축하드립니다. 그런데 한편 국내에서는 경제가 또 어렵게 되어가서 심려가 많으실 것으로 생각됩니다. 먼저 대통령께서 실업 문제에 대해서 말씀해 주셨으면 합니다.

김대중 실업 문제에 대한 걱정은 당연합니다. 정부도 크게 걱정을 하고 있습니다. 정부는 구조조정을 하면서 '구조조정지원단'을 구성했는데 그 안에 '실업대책특별반'을 만들었습니다.

실업자 문제는 정부가 전력을 다해서 해결하기 위해 노력할 것입니다. 첫째는 생계 지원에 대한 대책을 세우고, 둘째는 실업자를 재교육시켜서 정보 통신 분야 같은 데서 쉽게 취직하고 또 수입도 많은 분야로 재취직시키는 문제, 그리고 셋째는 일반 기업에서 실업자를 채용했을 때 정부가 보조금을 지불하는 방법 등 정부가 모든 노력을 아끼지 않고 해 나갈 작정입니다.

김광두 그런데 현재 불안해하고 있는 것은 1차 때 퇴출해서 그것으로 끝날 줄 알았는데 2차로 또 하게 되고, 지금도 대우자동차 문제 때문에 상당한 파장이 있습니다. 현대건설도 불안한 상태 아니겠습니까?

그런데 국민들이 더 염려하는 것은 혹시 이것으로 끝나지 않고 3차 퇴출이 있는 것은 아닌지, 구조조정은 대통령께서 말씀하신 대로 우리 국가의 사활이 걸린 문제이기 때문에 반드시 해야 되지만 이것이 언제까지 갈 것인지, 이런 것을 불안해하고 있는 것 같습니다.

기업들의 잘못된 운영을 바꿔야

김대중 그런데 크게 보면 사람의 인체가 신진대사를 하지 않습니까? 신진

대사를 안 하면 사람이 죽거든요. 경제도 전문가시니까 아시겠지만 계속 문제점이 생기고, 그것을 고쳐 가고 이렇게 하는 것 아닙니까?

지금 산업사회에서 정보화 사회로 건너갔고, 다시 또 생명산업이 일어나는 등 여러 가지 변화가 있습니다. 기업들의 잘못된 기업 운영을 바꾸는 구조조정 문제는 이번으로 끝냅니다.

1차 때에 상당한 성과를 올렸습니다. 그 결과 우리나라 증시에 상장된 기업이 약 400개인데 그 기업들이 1998년에는 7조 원의 적자를 냈습니다. 제가 대통령에 취임한 해입니다. 그런데 작년에는 15조 원의 흑자를 냈습니다. 그리고 금년 상반기에는 10조 원의 흑자를 냈습니다. 하반기는 아직 모르겠습니다만, 구조조정의 성과도 나왔습니다. 전부가 나쁜 것이 아닙니다.

예를 들면, 기아와 한보를 퇴출시켰는데, 기아는 지금 자동차로서 흑자를 내고 있지 않습니까? 삼성자동차도 프랑스의 르노와 접목시켜 지금 잘 운영되고 있습니다.

대우는 현재 한 달에 1천억 원의 적자를 내고 있습니다. 이래 가지고는 안 되지 않습니까? 그래서 구조조정을 해야 합니다. 경비도 절감하는 동시에 또 필요 없는 인력을 일단 해고해야 합니다. 안 그러면 다 망해 버립니다.

그런데 그것이 제대로 안 되고, 원칙대로 자발적으로 구조조정을 안 하면 법정 관리하는 수밖에 없습니다. 이렇게 단호한 태도를 취하니까 해외에서 신인도가 높아지고 평가를 잘 받고 있습니다. 증시도 나쁘지가 않습니다.

대우는 한마디로 말하면 제2의 기아, 제2의 삼성자동차를 만들 것입니다. 그래서 돈벌이가 되는 기업을 만들 것입니다. 돈 못 버는 것은 기업이 아닙니다. 그러는 가운데 다시 기업도 살리고 남아 있는 노동자들의 안정을 보장하고, 또 이렇게 계속 발전해 나가면서 나머지 실업자들에 대한 대책도 세워 나갈 것입니다.

둘째로 현대 문제인데, 현대 문제는 금융기관과 채권자가 시장경제의 원리에 의해서 가장 투명하고 가장 공평한 방법으로 해결을 할 것입니다. 지금 그렇게 해 나가고 있습니다.

정부 방침은 "돈 벌 수 있는 기업, 잘될 수 있는 기업은 과감하게 지원하고 그럴 가망이 없는 기업은 단호하게 퇴출시킨다. 이렇게 해서 경제를 살린다"는 것입니다. 기업에 대한 대책에 있어서 추호도 차질이 없을 것입니다.

최근 주한 미 상공회의소 회장이 『나는 한국이 무섭다』라는 책을 쓰고 있어요. 한국 사람의 능력을 아주 높이 평가하고 있습니다. 우리가 문제점은 보아야겠지만 자학을 한다든가, 너무 비관한다든가 하면 심리적 영향 때문에 경제가 더 나빠집니다. 그래서 우리는 문제점에 대해서는 아주 정확하게 지적하고 시정하면서, 한편으로는 우리가 가지고 있는 장점에 대해서는 자신을 가지고 밀고 나가는 이 두 가지를 병행해야 한다고 생각합니다.

이시형 박사(정신과 전문의) 대통령의 확고한 의지를 들으니까 든든하고 기분이 좋습니다. 잘되어야 될 텐데, 문제는 이렇게 큰 기업들이 흔들리니까 당장 걱정이 서민 가계입니다. 아주 일파만파의 영향을 미칩니다. 또 지방·농촌 경제도 말이 아닙니다. 어려운 말씀 안 드려야 되는데 대통령께서 그런 점에도 잘 살펴 주셔야 할 것 같습니다.

김대중 지금 서민들이 어려운 것은 사실입니다. 원래 경제가 어려우면 가장 먼저 서민과 중산층이 어려워지고 더구나 정보화 시대에 있어서는 잘못하면 부가 편중되기 때문에 더 그렇습니다. 이것은 세계적인 현상입니다.

최근에 '국민기초생활 보장제도'를 실시했습니다. 이것은 아마 세계적으로도 예가 많지 않은 것입니다. 4인 가족의 경우 자기 소득 등을 포함하여 93만 원의 소득이 될 수 있도록 지원합니다. 그러면 생계와 교육, 의료 문제는 대개 해결됩니다.

아까 말씀드린 바와 같이 물가도, 이 통계 수치는 세계 기준에 의해 만든 것으로서 우리 마음대로 한 것이 아닙니다. 그것도 3퍼센트 이내, 금년에 2.5퍼센트 정도로 잡을 것입니다. 그리고 주택 문제가 있습니다. 주택을 구하는 데, 구입할 때는 6천만 원, 전세는 5천만 원을 낮은 이자로 융자를 해 주는 방안을 정부가 추진하고 있습니다.

그리고 중고등학교 학생 40만 명의 등록금을 대주고 있습니다. 약 30만 명의 대학생에게는 장기 저리 융자로 30만 원을 지원해 주고 있습니다.

가장 중요한 것은 정보화 시대에 정보화 교육을 받지 못하면 결국 가난이 대물림된다는 사실입니다. 그것을 막기 위해서 정부가 노력하고 있습니다. 예를 들면 초·중·고 학생 50만 명에 대한 정보화 교육입니다. 5만 명의 우수한 학생들에 한해서는 컴퓨터를 무료로 지원합니다. 주부 200만 명에 대해서도 정보화 교육을 시키고 있습니다. 60만 명이 넘는 군 장병이 정보화 교육을 받아 제대할 때는 2급 정보검색사 자격을 받습니다. 정보화 교육은 농촌에서도 이루어져 농산물의 전자 상거래가 시작되고 있습니다. 교도소 재소자들에게까지 정보화 교육을 시키고 있습니다.

그리고 금융종합과세를 내년부터 실시해 이제는 금융 면에 있어서 빈부 격차를 줄이는 노력을 해 나가겠습니다. 아울러 농촌에 대해서도 지금까지 많은 노력을 기울였습니다. 금리를 깎아 전체 농가에 약 9조 원의 혜택이 돌아가게 했고, 또 여러 가지 곡가穀價 보장도 과거보다도 훨씬 더 잘 이루어지도록 했습니다. 물류를 활성화시켜 전체 농업 예산에서 13퍼센트 정도에 불과하던 물류 예산을 30퍼센트로 올려 직거래나 도매시장에서 제값을 받도록 노력하고 있습니다.

그러나 그것만으로는 농촌의 어려움을 막을 수 없습니다. 그래서 내년부터 벼농사에 대해서는 직불제를 실시해서 벼농사 아닌 비닐하우스에서 얻은 것만큼의 차액을 정부가 돈으로 지원할 방침입니다. 동시에 내년에 재해보험을 실시해 농작물이 재해를 입으면 보상을 해 주는데, 우선 사과·배 등의 농작물부터 실시해 차츰 확대시켜 나갈 계획입니다. 그리고 내년에 저리자금 1조 원을 추가로 지원해 주어 11퍼센트의 높은 이자를 대폭 내릴 것입니다. 과거에도 13퍼센트까지 갔던 것을 6.5퍼센트로 내린 일이 있습니다.

정책 자금 같은 것은 이자가 쌉니다. 내년, 내후년에 상환 기일이 돌아오는 것은 농촌의 어려운 점을 감안해 장기간 분할 상환토록 할 것입니다. 이런 노력들을 정부는 열심히 할 것입니다.

그래서 제가 과거에 말했듯이 아궁이에 불을 지피면 훈기가 아랫목에서부터 올라가는데 제일 윗목에 있는 것이 서민들입니다. 그분들한테 훈기가 가도록 하겠다 했는데, 아직 훈기가 제대로 안 가고 있는 것은 사실이나, 훈기가 가도록 열심히 노력하고 있습니다. 따라서 적어도 내년 중반기 이후부터는 따뜻한 기운이 서민층까지 갈 것으로 생각합니다.

김광두 교수 공적 자금에 대해서 여쭈어보겠습니다. 국민들이 지금 공적 자금이라고 하면 세금하고 연결시켜 상당히 관심이 많은 것 같습니다. 처음에 우리가 국제통화기금(IMF) 구조조정 과정에서 64조 원을 조성했지 않습니까? 그런데 그다음에는 더 필요 없다는 이야기가 있다가 최근에 다시 40조 원을 추가하는 것으로 되어 있습니다. 그동안에 그러면 64조 원을 제대로 활용한 것이냐, 그 성과는 있는 것이냐, 그중에 얼마나 회수가 가능하냐, 이런 의문이 많습니다.

또, 40조 원을 추가 조성한다는데 그것으로 끝나는 것이냐, 또 요즘 들리는 이야기가 현대건설, 동아건설 등의 기업에 대해서는 공적 자금을 고려 안 한다는데 그것들이 혹시 잘못되면 공적 자금을 또 추가 조성해야 하는 것이 아니냐, 공적 자금을 언제까지 계속 조성하는 것이냐, 이런 의문 사항들이 많습니다.

김대중 공적 자금에 대해서 그러한 국민들의 의문이 있다는 것을 잘 알고 있습니다. 그런데 그 전의 64조 원에 대해서는 최근에 정부가 「공적 자금 백서」를 발표했습니다. 지금 김 교수께서 의문을 제기하신 상세한 내용이 전부 여기에 포함되어 있습니다. 그래서 어디에다 어떻게 썼고, 성과는 어떻고, 회수 가능성은 어떻고, 이런 것을 국민들이 알 수 있도록 했습니다.

그리고 앞으로 이 공적 자금 문제에 있어서는 국정조사를 하게 되어 있습니다. 그래서 여야가 같이 따질 것은 다 따지게 됩니다. 그다음에는 '공적자금공동관리위원회' 같은 것을 만들어서 민관이 함께 참여해 관리할 것입니다. 따라서 불투명하다거나 낭비하는 이런 일은 없습니다.

다만 성과가 문제인데, 사실 이 공적 자금 문제는 솔직하게 이야기를 하면 과거 30년 동안 누적된 잘못된 경영의 결과로서 지금 우리가 이런 일을 국민과 같이하지 않으면 안 되게 된 것입니다. 예를 들면 진로라든가, 기아라든가, 한보라든가, 과거 잘못 운영해 놓은 것을 지금 우리가 뒤처리를 하고 있는 것 아닙니까?

5개 은행이 망해서 문을 닫고 보니까 예금자들의 예금이 23조 원이나 되었습니다. 이것을 지급 안 해 주면 예금자는 돈을 떼이지 않습니까? 법도 지급하게 되어 있고, 그래서 그런 돈을 주는 데 쓰였습니다. 공적 자금이 그랬는데, 그러나 회수된 것도 있습니다. 예를 들면 자산관리공사 같은 곳에서 16조 원의 채권을 받아서 이것을 다시 18조 원을 받고 되팔아 2조 원의 덕을 보았습니다.

그래서 공적 자금이 이것으로 아주 끝나는 것이 아니고 채권이나 주식을 받아 놓은 것은 앞으로 시장이 좋아지면 팔아서 본전 하는 것도 있고 남는 것도 있고 이렇게 될 것입니다. 공적 자금을 써서 기업들을 살려 놓으면 시장이 좋아지고, 시장이 좋으면 주가나 채권값이 올라가고, 그렇게 되면 회수가 되고 혹은 이익도 보고 이렇게 되는 것입니다.

이번에 40조 원을 더 하게 된 것은 국민에게 죄송하게 되었습니다. 그런데 우리가 금년 봄에만 해도 이렇게까지 주가가 떨어질 줄은 예측을 못 했습니다. 또 대우가 저렇게 잘못될 줄 누가 알았겠습니까? 대우는 외국 기업인 포드에게 이관될 것으로 생각했습니다. 여하간 주식값이 많이 떨어지니까 지금 내다 팔아도 도움이 안 됩니다. 또 대우에서 나온 부실 뒤처리에 드는 돈만도 23조 원쯤 됩니다. 그래서 이런 것 때문에 할 수 없이 40조 원을 조성했는데 제가 볼 때는 앞으로 시장이 좋아지고 기업들이 살아나면 다시 회수할 수 있을 것으로 생각합니다.

현대와 같은 기업에는 공적 자금을 투입한 것이 아니고 결국에는 자력으로 살아나거나 그렇지 않으면 금융기관이 아주 투명하고 공정한 방법으로 이 문제를 처리할 것입니다. 그렇기 때문에 정부로서는 더 이상의 공적 자금은 이제 필요 없다는 것을 말씀드리고 싶습니다.

이시형 그래도 국민들 정서는 참 걱정이 많습니다. 이러다가 또 제2의 국제통화기금(IMF) 외환 위기가 오는 것이 아닌가, 또 아까 대통령께서는 4대 개혁 과제를 내년 2월까지는 꼭 마치겠다는 말씀을 하셨는데, 내년 2월까지만 기다리면 잘될 것인지 확실히 말씀해 주시면 좋겠습니다.

김대중 아마 내년 2월 이후가 되면 많이 좋아질 것입니다. 특히 후반기부터는 경제가 나아질 것으로 봅니다. 현재 추진하고 있는 4대 개혁, 이것을 마무리해 놓고 나면 국제 신인도도 올라가고 또 국내 시장에서의 신용도 늘어나고 모든 것이 투명해지기 때문에 다시 시장이 살아날 것입니다.

그런데 우리가 남미의 역사에서 배워야 한다고 생각합니다. 남미가 3년 차 증후군이라는 것이 있어서 개혁이 잘되다가 3년이 되면 다시 비틀어져서 또 어려운 지경에 들어가고 그러면 다시 개혁하고 이렇게 했는데, 거기에는 두 가지 이유가 있는 것으로 알고 있습니다.

하나는 정부나 국민이나 조금 잘되면 개혁에 대해서 소홀히 하고, 낭비하고, 사치하고, 정부도 고삐를 쥐던 것을 풀어 주고 이런 데 원인이 있다는 것이고, 또 하나는 그렇게 되면 정치가 불안해져 이 정치 불안이 경제 불안과 연결되기 때문이라는 것입니다. 우리는 그래서는 안 됩니다.

그래서 군은 결심으로 4대 개혁을 반드시 완성하고, 여야가 협력해서 공적 자금 문제 같은 것을 같이 들여다보고 잘못된 것은 고쳐야 합니다. 특히, 이제는 금융·기업·노동 등 경제 주체들이 결국 경제가 잘못되면 다 망한다는 사실, 나만 살 수 없다는 것을 확실히 인식하고 함께 노력해야 하고, 정부도 이것이 마지막이라는 생각으로 아주 열심히 해야 할 것입니다.

한수진 나라 안팎의 사정이 여러 가지로 어려운 가운데서도 대통령의 노벨상 수상 소식이 국민들에게 큰 힘이 되고 있습니다. 노벨상 수상이 국민들에게 어떤 메시지를 준다고 생각하시는지요?

국민에게 준 상

김대중 노벨상 문제에 대해서는 여러 가지 메시지가 있다고 생각하는데, 첫째는 우리 국민이 수십 년 동안, 근 50년 동안 민주주의를 위해서 싸웠고, 또 남북 분단의 희생이 되었습니다. 그러면서 많은 사람들이 분단 문제가 해결되기를 바라고 노력하다가 희생도 많았습니다. 더 극단적인 것은 동족 간에 전쟁까지 했으니까요.

그래서 저는 이번 노벨상은 우리 국민들의 민주화투쟁, 그리고 우리가 이번에 남북정상회담에서 보여 준 바와 같은 남북 화해·협력에 대한 열망, 이런 것에 대한 평가로 우리 국민에게 준 상이라고 생각합니다. 또, 노벨상이 우리 국민에게 상당한 긍지를 주었고, 국제적으로 한국을 좀 더 좋게 보는 그런 계기가 된 것이 아닌가 하고 생각됩니다.

또 하나는 해외에 570만 명의 우리 교포들이 있는데, 그 사람들이 현지에서 살면서 노벨상 발표 후로 주위로부터 좋은 말을 듣고 또 사기가 올라갔다는 사실입니다. 또 여행하는 사람들도 그렇습니다.

우스운 이야기인데 이것을 돈으로 환산하는 사람이 있습니다. 그래서 노벨상을 받으면 우리나라 이미지가 좋아지니까 관광객도 더 많이 오고 투자도 더 들어오고 또 한국 상품을 더 사 주고, 이런 등등으로 약 33억 달러의 이득이 온다는 말도 있습니다.

여하간 저는 이번을 계기로 해서 우리 국민들의 긍지가 높아지고 우리나라 경제 발전에도 도움이 되었으면 하는 생각을 가지고 있습니다.

한수진 상금도 상당하다고 들었는데, 어디에 쓰실 건지요?

김대중 상금이 약 10억 원 됩니다. 상당히 많은 돈이죠. 사실 아직 안 받아서 실감이 잘 나지 않는데, 이것이 지금 화제가 되어 이메일에도 많이 올라옵니다. 어떤 사람은 주식 시장이 좋지 않으니까 거기에다 투자를 하라고 하고, 여러 가지 안이 나오고 있습니다. 어쨌든 제가 지난번 수상 발표 때 말씀드린 대로 이 돈은 우리 국민과 세계의 친구들이 도와주어서 얻은 상의 상금이니까 제 개인을 위해 쓰지 않고 뜻있게 쓰겠습니다.

김광두 사실 남북정상회담은 우리 역사의 큰 전환점이었지 않습니까? 그이후에 우리 사회도 엄청나게 빠른 속도로 변화하고 있고 국제사회에서 우리를 보는 시각도 많이 달라진 것 같습니다. 대통령께서는 남북정상회담에서 어떤 성과를 얻었다고 생각하고 계시고, 또 이것이 남북 관계에 앞으로 어떠한 과정을 거쳐서 어떤 변화를 가져올 것인지에 대해 설명해 주십시오.

김대중 남북 관계가 획기적인 것은 사실입니다. 그렇기 때문에 국제연합(UN) 밀레니엄 정상회담에서도 결의하고 국제연합(UN) 총회에서도 결의하고 두 번 이것을 지지·결의했습니다.

남북 관계에서 참 많은 보람 있는 일들이 있었다고 생각하는데, 그러나 그

중에 제일 중요한 것은, 과거에 우리 민족이 둘로 갈라져서 서로 전쟁을 하고 수없이 많은 사람이 희생되었는데, 그런 가능성을 줄인 것, 이것이 남북정상 회담에서 얻은 가장 큰 성과라고 생각합니다.

이번에 남북 간에 있어서 다시는 전쟁을 하지 말자고 제가 김정일 위원장에게 말했습니다. "전쟁이 일어나서 엄청난 대량살상무기를 서로 쓴다면 남북 모두 공멸이다. 6·25전쟁이 문제가 아니다. 그러니 우리가 그런 일을 해서 되겠느냐. 북도 적화 통일할 생각 말고 우리도 흡수 통일할 생각 않고, 20년이 걸리고 30년이 걸려도 평화 통일하자. 또 그동안에는 서로 공존하고 서로 협력하자. 이것이 조상들에 대한 예의고 후손들에 대한 우리들의 의무다."라는 이런 얘기를 했는데, 김 위원장도 거기에 대해서 공감을 했습니다.

앞으로의 남북 관계에 있어 두 가지가 병행될 전망입니다. 하나는 국방장관회담에서 한 것과 같이 긴장 완화를 해서 평화를 정착시키는 방향으로 진전시키고, 또 하나는 교류·협력입니다.

교류·협력에는 세 가지가 있는데 이산가족 교류, 경제 교류, 사회·문화·체육 교류입니다. 그래서 이 두 가지를 병행해 나가서 한쪽에서는 안심하고 살 조건을 만들고, 한쪽에서는 서로 왕래하고 돕고, 그리고 민족의 신뢰와 동질성을 회복하는 노력을 병행해서 양쪽이 모두 "이만하면 우리 통일해도 되지 않겠느냐"고 판단될 때 통일하면 되는 것입니다. 그런 방향으로 나가야 되지 않나 생각합니다.

그리고 경제적으로도 당장 내년부터 경의선이 개통되면 우리가 북한 전체에서 경제 활동을 전개할 수 있습니다. 뿐만 아니라 만주로부터 유라시아 대륙, 파리, 런던까지 기차가 가면 우리의 물자들이 가고, 또 거기서 온 것이 우리나라를 통해서 태평양으로 가고, 지금까지 3면이 바다에 북쪽은 휴전선으로 막혀 있던 마치 섬과 같던 한반도가 일거에 유라시아 대륙과 태평양을 연결하는 물류의 중심이 되는 그런 시대를 맞게 되는 것입니다.

그리고 지금 거론되고 있는 개성공단에 약 500명이 입주하겠다고 신청하고 있습니다. 우리나라에서 영업이 잘 안 되는 중소기업, 이런 기업들이 북한으로 올라가서 상품을 만들면 상당히 성공할 수 있습니다. 그렇기 때문에 이런 방향으로 나가야 합니다.

또 북한의 지하자원, 예를 들면 약 31억 톤이 매장되어 있는 것으로 알려진 철광석, 35억 톤이 매장된 마그네사이트, 또 금·은·동 같은 것이 있습니다. 북한의 관광자원은 세계적인 수준이라는 것을 다 알지 않습니까? 수산자원 역시 남쪽보다 훨씬 더 많습니다. 이런 많은 경제적인 혜택이 있습니다.

그래서 남북이 교류·협력해 나가면 평화도 오고 동족의 신뢰심도 회복되고, 그리고 경제면에서 남북이 함께 좋아지는 길로 갈 것입니다. 또한 한반도 자체는 유라시아 대륙과 태평양의 중심이 되는, 그야말로 새로운 한반도 시대를 우리가 내다볼 수 있지 않으냐 그렇게 생각합니다.

이시형 그렇습니다. 어쨌든 어떤 값을 치르고라도 전쟁은 없어야 되는데 불행히도 우리 국민들에게, 특히 젊은 세대들에게 이 점이 그렇게 설득력 있게 설명이 잘 된 것 같지 않습니다. 특히 요즘은 이러다가 우리가 함께 망하는 게 아닌가, 너무 많이 준다, 너무 많이 양보한다, 이런 걱정들이 항간에는 있습니다만, 그 점에 대해서 대통령께서 이 자리를 빌려서 국민들에게 확실한 소신을 말씀해 주셔야 될 것 같습니다.

김대중 그것은 사실 일부 과장된 점이 많고 또 그 영향이 너무 큽니다. 북한이 워낙 못사니까 아무래도 못사는 친척들을 둔 잘사는 사람의 불안한 그런 심리도 있는 모양인데, 현실은 그렇지 않습니다. 예를 들면 전前 정권 2년 반 동안에 북한에 지원한 돈이 2억 6,200만 달러입니다.

그런데 우리가 지원한 것은 비료하고 쌀을 합쳐서 2억 1,900만 달러입니다.

그리고 우리 정부가 앞으로 북한에 대해서 지원하겠다고 국회에 제출한 예산안이 5천억 원인데, 4억 4천만 달러입니다. 이 정도는 우리가 앞으로 북한에게 해 줄 수 있지 않나 생각됩니다. 그리고 나머지는 민간인이 투자하는 것입니다.

그런 데다가 우리가 앞서 이야기한 경제적 혜택을 여러 가지 내다볼 수 있지 않습니까? 솔직히 얘기하면 누가 더 덕 볼지 모릅니다. 그리고 이것은 덕을 많이 보고 덜 보고의 문제가 아니라 같은 동족이 고통 속에 있으니까 도와준다는 것, 그리고 전쟁을 막고 평화적으로 살게 된다면 우리가 전쟁 때 쓰는 비용, 그것을 막기 위한 비용에 비한다면 결코 이런 정도는 비싼 것이 아닙니다. 그래서 정부는 그렇게 마구잡이로 준다고는 생각지도 않고 사실도 그렇지 않습니다. 또 북한에 대해서 끌려다닌다는 말을 하는데 그것도 사실과 다릅니다.

실제로 이산가족 문제라든가, 경제 협력 문제라든가, 국방장관회담이라든가 이 모두가 우리가 주장해서 하고 있는 것 아닙니까? 우리가 끌려다닌 것이 아닙니다. 여기에는 끌려다닌 것도 끌린 것도 없이 서로 합의해서 해 나간 것입니다. 따라서 그렇게 보는 시각은 결코 바람직하지 않다고 생각합니다.

안보 문제는 제가 볼 때 작년에 우리가 서해해전에서 보지 않았습니까? 우리 국군이 막강합니다. 그리고 미군이 주둔하고 있는 이상은, 우리도 물론 북한을 침략하지 않지만 북쪽도 쳐들어오지 못할 것입니다. 그리고 남북이 지금 이렇게 지속적으로 대화를 해가면 긴장이 풀리고 또 경제 협력을 하게 되면 자연히 전쟁의 위험성이 줄어드는 것 아닙니까? 거기에다가 우리의 노력과 우리의 권고로 북·미 간에 접근하고 있고, 엄청난 일이 단시일 내에 벌어지지 않았습니까? 그리고 일본도 지금 북한과 만나려고 하고 있습니다.

그래서 이런 것이 계속되고 앞으로도 한·미·일 3국이 계속해서 공조 체제를 취해서 북한에 대해서 안보를 굳건히 유지하고, 또 한편으로는 공동으로 북한과 관계 개선을 추진해 나가면 안보의 위험성도 제거될 뿐만 아니라 한반도를 중심으로 한 동북아시아의 안정과 평화에도 아주 크게 기여하게 될 것으로 내다보고 있습니다.

김광두 대통령께서는 과거 야당 총재 시절부터 남북 관계에 대해서 비전을 제시하지 않으셨습니까? 그 비전이 지금 하나하나 실현되어 가고 있다, 저희들은 그렇게 느끼는데요. 단지 좀 염려가 된다고 할까요. 좀 불확실한 것은 미국 대통령 선거가 아닌가 싶습니다. 그래서 미국 대통령 선거 결과에 따라서 혹시 우리가 지금 추진하고 있는 남북 관계에 무슨 돌출적인 변화가 있을 수는 없는 것인지, 그러다 보면 한·미 관계에도 어떤 변화가 생기지 않을까 상당히 염려스럽게 보는 시각들도 있습니다.

남북이 협력해서 살아가야

김대중 미국 대통령 선거를 보고 있으면 역시 민주주의의 선진국에서도 여러 가지 문제가 생긴다는 것을 느끼게 됩니다. 우스운 것은 민주주의 안 하는 나라들이 아주 고소하다는 식으로 비웃고 하는 것도 보는데, 저는 미국 국민이 과거 워터게이트 사건 같은 것도 잘 해결한 저력으로 봐서 이 문제도 잘 해결할 것으로 봅니다.

그리고 지금 말씀하신 핵심은 공화당이 정권을 잡았을 때 어떻게 되느냐 하는 것인데, 두 가지 말씀을 드릴 수 있습니다. 하나는 부시 대통령 후보가 이미 선거공약으로 "한반도의 평화를 위해 미군이 한반도에 계속 있어야 한다. 그리고 남북 문제는 한국이 주도권을 갖고 해야 한다"는 것을 발표했다는 것입니다.

결국은 미국 정부도 김대중 대통령과 철저히 협력하겠다고 발표하고 최근에 조명록 북한 특사가 미국에 가고, 또 올브라이트 장관도 북한에 갔습니다. 이러한 것은 앞으로 공화당이 들어서서 정권을 잡더라도 바로 일을 할 수는 없을 테니까 시간적 여유가 필요할 것이고, 혹은 방법에 있어서, 표현에 있어서 차이가 있겠지만 근본적인 정책에 대해서는 차이가 없습니다.

그리고 이제부터 한반도 문제는 한·미·일이 공조를 하면서도 우리 문제이니까 우리가 중심이 되어 해 나가야 됩니다. 그래서 우리가 이 땅에서 평화를 지키면서 남북이 협력해서 살아가는 그런 정책을 취하는 데 있어서는 주변 국가인 미·일·중·러가 모두 협력하고 있고, 앞으로도 협력해야 할 것입니다.

이시형 언제든 그랬습니다만, 대형 부정 비리 사건이 요즘도 그치지 않는 것 같습니다. 국민들은 뭐랄까요. 세금 내기가 아깝다는 사람도 있고 일할 기분이 정말 나지 않는다고 합니다. 그러나 항간에는 그런 사람들을 어렵게 체포해서 재기 불능으로 좀 단호하게 조치를 해야 되는데 우리 대통령이 인심이 너무 좋아서 자꾸 사면을 해 주는 통에 오히려 도덕적 해이가 더 심각해지는 것이 아닌가 하는 이런 걱정도 있습니다. 정말 이번에는 국가 초석을 놓는다는 의미에서라도 특단의 조치가 있어야 된다고 생각하는데, 이 점에 대해서 말씀해 주시기 바랍니다.

김대중 그 점에 대해서는 저도 공감합니다. 우리가 부패를 근절하지 않으면 이 나라는 아무것도 되지 않습니다. 정치 개혁도 그렇고, 경제 개혁도 되지 않고 아무것도 되지 않습니다. 부패를 척결하기 위해 지금까지 열심히 노력했습니다. 저는 대통령으로서 저 자신이 모범을 보이려고 노력을 해 왔습니다.

그런데 감독이 충분치 못해서 맑고 깨끗한 권력을 만드는 데는 아직도 미흡합니다. 그래서 이번 비리 사고 같은 것이 나고 있는데 앞으로 정부는 검찰, 경찰, 감사원 등 정부 기관을 총동원해서 마지막 결전이라는 생각으로 비리를 척결해 나갈 것입니다.

동시에 이런 문제를 법적으로 보완하기 위해서 반부패기본법을 만들겠습니다. 그래서 내부 고발자를 보호해서 내부에서 안심하고 자유롭게 고발할 수 있도록 할 것입니다. 상당한 효과가 있을 것으로 판단됩니다.

그리고 또한 자금세탁방지법 같은 것도 만들어서 돈세탁도 못 하게 만들고 제도적으로 보완을 많이 해 나가겠습니다. 그리고 국민과 같이 감시하는 제도를 발전시켜서 시민단체도 참여해서 감시하는 그런 노력을 하겠습니다.

한수진 저희도 적극적인 감시자가 되겠습니다. 약속된 시간이 거의 다 되었습니다. 김 교수님, 이 박사님, 이번 기회에 대통령께 국민들을 대신해서 드리고 싶은 말씀이 있으실 것 같습니다.

김광두 평소에 대통령이 청와대에 들어오면 민심하고 좀 멀어진다는 느낌을 가질 때가 있습니다. 그래서 대통령께서 계속해서 밑바닥에 흐르는 민심, 이것이 무엇인지를 있는 그대로 아시도록 계속해서 많은 노력을 해 주셨으면 하는 바람을 갖고 있습니다.

김대중 예. 그렇게 하겠습니다.

이시형 건강한 모습을 뵈니까 참 반갑습니다. 요즘 의료 개혁 때문에 속을 썩여 드리는 것 같아서 의료계 원로로서 죄송스럽게 생각합니다. 대통령께서는 임시 땜질이나 인기에 연연하지 마시고 국가 초석을 다지는 역사에 남는 대통령이 되어 주시기를 부탁드리고, 대단히 감사합니다.

김대중 제가 역사에 남는 대통령이 될 자격이 있다고 생각지는 않습니다. 그러나 외람스럽지만 제 위치가 그런 위치이기 때문에 그렇게 노력함으로써 역사에 조금이라도 긍정적으로 평가받는 것이 우리 국민과 후손들에게 가장 좋은 봉사이고 선물이 될 것으로 생각되기 때문에 그렇게 노력할 작정입니다. 세 분께서도 앞으로 많이 편달해 주시기 바랍니다.

한수진 네, 말씀 잘 들었습니다. 이렇게 오랜 시간 함께해 주신 것에 대해 다시 한번 감사드립니다.

* 이 글은 에스비에스(SBS) 창사 제10주년 특별 기획 「대통령과의 대화」를 녹취한 것이다.

한반도 평화와 동아시아

강연 싱가포르 동남아연구소(ISEAS)
일시 2000년 11월 27일

김대중 존경하는 고촉통 총리 각하와 리셴룽 부총리, 치아청푹 동남아연구소 회장과 치아시오유에 소장, 그리고 이 자리에 계시는 내외 귀빈 여러분!

오늘 제가 세계적 권위를 자랑하는 이 동남아연구소에서 강연하게 된 것을 무한한 영광으로 생각합니다.

싱가포르는 탁월한 지도자인 리콴유·고촉통 양대兩代 총리의 지도 아래서 세계 최고의 경쟁력, 사회적 안정과 복지를 이루어 냈습니다. 이러한 위대한 업적을 이루어 내는 데는 동남아연구소(ISEAS · Institute of South East Asian Studies)와 같은 탁월한 연구기관의 공헌이 컸다는 것도 저는 잘 알고 있습니다.

신사 숙녀 여러분!

한반도 평화와 동아시아는 역사적으로도 매우 깊은 관계가 있습니다. 19세기 말 일본이 청일전쟁과 러일전쟁의 승전을 통해 한반도를 식민지화했습니다. 일본은 그 여세를 몰아 중국 대륙과 말레이시아·싱가포르·인도네시아 등 동아시아 일대를 침략했습니다.

1950년에 일어난 한국전쟁 역시 여러분의 기억에 생생한 대로 거의 모든 동아시아 국가를 직접 또는 간접으로 전쟁의 영향 속에 끌어들였습니다. 이와 같이 지정학적으로 특수한 위치에 있는 한반도에서의 평화는 동아시아 전체의 평화와 밀접한 관계가 있습니다.

한국전쟁이 발발한 지 50년이 되었습니다. 그동안 남북한은 적대 관계로 일관해 왔고 불신은 극도에 달했습니다. 세계적으로 이루어진 냉전의 종식도 외면해 왔습니다. 그러나 1998년 2월, 한국에 국민의정부가 출범한 이후 한반도에는 새로운 기운이 돌기 시작했습니다.

대통령 취임식에서 저는 햇볕정책의 3원칙을 발표했습니다. 그것은 "첫째, 북한의 어떠한 무력 도발도 용납하지 않겠다. 둘째, 우리도 북한을 해치거나 흡수 통일을 기도하지 않겠다. 셋째, 남북은 서로 화해·협력해서 평화 공존하고 평화 교류하자"는 것이었습니다.

여기에 대해서 한반도 주변에 있는 미국·일본·중국·러시아 등의 4대국과 싱가포르를 선두로 한 전 세계의 나라들이 이를 적극적으로 지지해 주었습니다. 리콴유 선임 장관과 고촉통 총리는 한국을 방문해 이러한 우리의 햇볕정책을 공식적으로 지지해 주었습니다. 이러한 전 세계적인 지지는 우리에게 큰 힘이 되었습니다.

북한은 당초에는 매우 거부적인 반응을 보였습니다. "북의 체제를 붕괴시키려는 음모다", "우리의 무장을 약화시키려는 계략이다"는 등 공개적인 비난을 계속했습니다. 그러나 저와 국민의정부는 우리 민족 상호 간의 평화와 협력, 그리고 장차의 평화 통일을 이루는 길은 이 길밖에 없다고 확신하고, 인내심을 갖고 일관되게 주장하고 또한 실천해 왔습니다.

우리는 과거의 역대 정권과는 달리 미국·일본 등 우방 국가에 대해서 북한과 대화하고 경제적 지원을 하도록 부탁했습니다. 전 세계에 대해서 북한과 국교를 하고, 교류를 하도록 요청했던 것입니다.

그러나 북한은 이러한 우리의 노력을 외면한 채 미국과의 관계만을 먼저 개선하면서 남한을 외면하는 정책을 고수했습니다. 소위 '통미봉남通美封南' 정책을 추구했던 것입니다. 그러나 한·미·일 3국 간의 굳건한 공조는 그러한 북한의 정책에 성공의 기회를 주지 않았습니다.

특히 미국은 북한에 대해서 "우리는 어떠한 경우에도 남한을 도외시할 수 없다. 한반도 문제 해결의 당사자는 남북한이다. 남한과의 관계 개선이 있어야만 미국과의 관계 개선도 가능하다"는 것을 강력히 주장했습니다.

클린턴 대통령이 공개적으로 수차례에 걸쳐서 저의 햇볕정책에 대한 지지를 선언했습니다. 일본도 이에 동조했습니다. 북한의 전통적 우방인 중국과 러시아를 포함한 전 세계의 여론은 계속해서 북한이 남한과 대화할 것을 촉구했습니다. 이러한 가운데 마침내 북한은 태도를 바꾸기 시작했던 것입니다.

한반도의 평화와 동아시아의 평화는 하나

김대중 신사 숙녀 여러분!

지난 3월 9일 저는 독일 베를린자유대학에서 연설을 했습니다. 그 연설 속에서 저는 다시 한번 햇볕정책의 3원칙을 천명했습니다. 그리고 저는 독일식의 흡수 통일을 결코 원하지 않는다는 것을 강조했습니다. 우리는 그러한 능력도, 필요도 없다는 것을 밝혔습니다. 북한과의 평화 공존과 평화 교류, 이두 가지가 우리의 당면한 지상 목표라는 것을 분명히 했습니다.

저는 북한의 경제적 어려움을 돕기 위해서 이를 적극 지원할 용의를 표시했습니다. 그리고 남북의 정상이 직접 만나서 대화할 것을 제의했던 것입니다. 이 '베를린 선언'은 북한이 우리의 진의를 확실히 인정한 결정적인 계기가 되었다고 믿고 있습니다. 북한은 마침내 우리와의 대화에 동의하게 되었습니다.

신사 숙녀 여러분!

저는 지난 6월 13일 역사적인 평양 방문을 이루었습니다. 평양을 방문할 때 저는 참으로 만감이 교차했습니다. 분단된 조국의 땅을 처음으로 가게 된 감회도 컸고, 또 과연 이 회담에서 성공을 거둘 수 있을지 많은 염려도 갖고 북한을 방문했던 것입니다. 그러나 2박 3일에 걸친 김정일 국방위원장과의 길고 진지한 회담 끝에 마침내 우리 두 사람은 성공적인 결과를 이끌어 냈습니다.

저는 북한과의 사이에서, 첫째로 민족의 통일을 자주적으로 이룩하자는 데 합의했습니다. 그러나 당장 완전한 통일은 어렵다는 것도 우리는 인정했습니다. 우선은 서로 평화 공존하고 평화 교류하는 데 치중하기로 했습니다. 북한은 종래의 일관된 주장인 '당장의 통일'로 나아가는 '중앙연방제'를 '낮은 단계의 연방제'로 바꾸어서 우리 정부의 '1민족 2체제 2독립정부'의 '남북연합제'에 매우 가까이 접근해 왔습니다. 통일에의 접점을 찾은 것입니다.

둘째로 이번 방북에서 거둔 가장 중요한 의미는 제가 제기한 미군의 한반도 주둔에 북한이 동의를 한 것입니다. 한반도는 여러분도 아시다시피 지정학적으로 대륙과 해양을 연결하는 위치에 있습니다. 19세기 말에도 이 중요한 위치에 있는 한반도를 지배하기 위해서 청일전쟁이 있었고, 러일전쟁이 있었습니다. 두 전쟁 모두 일본이 이겼습니다. 그리하여 결국 우리는 일본에 병탄併呑당하고 말았던 것입니다.

우리 주변에는 대국들이 포진하고 있습니다. 미국·일본·중국·러시아 등 4대국에 둘러싸여 있는 유일한 나라가 한국입니다. 그러므로 한국에는 미군이 주둔해 있는 것이 한반도와 동북아시아의 세력균형과 안정을 가져오는 길이라고 저는 확신해 왔습니다. 여기에 대해서 북한의 김정일 위원장은 민족의 안전을 위해서 종래 50년에 걸친 미군 철수 주장을 접고 저의 의견에 동의를 표했습니다. 참으로 뜻깊은 합의였습니다.

이로써 한반도에서의 남북 간의 전쟁방지는 물론 장차 통일 이후에도 평화와 안정을 유지하는 데 결정적인 기여를 할 수 있게 되었습니다. 이러한 한반도의 평화와 안정은 싱가포르를 포함한 동아시아 전체의 평화와 안정에 밀접한 영향을 줄 것이라는 점을 여러분도 동의하시리라 믿습니다.

셋째는 북한과의 교류·협력에 합의를 본 사실입니다. 우리는 남북한에 있는 1천만에 이르는 이산가족들이 서로 생사를 확인하고 상봉할 수 있도록 합의를 보았습니다. 그리고 경제 협력에 대해서, 또 사회·문화 등의 교류에 대해서 합의를 보았던 것입니다.

그리고 넷째는 김정일 위원장이 저의 평양 방문의 답례로서 서울을 방문하겠다는 데에도 합의를 했습니다. 이는 매우 큰 의미가 있습니다. 우리는 김정일 위원장이 내년 봄까지 서울을 방문할 것으로 기대하고 있습니다.

존경하는 신사 숙녀 여러분!

6·15평양회담 이후 우리 한국은 두 가지를 당면 목표로 추진하고 있습니다. 첫째는 남북 간의 긴장을 완화시키는 것입니다. 남북의 국방장관이 서로 만났습니다. 그리하여 "한반도에서 절대로 다시는 전쟁을 하지 말자. 6·15남북정상회담의 공동선언을 적극 지지하자. 그리고 남북 간에 끊겼던 철도를 다시 연결하는 공사를 휴전선에서 공동으로 협력하자"는 데 합의했습니다.

이러한 가운데 북한과 미국의 관계도 여러분이 아시는 대로 큰 진전을 보이고 있습니다. 저는 평양에서 김정일 위원장에게 북의 안전과 경제난의 해결을 위해 북·미 관계 개선의 필요성을 역설했습니다. 그의 긍정적 반응을 보고 북한에서 돌아온 후 클린턴 미국 대통령에게 김정일 위원장과 직접 대화를 하는 것만이 미사일 등 대북 협상을 성공시키는 길이라고 강조했습니다.

일본의 모리 총리에게도 대북 적극 정책을 권고했습니다. 북·미, 북·일 관계의 개선 없이 남북 관계만의 개선은 한반도 평화를 위해서 결코 충분하지 않습니다. 이러한 의미에서 동아시아 여러 나라들이 북·미 관계와 북·일 관계의 개선에 적극 협력해 주시기를 바랍니다.

이번 브루나이 아시아태평양경제협력체(APEC) 정상회의가 개최되었을 때 한국은 물론 일본·중국·러시아 모두가 북·미 간의 최고 지도자 회담을 지지했습니다. 그것은 한반도의 평화는 물론 동아시아 전체의 평화를 위해서 필수 불가결하기 때문이기도 합니다.

우리의 두 번째 당면 목표는 50년간의 단절과 불신과 적대로부터 다시 교류와 신뢰와 동족애를 회복하는 것입니다. 이를 위하여 우리는 사회적·문화적으로 많은 교류를 실현하기로 합의한 바 있습니다. 지금 1천만 이산가족의 생사 확인과 상봉이 진행되고 있습니다.

경제 협력을 위해서 남북 간 철도의 연결공사가 다시 시작되고 있으며, 개성에 공단을 설립하기 위해서 남북 간을 잇는 새로운 고속도로가 건설 중에 있습니다. 투자 보장, 이중 과세 방지, 청산 계정, 상사 분쟁 해결 등의 협정 초안에도 합의한 바 있습니다. 그리고 시드니올림픽에서의 남북한 선수 동시 입장, 각종 문화 행사와 관광 교류 등 사회적·문화적으로 많은 일들이 진행되고 있습니다.

이러한 한반도에서의 평화 노력에 대해서 오키나와 주요 8개국(G8)회의, 유엔천년정상회의, 유엔총회, 서울 아시아유럽정상회의(ASEM), 브루나이 아시아태평양경제협력체(APEC) 정상회의, 그리고 이번의 싱가포르 동남아시아국가연합(ASEAN)과 한·중·일정상회의에서 각각 적극적인 지지를 보내 주고 있습니다. 계속되는 전 세계적인 지지는 한반도와 동아시아의 평화와 안정에 크게 이바지할 것으로 확신하는 바입니다.

저는 이번 동남아시아국가연합(ASEAN)과 한·중·일정상회의의 의장인 고촉통 의장 언론 성명을 통해 총리가 이러한 지지를 표명해 주신 데 대해서 진심으로 감사를 드립니다.

신사 숙녀 여러분!

남북 관계의 개선과 한반도에서의 평화 정착은 한국과 동아시아 나라 모두에게 보다 많은 경제적 기회를 주게 됩니다. 북한은 지금 사회간접자본 등 경제적 조건에 문제가 있습니다. 그러나 우수하면서도 저렴한 인적 자원, 풍부한 지하자원과 수려한 관광자원 등을 갖고 있습니다.

그리고 그 지리적 위치는 우리에게 중국의 동북 3성, 러시아의 연해주와 시베리아, 그리고 몽골과 중앙아시아에 대한 경제적 진출의 길을 크게 열어 줄 수 있습니다. 물류 비용도 절감될 것입니다. 저는 싱가포르를 비롯한 동아시아의 여러 나라들이 북한으로의 교역과 투자 진출에 대해서 적극적인 관심을 가져 주실 것을 부탁드리고자 합니다.

우리 한국은 그러한 노력에 대해서 모든 정보와 자료의 제공 등 어떠한 협력도 아끼지 않을 것입니다. 그리고 원한다면 우리나라 기업들과 합작으로 진출하는 것도 환영할 것입니다.

존경하는 신사 숙녀 여러분!

북한은 지난 7월 '아세안지역안보포럼'(ARF)에 가입함으로써 동아시아의 안보에 대한 공동 협력에 참가했습니다. 아시아태평양경제협력체(APEC) 정상회의는 북한의 실무 그룹 활동 참여를 환영했습니다. 우리는 북한을 국제사회의 책임 있는 일원으로서 받아들이고 있는 것입니다.

한반도의 평화와 동아시아의 평화는 하나입니다. 한반도에서의 번영과 동아시아의 번영도 긴밀한 관계가 있습니다. 우리 모두 힘을 합쳐서 한반도와 동아시아의 공동의 평화와 번영을 위해서 노력을 다합시다. 미래는 이에 대해서 매우 긍정적인 보답을 할 것입니다.

경청해 주셔서 감사합니다.

질의응답

질문 한반도에서 성공을 거두고 있는 평화 이니셔티브가 어떻게 하면 중국과 대만의 양안兩岸 관계에도 적용될 수 있겠습니까? 양안 관계는 지금 극심한 이념적 대치 상태에 있는데, 이를 극복하고 양측 사이의 대화를 증진시켜서 동북아 전체의 평화와 안보와 안전을 어떻게 증진시킬 수 있겠습니까?

김대중 예, 그것은 굉장히 어려운 질문이고, 또 대답하기도 힘든 질문입니다. 남북 관계는 여러분이 아시다시피 양안 관계에 못지않게 극도로 대립되어 있고, 또 우리는 과거에 전쟁을 한 바 있습니다. 수백만의 사람이 희생되었습니다.

그리고 현재 양안 관계는 바다를 건너서 대치하고 있지만 우리는 바로 철책 하나를 놓고 대치하는 그런 입장이기 때문에 거의 타개가 불가능한 것으로 보였습니다. 제가 생각하기에는 이런 극단의 대립을 해결하는 데는 두서너 가지가 필요할 것으로 봅니다.

첫째는 양쪽 다 겉으로는 뭐라고 말하건 실제로 내심으로는 "모든 것이 평화적으로 해결되기를 바라는 게 틀림없다. 전쟁이나 무력 충돌을 바라는 것은 아니다."라는 믿음이 필요하다고 생각합니다.

둘째는 그러한 신뢰를 바탕으로 해서 제안을 하되 그 제안이 양쪽에 공동의 이익이 되는 그런 제안을 도출해 내야 하고, 그리고 그 제안을 상대방이 거부하더라도 계속 되풀이해 나갈 필요가 있다고 생각합니다.

그리고 셋째는 한반도 문제나 양안 문제에 대해서 관심을 갖고 걱정한 세계의 모든 나라들이 다 같이 공감할 수 있는 그러한 안을 만들어 내야 한다고 생각합니다. 성공을 위해서는 인내심과 일관성, 그리고 상대방에 대한 진실이 매우 필요하다고 생각합니다.

질문 『인터내셔널 헤럴드 트리뷴』의 리처드 분 기자입니다. 대통령님께서는 미국과 북한, 그리고 북한과 일본 사이의 최고위급에서의 대화가 필수 불가결하다고 오늘 연설에서도 말씀하셨습니다만 그런 의미에서 대통령께서는 미국의 클린턴 대통령께서 임기 만료 전에 방북을 하시는 것이 좋다고 생각하십니까? 아니면 이것이 무척 민감한 외교적인 사안인 만큼 그의 후임자에게 남기는 게 좋겠다고 생각하십니까? 또, 두 번째 질문은 일본이 북한과 수교를 함에 있어서 충분히 탄력성을 보이고 있다고 생각하십니까? 아니면 탄력성이 부족하다고 생각하십니까?

한·미·일은 북한과의 관계개선도 공조해야

김대중 클린턴 대통령이 북한에 가는 것이 좋다, 안 가는 것이 좋다든가 하는 문제는 제 입장에서 말하기가 어렵습니다.

지난번에 브루나이에서 아시아태평양경제협력체(APEC) 정상회의가 열렸을 때 클린턴 대통령과 단독 회담을 가졌습니다. 거기에서 클린턴 대통령이 자기가 북한에 가는 문제에 대해서 제 의견을 물었습니다.

그래서 제가 대답하기를 "나는 북한에 지난 6월에 갔다 온 이후부터 클린턴 대통령이건 누가 되건 김정일 위원장과 직접 대화해서 풀어야 한다는 이런 얘기를 권고한 바가 있다. 그리고 올브라이트 장관이 북한을 방문해서 김정일 위원장과의 면담이 상당히 성공적인 진전을 보인 것으로 알고 있다. 그렇기 때문에 내 입장에서는 미·북 간에, 미·북 정상 간에 미사일 문제를 포함해서 모든 문제가 마무리되기를 바라지만 미국 국내 정치 문제가 있기 때문에 이것은 클린턴 대통령이 알아서 결정할 문제다. 그러나 대통령이 국내적인 협의 끝에 북한을 간다고 결정하면 나는 내가 지금까지 고수해 온 그런 입장에서 이것을 지지하겠다." 그렇게 답변했습니다.

그리고 일본 문제에 있어서는 제가 모리 총리와 북한 사이에서 약간의 심부름을 했습니다. 모리 총리는 제게 북한에 가면 김정일 위원장에게 북한과의 국교를 열고 싶다 하는 뜻을 전달해 달라고 부탁했습니다. 그래서 제가 북한에 가서 김정일 위원장을 만났을 때 모리 총리의 말을 전했습니다. 김정일 위원장은 그 말씀을 감사히 받아들이겠다고 전해 달라고 했습니다.

저는 돌아와서 모리 총리에게 김정일 위원장의 반응을 전하고 일본 역시 문제를 풀려면 북한에서 모든 결정권을 한 손에 쥐고 있는 김정일 위원장과 직접 대화하는 일이 가장 확실한 길이라고 권고했습니다. 그래서 모리 총리는 그 후로 김정일 위원장에게 친서도 보내고, 여러분도 아시다시피 쌀 50만 톤을 북한에 보내는 그런 큰 결단을 내렸습니다.

다만 일·북 관계에서는 과거 식민통치 문제로 아직도 의견의 차이가 있고, 또 일본 내에서 북한에 의해 납치되었다고 주장하는 사람들의 안전 문제, 생사 문제에 대한 국민 여론 등은 일본 정부가 처한 어려움이라고 생각됩니다. 그러나 남북 관계가 잘 진행되고, 특히 미·북 관계가 잘 되면 거기에 병행해서 일·북 관계도 상당히 좋은 방향으로 나갈 수 있다고 보고 있습니다.

한·미·일 3국은 북한에 대해서 안보상으로 공조를 해 왔는데 앞으로는 안보상의 공조뿐만 아니라 북한과의 관계 개선에 있어서도 공조하는, 그러한 긴밀한 관계가 계속 유지될 것으로 봅니다.

질문 시엔비시(CNBC) 기자입니다. 한반도 평화의 과정이 언제쯤 되어야 군축이라는 문제가 심각하게 다루어지겠습니까? 왜 아직까지 이 문제가 심각하게 다루어지지 않고 있습니까?

김대중 그 문제는 언제라고 정확히 말하기는 어렵습니다. 그러나 그 문제를 향해서 지금 방향을 잡고 있는 것은 사실입니다. 남북정상회담 이후로 우리 정부는 북한에 대해서 두 갈래로 정책을 진행시키고 있습니다.

하나는 북한과의 교류 문제인데 이산가족, 경제, 사회·문화 교류를 증진시켜서 남북 간의 이해와 신뢰, 민족 동질성을 회복하는 노력을 하는 것입니다. 또 하나는 남북 간에 긴장을 완화시키고, 평화를 정착시키는 문제를 실현시키는 것입니다.

이것을 위해서 이미 국방장관회담을 한 번 했고, 거기에서는 세 가지 문제를 합의했습니다. "첫째는 앞으로 남북 간은 절대로 다시 전쟁을 하지 말자. 둘째는 남북 정상이 합의한 공동선언을 남북한군은 적극 지지하자. 셋째는 남쪽과 북쪽을 연결하는 철도의 복구, 그리고 새로운 개성공단으로 이어지는 고속도로 건설 등에 있어서 휴전선에서의 건설 공사를 양쪽 군이 협력해서 성공적으로 하도록 하자." 이렇게 합의했습니다.

그래서 휴전선 부근에서의 남북 협력 문제는 군사 실무자 회의가 계속되고 있습니다. 우리는 제2차 국방장관회담을 조속히 열자고 북한에 제안하고 있는데, 개최되면 남북 간에 군사 직통전화라든가, 혹은 군사연습 시 군대 이동을 사전 통보한다든가, 군사 훈련 때 상대방을 초청하는 문제 등을 제안할 것입니다. 또 그런 것이 합의되면 한 발 더 나아가 보다 확실한 평화 체제 구축 문제도 논의하게 될 것입니다.

아시는 대로 한반도에서의 평화 체제 수립 문제를 논의하는, 남북한과 미국·중국이 참여하는 4자 회담이 있습니다. 그런데 이것이 작년 8월 이래 중단되고 있습니다. 그 주원인은 북한이 미군 철수 등을 주장했던 것인데, 지금은 미군 철수 문제에 대한 북한의 태도가 크게 변화했습니다.

그래서 4자 회담을 다시 열 필요가 있다는 생각이 들어 싱가포르에서 동남아시아국가연합(ASEAN)과 한·중·일 회의가 있을 때 주룽지 총리에게 4자 회담에 대해서 의견을 타진했더니, 적극적으로 지지하겠다고 했습니다.

미국과는 이미 이 점에 대해 합의가 되어 있습니다. 그래서 앞으로 북한에 제안해서 4자 회담이 열리도록 노력할 작정입니다. 4자 회담에서는 남북한이 평화협정의 당사자가 되고 미국과 중국은 평화협정을 보증하는 형식을 취하기를 우리는 제안하고 있습니다.

지금 질문하신 군축 문제 등도 그런 과정에서 논의가 될 것입니다.

감사합니다.

4대 개혁 완성으로 도약의 발판 마련

대담 청와대 출입 기자
일시 2000년 12월 27일

김대중 반갑습니다. 이 해가 가기 전에 여러분과 같이 다과를 나누면서 말할 수 있는 기회를 가진 것을 매우 뜻깊게 생각을 합니다.

지난 한 해는 여러분, 수고 많이 했습니다. 어느 해라고 안 바쁜 것은 아니지만 지난해는 참 바빴고 동서남북으로 전 세계를 누비고 다니는 그런 한 해였습니다.

기쁜 일도 많았고 어려운 일도 많은, 사실상 양면이 너무도 선명히 부각된 그런 한 해였다고 생각합니다. 저는 지금 우리의 나라 형편이 참 어려운 지경에 도달한 것을 잘 알고 있습니다. 이 엄동설한에 고통받는 우리 서민들, 노동자들, 혹은 중소기업들을 생각할 때 그야말로 밤잠을 설칠 때가 많습니다.

많은 사람들이 주식 투자를 해 큰 손해를 봐서 가정이 파괴되거나 혹은 오갈 데 없는 그런 상황이 되었다는 보도를 접할 때도 정말 죄스러운 생각을 금할 수 없는 그런 심정입니다.

저는 우리 경제가 이렇게까지 어렵게 된 원인에 대해서도 많이 생각을 해 봤습니다. 물론 여러분이 아시는 대로 국제적 이유도 있습니다. 유가 문제라든가 반도체 가격 하락 문제라든가 미국 경기의 침체 등이 큰 영향을 준 것은 틀림없는 사실입니다. 동시에 여기까지 오는 데는 우리 내부적 원인도 많습니다. 정치 불안도 있고 여러 가지 심리적 요인도 있습니다.

그러나 정부가 그것을 다 감안해서 대책을 제대로 잘 세웠다면 여기까지는 오지 않았을 것이라는 점을 생각할 때 그 책임을 뭐라고 통감해서 말해야 좋을지 모르는 입장입니다.

금융·기업·공공·노동 부문의 개혁 추진

김대중 우리는 외환 위기 극복을 목표로 해서 노력을 했습니다. 이것은 예정대로 극복되었습니다. 그런데 정부나 일반 기업이나 많은 사람들이 외환 위기 극복을 너무 과신해서 우리 경제가 그러한 위기를 가져온 원인이었던 구조적 모순, 비능률·부패적 구조 등 여러 가지 누적된 원인에 대한 철저한 개혁을 충분히 못 한 것이 사실입니다.

금융·기업·공공·노동 부문의 4대 개혁을 내건 것은 옳았고, 또 나름대로 많은 성과도 올렸습니다. 그러나 필요한 만큼 충분히 하지 못한 것이 결과적으로 오늘날 이러한 원인을 가져왔습니다.

많은 거시경제 지표가 아직도 상당히 좋음에도 불구하고 실제 국민들이 피부로 느끼는 경제가 이루 말할 수 없이 어려워진 것은 우리가 배려를 제대로 못 한 것이 사실이라고 생각하고 참으로 안타깝게 생각하지 않을 수가 없습니다. 정부는 이 점에 대해 매우 깊이 반성하고 금년 하반기부터 제2기 구조조정으로 들어갔습니다.

제2차 4대 개혁을 지금 추진하고 있습니다. 그렇게 해서 정말 열심히 노력을 해 가고 있는 중입니다. 52개 부실기업을 정리했습니다. 대우자동차 문제라든가, 현대건설 문제라든가, 한국전력 민영화 문제라든가, 한국중공업 매각 등 기업과 공공 부문 양쪽에 걸쳐 필요한 모든 일을 적극적으로 노력하고 있습니다. 그리고 이제 개혁 중 가장 핵심인 금융 개혁을 맞잡고 씨름을 하고 있는 중입니다.

금융 개혁도 여러분이 아시는 대로 지금 일부 진행이 되어서 4개 은행이 지주회사로 통합되었습니다. 그리고 또 우량 은행끼리 합병을 해서 세계적인 거대 은행을 만드는 노력이 지금 진행되고 있는데 어려움에 부딪혀 있습니다. 결국 오늘 아침에 경찰이 들어가 강제 해산하는 사태까지 왔습니다.

정부는 만난萬難을 무릅쓰고 국민에게 약속한 대로 기업의 구조조정, 금융 기관과 공공 부문 개혁을 하는 동시에 새로운 노동 문화를 창출해서 4대 개혁을 다가오는 2월까지 반드시 완성해서 우리 경제가 다시 힘차게 도약할 수 있는 기반을 만들어 내겠습니다.

우리 국민의 역량, 우리 국민의 능력은 이것을 해낼 것입니다. 또 정부도 지금 문제점을 알고 나름대로 올바른 진단을 하고 노력하고 있다고 믿기 때문에 우리는 성공할 것으로 믿습니다.

지금 국내에서 대단히 많은 우려가 있지만 보기에 따라서는 국제적으로는 우리 경제에 대해서 미래를 상당히 희망 있게 평가하고, 또 정부가 하는 개혁이 국제적으로도 평가를 받고 있는 면도 있습니다. 우리는 국제적 신인信認을 얻어 가면서 외국인 투자를 더 유치하고 한편으로는 국내의 기업들이 더 의욕을 가지고 투자해 나갈 수 있는 여러 가지 방안을 강구할 것입니다. 또 국민의 소비 심리를 되살리는 노력도 해 나가겠습니다. 내년 하반기부터는 우리 경제가 연착륙의 방향으로 나갈 수 있도록 최선을 다할 작정입니다.

국정 전반의 개혁 문제에 대해서는 내년 일찍 국민 앞에서 밝히기로 되어 있기 때문에 오늘은 여러분의 질문을 받도록 하겠습니다. 고맙습니다.

질의응답

박찬수(한겨레 기자) 대통령께서는 1월 초 국정 개혁 구상을 밝히겠다고 했는데 어떤 형식이 될 것입니까? 또 야당이 주장하고 있는 대통령의 당적 이탈, 거국내각 구성 등에 대한 대통령의 생각을 말씀해 주십시오.

김대중 관계 수석들과 상의를 하고 있습니다. 기자회견을 할 건지, 아니면 국민과의 대화를 할 건지, 혹은 둘을 다 할 것인지를 조금 더 생각하도록 시간을 주시기 바랍니다. 그리고 국정쇄신 문제에 대해서는 내년에 밝히겠습니다. 그렇게 양해해 주시기 바랍니다.

김현재(연합뉴스 기자) 최근의 여론조사를 보면 지지도가 낮아지고 있습니다. 민주당 지도부의 민생 현장 방문에서도 체감 민심이 어려운 것으로 나타났습니다. 그 원인이 어디에 있다고 생각하십니까?

김대중 경제에 있어 충분한 대책과 노력이 부족해서 결국 오늘날 이렇게 주가가 폭락하고, 또 많은 실업자가 나오게 되었고 국민 생활이 어려워졌습니다. 사업하는 분들의 장사도 잘 안되는 등등이 민심이 정부를 비판하는 원인이라고 생각합니다.

그리고 여러분이 아시는 대로 정치가 계속 혼란을 거듭하는 가운데 결국 국민에게 여건 야건 실망을 주는 일이 너무도 많은 것이 큰 문제가 아닌가 생각합니다. 그중에서도 무엇보다도 대통령이 확고한 리더십을 발휘해 이 모든 것을 수습하는 데 충분한 역량을 발휘하지 못한 것이 국민의 비판을 받는 원인이라고 생각하고 있습니다.

오풍연(대한매일 기자) 한나라당 이회창 총재, 자민련 김종필 명예총재와의 회동 일정을 어떻게 잡고 계시며, 자민련과의 합당 등 정계 개편설이 그치지 않고 있는데 이에 대한 생각은 어떻습니까?

김대중 정계 개편에 대해서는 저는 전혀 아는 바가 없습니다. 그리고 한나라당 이회창 총재, 자민련의 김종필 명예총재는 내년 초에 서로 편리한 때 시간을 잡아 만나서 국사에 대해 허심탄회하게 논의하고 좋은 의견을 많이 듣도록 하겠습니다.

윤승모(동아일보 기자) 대통령께서는 개각에 대해 아직 생각해 본 바가 없다고 했지만 온갖 추측이 나돌고 있습니다. 좀 더 구체적으로 개각과 관련한 생각을 밝혀 주십시오.

김대중 여러분께 말씀드릴 것은 전력을 다해 기업과 금융 구조조정에 총력을 다하고 있다는 것입니다. 그렇기 때문에 다른 데 신경을 쓰면 이 일이 되지 않습니다. 매일같이 개각 얘기가 언론에 나기 때문에 일하는 사람들이 마음을 잡고 일하기가 어려운 환경입니다. 전투가 벌어져서 한참 돌진하고 있는 부대장을 자꾸 뒤에서 교체한다, 교체한다 하면 전투에 전력할 수 없는 것입니다.

물론 필요할 때 개각을 하겠습니다. 그렇지만 지금은 그런 문제를 논의할 때가 아니고, 금융 개혁이 한참 막바지에 있는데, 개혁이 핵심입니다. 이 개혁에 성공하지 못하면 개각을 하건 안 하건 우리 장래가 희망이 없습니다.

지금은 금융·기업·공공·노동 부문 등 개혁에 전력을 다하고 있는 때이기 때문에 여러분께서는 개각 문제는 당분간 언급을 유보해 주시면 감사하겠습니다. 특히 추측 기사가 나갈 때 거기서 오는 영향이 매우 크기 때문에 여러분의 협조를 바라 마지않습니다.

오영진(코리아타임스 기자) 기업 및 금융 구조조정이 미흡한 분야가 어디라고 생각하며, 그 원인이 어디에 있다고 생각합니까? 또 지금까지의 개혁에 대해 점수를 매긴다면 1백 점 만점에 몇 점이라고 보십니까?

김대중 지금까지 개혁을 몇 점이라고 얘기하는 것보다는 방향은 올바르게 온 것이 사실입니다. 국내나 국외나 평가하는 분들이 여기에 대해서는 큰 차이가 없는 것 같습니다. 다만 속도 등에 있어 문제점이 있다는 것은 사실입니다.

작년 전반기에 외국에서 계속적으로 우리 경제에 대해 개혁을 더 강도 높게 해야 한다는 충고의 말이 많았습니다. 그런데 우리 국내에서는 별로 귀를 기울이지 않았습니다.

조금 전에 말한 것과 같이 외환 위기를 극복하고, 또 1999년 전반기 10퍼센트대의 성장률을 보였고, 경기도 좋고 해서 귀를 기울이지 않은 것이 사실입니다. 하반기 특히 4분기에 들어와서 급격히 상황이 나빠진 것을 보고 그때 그 충고가 참 중요했다는 것을 느낍니다.

우리에게 하나의 교훈이 되는 것은 1997년에 외국의 전문가들은 한국에 외환 위기가 온다고 경고를 많이 했습니다. 그러나 국내에서는 귀를 안 기울일 뿐만 아니라 오히려 반론을 제기하고 정부나 언론에서도 부당한 비판이라고 반발한 예도 많습니다. 그런데 그것이 며칠 안 가서 현실로 나타났습니다.

우리 국내에서는 굉장히 비관적인 말이 많이 나오고, 외국의 관련 기관 등에서는 구조조정을 철저히 하라고 얘기하고 있지만, 우리 경제를 위기로 보지는 않고 있습니다. 또 희망이 없다고 보지도 않고 있고, 구조조정을 제대로 하면 내년 중반기부터는 나아진다고 보는, 국제통화기금(IMF)을 위시한 국제 금융기관 혹은 외국 경제 전문가들의 의견도 있습니다.

저는 전문가가 아니라서 어느 쪽이 맞는다고 단언할 수는 없지만 이런 외국의 평가가 맞아서 내년부터는 우리 경제가 좋아지기를 진심으로 바라고 있습니다. 앞으로도 국내외의 비판에 겸허하게 귀를 기울여 하나하나 문제를 정확하게 풀어 나가도록 하겠습니다.

최기영(매일경제 기자) 주가 하락과 소비 위축 등 내수 침체가 큰 문제로 대두되고 있습니다. 내년에 투자와 소비를 촉진시킬 어떤 경기 부양책을 구상하고 계십니까?

국민경제에 대한 신뢰심을 되살려야

김대중 투자를 활성화시키기 위해 정부는 투자액 중 일정액을 세금에서 공제해 주는 '임시투자세액공제 제도'를 내년 1월부터 6월까지 한시적으로 시행할 작정입니다. 그리고 연구·개발(R&D)에 투자한 액수에 대해서는 세제 상 특별한 인센티브를 부여할 작정입니다.

또 우리나라 제조업에서 부족한 부품·소재 개발과 그 외에 미래 산업인 정 보·생물산업 투자에 대해서는 역시 세제 및 금융상의 인센티브를 줄 작정입니다. 그리고 건설업 부양을 위해, 이것은 지방 경제 활성화를 위해 매우 중요한 것인데, 이번에 예산 편성 도중에 증액까지 했습니다. 주거 환경 개선 사업을 전국적으로 실시해 주택 재개발 사업, 노후·불량 주택의 개량 사업을 확대 추진해 나갈 작정입니다.

그리고 임대 주택을 5만 호 건설하기로 했는데, 또다시 5만 호를 추가해서 경기 부양에 노력하고, 특히 중소 건설업자들의 경기 활성화를 위해 노력할 작정입니다. 아시다시피 우리나라 경기는 과거에 건설업에 많이 의존했는데 이제 건설 물량도 줄어들고, 또 경제의 중심이 이동되고 있는 상황에서 건설 업에 많은 어려움이 생기고 있습니다.

무엇보다도 중요한 것은 국민 경제에 대한 신뢰심을 되살려 내야겠습니다. 우리 경제에 대해 최근 외국 기업의 대표들이 텔레비전에 나와서 얘기하는 것도 보았고, 또 그분들이 책으로 써낸 것도 보았습니다. 한국 경제에 대해 「말이 씨가 된다」는 제목으로 글을 쓴 것도 보았는데, 한국에서는 너무 경제 현실에 대해서 위기의식을 조장하고, 또 자꾸만 어렵다는 보도를 많이 해 국민들도 그런 생각을 하게 되어 실제로 말이 씨가 돼서 더 어려워진다는 지적입니다. 한국 경제의 현실은 어렵지만 하면 된다, 과거 국제통화기금(IMF) 외환 위기 때는 이보다 더 훨씬 더 어려웠는데 해내지 않았느냐는 말도 있습니다.

제가 언론계 여러분께 특별히 부탁하고 싶은 것은 정부 경제 정책이나 경제 현실의 문제점을 지적하되, 이것이 국민에게 주는 심리적 영향도 고려해서 보도해 주었으면 합니다. 즉, 경제의 잘못된 것, 문제점을 알지만 우리 경제의 미래에 대해 희망적인 것, 또 우리가 힘을 합쳐서 노력하면 머지않아 경제를 다시 활성화시킬 수 있다는 믿음을 국민들이 가지도록 해 주었으면 좋겠습니다.

물론 돈이 없는 분들이 빚내 가면서 소비할 필요는 없고, 해도 안 되겠지만 돈이 있는 분들은 어느 정도 소비를 해야 가게의 물건이 팔리고, 물건이 팔려야 기업이 움직이고 경기가 살아나기 때문에 이런 점에 있어서 여러분께서도 많이 도와주시면 감사하겠습니다.

윤용철(MBC 기자) 클린턴 미국 대통령의 북한 방문이 어려워지고 있습니다. 클린턴 대통령의 방북이 무산될 경우 남북 관계에 미칠 영향을 어떻게 전망하십니까?

김대중 클린턴 대통령의 방북 문제는 큰 관심사였는데, 지금으로 봐서는 그렇게 큰 기대를 걸기 어렵지 않은가 생각합니다. 그러나 부시 대통령 정부에서도 한반도에 있어서의 대북 정책은 변함이 없을 것이고, 한·미 공조, 한·미·일 공조는 변함이 없을 것입니다.

지난번에 부시 대통령 당선자와 전화를 했습니다만 우리가 되도록 빠른 시일 내에 만나기로 했고, 또 한반도에서의 평화를 위해 같이 협력하기로 합의한 바도 있습니다. 저는 가급적 빠른 시일 내에 미국을 방문해 부시 대통령 당선자와 만나 한반도 정책에 대한 우리의 일관된 방침에 대해 협의, 재확인하고 그동안 견지해 온 햇볕정책을 추진해 나갈 생각을 가지고 있습니다.

호준석(YTN 기자) 이달 초로 예정됐던 북한 김영남 최고인민회의 상임위원장의 서울 방문이 연기되었습니다. 따라서 김정일 국방위원장의 서울 답방도 연기될 가능성이 높아 보입니다. 대통령의 판단을 말씀해 주십시오.

김대중 이 문제에 대해서는 지금은 확실히 단언할 수는 없습니다. 다만 평양에서 6·15남북공동선언을 할 때 적절한 시기에, 내년 중에 김정일 위원장이 서울을 방문한다는 합의가 되어 있고, 우리는 가급적이면 내년 전반기에 방문하기를 기대하고 있습니다.

이 문제는 새해에 들어서면 북쪽과 본격적으로 논의해서 날짜를 잡을 생각이기 때문에 그렇게 아시고 좀 기다려 주시기 바랍니다.

이동채(KBS 기자) 권노갑 전 최고위원을 비롯한 이른바 동교동계가 2선으로 후퇴했습니다. 대통령께서는 남다른 감회를 갖고 계실 것 같습니다. 권 전 최고위원과 만날 계획을 갖고 있습니까?

김대중 네, 그분들이 당내의 어떤 위치에 있건 없건 변함없이 나라와 당, 그리고 저를 도와주고 지지한 태도에 대해, 또 그런 의사를 공개적으로 천명한 데 대해 감사하게 생각하고 참으로 좋은 동지들을 가졌다고 생각합니다. 그들과 같이 감옥에 가는 등 여러 가지 고초를 겪던, 그러한 고난을 나누었던 동지로서 지금도 마음속에 깊이 감사하고 있습니다. 권노갑 고문과는 가까운 시일 내에 만나서 좋은 의견도 듣고 또 격려도 할 생각입니다.

원일희(SBS 기자) 지역 화합, 국민 화합을 요구하는 목소리가 많고 대통령께서도 국민 화합을 강조하셨지만, 아직 효과를 거두지 못하고 있습니다. 국민화합을 위한 구상을 밝혀 주십시오.

김대중 그 문제에 대해서는 정부도 노력을 해야 하고, 또 그동안 인정을 받건 못 받건 정부로서는 참 노력을 많이 했습니다. 그런데 결국 이 문제는 정치계 전체가 협력을 해야 한다고 생각합니다. 예를 들면 선거 때 지역감정을 악용하는 선거를 하는 한 이것이 없어지지 않습니다. 그리고 언론계에서도 지역감정을 이용해서 하는 정치 행동에 대해서는, 또 그러한 사람들에 대해서는 준엄한 비판을 하는 감시가 계속되어야 한다고 생각합니다.

우리는 선거 때 돈을 준 부정에 대해서는 굉장히 예민하게 추궁하지만 정말 국민을 산산이 갈라놓은 지역감정 조장에 대해서는 법적으로도 문제가 안 되고 실질적으로 언론의 비판도 별로 안 받습니다. 우리 정치를 이렇게 어렵게 만든 원인은 바로 그런 데 있다고 생각합니다.

이 점에 있어 대통령부터 반성하고 개선의 노력을 하겠습니다만, 여러분께서도 여야를 막론하고 이 문제를 악용하는 사람들에 대해서는 국민적 비판이 가해져야 합니다. 지금 세계화 시대에 남북으로 갈라져 있는데, 또 우리끼리 국내에서 산산이 갈라져 있는 이런 상태, 지금 동서만이 아닙니다. 각 지역에서 그런 부조리 현상이 나타나고 있습니다.

이런 문제에 대해서는 큰 경각심을 가져야 합니다. 또, 이렇게 된 데 대해 대통령으로서 참 안타깝게 생각하고 큰 결심을 하고 있다는 것을 말씀드립니다.

원칙과 법을 준수하는 것이 강한 정부

대담 내외신 기자
일시 2001년 1월 11일

김대중 존경하고 사랑하는 국민 여러분!

새해를 맞이하여 국민 여러분의 건승과 행복을 진심으로 빕니다.

올해는 우리가 지금 겪고 있는 시련을 극복하고, 21세기 경제 강국의 기반을 닦는 전진의 한 해가 되기를 바라 마지않습니다.

국민의정부는 지난 3년 동안 민주주의와 시장경제, 생산적 복지의 3대 국정 철학 속에서 나름대로 열심히 노력해 왔습니다. 그리고 국내외가 인정하는 상당한 성과도 거두었습니다.

한국은 지금 전 세계로부터 인권·민주국가로 인정받고 있습니다. 국제통화기금(IMF) 지원 국가 중 가장 성공한 나라로 꼽히고 있습니다. 그리고 경제협력개발기구(OECD) 선진 국가 중 중상위의 복지국가로 평가받고 있습니다.

하지만 국민 여러분이 느끼는 현실은 이와는 현격한 차이가 있습니다. 정치는 불안정하고 경제는 체감 경기가 매우 나쁜 상황입니다. 사회적 소외 계층 문제도 큽니다. 국정의 책임자로서 안타까운 마음을 금할 수 없습니다.

정부는 2001년 국정 지표로서 민주·인권 국가의 구현, 국민 대화합의 실현,

지식경제 강국의 구축, 중산층과 서민의 보호, 남북 평화 협력의 실현을 정하고, 국민 여러분과 합심해서 이를 성공적으로 추진해 나아갈 생각입니다.

정치 안정이 무엇보다 중요

김대중 존경하는 국민 여러분!

정치의 안정이 무엇보다도 중요합니다. 정치의 불안정은 경제적 악화와 사회 혼란의 근본 원인입니다. 정치 안정을 위해 자민련과의 공조를 굳건히 지켜 나가겠습니다. 양당의 공조는 외환 위기 때와 같이 경제의 회복에도 크게 기여할 것입니다. 야당과는 일시적인 경색에도 불구하고 공생의 기반 위에 협력해 나가겠다는 원칙에는 추호의 변함이 없습니다.

정도正道와 법치의 정치를 펴 나가겠습니다. 인권법·반부패기본법·국가보안법의 제·개정 등 개혁 입법을 적극 추진하겠습니다. 부정부패를 철저히 척결하겠습니다. 공공질서와 준법정신도 확고히 지켜 나가겠습니다. 국민 화합을 위해서 정성과 노력을 다하겠습니다. 인사 정책을 획기적으로 개선하겠습니다. 안기부 예산의 선거자금 유용 사건은 검찰이 독립해서 법에 따라 엄정히 처리할 것입니다.

언론 자유는 지금 사상 최대로 보장되어 있습니다. 그만큼 언론도 공정 보도와 책임 있는 비판을 해야 한다고 생각합니다. 국민과 일반 언론인 사이에는 언론의 개혁을 요구하는 여론이 상당히 높다는 것을 우리는 알고 있습니다. 언론계, 학계, 시민단체, 국회가 모두 합심해서 투명하고 공정한 언론 개혁을 위한 대책을 세워야 할 것입니다.

존경하고 사랑하는 국민 여러분!

정부는 올해에도 한반도에서 냉전 구조를 해체하고 평화 체제를 확립하는 데 전력을 다하겠습니다. 이를 위해서 주변 4강과 세계의 지지를 계속해서 확보해 나가도록 하겠습니다. 남북 간의 긴장 완화와 교류·협력을 병행해서 착실히 추진해 나갈 것입니다. 김정일 위원장의 서울 방문이 약속대로 반드시 실현되도록 하겠습니다.

미국의 부시 신新 행정부와 한반도 문제에 대해서 긴밀한 협조 관계를 유지해 나갈 것입니다. 한·미·일 공조도 흔들림 없이 계속해 나가겠습니다. 국회 내의 '남북관계발전특별위원회'를 활성화시켜서 국민 여론을 수렴해 초당적인 협력 체제를 갖추어 나가겠습니다. 올해에는 21세기가 한반도의 평화와 번영과 통일의 세기가 되는 초석을 닦도록 하겠습니다.

친애하는 국민 여러분!

이제 전 국민의 최대 관심사인 경제에 대해서 말씀드리겠습니다. 경기가 급속히 하강하는 과정에서 중소기업과 서민 경제, 지방 경제가 특별히 위축되고 있습니다. 저는 여러 국민의 고통을 생각할 때 밤잠을 설치는 일이 한두 번이 아닙니다.

그러나 국민 여러분!

우리에게는 밝은 면도 많이 있습니다. 작년 우리 경제는 연간 9퍼센트라는 세계 최고 수준의 성장률을 기록했습니다. 1,700억 달러를 수출했으며, 120억 달러의 무역수지 흑자 목표를 달성했습니다. 물가는 2.3퍼센트 선에서 안정시켰습니다. 외국인 투자는 사상 최대로 유치되었습니다. 세계 5대 외환 보유국이 되었고, 또한 7대 순채권 국가도 되었습니다.

그럼에도 불구하고 작년 말경부터 미국 경제의 급격한 하강과 이에 동반한 국내 경기의 침체는 소비와 투자 심리를 위축시키고, 우리의 체감 경기를 매우 악화시켰습니다. 그러나 오늘의 경제 난국의 원인으로는 정부가 4대 개혁을 신속하고 철저히 하지 못한 책임이 컸다고 반성하고, 결심을 새로이 하고 있습니다.

정부는 금년도 경제 정책으로 다음 세 가지에 중점을 두어 우리 경제를 다시 회복과 도약의 길로 이끌어 나가겠습니다.

첫째는 금융·기업·공공·노동 등 4대 개혁의 철저한 추진입니다. 둘째는 서민 생활 향상과 지역 경제 활성화입니다. 셋째는 전통산업, 정보산업, 생명 산업을 삼위일체로 발전시키는 등 지식기반 산업을 구축하는 길입니다.

먼저 4대 개혁의 추진 사항에 대해서 말씀드리고자 합니다. 4대 개혁은 우리 경제의 생존과 오늘의 난국을 타개하는 유일한 대안입니다. 총력을 다해서 이를 성공적으로 실현시키겠습니다.

국민 여러분께 약속한 대로 정부는 지난 연말까지 금융과 기업 개혁의 기본 틀은 대부분 마무리했습니다. 금융 개혁은 각 은행의 경영 상태를 투명화시키고 국제결제은행(BIS) 자기자본 비율을 10퍼센트대로 상향 개선케 했습니다. 공적 자금 투입 은행을 지주회사화하고 금융기관의 합병 등으로 경쟁력을 높이기 위한 틀을 이루어 냈습니다. 은행 주가가 상승하고 국제적 신용 평가도 상향 조정될 전망입니다.

기업 개혁은 부채 비율 200퍼센트 미만으로의 축소, 상호지급보증과 상호출자의 완전 금지, 결합재무제표의 작성 의무화, 기업 지배 구조의 개선 등 제도적 장치를 확실히 마련했습니다. 또한 작년 가을에는 52개의 부실기업을 퇴출시키는 조치도 단행한 바 있습니다.

공공 부문과 노동 개혁도 2월 말까지는 그 기본 틀을 마무리하겠습니다. 공공 개혁은 그동안 포항제철·한국중공업·한국통신·한국전력 등에 대한 민영화 조치가 이행되었거나 확정되었습니다. 공기업 경영자의 공개 채용과 경영 목표의 책임제 등 강력한 개혁의 노력도 새로이 추진하고 있습니다.

지금은 과거 어느 때보다 노동자의 권익이 확대되었습니다. 노동 3권이 완전 보장되고 있습니다. 반면에 부실기업이 대량 퇴출되었습니다. 결코 노동자만의 희생을 강요하지는 않습니다. 그러나 노동자도 법과 질서는 반드시 준수해야 합니다.

정부는 서민 생활 향상과 지역 경제 활성화에 대한 시책을 지속적으로 추진해 나갈 것입니다. 전국 400지구의 주택 개량 사업과 향후 5만여의 임대 주택을 추가로 건설해 나가겠습니다. 실직자에 대한 실업급여, 실업장려금, 직업훈련비를 지급하고 있습니다. 이와 함께 금년 중에는 40만 개의 일자리를 창출해서 실업률을 3퍼센트대로 안정시키겠습니다.

재래시장의 개혁과 경영 개선도 적극 지원하겠습니다. 국민의정부는 국민 기초생활 보장제도 외에도 국민연금·의료보험·산재보험·고용보험 등 4대 사회보험제도를 완비했습니다. 그러나 정부가 지향하는 생산적 복지의 핵심은 시혜적 지원에만 있는 것이 아닙니다. 인력을 개발해서 취업이 용이하고 소득이 늘어나도록 도움을 주는 것입니다. 이는 당사자뿐만 아니라 국부의 창출을 위해서도 커다란 기여를 할 것입니다.

존경하는 국민 여러분!

21세기는 정보화가 승부를 결정하는 세기입니다. 외국의 저명한 주간지는 최근의 커버 기사에서 "한국의 인터넷 이용자 비율은 세계에서 가장 높은 수준이다. 인구의 절반 이상이 이동전화를 보유하고 있다. 초고속 인터넷은 미국을 따라잡고 있다. 한국은 정보통신 분야에서 세계에서 가장 앞서가고 있는 국가 중 하나다."라고 소개한 바 있습니다.

국민의정부 출범 이래 비전과 열정을 가지고 정보화에 노력한 성과인 것입니다. 저는 저의 임기 중에 정보화 확산의 핵심인 전자정부를 반드시 완성하겠습니다. 정부와 공기업과 민간 부문이 모두 전자 상거래를 상시 실시하도록 적극 노력하겠습니다. 이리하여 경영의 효율성·투명성의 제고로 획기적인 경영혁신을 가져오게 하겠습니다. 세계 일류의 지식경제 강국이 우리를 기다리고 있습니다.

존경하는 국민 여러분!

4대 개혁의 완수와 지식산업과 생명산업을 적극 발전시켜 나가면 우리 경제는 하반기부터 호전될 것입니다. 6퍼센트의 성장률과 3퍼센트대의 물가 안정, 그리고 3퍼센트대의 실업률과 100억 달러 수준의 무역수지 흑자를 내다볼 수 있는 연착륙을 하게 될 것입니다.

우리는 해낼 수 있습니다. 자신을 가집시다. 지나친 위기의식은 구매와 투자를 위축시키고 증시 침체를 가속화시켜 진짜 위기를 초래하게 됩니다. 국내외 전문가들은 지금 우리가 바른길을 가고 있다고 평가하면서 4대 개혁의 착실한 이행을 통한 힘찬 회복을 전망하고 있습니다. 정부는 심혈을 기울여서 지금 개혁을 추진 중에 있습니다. 그리고 반드시 성공해 낼 것입니다.

친애하는 국민 여러분!

금년 3월에는 인천국제공항이 개항되고 9월에는 남북을 잇는 경의선이 개통됩니다. 그리고 연말에는 서해안고속도로가 완공됩니다. 가까운 장래에는 부산항과 광양항 등이 초현대적인 항만 시설을 갖추게 됩니다. 경부와 호남 고속철도가 운영되게 됩니다. 지금 부산항은 세계 제2의 컨테이너 부두로 부상하고 있습니다.

문자 그대로 한국은 바다와 육지와 하늘에 걸쳐 동북아 물류와 비즈니스의 중심이 되어 가고 있습니다.

존경하는 국민 여러분!

올해는 우리의 미래를 좌우합니다. 우리는 총력을 다해서 당면한 고난을 극복해서 국운 융성의 21세기를 열어 가야겠습니다. 자신을 가지고 우리 모두 적극 동참합시다. 그리고 성공합시다. 우리는 해낼 수 있습니다.

다시 한번 국민 여러분의 새해 행운을 빕니다.

질의응답

송기원(MBC 기자) 대통령께서는 며칠 전에 김종필 자민련 명예총재와 만나서 임기 말까지 양당 간에 공조를 유지하기로 합의하셨습니다. 그리고 그 의미는 곧 2002년 12월 차기 대선에서의 양당 간, 나아가서는 두 분 간의 공조를 의미하는 것으로 해석됩니다.

이 해석에 대한 견해를 말씀해 주시고 아울러 대통령께서 지난 연말에 강한 정부를 언급하신 이후에 정치적인 변화가 뒤따르고 있습니다. 현시점에서 강한 정부의 의미를 정리해 주시기 바랍니다.

대통령 자민련과 공조를 복원하는 데 있어서 차기 대선 문제에 대해서는 논의한 바가 없습니다. 지금은 총력을 다해서 경제를 회복시키고, 정치와 사회를 안정시킬 때라고 생각하고 있습니다. 그래서 그러한 대선 문제는 논의한 바가 없습니다.

강력한 정부란 옛날 군사정권과 같이 물리적 힘을 휘두르는 정부가 아닙니다. 정반대로 민주적인 절차를 준수하면서 대화와 양보로써 풀어 가는 정치, 이것이 강력한 정부라고 생각합니다.

그런 가운데 반드시 민주 원칙과 법·질서가 보장되어야 합니다. 이것이 지켜지지 않으면 강력한 정치를 해 나갈 수가 없다고 생각합니다. 그런 점에서 정부는 민주적인 강력한 정부로서 원칙과 법을 준수하는, 그리고 국민의 여론을 최고로 두려워하는 그런 정부, 이러한 의미에서의 강력한 정부를 앞으로 구성해 나갈 작정입니다.

김진홍(국민일보 기자) 안기부 예산 유용 사건 수사가 한창입니다. 대통령께서는 이번 사건 수사가 한나라당 이회창 총재와 김영삼 전 대통령에 대한 수사로 이어질지, 어떻게 생각하고 계시는지 밝혀 주십시오.

김대중 그 문제는 전적으로 검찰이 법에 의해서 수사를 하고 있습니다. 비록 대통령이라고 하더라도, 또한 사견私見이라고 하더라도 여기에 개입하는 것은 온당하지 않다고 생각해서 지금은 언급을 삼가도록 하겠습니다.

하남신(SBS 기자) 지금 구 안기부의 선거자금 지원 수사에 대해서 야당은 강력하게 반발하고 있습니다. 그러면서 대통령의 비자금 규모까지 제시하면서 그 내역을 밝히라고 요구하고 있습니다. 먼저 대통령의 정치자금에 관해서 소상하게 말씀해 주십시오. 그리고 또 야당은 지난번 16대 총선자금을 비롯해서 여야의 모든 자금을 투명하게 낱낱이 조사하자고 요구하고 있습니다. 여기에 대해서 어떻게 생각하시는지 밝혀 주시기 바랍니다.

김대중 두 가지를 말씀드리겠습니다. 지금 검찰이 수사하고 있는 것은 국가의 예산, 그것도 국가안보 예산 도용 사건을, 그런 범죄 행위를 수사하고 있는 것입니다. 정치자금을 수사하고 있는 것이 아닙니다. 초점을 다른 데로 가져가서는 안 됩니다.

둘째로 제 문제를 말씀드리겠습니다. 여러분이 잘 아시는 대로 과거 정권 5년 동안 하루도 빼지 않고 저의 정치자금에 대해서 추적당했습니다. 심지어 대선 기간 중까지 그렇게 했습니다. 저에 대해서 얼마나 많은 증거를 가지고 있다고 떠들어 댔습니까? 그러나 자기들이 집권하고 있으면서 아무것도 내놓지 못했습니다.

선거 때, 수백억 원을 감추어 놓았다고 해서 우리가 국회에서, 마침 국정감사 기간 중이었기 때문에 국정감사권을 발동해서 증인을 신문하고 계좌를 추적하자고 하니까 그 동의안을 당시의 여당이 부결시켰습니다. 요새 그런 소리를 다시 한다는 것은 결국 아무것도 없기 때문에 다시 묵은 소리를 되풀이하고 있는 것으로 봅니다. 그런 의미에서 저는 거기에 일고의 가치도 두지 않습니다.

다시 말합니다. 나는 내가 정치 생활을 통해서 불법적이거나 문제가 될 그러한 정치자금을 받아 쓴 일은 결단코 없다는 것, 내가 그랬다면 오늘 이 자리에 있지도 못했을 것이라는 것을 이해해 주시기 바랍니다.

박찬수(한겨레 기자) 여야 간 극한 대립에 대한 국민들의 비판이 높습니다. 경색된 정국을 풀기 위해 이회창 한나라당 총재와 다시 만나실 용의는 없으신지요? 또 대통령께서는 신년사에서 올해 야당과 상생相生의 정치를 꼭 이루겠다고 말씀하셨습니다. 그러나 현실은 그렇지 못합니다. 야당과의 관계 개선을 위해 구체적인 어떤 구상을 갖고 계시는지 말씀해 주시기 바랍니다.

김대중 야당과 협력 관계를 유지하겠다는 것은 과거나 지금은 물론 앞으로도 변함이 없습니다. 대통령이 된 사람은 대통령을 편하게 하려면 또 성공적으로 하려면 야당의 협력을 받아야 합니다.

그러나 저는 불행히도 지난 3년 동안, 부덕의 소치겠지만 야당의 협력을 못 받은 것은 물론이고, 심한 괴로움을 당한 것을 여러분은 알고 있습니다. 국무총리를 6개월이나 인준을 안 해 주고, 예산을 몇 개월이나, 그것도 실업 대책 예산을 통과시켜 주지 않고, 그리고 툭하면 국회를 버리고 밖으로 나가는 등 여러 가지 어려움이 있었습니다.

저는 야당과의 관계를 수복하고 싶고 잘 지내고 싶습니다. 그러나 거기에는 원칙이 있어야 합니다. 민주주의적 원칙, 법치주의적 원칙, 그리고 서로 상대방의 입장을 존중하는 상생의 원칙, 이런 것이 있어야 한다고 생각합니다.

저는 대통령이 되기 전 야당이었을 때, 일관되게 이러한 원칙을 지켰습니다. 심지어 여소야대 때도 국회의 요직을 여당에 주고 모든 안건의 97퍼센트를 서로 사전 협의해서 만장일치로 통과시켜 주었습니다. 특히 정치 안정, 민생 문제, 남북 문제는 언제나 여당과 협력해서 이를 적극 도와준 것을 여러분이 기억하실 것입니다.

저는 앞으로 야당과의 관계에 있어서 큰 국가적 차원에서 협력하고, 정권에 대해서는 서로 정책을 가지고 경쟁해서 국민의 지지를 받는, 그리고 대통령은 공정한 선거를 관리하는 상황이 실현되기를 진심으로 바랍니다.

황인선(서울경제 기자) 경제 문제에 대해 여쭈어보겠습니다. 그동안 경제의 어려움으로 서민은 물론 중산층마저 큰 고통을 겪고 있습니다. 이런 상황 속에서 국민의정부가 추진하고 있는 구조조정과 경제 활성화 대책은 서로 상충된 측면이 많은 것으로 알려지고 있는데, 대통령께서는 앞으로 어떻게 이를 조화시켜 나가실 생각입니까? 아울러 경제 활성화를 위해서는 금융 시스템 복원이 가장 시급하다는 지적이 많습니다. 이를 위한 복안에 대해서도 말씀해 주십시오.

구조 조정이 우선

김대중 아주 중요한 질문입니다. 이것은 분명히 말씀드려서 구조조정이 기본입니다. 구조조정이 우선합니다. 경기대책은 보완적인 것입니다. 마치 의사가 중환자를 수술해서 그 병자를 살리려고 하는 것은 구조조정이나 마찬가지입니다. 그러나 그 중환자가 수술을 감당하게 하기 위해서 진통제도 놓아 주고, 혹은 영양 주사도 놓아 주고 그렇게 합니다. 그렇게 해서 중환자가 고통을 덜 받으면서 힘을 회복해서 빨리 건강을 회복하도록 하는 것입니다. 그런 의미에서 구조조정과 경기 회복의 관계에 있어서 경기 회복은 어디까지나 구조조정을 성공시키기 위한 보완적 조치라고 말씀드리고 싶습니다.

그리고 금융 문제에 있어서는, 금융은 이미 여러분이 아시는 대로 상당 부분 개혁이 되고 있습니다. 지금은 모든 금융기관이 아주 투명하게 되었습니다. 숨겨 놓은 부실채권이라든가, 기타 시장경제의 원리에 맞지 않는 그러한 경영행태는 없어졌습니다. 또 발견되면 용납하지 않습니다.

그리고 국제결제은행(BIS) 자기자본 비율이 10퍼센트 이상으로 올라가서 재무구조가 건전하게 되었습니다. 금융기관들이 지금 어떤 것은 지주회사로 합치고, 어떤 것은 우량 은행끼리 통합하고 해서 세계적인 경쟁력을 갖는 금융기관, 세계 유수의 금융기관이 되기 위해서 안간힘을 쓰고 열심히 노력하고 있습니다. 그런 가운데 인력 구조조정, 전산화 등 여러 가지 개혁 노력을 하고 있습니다.

지금 국내에는 외국 은행이 많이 와 있습니다. 그 은행들과 우리가 지금 경쟁하고 있는 것입니다. 국내에서 영업하고 있는 외국 은행들은 1인당 부가가치가 1억 원인데, 우리의 금융기관들은 수천만 원도 안 된다고 합니다. 이래 가지고는 되지 않습니다. 그래서 우리는 금융기관 모두가 국제적 경쟁력을 가질 수 있도록 철저히 격려하고 또 금융감독원으로 하여금 그러한 방향으로 개혁이 되도록 적극적으로 관리하도록 할 것입니다.

오영진(코리아타임스 기자) 주가 흐름이 민심을 좌우한다는 지적이 있습니다. 최근 증시가 안정 기미를 보이는데 어떤 전망을 하시는지, 그리고 추가 활성화 계획이 있으시면 말씀해 주십시오.

김대중 증시 주가가 폭락했는데, 우리나라 증시 인구가 약 450만 명이라고 합니다. 중복된 것까지 하면 700만 명쯤 된다고 합니다. 엄청난 숫자인데 그분들이 100조 원에 달하는 손해를 보았다는 것을 보도에서 보면, 여러분도 그렇지만 참으로 가슴 아프기 짝이 없습니다. 그분들이 지금 얼마나 많은 고통을 받고 있겠습니까? 어떤 사람은 가정이 파탄되고, 또 어떤 사람은 집도 절도 없어졌다는 등의 보도를 접하면 정말 안타까운 심정을 금하지 못하고 있습니다.

여하간 우리는 증시가 활성화되어야 합니다. 그런데 증시를 활성화하는 데 왕도는 없습니다. 정도만 있습니다. 정도는 무엇이냐, 증시를 활성화시키려면 기업이 경쟁력을 가져야 합니다.

첫째는 4대 개혁을 철저히 해서 우리 경제 체질을 강하게 만들어야 합니다. 둘째는 모든 기업이 세계적인 경쟁력을 가져야 합니다. 경쟁력을 갖지 못한 기업은 개혁을 하거나 퇴출당하거나 둘 중 하나를 해야 합니다.

그리고 우리 증시는, 모든 경제가 그렇지만 특별히 시장의 심리가 크게 좌우합니다. 그래서 우리가 지금 경제 개혁을 하고 있는데, 이것이 성공하면 우리 경제가 앞으로 좋아진다는 그러한 확신을 가지고 나가야겠습니다. 덮어놓고 그렇게 믿으라는 것이 아닙니다.

우리는 여러분이 아시는 대로 거시경제 지표는 상당히 좋은 상태입니다. 우리 국민은 지금 세계에서 가장 정보화를 급속히 추진하고 있는 국민입니다. 21세기는 정보화 시대라는 것을 여러분이 잘 아십니다. 세계가 놀라고 있습니다.

4대 개혁을 철저히 하고, 기업이 구조조정을 철저히 하고 정보화를 시키고, 그리고 하면 된다는 생각을 가지고 나서는 것이 중요합니다. 시카고 대학의 노벨경제학상을 받은 어떤 교수는 "경제는 심리다. 하면 된다는 생각을 시장이 갖고 국민들이 가질 때 경제는 잘된다"는 말도 하고 있습니다.

우리나라에 와 있는 외국 기업인들이 공개적으로 여론조사를 통해서 우리 경제에 대해서 금년, 내년에 대해 희망적인 관측을 내놓고 있습니다. 이런 모든 것을 우리가 잘 활용해서 정부가 중심을 확실히 잡고, 4대 개혁을 속도감 있게, 철저하게 함으로써 증시를 살려내는 그러한 경제를 만들어야겠습니다. 또, 기업들도 돈을 많이 벌어야 합니다. 기업이 돈을 벌어야 주가가 올라가지 않겠습니까? 정부는 앞으로 증시를 살리기 위해 정도正道로 가겠다는 것을 여러분께 말씀드립니다.

김진국(중앙일보 기자) 대통령께서는 지난해 신년사에서 경제·교육 부총리와 여성부 신설을 약속하셨습니다. 그런 지 1년이 지났습니다. 그 내용을 담은 정부조직법 개정안이 국회에서 통과되었습니다. 그런데 국회에서 통과된 다른 법안들은 전부 정부로 이송되었는데, 정부조직법만 국회에 남아 있습니다.

이것은 정부 이송 이후 15일 이내에 공포해야 된다는 조건 때문에 개각 시기를 조절하기 위해서 이 시기를 늦추고 계시는 것은 아닌지 모르겠습니다. 이 법안을 언제 정부로 이송하실 것인지 궁금합니다. 그리고 이 시기를 조절하시는 것은 부총리를 포함해서 대폭적인 개편을 구상하기 때문은 아닌지 말씀해 주십시오.

그리고 김종필 자민련 명예총재와의 공조가 완전히 회복되었습니다. 공동 정권 출범 초기처럼 정치권 인사를 양당에서 대거 기용하실 것인지, 또 자민련 인사는 얼마나 배려할 것인지 말씀해 주십시오.

김대중 오늘 여기서 보따리를 다 풀어 버리란 말입니까? 궁금하시겠지만 좀 기다려 주십시오. 지금은 여러분이 아시는 대로 경제 문제를 숨 가쁜 심정으로 되살리기 위해서 노력하고 있습니다. 조금만 기다려 주시면 여러분이 빠른 시기에 알 수 있게 모든 것을 조치하겠습니다. 오늘은 시원한 대답을 못해서 미안합니다.

이영성(한국일보 기자) 민주당 의원의 자민련 이적에 대해서 비판적인 여론이 많습니다. 이에 대한 대통령의 견해를 말씀해 주시고, 민주당 의원의 자민련 이적이 김종필 자민련 명예총재께서 대통령께 공조의 전제로 요구한 것인지 그 점도 밝혀 주시기 바랍니다.

김대중 민주당 의원의 자민련 이적은 과거에 전례가 없던 일이고, 보내는 우리 민주당도 그렇지 않아도 모자라는 의원을 보낸 것이 그렇게 썩 기쁜 일은 아닙니다. 이 점에 있어서 국민들이 비판을 하시면 그 비판에 대해서 우리는 겸허하게 듣겠습니다. 그러나 야당이 이것을 비판하는 것은 온당치 않다고 생각합니다. 그 이유를 몇 가지 말씀드리겠습니다.

첫째, 야당은 총선 민의에 어긋난다고 말하고 있습니다. 그런데 총선 민의는 야당도 과반수 안 주고 여당도 과반수 안 주고, 자민련은 17석밖에 안 주었지만 공교롭게 캐스팅 보트를 쥐고 행사할 수 있게 했습니다. 총선 민의는 이렇게 세 가지로 나와 있지 야당이 말하는 대로 자민련은 아무것도 아니다, 이런 식으로 나타난 것은 아닙니다.

둘째, 그 증거로서 불과 17석밖에 안 되는 자민련이지만 자민련이 한나라당에 합세하면 한나라당이 국회에서 이기고, 민주당에게 합세하면 민주당이 이기는 그러한 숫자로 되어 있습니다. 실제로 여기에 앉아 계시는 이한동 총리를 인준할 때 자민련이 동조, 지지해서 인준이 되었습니다. 과거에 김종필 총리는 6개월 동안 표가 모자라서 서리署理로 있어야 했습니다. 그리고 국회의장도 자민련이 우리를 지지했기 때문에 우리 당 의원이 국회의장이 되었습니다.

정부조직법 개정안이 통과되었는데 이것은 여야가 당초에 원내총무 간 합의를 어기고 만장일치 통과를 안 시키니까 할 수 없이 투표를 했는데, 자민련이 도와주어서 겨우 통과시켰습니다.

이와 같이 현실적으로 자민련이 국회에서 캐스팅 보트 역할을 하고 있습니다. 그런 역할을 하고 있는 자민련이 국회 운영에 대해서 발언권을 갖겠다는 것은 당연한 일이라고 생각합니다. 세계의 많은 나라는 소수의 권리를 보장하기 위해서 10석 이상 모이면, 10석 정도면 교섭단체를 인정해 주고 있습니다. 교섭단체는 20명이라는 것이 헌법에 규정된 사항이 아닙니다. 국회법입니다.

셋째, 야당이 그걸 반대하니까 할 수 없이 우리는 자민련하고 공동으로 교섭단체 정족수를 낮추는 개정안을 국회에 냈습니다. 이것이 몇 달째 통과가 안 되고 있습니다. 그 이유는 야당이 표결을 저지하고 폭력으로 이것을 막기 때문에 통과가 안 된 것입니다. 이렇게 해서 야당은 막고 있습니다.

넷째, 제가 얘기하고 싶은 것은 그러면 야당은 과거에 여당 때 그런 일이 없었는가? 우리는 공조로서 주고받고 했지만, 과거의 여당은 야당을 파괴하면서 데려갔습니다. 15대 총선 때 신한국당은 과반수가 안 되고 11석이 모자랐습니다. 그러자 자민련에서 6석, 민주당에서 3석, 그리고 무소속에서 13석 등 22석을 빼 가지고 과반수에서 11석이 넘는 일을 했습니다. 그것에서 그치지 않고 자민련 소속의 도지사 두 사람, 무소속의 시장과 도지사 한 사람 등 4명의 자치단체장을 데려갔습니다.

자신들이 그렇게 야당을 파괴하면서 데려간 것은 괜찮고 같이 공조하는 여당끼리 교섭단체를 만들어 주기 위해서 도와준 것은 국정을 파괴한 것이다, 이런 주장은 국민 누구도 납득하지 못할 것입니다.

다시 말합니다. 이것은 우리가 바라서 한 것이 아니라 불가피해서 한 것이고, 이런 문제를 결정했을 때 국민이 어느 정도 비판하는 것은 감수하겠다고 각오했습니다. 그러나 야당은 여기에 대해서 장외 집회까지 하면서 비판하는 그런 입장이 과연 되는가, 야당도 한번 깊이 생각해 주시기 바랍니다.

김소일(평화방송 기자) 지난해 남북 관계에서는 성과도 많았지만 또 한편에서는 일방적으로 끌려다닌다, 북쪽에 퍼주기만 한다, 이런 지적도 상당히 많았습니다. 이런 지적에 대해서 대통령께서는 어떻게 생각하시는지요? 그리고 김정일 위원장의 답방 시기를 포함해서 올해 남북 관계에 대해서도 한번 전망해 주십시오.

북한이 경제적으로 잘 되어야

김대중 오늘 이런 질문이 나올 줄 알았어요. 제가 볼 때 끌려간 것도 없고 끌어온 것도 없고 결국 남북 간에 합의를 안 하면 아무것도 안 되는 것입니다. 표결도 뭣도 없고, 우리가 강제로 북쪽을 끌겠습니까? 우리가 그렇다고 끌려가겠습니까? 그러나 결과적으로 보면 우리가 더 많이 얻었습니다.

여러분이 잘 아시는 대로 북한은 50년 동안 세 가지 주장을 일관되게 했습니다. 미군 나가라, 중앙연방제 받아라, 국가보안법 폐지하라, 이것 안 하면 대화를 안 하겠다는 말을 얼마나 했습니까?

그런데 여러분이 아시다시피 미군이 한반도에 있는 것을 북한이 공개적으로 인정하지 않습니까? 통일 후까지 있어도 좋다고 했습니다. 연방제, 낮은 단계의 연방제라고 이름을 바꾸어서 사실상 우리의 남북연합제를 받아들였습니다. 국가보안법, 내가 이것을 우리에게 맡겨 달라고 하니까 김정일 위원장이 공식적으로 그것은 남한에게 맡긴다고 발표했습니다. 결코 우리가 끌려다닌 것이 아닙니다.

또 6·15공동선언 이후의 상황을 보십시오. 우리는 두 가지 방향으로 북한과 접촉하고 있습니다. 하나는 남북 간의 긴장 완화, 하나는 교류·협력입니다.

긴장 완화는 국방장관회담을 이룸으로써 좋은 성과를 얻었고, 지금 남북 간에 군사회담을 하고 있는 것을 여러분이 잘 아십니다. 얼마나 긴장이 완화되었습니까? 휴전선에서 서로 비방이 없어졌습니다. 이번 북한의 신년사를 보아도 남한에 대한 과거와 같은 어떠한 격렬한 비난도 없습니다. 그리고 남북공동선언을 철저히 지켜야 한다고 주장하고 있습니다. 또 북한은 새로운 방향으로 나가겠다는 것도 공개적으로 얘기하고 있습니다.

둘째는 이 긴장 완화와 더불어 교류·협력입니다. 이산가족 문제, 여러분이 잘 아시는 대로 많은 진전이 있고 앞으로도 있을 것입니다. 경제 협력 4대 협정이 체결되고 경의선, 개성공단 등이 금년 중에 모두 우리 눈앞에서 현실화될 것입니다. 개성공단은 지금 500개 기업이 신청해 다 차버렸습니다. 주로 영남 지역의 신발·섬유 기업들이 과반수를 차지했다고 듣고 있습니다.

또 남북 간에 사회·문화 교류, 즉 음악이라든가 예술이라든가 체육 등의 교류가 활발히 되고 있습니다. 대개 우리가 주장한 것이 실현되고 있습니다. 다만 우리가 저쪽 말을 들은 것이 있습니다. 저쪽이 날짜를 바꾸자, 장소를 바꾸자 하는 것은 우리가 많이 들어주었습니다. 관계없지 않습니까? 그런 것을 보고 끌려다닌다고 하면 말이 되겠습니까?

다시 말합니다. 남쪽, 북쪽은 끌려간 것도 없고 끌어온 것도 없지만 결과적으로는 우리가 얻은 소득이 컸다, 이렇게 나는 국민들에게 보고드리고 싶습니다.

북한에 대한 경제적 지원은 국민의 동의 없이는 절대로 하지 않습니다. 이번에 여러분이 아시는 대로 국회에서 정식으로 5천억 원을 승인받았습니다. 국민 여론조사를 해 보니까 1인당 1만 원 정도는 지원하자는 것이 국민 절대다수의 여론입니다. 1만 원이면 약 4,600억-4,700억 원이 됩니다. 그것 가지고 하겠습니다. 그리고 나머지는 민간인들이 혹은 외국 자본이나 국제기관이 투자할 것이고, 그것을 우리가 도와주겠습니다.

북한이 경제적으로 잘되어야 합니다. 그래야 통일 때만이 아니라 통일 후에도 부담이 줄어들고 현재의 부담도 줄어듭니다. 북한의 경제가 잘되면 중국이나 베트남같이 우리가 상대하기가 훨씬 더 편한 나라가 될 것입니다.

그 점도 여러분이 이해해 주시고 앞으로의 전망은 6·15공동선언대로 남북은 평화와 화해·협력을 위해서 계속 노력해 나갈 것이고, 김정일 위원장의 서울 답방은 아까 말씀드린 대로 예정대로 될 것입니다. 또 그것이 이러한 남북 간의 평화와 교류·협력을 더 확고하게 하는 그러한 계기가 될 것이라고 생각합니다.

김성희(미국 「타임」지 기자) 한국 정부와 미국의 차기 부시 행정부에 관련된 질문을 드리겠습니다. 미국의 차기 부시 행정부는 북한에 대해 강경한 정책을 선호하는 것으로 알려지고 있습니다. 또한 논란이 많은 국가 미사일 방어 시스템의 구축을 지지하고 있습니다. 이와 같은 미국 차기 행정부의 정책 변화와 관련해 한국의 대북 정책 및 한·미 간의 외교 노선을 재설정해야 할 필요성을 느끼시는지요? 또한 한·미 간의 교역 또는 무역 관계가 앞으로 어떻게 전개될 것으로 전망하시는지 말씀해 주시기 바랍니다.

김대중 먼저 한·미 간의 무역에서는 지금 양국 간에 큰 문제가 없습니다. 해결되지 못할 문제는 없다는 것을 말씀드리고, 오히려 부시 행정부는 자유 무역을 철저히 신봉하는 정부이기 때문에 그런 점에 있어서는 우리에게 이로운 점도 있을 것입니다.

그러나 미국 경기가 하강 상태에 있기 때문에 우리 무역에 상당히 부정적인 영향이 올 수 있다고 걱정하고 있습니다. 그리고 대북 정책에 대해서는 부시 행정부도 한반도에서의 햇볕정책을 지지하고 있는 것으로 알고 있습니다. 또 부시 행정부는 남북 문제에 있어서의 이니셔티브를 줄이고 주도적으로 끌고 나갈 곳은 한국이라는 점을 분명히 인정하고 있습니다.

그러나 우리는 남북 관계가 성공적으로 되기 위해서는 한·미 관계가 추호의 차질도 없이 긴밀하게 협조가 되어야 한다고 생각하고 있습니다. 이 문제에 있어서 부시 신정부와 충분히 대화해서 공동의 대응을 해 나갈 작정입니다. 그리고 거기에 첨가해서 한·미·일 3국의 공조 체제도 그대로 계속 지켜 나가겠습니다. 저는 조만간 부시 대통령과 만날 수 있기를 바라고 있습니다.

티모시 위처(AFP통신 기자) 작년 6월의 정상회담으로 남북 관계에 많은 실질적인 진전이 있었습니다. 향후 한국에 다음 정부가 들어서고, 또 북한에 다른 지도자가 나타날 수 있다고 가정을 하더라도 현재의 남북 간 화해·협력 기조가 계속 유지될 것으로 전망하시는지 답변해 주시기 바랍니다.

김대중 북한에 새로운 지도자가 나타나는 문제에 대해서는 지금 제가 전혀 언급할 처지가 아니고, 또 예측할 수도 없습니다. 그 문제는 답변을 못 하겠고, 한국에 있어서는 앞으로도 정부는 국민의 여론을 충실히 받들어서 국민이 지지하는 범위 내에서 모든 정책을 해 나가겠습니다. 국민이 지지하지 않으면 할 수 없습니다.

결코 저 자신의 개인적 의욕이라든가 임기 중에 어떤 업적을 남기기 위한 야망이라든가 이런 것은 개입시키지 않겠습니다. 따라서 국민의 동의를 얻어서 모든 것을 해 나가기 때문에 다음 정권도 그러한 국민의 의사를 존중할 것으로 생각하고, 또 그렇게 하는 것이 가장 바람직한 일이라고 생각합니다.

김영근(한국경제 기자) 경제와 관련해서 추가 질문을 드리겠습니다. 요즘 낮은 기온만큼이나 소비와 투자 심리가 얼어붙어 있고, 기업들이 느끼는 체감 경기가 최악입니다. 그런데도 대통령께서는 올 하반기 이후 경기가 좋아질 것이라고 말씀하시는데, 그렇게 말씀하시는 판단의 근거는 무엇입니까?

개혁을 통해서 경제의 경쟁력을 강화시킬 것

김대중 기업 대표들이 텔레비전에 나와서 얘기하는 것도 들어 봤고 전경련 성명도 봤는데, 우리 기업 대표들은 우리 경제에 대해서 여러 가지 충고는 하고 있지만 결코 비관하고 있지 않습니다. 그분들이 말하는 대로 얘기하면 "4대 개혁만 철저히 잘해 주십시오. 그러면 우리가 해내겠습니다."라고 말합니다.

어떤 기업 대표는 한국전력 노조가 전기를 끊는다고 할 때 "정부가 의연한 자세로 이 문제만 해결해 주십시오. 우리가 경제를 책임지겠습니다. 자신 있습니다."라고 말했습니다.

특히 기업들은 지난번 금융노조 파업 문제를 정부가 확고한 의지를 가지고, 그러나 한 사람의 노동자도 다치지 않으면서 해결해 냈고, 나중에 6개 노조가 금융노조를 탈퇴까지 하면서 지주회사를 지지하는 상황을 보고 놀랐습니다.

우리 기업들은 이제 정부에 대해서 신뢰심을 갖기 시작한 것입니다. "정부가 확고한 의지를 가지고 있다. 그래서 4대 개혁을 제대로 할 것이고 집단 이기주의에 흔들리지 않을 것이다."라는 것은 세계도 그렇게 보고 있습니다.

개혁을 통해서 우리 경제의 경쟁력을 강화시킬 것입니다. 기업들이 자신을 가지고 사업을 할 수 있도록 할 것입니다. 또한 정부가 이런 태도로 갈 때 국민들도 신뢰를 하면서, 지금 소비가 위축되고 있는데 그런 소비도 되살아날 것입니다. 과거에도 얘기했지만 돈이 없는 분은 도리가 없지만 돈이 있는 분들이 소비를 적절히 해 주어야 경제가 살아납니다. 언론도 여러분이 겪어보다시피 경제가 위축되니까 얼마나 어렵습니까?

여러분께서도 국민이 희망을 가질 수 있도록 협조해 주시기 바랍니다. 경제는 하면 된다고 생각하면 되고, 안 된다고 생각하면 안 되는 그런 면이 있습니다. 경제가 정신만 갖고 되는 것은 아니지만, 경제 예측이 가장 어려운 것이 어디로 갈지 모르는 사람의 마음이 경제를 좌우하는 그런 심리적 요소가 강하기 때문입니다.

우리는 시장 심리를 살려야 합니다. 그래서 우리 경제의 문제점은 우리가 짚어서 고치고, 우리 경제의 좋은 점은 국민들에게 알려 주어서 국민들이 지나치게 겁을 먹지 않도록 해야 하겠습니다. 여러분이 그렇게 해 준다면 정부의 개혁 노력과 더불어 우리 경제가 다시 살아나는 데 도움이 될 것입니다.

우리나라는 지금 세계에서 최선두를 가는 정보화의 국가입니다. 과거 산업 시대에는 자본이 많고 노동력이 많고 자원이 많은 나라가 제일이었지만, 지식정보화 시대에서는 정보화에서 앞서가는 나라가 결국 21세기의 강국이 되는 것입니다. 지금 한국이 바로 그런 면모를 보여 주고 있습니다. 불과 2년 반 사이에 이렇게 세계적으로 누구도 부인할 수 없는, 세계 일류의 주간지가 커버 스토리에 한국을 올려서까지 한국의 정보화를 평가하고 있습니다. 이런 것이 앞으로 우리 경제를 살리는 요소가 된다, 저는 그렇게 생각하고 있습니다.

류호길(MBN 기자) 국민은행과 주택은행 이외의 우량 은행 합병이 어떻게 진행되고 언제쯤 완료될 것으로 보십니까? 그리고 기업의 자금난 완화를 위해서 산업은행이 회사채 매입을 지원하고 있는데, 이것이 특정 대기업에 편중되고 구조조정을 지연시킬 것이라는 그러한 지적이 있습니다. 여기에 대해서 말씀해 주시기 바랍니다.

김대중 국민은행과 주택은행이 합병을 했습니다. 합병하게 되어 있지요, 아직 확실한 것은 아니지만. 그리고 6개 시중 은행이 여러분이 아시는 대로 정부 공적 자금을 받으면서 지주회사로 되는 것이 결정 났습니다. 이렇게 되면 모두가 세계에서 60대 선 혹은 80대 선의 큰 은행이 될 것입니다.

그 외의 우량 은행들이 있는데, 이들의 통합은 우량 은행들 자신들이 결정할 문제로 보고 있습니다. 그래서 지금 금융 구조조정은 순조롭게 되고 있다고 생각합니다. 그리고 금융기관들은 여러분이 본 바와 같이 지금 여러 가지 경영 형편이 어렵지만, 조금 전에 말씀드렸듯이 개혁을 해서 경쟁력을 키우지 않는 은행은 살아남지 못한다는 것을 각오하고 노력하고 있습니다.

산업은행의 특정 기업에 대한 지원 문제는, 제가 알기에는 산업은행이 그것을 결정할 때 채권 은행들이 가망성이 있는 기업은 지원하고 가망성이 없는 기업은 지원 안 하고, 또 자구 노력을 충분히 할 기업은 지원하고, 나머지는 안 할 것으로 생각됩니다. 이 문제에 대해서는 책임자이신 재경부 장관이 여기에 와 있으니까 재경부 장관이 설명을 잘 해 주셨으면 좋겠습니다.

진념 먼저 지난해 4분기부터 경기가 급속도로 둔화되고, 특히 증시의 추락으로 인해서 많은 국민들이 우리 경제를 걱정하고 또 피해를 보셨습니다. 이 점에 대해서 경제팀장을 맡고 있는 사람으로서 막중한 책임감을 느낍니다.

산업은행의 회사채 신속인수제도는 금년도에 회사채 발행을, 주로 국제통화기금(IMF) 외환 위기 직후 아주 어려울 때 발행했는데 금년도에 돌아오는 것이 65조 원이 됩니다. 65조 원이라는, 우리나라가 금년도에 전망하는 국민총생산의 15퍼센트가 넘는 막중한 금액의 회사채 기한이 금년에 돌아옵니다.

그런데 불행스럽게도 우리가 금융기관 구조조정에 박차를 가하고 있지만 현재 우리 채권 시장은 거의 작동이 되지 않고 있습니다. 돈이 조금 생기면 전부 은행으로 가고, 은행은 주로 국·공채를 매입하고 그러다 보니까 기업 금융이나 기업 회사채로 돌아갈 돈이 움직이지를 않고 있습니다.

이 막힌 곳을 뚫어 주지 않으면 경쟁력이 있는 기업도 같이 도산될 가능성이 크며, 이로 인해 자금시장이 경색을 가져오고 증시에 악영향을 미쳐 실물경제가 위축됩니다. 그렇기 때문에 정부는 고심 끝에 금융 구조조정을 마무리 지어서 금년 하반기부터 제 역할을 할 때까지 한시적으로 금년 한 해에 대해서는 살아남을 수 있는 기업에 한해, 그것도 철저한 자구 노력을 전제로 해서 신용보증기금이 보증하고 채권 은행이 합의해 이른바 회사채의 신속인수제도를 도입했습니다.

이것은 채권 은행이 살 수 있는 기업이냐, 없는 기업이냐를 엄격하게 가려서 살 수 있는 기업을 위주로, 그것도 철저한 자구 노력을 전제로 해서 지원하고 있습니다. 또 회사채 인수 금리도 회사의 신용 등급에 따라서 적용하는 제도로서, 이것은 그동안 자금시장에 불확실성으로 누진되어 왔던 불안을 해소시키고 어려운 국면을 극복해 나가는 데 있어서 불가피한 선택이라는 점을 이해해 주시기 바랍니다.

정승욱(세계일보 기자) 정치 관련 질문을 드리겠습니다. '디제이피(DJP)' 회동 전후로 현재 정계 개편과 개헌론이 정가에서 끊임없이 나돌고 있습니다. 이에 대한 대통령의 생각은 어떤 것인지 말씀해 주십시오.

김대중 정계 개편 얘기를 자꾸 하는데 저는 그런 말을 들을 때마다 마치 자기들의 그림자를 보고 놀란 것 같은 그런 생각이 듭니다. 저는 이 정계 개편에 대해서 들어 본 일도 없고 주위에서 논의한 일도 없습니다. 그렇기 때문에 우리하고는 관계가 없다는 것을 말씀드리겠습니다.

송국건(영남일보 기자) 대통령께서 모두冒頭에서 말씀하셨지만 지금 지방 경제가 상당히 어렵습니다. 특히 건설업과 유통업의 침체 때문인데요. 그동안 정부에서 몇 차례에 걸쳐서 대책을 발표했지만 아주 미흡한 수준입니다. 지방 경제 활성화 대책에 대해 말씀해 주시면 감사하겠습니다.

새 시대에 적응할 수 있는 마음 자세를

김대중 지방 경제가 나쁜 것은 알고 있고 미안하게 생각하고 있습니다. 특히 지방 경제는 과거에 건설과 유통, 이 두 가지가 버팀목이 되어 왔는데 양쪽이 한꺼번에 좋지 않은 상황이 되어서 참으로 걱정입니다.

정부는 전국에 400군데의 주택 개량 사업을 해서 지방의 중소 건설 업체들이 일거리를 얻도록 노력하고 있습니다. 그 외에 여러 가지 대책들이 있습니다. 전통시장에 대해서는 100억 원을 지원하고 있습니다. 보다 자세한 내용은 건설 관련은 건설교통부 장관이, 재래시장에 대해서는 산업자원부 장관이 대답해 주셨으면 좋겠습니다.

다만 제가 한 가지 첨가할 것은 지방에 있는 분들도 이제 시대가 바뀌어 가고 있기 때문에 시대에 적응해야 합니다. 농업 경제에서 산업 경제로 넘어갈 때 우리는 그때 적응을 잘 못 해서 아시다시피 지난 100년 동안 고생을 했습니다. 일본은 적응을 잘해서 나중에 엄청난 힘을 갖게 되었습니다.

21세기는 결코 산업사회가 아닙니다. 21세기는 정보산업과 생물산업이 중심이 되는 사회입니다. 그렇기 때문에 재래산업도 정보화와 연결이 되어야 합니다. 조선소도 자동차도 모든 중소기업들도 그렇게 되어야 합니다. 시대에 적응을 해야 합니다.

지방에 가면 건설업이 많습니다. 지난번에 대구에 가서 업무 보고를 받는데 과거에 20개 있던 것이 국민의정부 들어와서 규제 개혁을 풀어 주니까 갑자기 200개로 늘어났다고 합니다. 이래서는 안 되는 것입니다.

21세기는 정보산업, 관광산업, 애니메이션 같은 영상산업 등 여러 가지 고부가가치 산업이 주도하게 됩니다. 그러나 지방도 특성에 따라서 이러한 고부가가치 산업을 얼마든지 만들어 낼 수 있습니다. 제가 가 보니까 지방의 시장이나 도지사들이 이미 많이 하고 있었습니다.

이제 국민들도 그런 것에 눈을 떠서 현재에 있는 것에만 매달리지 말고 현재의 것도 최대로 정보화시키고 개혁을 해야 합니다. 그래서 경쟁력을 가져야 합니다.

이렇게 건설 경기가 나쁜데도 외국 건설 업체들이 계속 들어오고 있습니다. 그 건설 업체들과 경쟁을 해야 됩니다. 그러므로 건설인들은 새로운 시대에 적응할 수 있는 그런 마음 자세를 가져야 합니다. 건설교통부 장관과 산업자원부 장관이 간단히 질문에 말씀드리겠습니다.

김윤기(건설교통부 장관) 우선 3년간 정부에서는 4조 5천억 원을 투입해서 전국적으로 40만 호에 이르는 노후·불량 주택을 대대적으로 정비하고, 서민층의 주거 안정을 획기적으로 개선함과 아울러 지역 경제 활성화에 기여하도록 할 계획입니다.

또한 천안·대구·부산·전주 등 지방의 6개 거점 도시에 단계적으로 신시가지를 개발하는 한편 지방의 주택 수요를 확대하기 위해서 비수도권 지역에서는 신규 주택 구입 시 양도세와 취득세를 경감할 계획입니다. 또, 지방의 개별 수요를 촉진하기 위해서 세제 지원과 함께 규제도 완화할 계획입니다. 아울러 구조조정도 동시에 강력하게 추진할 계획임을 말씀드립니다.

신국환(산업자원부 장관) 근대화된 백화점과 대형 할인점이 지방에까지 파급됨으로써 구조조정 과정에서 고객에 대한 서비스가 부족한 재래시장이 치명적인 타격을 받고 있습니다. 재래시장의 지나친 위축은 지역 경제의 근거를 어렵게 하는 면이 있어서 실태조사를 해서 재래시장 활성화 대책을 마련했습니다.

그 대책에 의하면 우선 지방에 진출한 백화점과 할인점 등에서 버스를 이용해서 고객을 너무 지나치게 유치하는 이런 것은 지난해 말에 법을 개정해서 부작용이 없도록 금년부터 보완이 될 것입니다. 그리고 재래시장 자체가 환경이라든가 모든 면에서 부족하기 때문에 주차 설비라든가, 공동 창구라든가, 화장실 등에 대한 설비를 새롭게 지원해 주는 대책을 강구하고 있습니다.

앞으로는 지방에도 지식정보화 시대에 맞추어서 시장이 새롭게 태어나야 됩니다. 그래서 금년에 대한상공회의소 내에 전문 컨설팅 기관을 설치해서 지역별로 특성화에 맞는 거점 시장으로 육성해 고객 서비스를 잘할 수 있는 재래시장으로 태어날 수 있도록 자금과 세제상의 지원을 대폭 강화하고 있습니다.

곁들여 한 가지 더 말씀드리면 국민의정부에서는 지역 경제를 활성화시키는 것이 대단히 중요하다고 생각하고 있습니다. 그래서 새로운 21세기형 산업인 광산업, 생물산업, 신소재 산업 등을 수도권을 제외한 지역별 특색에 맞추어서 배치하고 있습니다. 또 벤처기업, 중소 중견기업을 집중적으로 지원해서 지역 경제에 활력을 제공하는 것을 종합대책과 함께 추진하고 있다는 것을 말씀드립니다.

마세 타츠야(일본 『홋카이도신문』 기자) 북한이 지금 한국에 대해 전력 지원電力
支援을 요구하고 있습니다. 이것이 만약 실현된다면 남북 경제가 결합될 의미
가 있다고 생각합니다만 한편 국내에서는 반대의 목소리가 있는 것도 사실
인 것 같습니다.

대통령께서는 국민을 설득해서라도 지원할 것인지, 어떤 조건이 충족되었
을 때 지원하실지, 그리고 만약 북한에서 전력 지원을 김정일 위원장 방한의
조건으로 해 올 경우 어떻게 대응하실 것인지 대답해 주시면 고맙겠습니다.

김대중 먼저 김정일 위원장의 서울 방문은 저의 평양 방문 답방으로서 이
루어지는 것입니다. 그렇기 때문에 서울 오는 데 조건이 있을 수가 없습니다.
물론 그분이 오면 우리가 남북 간의 평화와 협력을 위해서 여러 가지를 논의
할 것이지만 조건이 있을 수는 없습니다. 내가 조건 없이 간 것과 마찬가지로
그쪽에서도 조건 없이 오게 될 것이라는 것을 말씀드립니다.

우리가 북한을 경제적으로 지원한다는 것은 사실입니다. 하나는 정부 차원
의 지원이고 하나는 민간 차원의 지원인데, 물론 지원의 주는 민간이 될 것입
니다. 정부 차원의 지원은 국가 예산에 반영된 범위 내에서 하게 됩니다. 그리
고 그것은 수혜자인 북한의 희망도 충분히 참작하면서 결정될 것입니다.

전력 문제에 있어서는 기술적인 문제 등 여러 가지 문제점들이 있습니다.
그렇기 때문에 양측이 제반 문제들을 공동으로 검토하면서 차근차근 처리할
것입니다. 따라서 여기에 대해서는 아직 아무것도 구체적으로 합의된 바가 없
고, 이제부터 논의를 시작한다는 입장이라는 것을 이해해 주시기 바랍니다.

희망과 용기를 가지고 함께 나아갑시다

대담 김주영 외
일시 2001년 3월 1일

김주영(사회·소설가) 안녕하십니까? 「김대중 대통령, 국민과의 대화」를 진행
할 김주영입니다.

이규원(사회·앵커) 이규원입니다. 지난 2월 25일은 '국민의정부'가 출범한
지 만 3년째 되는 날입니다. 그동안 우리 사회는 많은 변화와 개혁을 겪었습
니다. 그러나 앞으로의 과제들도 많습니다. 오늘 열리는 김대중 대통령의 국
민과의 대화는 지난 1998년 1월 당선자 때부터 시작해서 올해로 네 번째를
맞습니다. 그러면 김대중 대통령님을 모시겠습니다.

김대중 존경하는 국민 여러분, 안녕하십니까? 이렇게 뵙게 되어 진심으로
반갑습니다. 여러분을 뵌 지가 2년쯤 된 것 같습니다. 그런데 마침 오른쪽 눈
모세혈관이 터져 눈이 좀 거북하게 되었습니다. 여러분 보시기에 안됐더라
도 이해해 주시기 바랍니다.

오늘 이곳에는 전국에서 질문자와 방청객이 많이 오신 걸로 알고 있습니
다. 방청석에서도 문자 그대로 '국민과의 대화'가 이루어지고 있다고 생각됩
니다. 여러분께서도 저와 함께 진솔하게 나랏일에 대해 대화를 하고, 돌아가

실 때는 "참 좋은 만남이었다"는 생각을 가지게 되시기를 진심으로 바랍니다.

이규원 바쁜 일정 가운데서도 이렇게 자리해 주셔서 감사합니다. 이 시간을 준비하면서 방송사에서는 국민의 다양한 의견을 수렴하기 위해서 여론조사를 실시했습니다. 국민이 대통령님께 가장 묻고 싶은 질문이 무엇인지를 한번 알아보았습니다.

'가장 묻고 싶은 질문' 1위는 경제 회복과 관련된 내용으로, 15.5퍼센트였습니다. 다음으로 민생과 물가 부문이 14퍼센트, 실업과 고용 문제에 관한 질문이 12.6퍼센트를 차지했습니다. 이 결과를 연령별로 살펴보면, 20대에서는 실업과 고용 문제가 우선순위를 차지했고, 30대에서는 경제 회복과 관련된 질문이 1위였습니다. 그리고 40대 이상에서는 민생과 물가에 관해서 질문하고 싶다는 응답이 가장 많았습니다.

조사 결과를 보면 연령대별로 관심사가 다르다는 점을 알 수 있습니다. 이번 조사는 지난 2월 20일과 21일 이틀에 걸쳐 전국 성인 남녀 1,013명을 대상으로 전화 조사를 통해서 이루어졌습니다. 설문조사 결과를 보면 지난 25일 대통령께서 취임 3주년을 맞이해 우리 사회의 해결 과제로 지적하신 내용과 별로 다르지 않습니다. 이런 결과를 예측하셨습니까?

김대중 제가 걱정하는 것이나 국민이 걱정하는 것이나 다 같다는 생각입니다. 과거 3년에 대한 평가를 들어 보면 국내외의 차이가 있습니다. 외국에서는 국제통화기금(IMF)이나 세계은행(IBRD) 등의 경우와 같이 대체적으로 잘했다는 평가들이 더 많습니다. 그러나 저는 국민의 평가를 겸허하게 받아들이고 있습니다.

경제적 문제 외에도 4대 개혁이 좀 더 빨리, 철저히 이루어져야 한다는 평가도 있고, 농촌 문제, 중소기업 문제, 교육 문제에 대한 비판도 있습니다. 부정부패가 제대로 해결되지 않았다는 이야기도 듣습니다. 국내외의 공통된 평가, 예컨대 외환 위기 극복, 정보화 촉진, 남북 관계 진전 등은 소중히 발전시키고 미비한 점은 과감하게 시정해 나가야 할 것입니다.

김이동(자영업) 지난 1997년 국제통화기금(IMF) 구제금융을 받았을 때만 해도 우리 상인들은 허리띠를 졸라매면서 어렵게 영업을 꾸려 왔습니다. 그러나 작년 3분기부터는 경기 침체가 가속화되어 3-4개월분의 임대료조차 내지 못하는 상인들이 점차 늘어나고 있습니다. 언제 경기가 좋아질 것인지, 그 대책을 말씀해 주십시오.

김대중 지금 점포 임대료도 못 내고 있다는 안타까운 말씀을 듣고 참으로 가슴이 아픕니다. 개혁을 좀 더 신속하게 철저히 하지 못한 데서 비롯된 경제의 경쟁력 약화가 경기를 둔화시킨 요인이 되고 있다고 생각합니다. 정부로서는 이런 점을 감안해서 이번 2월까지 일단 4대 개혁의 틀은 잡은 셈입니다. 금융·기업·공공·노사 개혁의 테두리는 잡았습니다.

따라서 우리 경제는 경쟁력을 발휘하기 시작할 것으로 보입니다. 21세기 지식정보화 시대, 지식산업 시대에서 우리의 정보화 경쟁력은 세계 최고의 수준입니다. 그래서 정보화하는 전통산업들, 정보통신산업, 생명산업 등등 모든 분야의 경쟁력이 강화되고 있습니다. 세계적으로 보다 싸고 좋은 물건을 만들어 수출을 증대시킨 결과 금년 1월과 2월에 약 9억 달러의 흑자를 냈습니다.

열심히 노력하면 경쟁력이 생기고 그렇게 되면 기업이 이익을 내고 그 이익이 퍼져 나가면서 경기가 활성화되고 일자리도 늘어날 것입니다. 머지않아 이런 성과가 나타날 것으로 봅니다. 미국 경제가 좋아지면 우리 경기도 급속히 회복될 전망입니다.

김광두(서강대 교수) 1999년과 2000년 상반기까지 경기가 좋았던 것은 1998

년 이후 약 110조 원의 공공자금이 투입된 데 따른 것이라는 분석이 있습니다. 그렇게 보면 경기가 풀릴 것으로 생각하는 근거도 최근 50조 원의 공적 자금을 투입하고 산업은행이 부실기업 회사채를 인수하면서 푸는 20조 원의 약효 때문이라는 분석도 있습니다. 그 과정에서 경쟁력이 강화되지 않으면 다시 어려워질 것이라는 우려가 있습니다.

경제의 체질을 강화시켜야

김대중 공적 자금이나 외부의 지원에만 의존해서는 안 됩니다. 우리 경제의 체질을 강화시켜야 합니다. 금융과 기업·공공·노동 부문의 경쟁력을 세계 최고의 수준으로 만들어야 합니다.

정부는 일시적으로 주가株價가 조금 좋아졌다든가 경기가 조금 나아졌다고 해서 결코 낙관하지 않습니다. 앞으로도 계속 기업과 금융을 철저히 구조조정하고, 돈 버는 기업은 적극 지원하고 그렇지 못하는 기업은 도태시켜야 합니다. 노사가 협력해서 기업이 먼저 살고, 그래서 기업가와 노동자가 다 같이 혜택을 보도록 할 것입니다. 그것이 진정한 경기 회복의 길이고, 세계 경쟁에서 살아남을 수 있는 길입니다.

김광두 대통령께서 금년 2월까지 4대 개혁의 테두리는 잡았다고 평가하셨습니다. 그러나 여기에 동의하지 않는 견해도 있습니다.

김대중 국제통화기금(IMF)에서 한국의 4대 개혁에 90점의 점수를 주었습니다. 세계은행(IBRD) 총재도 제게 편지를 보내 우리의 4대 개혁을 높이 평가했습니다. 또 피치IBCA 같은 세계적 신용조사 기관도 우리의 4대 개혁을 성공적으로 평가하고 있습니다. 4대 개혁이 완성된 것이 아니라 경제를 바로잡는 토대를 세웠다는 것입니다.

경쟁력이 없는 금융기관은 퇴출시켰고, 회수 가능성이 희박한 부실대출을 모두 정리해서 클린뱅크, 깨끗한 은행이 됐습니다. 금융기관들이 세계적 경쟁력을 갖추기 위해서 합병도 하고 있습니다.

기업들도 정부가 강력하게 구조조정을 하고 결합재무제표, 소액주주 권리 강화, 사외이사 제도 도입 등을 통해 투명성을 높였습니다. 상호 지급보증을 못 하게 하여 계열사의 연쇄 도산을 방지했습니다. 내부자 거래를 막았으며 오너나 중역들이 기업 부실에 대한 민형사 책임을 지도록 해 기업의 경쟁력을 강화시켰습니다.

공공 부문에서도 많은 인원을 정리했고 지금도 하고 있습니다. 한전의 발전 분야를 분리해서 매각하려 하고 있고, 담배인삼공사와 철도청도 민영화를 추진 중입니다. 한국중공업은 이미 매각했고, 한국통신도 매각을 서두르고 있습니다. 노동 부문에 있어서도 노사정위원회를 만들어 과거보다는 노사 관계가 많이 호전되고 안정을 되찾고 있습니다. 다만 국제적으로 노동 분야는 아직도 미흡하다는 평가가 있습니다.

김광두 현재 정부는 금융기관들에 대해서 수익성과 함께 공익성을 강조하고 있습니다. 공익성을 강조하는 것은 정책금융에 협조해야 된다는 메시지로 이해되고 있고, 금융기관이 협조할 경우 면책해 준다는 얘기까지도 있습니다.

기업의 경우, 지난해 9월 말 현재 전체의 26.7퍼센트가 영업이익으로 금융비용을 갚지 못하고 있는 것으로 나타나 있습니다. 이 26.7퍼센트의 기업은 790조 원에 달하는 전체 기업 부채 중 약 350조 원 정도를 부담하는 기업들로 언제 위기에 처할지 모르는 '폭탄'입니다. 이로 볼 때 금융 개혁의 핵심이 과거로 되돌아가는 느낌이 있고, 또 기업 구조조정이 과연 제대로 된 것인가 하는 의문을 갖게 됩니다.

김대중 정부가 과거와 같이 "여기는 대출해라. 저기는 대출하지 마라." 하는 일은 하지 않습니다. 다만 중소기업 등 특별히 지원하고 보호해야 할 분야에 대해서 대출을 꺼리지 말고 적극적으로 하라고 요청하고 있습니다.

금융기관이 정당하게 평가해서 중소기업이나 서민에게 대출을 한 뒤 문제가 생긴다면 참작해서 책임을 크게 묻지 않겠다는 것입니다. 금융기관은 신용 평가를 해서 희망이 있는 기업만 대출해 주고, 그렇지 못한 기업은 도태되어야 할 것입니다. 우리 금융기관들은 과거 타성에 젖어서 신용 대출을 하지 않으려는 경향이 있습니다.

금융기관의 상당수가 구조조정 과정을 거치면서 정부가 대주주로 되어 있지만 금융기관의 장은 과거와 같이 정부가 지명하는 것이 아니라 인사위원회에서 선출하고 있습니다. 금융기관의 자율성은 앞으로 더욱 완벽하게 보장될 것입니다. 다만 금융감독원은 금융기관이 올바른 금융 기능을 하도록 법에 의해 설치되어 있으며, 금융기관이 잘못하면 정부가 감독합니다. 그것은 간섭이 아닙니다.

기업의 경우 구조조정이 완결된 것이 아닙니다. 부실기업에 대해 과거와 같이 정치권력이 봐준다든가 적당히 끌고 가지 않습니다. 채권자인 은행이 실태조사를 해서 희망이 있으면 돕고 그렇지 않으면 퇴출시키는 방향으로 가고 있습니다. 문제는 은행이 신진대사 기능을 제대로 하고 있느냐 하는 것인데, 그 점에 있어서 정부는 확고한 결심을 가지고 개혁해 나갈 것입니다.

문철표(사회복지사) 국민기초생활보장법에 대해서 말씀드리겠습니다. 기초생활보장법 수급 대상자로 선정되어야 함에도 그렇지 못한 경우가 많습니다. 아들과 함께 살던 한 할머니가 아들이 돈을 벌기 위해서 지방으로 내려가 연락이 끊어졌는데, 아들이 부양의무자로 되어 있기 때문에 기초생활보장 수급 대상자로 선정되지 못했습니다. 이런 예를 볼 때 법을 현실에 적용하는 데 허점이 있는 것 같습니다. 이에 대한 보완책에 대해서 말씀해 주시기 바람니다.

기초생활보장법은 획기적인 사건

김대중 기초생활보장법을 지난해 10월부터 실시했는데 아무래도 문제점이 없지 않을 겁니다. 지난번에 제가 서울 노원구에 가서 실태를 점검했는데, 그곳의 사회복지사들이 여러 가지 문제점을 말해 주었습니다. 특히 쪽방 거주자나 노숙자 중에는 주민등록이 없어 기초생활보장의 혜택을 못 받는 경우가 있습니다.

현재 약 151만 명이 기초생활보장법의 혜택을 받고 있습니다. 4인 가족 기준으로 96만 원 정도를 지급받고 있습니다. 세계에 별로 예가 많지 않은 특별한 사회 안전망입니다. 이 밖에도 고용보험·산재보험·의료보험 등이 있고, 재작년부터 시행된 국민연금으로 현재 약 60만 명의 노령자들이 혜택을 보고 있습니다. 어떤 경우에라도 굶주리거나 자식 교육을 못 시키거나 의료 혜택을 받지 못하는 일이 없도록 하자는 것이 국민기초생활 보장제도의 취지입니다.

앞으로 사회복지사 여러분이 실정을 잘 파악해서 알려 주시면 잘못되고 누락된 부분을 시정해 나가도록 하겠습니다.

김연명(중앙대 교수) 대통령께서도 말씀하셨듯이 국민기초생활보장법은 우리나라 사회복지 역사에 있어서 가장 획기적인 사건이라고 할 만큼 중요한 의미를 갖습니다. 그러나 그것을 운용하는 행정 인프라에 문제가 있습니다. 실례로 2조 8천억 원에 달하는 예산을 담당 과장 1명, 사무관 4명이 관리하고 있는 것으로 압니다. 또 지방자치단체에서는 이 사업을 제대로 이해 못 해서 협조가 잘 안 됩니다. 그리고 생산적 복지의 핵심이 자활 사업인데, 이 자활 사업의 실질적인 내용이 잘 안 되고 있습니다. 정부가 일자리를 많이 만들어 주어야 합니다.

김대중 행정 인프라가 부족하다는 말씀에 동감합니다. 적은 인원을 가지고 제대로 하는 데는 부족함이 있어 시정을 해야겠다고 생각하고 있습니다. 자활 사업에 대한 일거리를 만드는 일은 그리 쉽지가 않습니다. 앞으로 더 적극적으로 노력할 것입니다.

생산적 복지는 단순히 일거리를 만드는 것이 아니라 정보화, 문화콘텐츠 등 양질의 노동력을 가진 사람으로 재교육해서 더 많은 소득과 부가가치를 창출할 수 있도록 하는 것입니다. 그런 점을 참고로 해서 현재 일자리를 구하고 있는 분들과 저소득층에 대해서 더 많은 기회를 주고 교육을 시켜 고소득 노동력으로 발전시키도록 노력하겠습니다.

송한용(실직자) 저는 정부에서 실시하는 구직 프로그램에 참여하여 정보통신 분야 등 5개 이상의 자격증을 취득했습니다. 그러나 연령 제한 때문에 취업이 되지 않습니다. 기업들이 경력 사원이 아니고서는 30세 이전의 인재를 요구하고 있습니다. 가장 열심히 일해야 될 나이에 저와 같이 소외되어 있는 30-40대 실직자를 위한 대책이 있으신지요.

김대중 30-40대 실직자가 직장을 얻기 어렵다는 말을 듣고 있습니다. 대학을 갓 졸업한 젊은이들의 실업률도 높습니다. 실업 문제는 무엇보다도 국민에게 가장 큰 고통을 주는 문제라는 것을 잘 알고 있습니다. 정부는 실업 문제를 해결하기 위해서 모든 노력을 기울이고 있습니다.

대학 졸업자 약 2만 명에게 정보화 교육을 시키고 있는데 앞으로 20만 명을 목표로 하고 있습니다. 30-50대 자영업 희망자에게는 5천만 원부터 1억 원까지 융자를 받을 수 있도록 조치를 취하고 예산도 편성했습니다. 그러나 무엇보다도 중요한 것은 많은 기업이 튼튼한 경쟁력을 갖추어서 회사가 잘 운영되어야 일자리가 늘어난다는 사실입니다.

정부는 실업자를 고용한 기업에 대해 봉급의 절반 또는 3분의 1을 지원하고 있습니다. 또 실업자에게 재취업에 필요한 교육을 시키는 등 취업 알선에도 노력하고 있습니다. 하지만 취업이 빨리 안 되는 게 사실입니다. 결국 실업 문제를 해결하는 길은 20만 명에 가까운 인력 부족을 겪고 있는 정보 분야에 참여할 수 있는 인력을 육성해 나가는 것입니다. 정부는 앞으로도 실업자들이 일자리를 좀 더 쉽게 구할 수 있도록 노력할 것입니다.

윤연님(주부) 서민들은 너무나 힘든 나날을 보내고 있습니다. 작년에는 제가 반팔 옷을 입고 지냈어도 도시가스 요금이 9만 6,280원이 나왔습니다. 그런데 올해에는 긴소매 옷을 입고 지내면서 많이 절약했습니다만 14만 5,850원이 나왔는데 1년 동안에 25퍼센트나 오른 셈입니다. 물가를 안정시켜 주셔야 한다고 생각합니다.

김대중 정부는 물가 안정에 최우선적인 노력을 기울여 왔습니다. 그래서 지난해 물가를 3퍼센트 이내로 잡았습니다. 그러나 소비자들이 느낀 체감물가는 더 올라간 것으로 되어 있습니다. 가스요금 같은 것은 국제유가가 폭등했기 때문입니다. 유가가 내려가면 가스값이 자연히 내려갈 것입니다. 우리 힘으로 어쩔 수 없는 국제적인 환경 탓입니다.

그러나 다른 분야에 있어서는 정부가 최선을 다해서 물가를 잡고 있습니다. 공공요금은 물가에 영향을 주기 때문에 금년 상반기에는 동결하여 물가를 억제할 방침입니다. 정부는 물가 안정에 최대 목표를 두고 금년에도 3퍼센트 이내로 억제하도록 하겠습니다.

이영아(중소기업인) 대통령께서는 그동안 중소기업을 지원하기 위한 많은 정책들을 실시해 주셨습니다. 그런 의지에 따라서 각 부처에서 중소기업 정책을 경쟁적으로 실시하고 있지만 이 때문에 중소기업들은 오히려 여러 가지 혼선을 빚고 있습니다. 예를 들면, 한 부처에서 준비하고 있는 법안을 다른 부처에서도 준비하고 있는 식입니다. 그로 말미암아 한 부처에서 인증받은 기술을 다른 부처에서는 소관 부처가 다르다는 이유로 인정하지 않는 경우가 있습니다.

또 여성 기업인들이 실질적으로 기업을 운영하면서 많은 어려움을 겪는데, 자금 조달 문제라든지 여성 기업인의 물품 우선 구매 등 다양한 정책들을 실현시켜 주셨습니다. 그러나 하부 구조에서는 이런 것들이 제대로 진행되지 않아 많은 어려움을 겪고 있습니다. 벤처 여성 기업인은 전체의 3.37퍼센트밖에 되지 않습니다. 여성 기업인 육성을 위해 이런 환경부터 개선되어야 하지 않을까 생각합니다.

여성경제인을 위해 법률까지 제정

김대중 그러한 부처 간의 혼선은 반드시 시정토록 하겠습니다. 앞으로도 그런 문제들은 서슴지 마시고 정부 측에 제의하고 시정을 요구해 주시기 바랍니다. 꼭 필요할 때는 청와대로 말씀을 하셔도 좋습니다. 여성 경제인들을 위해 정부가 법률까지 만들어서 자금을 지원토록 했고 특별히 물자도 우선 구매토록 했는데, 이것이 하부 구조에서 잘 안 되고 있다면 곧 시정하도록 하겠습니다.

황병익(나농업) 지금 우리 농촌은 수입 개방에 따른 농산물 하락과 늘어나는 농가 부채로 아주 어렵습니다. 최근 정부에서 농가 부채의 상환 기간을 연장하고 이자율을 낮추려는 노력이 있지만, 그런 조치만으로는 아직도 부채를 얻어서 빚을 갚아야 하는 현실을 근본적으로 해결할 수는 없다고 생각합니다. 농민들 스스로 벌어 빚을 갚아야 하는데, 농가의 소득 증대를 위한 방안을 제시해 주십시오.

김대중 농가 부채를 농민들이 벌어서 갚도록 하는 것이 핵심적인 부채 문제 해결책입니다. 정부도 농민들이 생산품에 대해 제값을 받을 수 있도록 하기 위한 직거래 활성화, 또는 중간 상인 단축 등의 제도적 노력을 하고 있습니다. 또 물류 비용 지원을 전체 농업 예산의 30퍼센트까지 늘려 가고 있는 실정입니다.

금년부터는 논농사 농민들에게 1헥타르당 25만 원씩의 보조금을 주게 되며 앞으로 밭농사 농민과 산골의 농민에까지 혜택을 늘릴 방침입니다. 사과와 배 등의 농산물에 대한 재해보험도 실시 중입니다. 농가 소득을 증대시키려면 우리 농산품을 수출해서 외화를 벌어들여야 합니다. 일본은 세계 최대의 농산물 시장입니다. 잘하면 일본에 100억 달러 정도는 수출할 수 있는데, 우리는 8억 달러 정도밖에 수출하지 못하고 있습니다.

올가을까지 구제역을 막으면 농촌에 큰 기회가 올 것으로 기대됩니다. 현재 중국이나 대만도 구제역 때문에 일본의 돼지고기 시장에 들어가지 못하고 있기 때문입니다. 앞으로 농민들도 인터넷 등으로 도시에 자기 상품을 광고하고, 직거래나 택배 같은 것을 통해서 제값을 받아 이익을 늘려 가도록 해야 합니다. 정부는 농민들이 손해를 보지 않도록 인터넷을 통한 각종 시장 정보 제공과 농어촌 정보화 사업 등으로 소득 증대에 힘쓸 것입니다.

이병균(대우전자 노조위원장) 먼저 대우 문제로 심려를 끼쳐 드린 것에 대해 대단히 죄송스럽다는 말씀을 드립니다. 저희 회사는 지난 1년 동안 인력의 약 40퍼센트에 해당되는 4천여 명이 노사 협의를 통해서 직장을 떠났습니다. 또 법적 보호 장치의 사각지대에 있는 비정규직 노동자가 전체의 53퍼센트에 달하고 있습니다. 이들 역시 열악한 환경 속에서 고용 불안에 떨고 있습니다.

김대중 어떤 기업이든 경쟁력이 있고, 발전 가능성이 있으며, 국제적으로 진출해 나갈 수 있는 기업에 대해서는 정부와 금융기관이 적극적으로 지원할 것입니다. 그렇기 때문에 이제 모든 기업이 시장 원리에 의해 경쟁력을 확보하는 것이 가장 중요합니다.

이제 기업들이 돈을 빌리는 데 정치적 배경 같은 것이 필요 없고, 담보물이 없어도 경쟁에서 이겨 세계적으로 진출할 수 있는 기업들은 은행으로부터 적극적인 지원을 받을 수 있습니다. 정부는 이미 이 같은 정책을 실천하고 있고, 앞으로도 그렇게 하겠습니다.

임시 고용직 문제는 노동시장의 유연성 문제하고도 관련이 있습니다. 그러나 비정규 고용직도 근로기준법과 의료보험 등의 혜택에서 정규직과 차별이 없도록 하고 있고, 앞으로도 그런 방향으로 나가겠습니다.

카일(인터넷 질문) 김우중 회장을 처벌할 의향은 없으신지요. 그리고 성공한 분식粉飾과 비자금은 무죄인지요?

김대중 분식 회계에 대해서는 정부가 아는 이상은 절대로 방치하지 않습니다. 그렇기 때문에 몰라서 손을 대지 못하는 것은 있어도 알고 봐주는 일은 없습니다. 이번에 대우에서도 최고위급 중역들 중 10명 가까이 구속되었고, 20-30명이 기소되게 되어 있습니다. 결코 노동자만 희생시킨다든가, 경영자들을 적당히 봐주는 일은 없습니다. 이것은 어느 기업이든 차별이 없습니다. 대우 회장은 국외에 도피 중입니다. 검찰이 외교통상부에 연락해 전 세계에 소재를 파악 중입니다. 결코 묵과하거나 적당히 넘어가지 않을 것입니다.

김성로(전 언론인) 자녀 셋을 키우고 있는 40대 가장입니다. 세 자녀의 사교육비가 굉장히 큰 부담입니다. 대한민국의 학교교육은 무엇을 하고 있는 것인지, 영어·수학·과학 모두 학원에서 배워야 하는 상황이고, 체육·음악 같은 특기 과목과 컴퓨터까지 학원에서 배우는 것이 한국의 교육 현실입니다. 저도 아이들 학원비로 월 100만 원대 이상의 지출을 하고 있습니다.

주변에서 캐나다로 이민 가면 세계적 수준의 인성·기술·지식 교육을 사교육 없이도 자녀에게 시킬 수 있다고 합니다. 그래서 이민을 결정하고 금년 중에 밴쿠버로 이주할 예정입니다. 저와 같은 생각을 가지고 떠나고자 하는 30-40대 가장이 매우 많습니다.

오지록(고교 교사) 우리 국민 대다수는 교육에 대해서 깊은 관심을 갖고 있습니다. 그런데 정부는 장관을 수시로 바꾸고, 정책도 수시로 바꾸는 것으로 알고 있습니다. 그래서 교육 일선에서는 혼란이 오고, 학생들은 여러 가지 수능준비다, 봉사 활동 점수 따기다 하여 힘들고, 그래서 결석생 수도 많이 늘어나는 것으로 압니다.

선생님들도 수업과 잡무가 많아 지치고 사기도 땅에 떨어져 있습니다. 실업학교 교사들은 입시 철만 되면 각 중학교로 돌아다니면서 학생들을 모으느라 수업도 제대로 못 하는 실정입니다. 교육 개혁을 하고 있다는데, 무엇이 교육 개혁인지 답답합니다.

우리의 유일한 자본은 인적 자원

김대중 '교육 이민'이라는 말이 나오고 있고, 그런 말을 들을 때마다 그분들의 심정이 어떻겠느냐 하는 생각에 매우 안타깝고, 이래서야 나라의 앞일이 문제가 아니냐는 걱정도 합니다. 지금 학교교육에 문제가 많습니다. 교실 붕괴라는 이야기가 나올 정도입니다. 정부가 결코 방치하거나 적당히 넘어갈 수가 없는 문제입니다.

우리나라는 자원과 자본이 풍부하지 못합니다. 우리가 가진 유일한 자본은 인적 자원입니다. 우리 국민은 세계에서 가장 높은 교육 전통을 가지고 있고, 또 지적인 민족입니다. 21세기 지식정보화 시대에 있어서 가장 알맞은 민족입니다. 이것을 잘 활용하면 세계 일류의 지식경제 강국이 될 수 있습니다.

그래서 저는 대통령이 되자마자 '교육입국'이라는 말까지 써 가면서 노력해 왔습니다만 지금까지 큰 성과는 보지 못하고 있습니다. 그래서 초등학교는 우리가 세계 일류고, 중등학교는 중류고, 대학교는 하류다, 이런 말도 있습니다. 가장 큰 원인은 교육이 산업화 시대의 교육 체제로부터 지식기반 시대의 교육 체제로 바뀌지 못하는 데 있다고 생각합니다.

산업화 시대에는 획일적인 교육을 통해서 평균적 인간을 육성하는 것이 필요했습니다. 그러나 지식정보화 시대에는 한 사람 한 사람의 머리에서 창의성이 나와야 하고, 또 자기 혼자 모험도 해야 합니다. 이런 교육이 되어야 하는데, 그것이 쉽지가 않습니다.

이러한 교육은 교육부만으로는 안 되기 때문에 관련 부처들이 협력을 해야 합니다. 그래서 교육부를 교육인적자원부로 하고 부총리로 격상시켰습니다. 또한 정부는 일상적인 예산 외에 매년 2조 원 이상씩 4년 동안 8조 4천억 원의 돈을 들여 초·중·고교의 정보화 교육이나 교육 개혁에 충당하도록 하고 있습니다.

다시 말씀드리지만 정부는 반드시 교육을 개혁해서 양질의 교육을 제공하여 교육 이민이 필요 없고, 교육이 무너졌다고 한탄하는 일이 없도록 하겠습니다.

김주영(사회) 콩을 심으면 콩이 나야 되는데 가만히 들여다보면 팥이 나고, 했던 말이 번복되고, 몸싸움하고, 이래서 정치에 대한 환멸이 국민에게 널리 퍼져 있는 것이라고 생각합니다. 대통령께서는 정치 관련 뉴스가 나오면 많은 사람들이 채널을 돌려 버린다는 사실을 알고 계시는지요.

김대중 예, 그런 이야기를 듣고 있습니다.

이윤균(회사원) 국민의 정치권에 대한 무관심과 냉소는 끊이지 않고 발생하는 정치인들의 비리나 부정부패 때문인 것 같습니다. 부정부패 척결을 위해서는 이를 뒷받침할 수 있는 강력한 법 제정이 필요하다고 생각합니다. 15대

국회 때부터 추진되고 있는 부패방지법이 아직까지 제정되지 않고 미루어지는 이유는 무엇인지, 그리고 대통령의 법 제정에 대한 의지는 어떠한지 알고 싶습니다.

김대중 그 점에 있어서는 제가 분명히 말씀드리겠습니다. 반부패기본법을 반드시 통과시키겠습니다. 돈세탁방지법도 통과시키겠습니다. 이것은 우리나라가 회원국인 경제협력개발기구(OECD)의 요구 조건이기도 합니다. 그리고 공무원윤리법을 개정하는 등 법과 제도를 확실히 세워서 부정부패를 과감하게 척결해 나가겠습니다. 정부가 그대로 넘어가지는 않을 것입니다.

김주영 요즘 언론사 세무조사로 상당히 시끄럽습니다. '언론사 길들이기'가 아니냐는 시각도 있고, 또 '정당한 세무조사'라고도 말합니다. 이번만은 법의 테두리를 뛰어넘어서 세무조사 결과를 공개하실 의향은 없으십니까?

김대중 대통령 취임 선서를 하면서 법을 지키겠다고 해 놓고 법을 안 지키겠다고 할 수는 없습니다. 국민 90퍼센트 이상이 결과를 공표해야 한다는 여론조사가 나왔는데, 법과 국민 여론이 충돌하고 있는 것 같아 정부로서는 참 고민스러운 점입니다.

'언론 길들이기' 이야기가 나왔는데, 분명히 말씀드립니다. 저는 수십 년 동안 민주주의를 위해서 싸워 왔습니다. 죽을 고비도 여러 번 넘기고, 감옥살이도 했습니다. 그런 제가 임기 2년을 남겨 놓고 그런 일을 하겠습니까?

우리 언론은 정부 마음대로 될 언론이 아닙니다. 세무조사를 하고 불공정거래 조사를 하지만 언론이 얼마나 자유롭게 비판하고 있습니까. 언론을 길들이려면 과거 정권이 하던 식으로 비밀리에 몇 군데만 조사하지 이렇게 공개적으로 전 언론을 조사하겠습니까? 이런 일은 역사에 남을 일이고, 국민이 눈 뜨고 보고 있습니다. 민심에 역행하는 언론 장악 의도가 아니라는 것을 분명히 말씀드립니다.

김광두 국민이 언론사 세무조사에 대해서 우려하는 것은 그 과정에서 언론 본연의 기능이 위축되는 부작용이 생기지 않을까 하는 것입니다. 그리고 현행 세법 자체가 기업들이 지키기에 까다로운 부분이 있고, 조세 행정이 과연 만족스러울 정도로 투명하고 객관적이냐 하는 것입니다.

김대중 그런 걱정이 없도록 세무 당국과 공정거래위원회에 김 교수의 말을 전하도록 하겠습니다.

김연명(중앙대 교수) 최근 진행되고 있는 비정규직 노동자들을 보호하기 위한 조치들이 실질적으로 현장에 미치고 있는지 점검할 필요가 있습니다. 비정규직 노동자의 85퍼센트가 고용보험과 국민연금의 적용을 못 받고 있는 것으로 나와 있습니다.

또, 의약분업은 시행 전과 후에 무엇이 달라졌는지 비관적이라 생각합니다. 의약분업 목적의 하나인 항생제나 주사제 사용량 통계를 보면 사실상 변화가 없습니다. 그리고 의사가 처방전을 두 장 발행하도록 되어 있는데, 그렇게 하는 곳은 30퍼센트밖에 안 됩니다. 또 지난 1년 2개월 동안 의료 수가酬價가 38퍼센트나 올랐습니다. 이런 모든 문제들을 고려해 볼 때 의약분업의 목적과 효과가 잘 안 나타나고 있고, 국민이 불편을 느낄 수도 있습니다.

의약분업은 언젠가 해야 할 일

김대중 비정규직 노동자를 최대한 보호하도록 하겠습니다. 그리고 의약분업 문제에 대해서는 저도 개인적으로 고통을 많이 받았습니다. 의사들이 파업했을 때 환자들이 치료도 받지 못하는 것을 볼 때는 참으로 안타까운 심정이었습니다. 의약분업은 인기가 없는 일입니다. 의사는 의사대로 불평이고, 약사는 약사대로 불평이고, 환자는 환자대로 불평입니다. 병원과 약국을 왔다 갔다 하는 것도 불편합니다.

그러나 이것은 언젠가 누군가는 해야 할 일입니다. 이웃 나라 일본도 이것을 하려다가 제대로 못 했습니다. 항생제나 주사제 사용량을 보면 우리나라가 선진국에 비해 10배 이상 많습니다. 그만큼 국민 건강이 해쳐지고 있는 것입니다. 의료보험료가 30-40퍼센트 올랐다고 했는데, 부담이 크겠지만 건강을 해치는 문제가 더 심각합니다.

의약분업은 이제 시작이고, 아직 효과가 제대로 나타나지 않고 있습니다. 처음 시작할 때 반대 여론에 부딪혔던 국민연금도 이제는 60만 명의 노령자들이 혜택을 받고 있지 않습니까. 의약분업도 앞으로 자리를 잡으면 서서히 효과가 나타날 것입니다. 다만 의약분업을 시작하면서 사전 준비를 제대로 못 한 점은 사과드립니다.

권재형(인터넷 질문) 국민의 대북 감정이 제대로 정리되지 않은 상태에서 김정일 국방위원장의 답방이 이루어져야 하는지요. 그리고 국가의 최우선 과제가 무엇이라고 생각하시는지 여쭙고 싶습니다.

김대중 여론조사를 보니까 국민 90퍼센트가 김정일 위원장이 서울에 오는 것을 바라고 있습니다. 그것은 우리 국민이 공산주의를 지지하거나 김정일 위원장을 개인적으로 지지해서가 아닙니다. 한반도에서 전쟁의 위협이 감소되고 평화가 정착되며, 동시에 남북 간에 여러 가지 협력이 이루어진다고 생각하기 때문입니다.

어제도 북한에서 온 동포들이 이산가족들을 만나는 장면을 직접 보지 않았습니까? 그것이 남북 정상들이 만난 결과가 아니겠습니까? 또, 지금 남북 간에 철도를 연결시키고 있습니다. 이 철도가 연결되면 부산에서 출발한 기차가 평양·신의주를 거치고 만주를 거쳐서 중국 대륙 혹은 몽골 같은 곳을 경유하여 러시아로, 파리로 가고, 또 런던까지도 갈 수 있습니다.

이렇게 되면 한반도는 유럽과 연결되는 '철의 실크로드'의 출발점이 되고,

유럽과 중앙아시아로부터 한반도를 거쳐 태평양으로 통하는 물류 중심지로서 엄청난 경제적 발전이 기대됩니다.

통일은 앞으로 10-20년 혹은 30년 이상이 걸릴 수도 있습니다. 그러나 그동안 남북이 다시는 전쟁하지 말고 평화적으로 공존하자는 것이고, 이산가족 교류와 경제 협력, 문화·사회 교류를 통해서 민족의 동질성을 회복하자는 것입니다. 우리는 물론 공산주의를 반대합니다. 북한의 침략을 용납하지도 않습니다. 그렇기 때문에 국방을 튼튼히 하고, 미국과 군건한 안보 공조 체제를 유지하는 한편 한·미·일 협력도 하고 있습니다.

우리가 통일을 지향하면서도 동족 간에 평화적으로 살고 서로 돕는 것이 바람직합니다. 이런 의미에서 저의 평양 방문 답례로 김정일 위원장이 서울에 오는 것은 필요한 일이고, 국민도 그렇게 생각하고 있는 것입니다.

김주영 김정일 국방위원장의 답방이 언제쯤 이루어질 것인지 대통령께서 혼자만 알고 계시지 마시고 저희들에게도 알려 주십시오.

김대중 저도 알고 싶은 일입니다. 우선 제가 3월에 미국을 가고, 김정일 위원장이 4월에 모스크바에 가는 모양이니까 자연히 그 이후가 될 것인데, 정확한 시기는 좀 더 절충을 해 봐야 알겠습니다.

박홍인(서강대 학생) 통일에 대한 국민적 합의가 도출되지 않은 상황에서 너무 급속하게 통일을 추진하는 것은 아닌지요? 국민이 우려하는 점은 북한이 우리가 원하지 않는 방향으로 나왔을 경우에 이에 대한 대처 방안이 있는가 하는 것입니다. 또 우리 경제 상황이 좋지 않은데 북한에 대해서 너무 퍼주는 것이 아닌가, 아니면 북한에 끌려가는 것이 아닌가 하는 것입니다.

김대중 통일은 20년이나 30년 후를 내다보고 있습니다. 서로 전쟁하지 않고 화해·협력하는 것이 현 단계 우리의 목표입니다. 그리고 끌려간다고 말하는데, 저는 지난해 6월 평양에 가서 북한이 반세기 동안 주장해 오던 세 가지를 양보받았습니다.

한반도에 미군이 주둔해야 하고 통일 후에도 동북아시아의 안정에 기여해야 한다는 저의 말에 공감했습니다. 또 사실상 우리의 '남북연합'을 받아들였습니다. 그리고 국가보안법 문제도 남쪽에 맡긴다고 했습니다. 남북국방장관회담과 남북군사실무회담에서 무력 사용을 않기로 했고, 남북한 철도와 도로를 연결하는 데도 합의했습니다.

경제 협력을 위해서는 이중과세 방지법, 투자 보장 등 4개의 협정에 서명했습니다. 임진강 수방 사업도 함께 추진하기로 했습니다. 개성에 설치키로 한 공단에 많은 기업들이 들어가려고 경쟁하고 있습니다. 이산가족 문제도 활발히 진행되고 있습니다. 모든 이산가족이 편지를 주고받고 왕래하는 방향으로 발전하고 있습니다. 결코 일방적으로 끌려가는 것이 아닙니다.

또 북한에 마구 퍼준다고 하는 것도 사실이 아닙니다. 지금까지 북한에 준 것을 액수로 환산하면 1억 8천만 달러 정도 됩니다. 과거 정권 때는 쌀 50만 톤 등 2억 3천만 달러를 주었습니다. 북한에 주더라도 국회에서 통과된 예산 범위 내에서 줍니다. 무턱대고 퍼주는 것이 아닙니다. 과거에 소련과 수교할 때 우리가 14억 3천만 달러의 차관을 주었습니다. 서독은 동독에 매년 15억 달러씩 17년 동안을 무상으로 주었습니다. 우리가 결코 많이 주고 있지 않습니다.

김주영 퍼준다는 얘기는 이를테면 있는 것을 주는 것보다는 우리 분수에 넘치지 않느냐, 이래서 나온 말 같은데, 우리가 북한에 지원하고 있는 것이 우리 경제 수준과 걸맞다고 생각하시는지요.

김대중 금년에 대북 지원 규모를 5천억 원 정도로 책정했는데, 여론조사 결과 국민 1인당 1만 원씩을 지원했으면 좋겠다고 나왔습니다. 4,600만 국민이니까 4,600억 원입니다. 국민 여론하고 거의 같은 액수인데, 물론 필요한 것만 주는 것이지 예산에 책정되었다고 다 주는 것은 아닙니다.

이규원(사회) 오늘 여러 현안들을 대통령님을 모시고 많이 들었습니다. 내년이면 월드컵 대회가 열리게 되는데요, 대통령님께서도 축구에 많은 관심을 가지고 계시겠죠? 2002년 월드컵에서 우리나라가 어느 선까지 올라갈 수 있을까요?

김대중 저는 우리 선수들이 16강이 아니라 8강, 아니 우승까지 했으면 좋겠습니다. 시합이란 것은 해 봐야 아는 것이지만, 국민 모두가 우리 선수들이 선전해서 주최국의 체면도 세우고 세계 상위권과 맞먹는 좋은 성적을 올리도록 성원해서 사기를 높여 주어야 합니다. 우리 다 같이 선전을 기원합시다.

김주영(사회) 마지막으로 우리 문화 발전에 대한 견해를 듣고 싶습니다. 외국의 예를 보더라도 경제가 어려울수록 문화에 대한 순발력을 발휘한 국가들이 많습니다. 우리 경제가 어려워지면서 문화 창달에 대한 사업들이 미진하고, 소외될까 걱정스럽습니다.

지원은 하지만 간섭은 하지 않는다

김대중 국민의정부 들어와서 처음으로 문화 예산이 전체 국가 예산의 1퍼센트를 넘었습니다. 문화에 대해서 지원은 하지만 간섭은 하지 않습니다. 문화인들이 참으로 자유롭게 활동할 수 있도록 그렇게 하고 있습니다. 문화는 이제는 단순히 정신적 풍요뿐 아니라 경제적으로도 엄청난 힘을 가지고 있습니다. 문화콘텐츠 같은 것은 지금 세계적으로 수천억 달러에 달하는 거대한 시장을 형성하고 있습니다.

우리나라의 경우도 「쉬리」와 같은 영화가 세계시장에서 100만 달러 이상을 벌어들였고, 「공동경비구역 JSA」는 400만 달러의 외화를 벌었습니다. 「난타」와 같은 공연물도 400만 달러에 수출되고 있지 않습니까? 문화콘텐츠를 잘 개발하면 우리는 크게 성공할 수 있습니다.

우리는 중국에서 불교를 받아들이면서 그것을 해동 불교로 발전시켰고, 유교를 받아들이면 조선 유학으로 발전시켰습니다. 우리에게는 그러한 저력이 있습니다. 문화는 정신적 풍요만을 위해서가 아니라 경제적 이익을 위해서도 적극적으로 지원할 가치가 있습니다.

이규원 이번 '국민과의 대화'를 위해서 남은 임기 동안 대통령님께 이것만은 꼭 해결해 주셨으면 하는 점에 대해서 물어보았습니다. 이 여론조사 결과 물가 안정이 25.4퍼센트로 1위를 차지했고, 다음이 경제 활성화 19.4퍼센트, 그리고 실업 문제 해결이 16.7퍼센트로 3위를 차지하고 있습니다.

김주영 1, 2, 3위가 모두 경제 문제입니다. 이것은 프로그램 초기에 대통령님께 던졌던 질문과 같은 내용들입니다. 대통령님께서 시급히 해결해 주셔야 할 문제들이 산적해 있다는 얘기입니다. 국민에게 희망을 주는 답변을 하시면서 오늘 함께 하신 소감을 말씀해 주시면 고맙겠습니다.

김대중 오늘 국민 여러분과 모처럼 이렇게 대화를 하게 되어 진심으로 기쁩니다. 저와의 대화가 여러분의 궁금증을 푸는 데, 또 앞날의 희망을 가지는 데 도움이 되기를 진심으로 바라 마지않습니다. 우리 국민은 반드시 이 난관을 해결하고 21세기 세계 일류 국가를 만들 수 있는 잠재력을 가지고 있습니다.

산업사회 시대에는 자원이 많아야 하고, 자본이 많아야 하고, 인구가 많아야 했지만 지금과 같은 지식기반 시대에는 창의력이 넘쳐흐르고 모험심이 강한, 그런 민족이 성공을 합니다. 바로 그것이 우리 민족입니다. 그래서 우리가 지금 세계의 최선두를 질주하는 지식정보 강국이 되고 있는 것입니다.

21세기는 한국민을 위한 세기라고 해도 과언이 아닙니다. 하면 됩니다. 경제도 그렇습니다. 하면 된다는 생각을 갖고 해야 합니다. 이건 제 말이 아니라 노벨경제학상을 받은 미국 시카고대학의 루커스 교수가 한 말입니다. 경제는 긍정적으로 기대하면 긍정적으로 되고, 부정적으로 기대하면 부정적으로 되는 확률이 높다고 말하고 있습니다.

외환 위기 때도 우리가 극복할 수 있다고 자신감을 갖고 나서서 극복하지 않았습니까? 이제 우리 민족에게 마침내 기회가 왔다는 생각을 가지고 해야 겠습니다. 그러기 위해서는 남북이 통일은 당장 안 되더라도 전쟁을 하거나 다시 충돌하는 일은 없도록 평화를 정착시키고 서로 협력해야 합니다.

그리고 지식정보 강국, 지식경제 강국을 만들어 나가야 합니다. 이렇게 하는 것이 이 시대 우리의 소명입니다. 저는 국민 여러분을 모시고 대통령으로서 이 민족적 소명을 반드시 이룩하겠습니다. 그렇게 해서 세계 속의 자랑스러운 한국을 우리 후손들에게 물려준다면 우리는 이 시대를 산 큰 보람이 있을 것이라고 생각합니다. 저는 대통령으로서 당장의 국민적 인기보다도 민족과 국민을 위한 시대의 소명을 국민 여러분과 협력해서 이루도록 나머지 임기 동안 최선을 다하겠습니다. 국민 여러분께서 용기와 희망을 갖고 같이 나아가 줄 것을 간곡히 부탁드립니다. 고맙습니다.

* 이 글은 방송 3사 공동 특별 생방송으로 진행된 「김대중 대통령, 국민과의 대화」 녹취록이다.

한국은 새로운 투자 기회

대담 영국 경제인연합회
일시 2001년 12월 3일

김대중 친애하는 이언 발란스 영국 경제인연합회 회장, 그리고 자리를 함께하신 양국의 경제계 지도자 여러분! 지난 1998년 4월 여러분과 만나고 오늘 이렇게 다시 만나게 되었습니다. 참으로 반갑습니다.

그동안 한국은 온 국민의 노력에 힘입어 금융 위기를 겪은 아시아 국가들 가운데 비교적 빨리, 그리고 성공적으로 위기를 극복할 수 있었습니다. 이와 같은 성공의 바탕에는 영국 블레어 총리와 경제인 여러분의 성원의 힘이 컸습니다. 매우 감사합니다.

한국의 외환 위기 극복에 대해서는 영국 언론들도 높이 평가한 바 있습니다. 신용 평가 기관인 에스앤피(S&P)사도 최근에 아시아 국가들 가운데 유일하게 한국의 신용 등급을 상향 조정하였습니다. 특히 구조 개혁을 잘하고 있고, 위기 발생 당시 39억 달러에 불과하던 외환 보유액도 현재 1,000억 달러를 넘어서 세계 5위의 외환 보유국이 되었다는 점을 높이 평가하고 있습니다.

제가 여당 총재직을 그만두고 국정에 전념함으로써 한국 경제의 앞날을 기대하게 한다는 말도 하고 있습니다.

외국인 투자도 1998년 이후 4년 동안 500억 달러 정도가 유치되었습니다. 과거 30여 년 동안 이루어진 외국인 투자를 두 배나 상회하는 규모입니다. 외국인 투자 누계액은 외환 위기 당시 국내총생산(GDP)의 2퍼센트대에 머물렀으나 이제는 10퍼센트 가까운 수준으로 높아졌습니다. 이는 한국의 투자와 영업 환경이 크게 개선되었음을 단적으로 보여 주는 것입니다.

양국 경제인 여러분!

그러나 우리는 이러한 지금까지의 성과에 결코 만족하지 않습니다. 앞으로도 일관되게 개혁·개방 정책을 추진해 나갈 것입니다. 지식과 기술, 정보가 중심이 되는 지식기반 경제를 구축하는 데에도 더욱 힘써 나갈 것입니다.

한국 국민은 21세기 지식정보화 시대가 필요로 하는 높은 교육 수준과 정보화 능력을 가지고 있습니다. 대학 진학률이 71퍼센트로서 세계 최고 수준입니다. 인터넷 사용 인구가 전체 국민의 절반 수준을 넘어섰습니다.

이러한 점을 반영하여 경제협력개발기구(OECD)는 한국의 지식기반 경제 수준을 세계 10위권으로 평가한 바 있습니다.

공항·항만 등 대규모 사회간접시설을 확충하여 인적·물적 교류도 활성화해 나갈 것입니다. 지난 3월에 개항한 인천국제공항은 이제 아시아 제1의 공항으로 발돋움하고 있습니다. 부산항은 이미 세계 제3위 규모의 컨테이너 항으로 자리 잡았습니다. 남북한 간 철도 복원이 이루어지면 한국을 출발한 기차가 이곳 런던에까지 오게 됩니다.

과거 영토 국가 시대에 한국은 미국·일본·러시아·중국 등의 4대 강국에 둘러싸인 수동적 입장에 있었습니다. 그렇지만 21세기 지식정보화 시대에 있어서는 오히려 이들 나라들의 큰 시장과 풍부한 자원, 그리고 자본을 활용할 수 있는 전략적인 중심지로 바뀔 수 있게 되었습니다.

또한 지난해의 남북정상회담 이후에는 그동안 외국인 투자가의 불안 요인이었던 '안보 리스크'도 현저히 감소하였습니다. 미국의 테러 사태가 발생한 지 불과 나흘 만에 남북한 간에는 장관급회담이 개최되었고, 한국 국민들은 경제적으로나 사회적으로 평온한 상태를 유지하고 있습니다.

친애하는 영국 경제인 여러분!

제가 지금까지 한국 경제의 현황과 미래상을 여러분께 말씀드린 것은 우리를 내세우기 위해서가 아닙니다. 한국에서 펼쳐지고 있는 새로운 투자 기회를 주목해 달라는 것입니다. 그리하여 여러분 스스로의 발전은 물론 양국의 공동 번영에 동참해 주실 것을 당부드리기 위해서입니다.

내년에는 한국에서 월드컵이 열립니다. 여러분 모두 내년에 한국을 꼭 방문하여 월드컵 경기를 즐겨 주십시오. 그리고 한국의 투자와 영업 환경도 직접 살펴볼 수 있기를 희망합니다.

다시 한번 그간의 성원에 감사드립니다.

질의응답

로렌스 멜맨(WPP그룹 이사) 일반적인 경제 문제를 질문하겠습니다. 한국의 재벌이 구조 개혁에 적극적으로 동참했다고 보십니까?

김대중 한국 재벌들은 자의적으로, 때로는 타의에 의해 구조조정에 동참했고, 결과적으로 수용했다고 봅니다. 제가 대통령이 된 이후 우리나라에서 30대 재벌 기업의 주인이 바뀌었습니다. 여기에는 3대 재벌 중 2개나 포함되어 있습니다.

경쟁력이 없는 재벌은 퇴출됩니다. 1998년, 제가 대통령이 되었을 때 기업의 부채 비율이 510퍼센트대였으나 지금은 170퍼센트대로 낮추어졌습니다. 재벌 기업 간의 내부자 거래도 청산되었습니다. 사외이사 제도가 도입돼 재벌 경영을 감시하고 있습니다. 소액주주의 권리를 보장하는 법적 장치도 마련되었습니다. 과거에 재벌 오너들은 법적 책임과 권한이 있는 것도 아니면서 재벌의 운영에 전적으로 간여했습니다. 그러나 이제는 전문 경영인 제도가 강화되어 있고, 오너가 기업 경영에 간섭하려면 법적으로 이사가 되어서 인사 등의 문제를 다루어야 합니다.

또 과거에는 재벌 기업들의 상당수가 기업의 경쟁력을 통해서 돈을 벌려고 한 것이 아니라 권력과 결탁해 특혜 융자·이권 등으로 돈을 벌어 온 경향이 있었습니다. 그러나 국민의정부 들어서는 그렇게 할 수 없게 되었습니다. 정부는 기업의 운영에 대해 최대한 간섭을 자제하고, 기업의 자율 운영권을 보장하고 있습니다.

기업이 세계적으로 경쟁력 있는 업종만을 육성하고 경쟁력 없는 것은 포기하도록 권장하고 있습니다.

한마디로 우리 재벌들은 세계적인 기업과 마찬가지로 시장경제 원리에 의해 운영되고 있습니다. 아직 경영권과 소유구조 등에 대해서는 더 개혁할 필요가 있다고 인정합니다. 하지만 그동안 많은 성과도 있었다고 말할 수 있습니다.

닉 랭스미스(로이즈TSB은행 이사) 최근 중국이 세계무역기구(WTO)에 정식으로 가입했습니다. 한국의 교역이나 투자에 미치는 영향을 설명해 주십시오.

김대중 긍정적인 점과 경계해야 할 점 두 가지 면이 있습니다. 무엇보다도 우리와 가장 가까운 곳에 있는 13억 인구의 중국 시장이 모든 규제를 풀고, 세금 제도가 국제 관행화된다는 점을 환영합니다.

단기적으로 보면 중국의 시장 개방을 통해 상당히 덕을 볼 것입니다. 왜냐하면 우리는 이미 중국에 대해 열어 줄 문호는 다 열었습니다. 더 이상의 조치가 필요 없습니다. 중국은 세계무역기구(WTO)에 가입함으로써 국제 시장경제 원칙에 맞도록 모든 규제, 세금 제도를 바꾸어야 하기 때문에 우리가 중국에 진출하는 데 많은 이점이 있을 것입니다.

중국과 우리는 역사적으로 밀접하고 문화적으로도 유사합니다. 중국에서는 한국 문화, 특히 우리의 대중문화가 유행하는 '한류' 붐이 젊은이들 사이에 일어나고 있습니다. 우리는 이러한 근접성과 문화적인 이미지의 공통점을 잘 살려 중국에 적극적으로 진출하기 위해 노력하겠다는 좋은 전망을 갖고 있습니다.

우리는 중국과의 경제 교류에 있어 '윈-윈' 정신을 바탕으로 서로 경쟁하고 협력할 것입니다. 우리는 노동 집약적인 분야에 대해서는 중국에 비해 경쟁력이 떨어집니다. 그러나 정보화와 첨단 분야에 있어서는 우리가 경쟁력이 더 강하다고 생각합니다. 이런 것을 갖고 적극 진출해서 국제 시장에서도 경쟁할 것입니다.

노동 집약적 분야에서 중국의 경쟁력에 대응하기 위해서는 어려운 분야가 많이 생겨나고 있다고 봅니다. 또한 지식기반 경제에 있어서도 중국의 성장 잠재력이 크기 때문에 추월당할 가능성이 있습니다. 어느 분야가 성공할 수 있는지 선택해서 집중해 나갈 것입니다.

우리가 걱정하는 것은 외국 투자 자본이 중국 시장으로 몰려가지 않을까 하는 것입니다. 여러분께서 한국이 좋은 투자시장이라는 점을 이해해 주시고, 한국과 손잡고 중국 시장, 세계시장으로 진출했으면 좋겠습니다.

여러분의 질문과 관계없지만 내년 월드컵에 대해서 설명드리겠습니다. 월드컵 조 추첨 결과 영국이 한국·미국과 경기를 하지 않고 일본에서 경기를 하게 된 데 대해 한국 국민들은 아쉬워하기도 하고 반기기도 합니다. 우수한 영국 팀이 한국 팀과 경기를 갖지 않는 점은 다행스럽지만, 우수한 팀의 경기를 보지 못하는 것이 아쉽다는 것입니다.

린다 쿡(셸그룹 가스 부문 사장) 외국 투자의 중요성을 언급한 데 대해 감사드립니다. 외국 투자와 관련해서 앞으로 한국 정부가 취해 나갈 조치들에 대해 말씀해 주십시오.

김대중 한마디로 말해 투자 여건이 세계에서 가장 좋은 나라로 만들겠다는 것입니다. 외국 투자 촉진법을 만들고 외국 투자에 대해 여러 가지 제한 조건들을 철폐했습니다. 외국인의 주식 보유 한도나 부동산 소유 문제도 해소되었습니다.

우리는 한국의 산업단지 안에 공장 부지를 마련해서 싼값에 외국 기업에 임대해 주고 있습니다. 그러나 무엇보다 중요한 것은 외국 자본에 대한 긍정적 생각을 갖도록 하는 것입니다. 저는 대통령에 취임한 이래 우리 국민에게 일관되게 외국 자본을 환영해야 한다고 말하고 있습니다.

그 이유는 첫째, 외국 자본이 우리나라에 투자하면 빚이 아니라 투자이기 때문에 되돌려 줄 필요가 없습니다. 그래서 과거처럼 외환 위기를 걱정하지 않아도 됩니다. 그리고 외국 자본은 우수한 경영 기법을 들여와 우리 기업인들에게 좋은 본보기가 됩니다. 외국 자본은 돈만 갖고 오는 게 아니라 시장도 갖고 와 우리 수출에도 도움이 됩니다.

그리고 외국 자본은 우리 노동자들에게 일자리를 줍니다. 외국 자본을 우리 기업과 똑같이 존중하고 사랑해야 합니다. 제가 대통령에 취임할 당시, 외국 자본의 비율은 국내총생산(GDP)의 2퍼센트였는데, 지금은 10퍼센트대에 이르고, 3년 안에 20퍼센트로 끌어올릴 계획입니다.

저와 우리 국민들은 우리나라에 투자한 외국 기업은 곧 우리 기업이고, 우리 기업이 외국에 투자하면 곧 외국 기업이라는 생각을 하고 있습니다. 여러분이 한국에 더 많은 자본을 투자해 주기를 바랍니다.

21세기 국운 융성의 길을 엽시다

대담 내외신 기자
일시 2002년 1월 14일

김대중 존경하고 사랑하는 국민 여러분!

새해 안녕하십니까. 올해에는 국민 여러분의 가정에 만복이 깃들기를 바라며, 우리 대한민국에 국운 융성의 큰 발전이 있기를 기원합니다.

저는 오늘 기자회견을 시작함에 앞서 먼저 국민 여러분께 죄송한 말씀을 드리고자 합니다. 그것은 작년 말부터 시작된 일부 벤처기업들의 비리 사건입니다. 국민의정부는 출범 이래 벤처기업의 육성을 위해 심혈을 기울여 왔습니다. 또한 부정부패의 근절을 위해 저부터 먼저 모범이 되려고 힘써 왔습니다. 그러나 몇몇 벤처기업들의 비리에 일부 공직자와 금융인, 심지어는 청와대의 몇몇 전·현직 직원까지 연루된 혐의를 받고 있습니다.

저는 큰 충격과 더불어 무엇보다 국민 여러분께 죄송한 심정을 금하지 못하고 있습니다. 저는 이러한 비리를 투명하게 밝히고 엄정하게 처리함은 물론 제가 선두에 나서서 이 기회를 비리 척결의 일대 전기로 삼고자 굳게 다짐하는 바입니다.

국민 여러분!

저는 올 한 해 국정의 나아갈 방향을 다음의 '4대 과제'와 '4대 행사'로 삼고자 합니다. 4대 과제는 첫째, 우리 경제의 경쟁력을 세계적 수준으로 높이는 것입니다. 둘째는 중산층과 서민 생활을 향상시켜 나가는 것입니다. 셋째는 부정부패를 철저히 척결하겠습니다. 넷째는 남북 관계의 개선에 힘쓰겠습니다.

4대 행사는, 다가오는 월드컵과 부산아시안게임을 성공적으로 개최하고, 지방자치단체 선거와 대통령 선거를 역사상 가장 공정하게 실시하는 것입니다.

이상의 여덟 가지 사항 중에서 국운 융성을 위해서 당면해서 가장 중요한 것은 경제의 경쟁력 제고와 월드컵의 성공적 개최, 남북 관계 개선 등 세 가지라고 생각합니다.

먼저 경제에 대해서 말씀드리겠습니다. 우리 경제의 활력을 지키고 올해 하반기로 전망되는 세계 경제의 회복 기회를 최대한 활용할 수 있도록 세계 일류의 경쟁력을 갖추는 데 총력을 기울여 나가야겠습니다.

IT(정보통신), BT(생명산업), CT(문화산업), ET(환경기술), NT(나노기술), ST(우주항공기술) 등 차세대 첨단기술과 산업을 발전시키는 데 주력하겠습니다. 그리고 전통산업을 첨단기술과 접목시켜 고부가가치 산업으로 발전시켜 나갈 것입니다.

가격 경쟁력과 함께 품질 경쟁력을 갖추어 수출증진에 힘찬 발전을 이룩하겠습니다. 세계 일류 상품을 향후 3년 내에 500개 수준으로 발굴하여 아시아의 어느 나라보다 앞서 나간다는 의지를 가지고 경쟁력 제고에 박차를 가할 것입니다.

외국인 투자 유치는 경제 발전에 중요한 역할을 합니다. 국민의정부 4년 동안에 지난 36년 동안 들어온 246억 달러의 배가 넘는 520억 달러의 외국인 투자가 이루어졌습니다. 여기에는 4대 분야의 구조 개혁과 한반도 평화를 위한 햇볕정책이 크게 기여했다고 생각합니다.

최근 해외 유수 기업들이 그들의 아시아 본부를 한국으로 옮기겠다는 움직임을 보이고 있습니다. 정부는 우리나라가 '동북아 비즈니스 중심 국가'로 발전하기 위한 청사진과 전략을 금년 상반기 안에 마련하겠습니다. 여기에는 인천국제공항과 경부고속철도, 그리고 부산항의 2단계 확장 사업을 금년에 착수해서 세계적 규모의 초대형 물류 인프라를 건설하는 계획이 포함될 것입니다.

가까운 장래에 외래 관광객 1,000만 명 시대가 옵니다. 이에 대비하여 관광산업을 적극 진흥함으로써 내수 활성화와 고용 창출에도 큰 도움이 되도록 할 것입니다.

우리는 신노사 문화를 정착시켜 나가야겠습니다. 기업은 경영 사정을 투명하게 알리고 근로자는 생산성을 높이는 데 주력하면서, 경영성과는 공정하게 배분되어야 하겠습니다.

금융·기업 구조조정도 시장 원리에 따라 상시 체제로 이루어지도록 할 것입니다. 은행들이 작년에 만성적인 적자 경영에서 벗어나 총 5조 원 수준의 흑자 경영으로 돌아섰습니다. 이 기회에 정부는 은행의 민영화를 착실히 추진하여 금융 발전을 더욱 촉진시켜 나가겠습니다.

국운 융성의 계기

김대중 국민 여러분!

다가오는 월드컵과 부산아시안게임은 우리에게 다시없는 국운 융성의 계기가 될 것입니다. 월드컵은 생산 유발 효과가 11조 원이고 부가가치 창출이 5조 원이 될 것이라고 합니다. 고용 효과도 35만 명이 예견됩니다. 뿐만 아니라 수출과 투자, 관광 진흥에도 큰 도움이 될 것입니다. 월드컵의 성공을 계기로 한국은 5천 년 역사상 처음으로 선진국의 대열에 힘차게 진입하게 될 것입니다.

정부는 월드컵을 한 치의 빈틈없이 안전하게 치르고 세계인에 대해 문화 한국, 아이티(IT) 한국 등의 이미지를 높이는 데 주력하겠습니다. 한·일 간의 공동 개최를 성공적으로 이룩하는 데에도 차질이 없도록 하겠습니다.

존경하는 국민 여러분!

남북 간의 평화가 있어야 국정의 성공이 있습니다. 경제의 대도약도, 월드컵과 아시안게임의 성공적 개최도 한반도의 평화가 필수 불가결한 조건입니다. 우리는 지난해 9월 11일 미국 테러 사태에도 불구하고 국민들이 아무런 동요 없이 안심하고 생업에 종사하고 있는 현실을 보고 있습니다. 이것은 재작년의 역사적인 6·15남북공동선언 이후 한반도에 긴장이 크게 완화되었기 때문입니다.

앞으로 우리는 그동안 남북 간의 실천 과제로 합의한 경의선 복원 문제, 개성공단 건설 문제, 금강산 육로 관광 문제, 이산가족 상봉 문제, 군사적 신뢰와 긴장 완화 문제 등 5대 핵심 과제가 차질 없이 실천되도록 노력할 것입니다.

특히, 남북 간 철도 연결 사업은 거대한 시장인 중국 전역에 직접 진출할 수 있게 되고, 유라시아와 태평양을 연결하는 한반도 시대를 열어 민족과 국가의 장래에 일대 융성기를 가져올 수 있는 과제이기도 합니다.

우리는 한반도 평화에 대한 우리의 노력이 주변 4대국을 위시해서 전 세계의 지지를 받고 있는 데 대해서 매우 기쁘고 감사하게 생각합니다. 금년에도 이러한 지지가 더욱 발전되도록 힘쓰겠습니다. 일본과 작년 '상하이정상회담'에서 합의한 7개 사항도 순조롭게 실현되어 가고 있습니다.

주한 미군은 우리의 안보뿐만 아니라 동북아시아의 안정을 위해서 매우 필요합니다. 유럽과 일본에서도 각각의 지역안보와 평화를 위해서 미군을 주둔시키고 있습니다. 지난해 우리는 미군이 유럽이나 일본과 맺은 협정과 대등한 수준으로 소파(SOFA, 한·미행정협정)를 개정했습니다. 미군의 한반도 주둔에 대한 환경도 상호 협의 속에 합리적으로 개선되어야 합니다.

이상 우리의 국운 융성에 가장 큰 관건이 되는 경제의 경쟁력 제고, 월드컵의 성공적 개최, 그리고 남북 관계 개선에 관해 말씀드렸습니다.

존경하는 국민 여러분!

이제 나머지 주요 국정 사항에 관해 말씀드리고자 합니다. 중산층과 서민의 생활 향상을 위해서 대통령이 직접 나서서 챙기겠습니다. 물가를 3퍼센트 내외로 안정시키고 일자리를 많이 창출하여 실업률도 3퍼센트 수준으로 정착시켜 나가겠습니다. 30만 청년실업자에 대해 일자리를 마련해 주는 과감한 조치를 취하겠습니다. 이에 대한 예산도 이미 책정되어 있습니다.

4대보험 제도를 내실 있게 발전시키고 '찾아가는 국민기초생활 보장제도'의 실현을 위해 올해에는 사회복지 요원을 대폭 늘리겠습니다.

금년 안에 주택 보급률 100퍼센트를 실현시키겠습니다. 특히, 국민 임대주택 총 20만 호를 내년까지 건설해서 시중 집세의 절반 수준으로 공급되도록 하겠습니다. 서민들에 대하여 집값과 전셋값의 대부분을 장기 저리로 특별 융자하겠습니다.

새해에는 봉급 생활자와 중소 자영업자의 세 부담을 경감시키고, 우리사주 신탁제도의 도입 등으로 근로자의 재산 형성을 적극 지원하겠습니다. 기술이나 자격증을 가진 사람들이 쉽게 창업할 수 있는 신용 대출 등 새로운 창업 지원 제도를 시행하겠습니다.

사상 처음으로 중학교 의무교육이 금년 봄부터 전국적으로 시행됩니다.

공교육 환경을 선진국 수준으로 개선하여 사교육비 부담을 크게 완화시켜 나갈 것입니다.

장애인과 노인의 경제적·사회적 참여 기회를 확대해 나가도록 하겠습니다. 급속히 진행되어 가고 있는 고령화 사회에 대비하여 노인 복지 정책을 포함한 종합적인 대책을 조속히 수립하여 추진하겠습니다.

여성의 능력 활용은 국가 발전의 핵심 과제입니다. 그동안 출산과 육아 등에 대한 지원 시책을 강구한 데 이어 이제는 탁아 문제를 해결하여 여성의 사회 활동과 취업 활동을 용이하게 하겠습니다.

이제 농어민도 중산층으로서 안정된 생활을 영위할 수 있도록 하겠습니다. 세계적인 농어업 개방 추세에 대비하여 대통령 직속의 특별위원회를 설치해서 농어업의 경쟁력 제고와 농어촌 생활 여건 개선 계획을 세우겠습니다. 아울러 쌀 수급 안정과 쌀 농가의 소득 안정을 병행해서 추진하겠습니다.

이러한 모든 중산층과 서민 생활 안정 문제를 대통령이 직접 챙겨서 해결하겠다는 것을 저는 거듭 여러분께 약속하는 바입니다.

국민 여러분!

저는 앞에서 법과 원칙을 더욱 바로 세우고 부정부패를 단호히 척결해 나가겠다는 것을 다짐했습니다. 다시 한번 이번 일부 벤처기업들의 비리 연루 사건에 대해 죄송스럽게 생각합니다.

이번 사건을 큰 교훈으로 삼아 우리 정부와 사회 각 분야의 부패 척결에 불퇴전의 결의를 가지고 임하겠습니다. 이미 약속한 특별수사검찰청의 설치를 조속히 추진하도록 하겠습니다.

한편 전자정부를 임기 내에 완성하여 깨끗하고 효율적인 정부를 구현하겠습니다. 금융기관과 기업도 투명성을 높이기 위한 제도적 장치를 강화하겠습니다. 벤처기업의 옥석을 가려 이번과 같은 비리가 재발하지 않도록 하겠습니다.

남은 임기 동안 일류 경제 기반을 닦는 것 못지않게 부정부패가 없는 깨끗한 일류 사회의 실현에 전력을 다하겠습니다. 검찰의 정치적 중립과 수사의 독립성을 철저히 보장하겠습니다.

양대 선거는 역사상 전례가 없는 가장 자유롭고 공정한 선거가 되도록 제가 책임지고 이를 실천하겠습니다. 공명선거를 위해서는 여야 정당과 국민 여러분의 협력도 절실합니다. 인사 정책에 있어서 지연·학연·친소를 배제한 공정한 인사를 더한층 강화하겠습니다.

국민 여러분!

이제 마무리를 짓겠습니다. 많은 외국 전문가들은 한국이 세계 일류 국가의 대열에 들어갈 수 있는 우수한 잠재력을 보유한 것으로 평가하고 있습니다. 우리 국민은 높은 지적 창의력과 교육 수준, 문화적 감각, 그리고 모험심을 가지고 있습니다. 새해 우리 모두 자신과 희망을 갖고 총 매진하여 빛나는 한민족의 시대를 열어 나갑시다.

저는 앞으로 남은 임기 동안 여러분께 약속한 대로 정치와 선거에 일절 개입하지 않겠습니다. 저는 오직 '경제 살리기'와 '월드컵 성공' 등 국정을 성공시키는 데 전념할 것입니다.

저는 국민 여러분의 협력 속에 집권 마지막 해인 올해를 훌륭히 마무리하도록 혼신의 노력을 다하겠습니다. 그리하여 다음 정부에서 더 큰 발전을 할 수 있도록 튼튼한 기반을 닦아 넘겨주고자 합니다. 국민 여러분의 적극적인 협력을 바랍니다.

우리 다 같이 힘을 합쳐 국운 융성의 2002년을 열어 나갑시다. 국민 여러분의 건승을 빕니다.

감사합니다.

질의응답

이선재(KBS 기자) 대통령께서는 취임 이후부터 여러 차례 부패 척결 의지를 다짐해 오셨습니다. 그렇지만 최근까지도 일부 공직자들의 비리 연루 의혹이 끊임없이 제기되고 있는 상황입니다. 대통령께서는 비리 척결의 일대 전기로 삼겠으며, 불퇴전의 결의라는 용어도 쓰셨습니다. 공직 기강을 위해서 어떤 특단의 대책을 마련하고 계시는지, 아울러 사퇴 의사를 밝힌 검찰총장의 사표는 언제쯤 수리하실 것인지, 그리고 검찰총장의 후임 인사에 대한 복안도 말씀해 주십시오.

김대중 이 문제에 대해서 제 결의를 말씀드렸습니다. 그리고 중요한 비리 사건에 대한 척결을 전담하면서 독립적으로 운영되는 특별수사검찰청을 만들고자 합니다. 또 사정 관계 책임자들을 소집해서 앞으로 1년 동안, 처음부터 시작한다는 자세로 일체의 부패에 대해서 가차 없이 척결하는 대책을 곧 세워 나가겠습니다. 검찰총장의 사표는 수리할 것입니다. 그리고 후임도 곧 임명하겠습니다.

오풍연(대한매일 기자) 주가가 700선을 돌파하는 등 경기 회복 조짐이 나타나고 있습니다. 대통령께서는 올해 국내외 경제를 어떻게 전망하시는지요?

김대중 올해 세계 경제에 대해서는 전문가들 사이에서도 의견들이 여러 가지입니다. 그러나 대체적으로는 미국 경제가 이번 1분기에 바닥을 치고 2분기부터 상승 국면으로 들어갈 것이라고 전망합니다. 그렇게 되면 유럽연합(EU)도 좋아질 것입니다.

그리고 우리에게 바람직한 변수는 중국의 세계무역기구(WTO) 가입입니다. 이로 인해 중국의 큰 시장이 열리게 되는데, 세계 각국에 여러 가지 좋은 기회가 될 것으로 봅니다. 결과적으로 금년 전반기까지는 세계 경제가 바닥을 치고, 성장 방향으로 돌아서 하반기부터는 급격한 성장을 할 것으로 전망됩니다. 그것이 브이(V) 자형이 될지 유(U) 자형이 될지 모르겠으나 그렇게 보고 있습니다. 우리는 되도록이면 브이(V) 자형으로 되기를 바라고 있습니다.

이렇게 되었을 때 혜택을 가장 많이 볼 나라 중의 하나가 우리 한국입니다. 무역의 대외 의존도가 높기 때문입니다. 동시에 우리는 그동안 열심히 첨단기술산업을 발전시키고, 또 첨단기술과 전통산업을 접목시켜 양면에 걸쳐서 경쟁력을 길러 왔습니다. 그래서 세계 경제가 좋아지면 어느 나라보다도 먼저 도약할 수 있을 것으로 생각합니다.

현재 상태에서 세계 경제가 더 나빠지지만 않는다면, 금년 내에는 4퍼센트 정도 성장할 것으로 예상되고 있고, 국제 정세가 다소 좋아진다면 우리의 잠재성장률인 5퍼센트까지 성장할 수 있을 것으로 봅니다. 이런 가운데 물가는 3퍼센트 선에서 억제하고, 실업률은 전반적으로는 3퍼센트대에서 묶되, 상대적으로 높은 청년실업률도 다소 안정될 수 있지 않을까 전망하고 있습니다.

구성수(CBS 기자) 임기 말 개혁을 마무리하고 국정 분위기를 일신하기 위해서 개각이 곧 단행될 것이란 전망이 나오고 있습니다. 개각의 시기·성격·방향에 대해서 복안이 있으신지, 특히 이 자리에 계시지만 총리와 경제팀도 이번 기회에 바꾼다는 말이 있습니다만, 분명한 입장을 말씀해 주십시오.

김대중 당사자들을 앞에 놓고 말을 하면 나오던 말도 도로 들어가는 것 아닙니까.(웃음) 그 문제에 대해 여러분이 쓰신 기사를 보고 있습니다. 또 금년 들어서 각계의 의견도 수렴하고 있는데, 작년 말부터 금년 초까지 매일 터져 나오는 사건 때문에 차분히 생각을 못 했습니다.

상황도 자꾸 달라지고 있습니다. 그러나 그런 가운데서도 최근에 경제계, 사회문화계, 외교·안보 등 각 분야의 전문가들을 10여 명씩 모시고 일일이 한 분 한 분의 의견을 듣고 있습니다. 한마디로 개각에 대해서는 현재 심사숙고 중입니다. 또 현재 어떠한 계획도 아직 수립된 바 없음을 말씀드립니다.

강동훈(불교방송 기자) 온 국민의 소원을 담은 월드컵이 오늘로 137일밖에 남지 않았습니다. 그러나 월드컵 붐이 크게 일지 않는 것 같습니다. 일각에서는 숙박과 교통, 그리고 관광 등의 준비가 미흡하다는 지적도 있습니다. 공동 개최인 한·일 월드컵 대회를 어떻게 성공적으로 치를 것인지에 대해 말씀해 주십시오.

김대중 월드컵은 조금 전에도 말씀드렸다시피 우리 국운 융성의 계기가 되는 것이고, 1세기에 한 번 있을까 말까 한 일이기 때문에 반드시 성공적으로 치러야 됩니다. 그리고 지금까지 보고받은 바에 의하면 성공적으로 준비가 진행되고 있다고 합니다. 그 하나의 증거로 10개 도시 여론조사 결과 66퍼센트가 현재 자기 지역에서의 월드컵 준비 상황에 대해 만족한다는 답이 나왔다고 합니다. 아직도 4개월 반이 남았으니까 지금부터 더욱 충실히 하면 잘할 수 있을 것으로 생각됩니다.

또 일본과 공동 개최하는데 일본도 잘해야겠지만 우리도 잘해야 합니다. 그렇지 않으면 공동 개최 자체가 실패한 것이 됩니다. 경쟁적인 입장에서가 아니라 공동으로 성공시키기 위해서는 양측이 다 같이 성공해야 하는데, 지금까지의 진행을 보면 월드컵 경기장 건설 등 각종 인프라에 대한 것이라든가, 혹은 소프트웨어 등 여러 가지가 양쪽 모두 상당히 잘 진전되고 있는 것으로 생각됩니다. 월드컵의 한·일 공동 개최는 성공적으로 될 수 있다고 생각합니다.

월드컵 개최에서 가장 중요한 것은 두 가지입니다. 하나는 테러를 막아 안전하게 개최해야 한다는 것입니다. 전 세계가 과연 월드컵이 안전하게 개최될 것인지를 주시하고 있고, 또 걱정하고 있습니다. 만일 우리가 월드컵을 안전한 축제로 개최하면, 세계는 미국 테러 사건으로 위축되었던 긴장으로부터 풀리고, 이제 다시 평화의 시대가 왔다는 생각을 할 것입니다. 그리고 우리 한국이나 일본에 대해서 다시없는 치하와 평가를 하게 될 것입니다. 그것이 중요합니다.

또 우리 월드컵 팀이 이번에 좋은 성적을 올려서 국민의 사기를 올리는 것이 참 중요하다고 생각합니다. 언론인 여러분이 국민과 함께 성원을 많이 해서 우리 팀이 좋은 성과를 올리도록 도와주시기 바랍니다.

다마키 타다시(일본 니혼게이자이신문 기자) 월드컵 공동 개최라는 역사적인 행사가 있으므로 한·일 관계에 대해 질문드리겠습니다. 작년 말 일본 천왕께서 고대 황실과 백제 왕가 사이에 좋은 관계가 있었다고 언급하신 적이 있습니다. 이를 어떻게 평가하고, 일본 천왕이 월드컵 개회식에 참석하시도록 요청하실 계획이신지, 또 지금 중단되어 있는 일본 문화 개방에 대한 향후 계획 등에 대해 말씀해 주십시오.

일본과의 문화교류는 재개되는 것이 순리

김대중 작년에 고이즈미 총리와 세 번 만났고, 상하이에서는 한·일 간에 일곱 가지 사항이 합의되어 대체로 원만히 진행되고 있습니다. 천왕께서 하신 말씀에 대해서 저는 그것이 천왕의 역사에 대한 바른 인식을 표시한 것이 아닌가 생각합니다. 또 천왕께서 한국을 방문하시는 문제는 일본이 먼저 결정할 문제이고, 우리는 일본이 결정하면 그것을 최대로 존중하겠다는 생각을 가지고 있습니다.

일본 문화 개방에 대한 향후 계획이 있느냐고 질문했는데, 아시다시피 그동안 신사참배라든가 교과서 문제 등이 발단이 되어 일본과 문제가 생겼습니다.

지난 10월에 상하이에서 고이즈미 총리와 만나 합의한 일곱 가지 사항은 교과서 문제, 신사참배 문제, 꽁치 조업 문제, 투자 협정 문제, 돼지고기 수출 문제, 미사일 사거리 연장 문제, 항공편 증편 문제 등인데, 이것들은 거의 다 해결되고 교과서 문제만 약간 기술적인 결말이 나지 않았습니다. 며칠 전 고이즈미 총리도 전화로 일곱 가지 사항의 해결에 노력하겠다고 했습니다. 그래서 이 문제가 해결되면 이 문제 때문에 중단되었던 문화 교류 문제는 재개되는 것이 순리라고 생각합니다.

황해창(내외경제신문 기자) 물가와 주택 가격 상승으로 추운 겨울 서민들의 근심이 커져 가고 있습니다. 모두冒頭 말씀을 통해서 다양한 정책을 밝히셨지만, 이들 정책이 제대로 실천되기 위한 어떤 묘책이 있으신지요?

김대중 서민과 중산층에 대해서는, 여러분이 아시는 대로 4대 사회보험, 즉 건강보험·산재보험·국민연금, 그리고 고용보험이 세계적 수준으로 완비되어 있습니다. 건강보험에 조금 차질이 있지만 제도를 보완해 이것도 반드시 곧 제자리를 찾도록 할 것입니다. 그리고 세계에 거의 예가 없는 국민기초생활보장법을 만들어서 금년에 155만 명이 혜택을 보는데, 4인 가족이 월 99만 원씩을 받게 됩니다. 최소한도의 생계가 보장되는 것입니다.

다만 여기에도 사각지대가 있습니다. 보호 대상에 해당되지 않는, 즉 경제적 여유가 있는 사람이 속여서 혜택을 받는 경우가 있고, 또 보호받아야 할 사람이 못 받는 경우도 있습니다. 자식들이 부모를 부양하고 있으면 주지 않게 되어 있는데, 실제는 자식의 부양을 못 받고 있는데도 자식이 있다고 지원을 못 받는 경우가 있습니다. 이런 것을 좀 정교하게 살펴서 서민 생활을 돌

봐야 하지 않겠는가 생각하고 있습니다. 그래서 금년에 1,700명의 사회복지 요원을 증원할 것입니다. 기존의 요원들과 함께 '앉아서 기다리는 복지'가 아니라 일일이 '찾아가서 도와주는 복지'의 행정을 펼쳐 나갈 생각입니다.

주택 보급률은 금년에 100퍼센트가 됩니다. 물론 지역에 따라서 차이가 있고, 100퍼센트라고 해서 모든 사람이 반드시 집을 가지게 되는 것은 아닙니다. 이런 점을 생각해서 주택을 구입하거나 전세를 구하려고 하는 사람들에게 약 70퍼센트까지 장기 저리로 융자를 해서 '내 집 마련'을 하도록 도와주고 있습니다.

그리고 민생 안정의 최우선 과제 중의 하나인 소비자 물가를 3퍼센트로 억제하는 것을 반드시 실현하겠습니다. 지금까지는 대체로 매년 목표를 달성해 왔습니다만, 앞으로도 3퍼센트 수준에서 억제하겠습니다.

청년실업률이 높습니다. 일반 실업률은 3퍼센트대를 유지하고 있습니다만, 청년실업률은 거의 8퍼센트나 됩니다. 세계 각국이 다 그렇습니다만, 청년실업에 대해서도 적극적으로 대처하겠습니다. 정부는 약 5천억 원의 예산을 가지고 30만 명의 청년에 대해서 실업 대책을 세울 계획입니다.

그리고 조금 전에도 말씀드렸지만 국민 기초생활 보장을 더욱 철저히 할 것입니다. 그리하여 노인·장애인에 대해 4조 4천억을 투입해 돌볼 것입니다. 이런 것들이 국민이 피부로 느낄 정도로 잘되지 않고 있는 것 같은데, 금년에는 본격적으로 '찾아가는 복지'로써 성과를 올릴 수 있도록 노력해 나갈 작정입니다.

경민현(강원도민일보 기자) 지방 문제로 넘어가 보겠습니다. 취약한 지방 재정의 확충을 위해 국세를 지방세로 과감하게 전환하는 세제 개편이 필요하다는 주장이 많은데, 이에 대한 대통령의 견해를 말씀해 주십시오. 또 최근 일각에서 제기되고 있는 6월 지방선거의 조기 실시론에 대한 대통령의 입장은 어떠신지요?

김대중 조속히 국세를 지방세로 넘기는 문제에 대해서는 저 자신도 사실은 미안하게 생각하고 있습니다. 야당 때도 그랬고 대통령 선거 때도 이것을 약속했습니다. 그런데 실천을 못 하고 있습니다. 그 점을 참 미안하게 생각하고 있습니다.

그런데 안 하고 싶어서 안 하는 게 아닙니다. 하려고 해 보니까, 즉 국세를 지방세로 넘기면 경기도나 서울같이 자립도가 높은 데는 엄청나게 수입이 늘어납니다. 그러나 강원도라든가 충청도, 심지어는 경북 같은 지방자치단체조차 자립도가 30퍼센트도 제대로 되지 않습니다. 그래서 국세를 지방세로 넘겨주면 오히려 역효과가 납니다.

그래서 지금 지방교부세, 지방양여금, 그리고 국고보조금 같은 것으로 해결하고 있습니다. 현재 세법상으로 보면 중앙정부의 세수가 80퍼센트이고, 지방정부 몫은 20퍼센트입니다. 그러나 지금 말씀드린 대로 지방교부세라든가 지방양여금, 국고보조금 등을 지방세로 전환해 주면 중앙은 45퍼센트, 지방은 55퍼센트가 됩니다. 이처럼 지금은 법을 안 고치는 것이 많은 지방자치단체에 오히려 도움이 되고 있는 상황입니다. 이것은 우리 경제구조 때문에 오는 현실입니다.

국세를 지방세로 이양한다는 원칙은 세무 행정상, 또 경제 원리상 옳은 것이라는 것을 염두에 두면서도 현실이 그것을 실천하기 어려운 상황입니다. 그래서 어떻게 하면 이상과 목적에 접근해 가겠는가 하는 것을 연구 중에 있습니다. 좀 기다려 주시기 바랍니다.

지방선거 조기 실시 문제는 여야가 정할 문제이고 정부는 개입을 안 하겠습니다. 그렇게 이해해 주시기 바랍니다.

최기영(매일경제신문 기자) 공적 자금에 관해 질문드리겠습니다. 정부는 그동안 150조 원에 달하는 공적 자금을 투입했습니다. 그 공과功過에 대해 말씀해 주시고 앞으로 추가 투입 계획이 있는지 밝혀 주시기 바랍니다.

김대중 공적 자금에 대해서는 저도 좀 의견이 있지만, 이것은 아주 중요하고 또 상당히 어려운 문제이기 때문에 진념 부총리가 설명하시도록 하고, 저는 필요하면 보완 차원에서 설명드리겠습니다.

진념 먼저, 공적 자금 150조 원 투입으로 인한 감사원 감사 결과와 관련된 보도로 인해서 많은 국민들이 걱정을 하고 분노했습니다. 그러나 공적 자금은 잘 아시는 것처럼 기업에 직접 돈을 주는 것이 아니고 무너진 금융기관, 다시 말씀드려서 수십 년 동안 이루어진 기업 부실과 관치금융으로 인해서 생긴 금융기관의 부실을 메꾸어 줌으로써 금융기관이 제 역할을 하도록 만들기 위한 불가피한 조치였습니다.

그 결과 지난 4년 동안 152조 원이 투입되었지만 대통령께서 조금 전에 말씀하신 것처럼 지난해에 우리 은행들은 외환 위기 이후 처음으로 흑자를 실현했습니다. 일부 부실이 예상되는 기업에 대한 충당금을 5조 원 이상 쌓고도 5조 2천억 원의 이익을 냈습니다. 그만큼 우리 금융기관이 건전성과 수익성을 확보했다는 뜻입니다. 한마디로 앞으로는 추가적인 공적 자금 투입 없이 은행이 스스로 기업들의 구조조정을 책임지고 해 나갈 수 있는 힘을 비축했다고 할 수 있습니다. 바람직한 변화라고 봅니다.

140만 명에 달하는 예금자들을 보호하기 위해 대지급한 공적 자금이 있어 회수에 다소의 어려움이 따르고 있는 것이 사실입니다만, 정부가 가지고 있는 금융기관의 주식을 적정한 수준에서 민영화함으로써 공적 자금 회수를 극대화할 계획입니다. 참고로 조흥은행의 경우 지난 주말에 주가가 5천 원 선으로 회복되었습니다. 25개월 만에 처음입니다. 우리 경제가 활성화되고 금융기관의 주가가 올라가면 정부의 민영화 시책과 함께 공적 자금 회수도 극대화될 것입니다.

한 가지 이 자리에서 분명하게 말씀드리고 싶은 것은 오랫동안 누적된 금융부실로 인해 과거에는 "기업은 죽어도 기업주는 잘살더라"는 이야기가 가능했습니다만, 이제는 아닙니다. 지금은 살릴 수 있는 기업은 가급적 살리고 기업이나 금융기관에 부실을 제공하거나 부실의 원인을 제공한 사람에 대해서는 철저히 책임을 물어서 국민적 부담을 최소화시키겠다는 것이 정부의 확고한 방침이라는 점을 분명히 밝힙니다.

김대중 지금 진념 부총리께서 설명했는데, 공적 자금 보도 과정에서 국민에게 오해를 살 만한 점이 한두 가지 있었습니다. 하나는 공적 자금 150조 원은 현 정부의 경제 운영 과정에서 생긴 것이 아니라, 과거 부실대출로 인해 은행이 무너지게 되니까, 그렇게 되면 은행에 예금한 예금주들은 돈을 못 받게 되고 우리 경제가 무너지니까 이것을 현 정부가 뒷수습을 해 준 것입니다. 예를 들면 한보·기아가 각각 8조 원 이상, 대우는 80조 원 이상의 은행 채무를 갚지 못한 상태였습니다. 역대로 내려오던 것을 이 정권에 와서 처리한 것입니다.

그렇게 처리해 준 덕택으로 적어도 130만-140만 명의 예금자들이 손해 안 보고 자기 예금을 찾아갈 수가 있었습니다. 또 은행은 이제는 흑자를 낼 만큼 '클린뱅크'가 되었고 숨겨 놓은 부실대출도 없는, 그래서 이제는 세계적으로 신용 평가가 높은 건전 은행이 되었습니다.

또 언론 보도를 보면 정부가 기업가들에게 공적 자금을 지원해 준 것으로, 즉 부실 경영하는 사람을 봐주었다는 식의 인상을 주는데, 그것은 여러분이 아시다시피 기업가들에게 준 것이 아니라 은행에게 준 것입니다. 은행이 무너지지 않도록 은행의 주식을 담보로 공적 자금을 준 것입니다. 은행은 그것을 갖고 경영을 정상화했습니다.

진념 부총리께서 설명했듯이 은행 대출을 받아서 그것을 빼돌리거나 하는 사람들은 추적해서 돈을 회수하고 있습니다. 이 문제는 아직 끝난 것이 아니나 여하튼 공적 자금을 투입한 결과 우리의 금융이 다시 건전 금융으로 돌아섰고, 또 국제적 신인도가 높아졌습니다.

그 결과, 지금 국제사회에서 우리나라 외평채 금리가 제일 낮습니다. 중국보다도 훨씬 낮습니다. 이렇게 우리에게 큰 도움을 주고 있다는 것을 여러분께서 이해해 주시기 바랍니다.

신용배(코리아헤럴드 기자) 북·미 관계에 대해 질문드리겠습니다. 북·미 관계가 오랫동안 정체 상태에 빠져 있습니다. 대통령께서는 금년도 북·미 관계 및 한·미 관계에 대해 어떤 전망을 하고 계시는지 말씀해 주시기 바랍니다.

북·미 관계와 남북 관계는 함수 관계

김대중 지금 그 문제에 대해서는 확실한 전망이 없습니다. 기본적인 것을 말씀드리면 북·미 관계와 남북 관계는 서로 함수 관계에 있고, 한쪽이 잘 되어야 다른 쪽이 잘되는 상황에 있습니다.

북·미 관계에서 제가 확실히 아는 것은 이제는 부시 정부도 언제 어디서나 북한과 대화하겠다며 대화 의지를 분명히 하고 있다는 점입니다. 상하이에서 만났을 때도 부시 대통령이 그것을 강조했습니다. 그리고 또 제가 아는 바로는 북한도 미국과 대화를 하겠다는 태도를 표시하고 있고, 또 사실 그것을 열망하고 있다고 생각합니다. 그러나 계기를 잡지 못하고 있습니다. 상대방에 대해 아직 신뢰가 조금 부족하기 때문에 그런 게 아닌가 생각됩니다.

더구나 그동안에는 아프가니스탄 테러 전쟁 문제로 모든 관심이 거기에 집중되어 있었습니다. 그런데 테러 발생 이후 북한은 여러분이 아시는 대로 테러를 반대하고 테러를 막는 두 가지 중요한 조약에 가입했습니다. 상황은 조금씩 변화를 보이고 있는 중입니다.

저는 금년에 북·미 간에 대화의 진전이 있기를 진심으로 바라고 있고, 또 그것이 우리 국익과도 직접 관계가 있기 때문에 대화가 이루어질 수 있도록 앞으로도 노력할 것입니다.

마틴 네시르키(영국 로이터통신 기자) 남북 관계 및 북·미 관계 개선을 위해 미국이 취할 수 있는 가장 유용한 조치는 무엇이라고 생각하시는지요? 다음 달에 부시 대통령이 한국을 방문하게 되는데, 그때 대통령께서는 이러한 조치와 관련해서 부시 대통령과 어떠한 의견을 나누실 계획인지요?

김대중 그 문제에 대해 먼저 부시 대통령은 작년 6월 이래 언제 어디서나 북한과 대화하겠다고 이야기하고 있습니다. 작년 10월 상하이에서 만났을 때도 똑같은 이야기를 했습니다. 우리는 미국이 그렇게 대화를 하겠다고 한 이상 북한도 무조건 대화를 하는 게 좋겠다고 권고하고 있습니다. 할 말이 있으면 만나서 하는 것이 좋습니다. 서로 떨어져서 말을 주고받는 것보다 그것이 효과적입니다. 그래서 북한에 대해 대화에 응하도록 권하고 있습니다.

또한 우리는 미국이 북한과 대화를 하기로 결정한 이상 북한의 체면을 세워 주는 것이 필요하지 않으냐는 생각을 가지고 있습니다. 2월에 부시 대통령을 만나면 그런 구체적인 문제에 대해서 서로 상의할 계획입니다.

윤승모(동아일보 기자) 최근 민주당 차기 대선 주자들까지 대통령의 인사 정책을 비판한 바 있습니다. 대통령께서는 그런 비판에 대해 어떻게 생각하시는지 말씀해 주시기 바랍니다.

김대중 인사 정책은 참 어렵습니다. 제가 한 인사를 다 잘했다고 생각하지는 않습니다. 인사를 해 놓고 보니 잘 안된 것도 있었습니다. 그러나 정치적 색채나 지연·학연·친소를 배제하려고 애써 온 것은 사실입니다.

한마디로 말해서 지금까지의 인사에 불만족스러운 면이 있는 것은 사실이지만, 과거에 비하면 큰 진전이 있었던 것 또한 사실입니다. 이것은 중앙인사위원회의 구체적이고 과학적인 통계에도 나타나 있습니다. 저는 현재에 대해서 만족하거나 변명하지 않고, 이러한 비판을 겸허히 받아들이면서 더한층 인사 문제를 개선해 나가도록 노력하겠습니다.

허민(문화일보 기자) 남북 관계와 관련해서 두 가지를 질문드리겠습니다. 김정일 북한 국방위원장이 임기 내에 답방을 할 수 있을지가 최대의 관심사 중 하나인데, 이를 성사시키기 위한 구체적인 진전 상황을 밝혀 주시기 바랍니다.

두 번째 질문은 개각과 관련한 질문과 다소 중복이 되는데, 남북 관계를 개선해 나가는 데 시중에 현재의 통일·안보 팀이 적합 또는 부적합이라는 양론이 있는 것이 사실입니다. 대통령께서는 차제에 통일·안보 팀을 새로운 진영으로 짜기 위한 구상을 갖고 계시는지 복안을 밝혀 주시기 바랍니다.

김대중 김정일 위원장의 답방에 대해서는 현재 여러분께 확실한 말씀을 드릴 수가 없습니다. 문서상으로는 확실히 되어 있습니다만 실제로 오는 것이 언제고, 또 확실한가 하는 것은 여러분이나 저나 정확하게 알고 있지를 못합니다. 앞으로 조금 더 시간을 두고 봐야 할 것 같습니다.

그리고 안보 팀 문제에 대해서는 그런 의견을 참고로 해서 여러 가지로 대처해 나가겠습니다. 그러나 현재 안보 팀은 서로 긴밀하게 토론하고 협의해서 진행해 가고 있다는 것을 말씀드립니다.

왕린창(중국 런민르바오(人民日報) 기자) 최근 몇 년간 한·중 관계가 여러 분야에서 크게 발전하여 왔습니다. 대통령께서는 이를 어떻게 평가하시고, 한·중 수교 10주년을 계기로 한·중 관계를 가일층 발전시키기 위해서 어떤 새로운 구상과 대책을 가지고 계시는지를 말씀해 주시기 바랍니다.

한·중은 전면적인 동반자 관계

김대중 첫째, 한·중 관계 10년은 세계 어느 나라 관계와 비교해도 손색이 없을 정도로 아주 좋은 발전을 했습니다. 우리는 한·중 관계에 대해 지극히 만족하고 있습니다. 그리고 또 한·중은 지금 전면적인 동반자 관계에 들어가서 참으로 좋은 우방으로 지내고 있습니다. 우리는 수천 년 왕래했고 또 문화 교류가 있었습니다. 그런 문화 교류는 오늘도 빈번히 행해지고 있습니다. 이것이 한·중 관계가 각별한 관계라는 것을 입증하는 것이라고 생각합니다.

그리고 우리는 지리적으로 볼 때도 중국과의 관계가 군사·안보 면에서나 경제 면에서나 막중하다고 생각합니다. 그래서 중국과의 평화적 관계, 또 경제 협력의 관계를 매우 중요시하고 있습니다. 중국은 우리의 교역에 있어서 세 번째 상대, 투자에 있어서 두 번째 상대인 아주 중요한 나라입니다. 동시에 중국의 세계무역기구(WTO) 가입으로 시장이 크게 확대되어 나갈 것을 우리는 알고 있고, 따라서 중국과의 교역이나 투자가 더욱 증대될 수 있을 것으로 보고 있습니다.

우리와 중국은 앞으로 한편으로는 경쟁하고 한편으로는 협력하는 관계가 될 것입니다. 우리도 중국에게 시장을 열어 줄 것은 열어 주고 협력할 것은 협력할 것이고, 중국도 그럴 것입니다. 동시에 중국과 국제적으로 치열한 경쟁도 하게 될 것입니다. 그래서 모든 과정에 있어서 경쟁과 협력의 원리를 가지고 같이 해 나갈 것입니다. 그러나 기본적으로 동북아시아의 평화, 그리고 공동의 경제적 발전, 또 문화적 유대의 강화, 인적 교류 등등의 문제에 있어서 우리는 아주 확고하게 서로 협조해 나가야 한다고 생각합니다.

2000년에 주룽지 총리가 와서 양국 간의 전반적 상호 협력 관계를 격상시켰는데, 이번 월드컵을 계기로 장쩌민 주석이 국교 10주년을 기념해서 방한해 한·중 관계를 더한층 굳건히 다지는 계기를 만들게 되기를 진심으로 바라고 있습니다.

호준석(YTN 기자) 지금 강남에서는 과열 과외 문제 때문에 시끄럽습니다. 또 작년에 수능 시험이 어렵게 출제되면서 많은 학부모와 학생들이 굉장히 혼란스러워 합니다. 대통령께서는 올해 교육 문제에 대해 어떤 생각과 계획을 갖고 계시는지 말씀해 주시기 바랍니다.

김대중 교육에 대해서는 먼저 교육부총리께서 설명하고, 필요하면 제가 보충해서 설명드리도록 하겠습니다.

한완상 올해 보통교육 수준에서의 개혁의 핵심은 새로운 교과 과정의 정착입니다. 이것은 학생들의 소질과 소망을 존중하는 창의력 신장 교육인데, 종래의 암기 교육과는 다릅니다. 이 새로운 교과 과정을 정착시키기 위해서는 두 가지가 필요합니다. 하나는 경제협력개발기구(OECD) 수준의 학급 환경을 개선하는 것인데 차질 없이 추진하겠습니다. 그리고 교원의 사기와 전문성을 제고하는 프로그램을 추진하고 무엇보다 현장의 목소리를 많이 듣겠습니다.

두 번째로는 이 새로운 교과 과정의 정신이 대학입시 전형에 반드시 반영되도록 더욱 박차를 가하겠습니다. 그래서 학습자의 선택을 존중하는 입시 제도를 정착시키겠습니다.

그렇게 되면 대학교육도 특성화·다양화되지 않고서는 견딜 수가 없게 됩니다. 백화점식 대학 제도의 운영은 산업화 시대로 끝나야 될 것으로 생각합니다. 그래야 수월성이 확보됩니다. 그렇게 되면 대학이 21세기 환경, 즉 국가·사회·시장이 요구하는 창의력 있는 인재를 육성하고 배치하고 활용하는 문제를 추진할 수 있을 것입니다. 인력자원 개발 차원에서 국가가 추진하는 6대 전략산업이 있는데, 아이티(IT), 비티(BT), 엔티(NT) 등에 필요한 인력을 양성하고 활용하는 문제와 연결시켜서 추진하겠습니다.

마지막으로 하나 더 강조하고 싶은 것은, 사교육비를 줄이기 위해서는 근본적으로 학벌주의 문화를 타파해야 합니다. 학벌주의 문화를 타파해야만 실력 중심 사회가 됩니다. 그래서 여러 가지 실력을 검증하는 인증 제도를 적극적으로 검토해 볼 계획입니다.

결론적으로 말씀드리면 이러한 교육 개혁을 통해 지식기반 사회, 실력 있는 지식경제 강국을 위해 노력하겠습니다. 개혁은 원래 좀 피곤합니다. 산고의 아픔으로 이해해 주시기 바랍니다.

김대중 금년도에 입시를 치른 학생들에게 미안한 것은, 정부가 금년부터는 전공만 잘하면 대학 가는 데 지장이 없도록 한다고 했다가 당초 약속이 제대로 지켜지지 못했다는 점입니다. 수능 시험을 출제한 분들이 좀 더 깊이 생각하고 해 주었으면 좋았을 텐데 하는 생각을 가지고 있습니다.

지금 부총리께서도 설명했는데, 우리는 지금 7·20 교육 여건 개선 사업을 막대한 예산을 들여서 진행하고 있습니다. 학급당 학생 수 등을 경제협력개발기구(OECD) 수준으로 끌어올리게 됩니다. 또 올해부터 중학교에서 우리 역사상 처음으로 전면적인 의무교육을 실시합니다.

그리고 지금까지 해 오던 '비케이(BK)21'을 통해서 대학교육의 질을 높이고, 대학의 다양성과 특수성을 강화시키면서 대학들이 각자 독자적으로 세계적 수준의 대학으로 발전해 나가는 방향으로 유도하는 노력을 해 나가야 할 것입니다.

21세기 지식기반 시대에 있어서 교육은 그 근본이고, 교육이 잘되어야 지식기반 경제가 잘됩니다. 정부가 확고한 결심을 가지고 교육을 반드시 살려 나가겠다는 각오를 가지고 있다는 것을 여러분이 이해해 주십시오. 또, 현장에 계시는 교사나 학부모·학생 여러분도 정부가 여러분을 소중하게 생각한다는 것을 이해하시고 적극적으로 협력해 주시기 바랍니다.

여담이지만 우리가 잘하면 희망도 있는 것이 아닌가 하는 생각을 갖게 한 일이 두 가지 있습니다. 최근 홍콩에 있는 교육 문제 전문 기관이 아시아 국가 중 교육의 소프트웨어에서 한국이 제일 앞서가고 있다고 발표한 것을 보았습니다. 또, 여러분도 보셨는지 모르지만, 얼마 전 영국의 한 교사가 한국에 1년 근무하고 돌아가서 글을 썼습니다. 한국은 교사들의 천국이고, 학생들이 열심히 공부하고, 교사들에 대해 예의 바르고 존경한다는 글입니다.

이 이야기는 여러분께 참고로 한 말인데, 우리가 고칠 점은 고치되 남이 볼 때 괜찮은 점도 있다고 하니까, 자학이나 자기 비하만 하지 말고 좋은 점은 서로 인정하자는 것입니다. 그러나 현재로서는 만족할 수 없다는 것이 분명합니다. 누가 백번 칭찬해도 거기에 넘어가서는 안 됩니다. 진정한 의미의 교육입국을 위해서 노력하고 있으니 여러분도 편달해 주시기 바랍니다.

김봉선(경향신문 기자) 야당은 공명선거를 위해 대통령의 당적 이탈과 선거중립내각 구성 등 구체적 조치를 요구하고 있습니다. 복안을 갖고 계시는지요? 아울러 한나라당 이회창 총재나 자민련 김종필 총재를 조만간 만날 용의가 있으신지요?

김대중 지금 당적 이탈 계획은 없습니다. 저는 여러분이 아시다시피 민주당 공천으로 당선되었습니다. 저를 찍은 사람들은 민주당을 보고 찍었고 민주당의 정책을 보고 찍었습니다. 그렇기 때문에 유권자에 대한 저의 도리와 책임상 민주당의 정책을 임기 중 실천할 의무가 있습니다.

그리고 저는 민주당을 뿌리부터 같이해 온 사람으로서, 총재직은 그만두었지만 민주당에 대한 애정은 조금도 변함이 없습니다. 국민에 대한 도리나 개인적 감정으로 봐서 지금 민주당을 탈당할 생각도 없고, 또 그럴 필요도 없다고 생각합니다.

아시는 대로 저는 총재를 그만두고 국정에 전념하겠다고 국민에게 약속했고, 또 그대로 하고 있습니다. 또 야당도 그렇게만 하면 도와주겠다고 약속한 바 있습니다. 그렇기 때문에 제가 그 약속을 안 지키지 않는 이상 이 문제에 대해서는 더 이상 논의할 필요가 없다고 생각합니다.

그리고 야당 총재는 언제든지 만날 용의가 있습니다. 또 저는 당 총재직을 떠났기 때문에 상당히 자유로운 입장에서 야당 총재뿐만 아니라 정계 지도자 등 각계 지도자들을 개인적으로 혹은 그룹으로 수시로 만나는 기회를 갖고 좋은 말씀을 듣고자 합니다.

구로다 가쓰히로(일본 산케이신문 기자) 조금 전 한·일 관계에 대해 말씀하셨는데 추가로 질문드리겠습니다. 소위 역사 교과서 문제인데, 이 문제는 기본적으로 외교 문제가 아니라 양국 역사학자들의 견해 차이에서 나온 것이라고 생각합니다. 그래서 정부가 이렇게 하라, 저렇게 하라 할 수 없는 일이라고 생각합니다. 그런 뜻에서 앞으로 교과서 문제는 외교 문제가 아니라 민간 학자들에게 맡기는 '민간화' 방식으로 하면 어떨까 생각하는데, 대통령의 견해를 듣고 싶습니다.

김대중 그 말씀은 원칙적으로 일리가 있습니다. 그런데 한·일 관계에는 아시다시피 특수성이 있습니다. 그래서 민간인에게만 맡겨 놓으면 정치적 문제로 악화됩니다. 지난번 후소샤(扶桑社) 교과서 문제가 얼마나 양국 관계에 큰 영향을 미쳤는가를 우리는 잘 알고 있습니다.

이런 특성이 있기 때문에 오부치 총리와 1998년 일본에서 만났을 때 공동 성명서에서 역사 문제를 아주 중요하게 생각한다는, 역사를 바로 하는 문제에 대해서 그러한 합의를 했습니다. 그래서 기본적으로는 민간인 학자들이 학문적으로 이 문제에 대해 전체 토론을 하되 양국 정부가 간여를 하면서 지난번 후소샤 같은 사태가 나지 않도록 조정, 협조하는 노력이 필요하다고 생각합니다.

이 문제에 대해서는 지금 양국 사이에서 그 방법에 대해 협의 중입니다. 사실 7개 항목 중에서 이 문제만 합의되면 나머지는 거의 다 끝나는 것이니까 합의과정과 그 결과를 관심 있게 지켜보도록 합시다.

김대중 대화록 ❸
1994—2002

초판 1쇄 발행 2018년 8월 29일
지은이 김대중
엮은이 정진백
발행인 정진백 **편집** 김효은
발행처 도서출판 행동하는양심 **등록번호** 제2015-000001호
주소 광주광역시 동구 백서로137번길 29, 1층 | 전라남도 화순군 도곡면 온천2길 44 김대중기념센터
전화 061-371-9975 **팩스** 061-371-9976 **이메일** asia99//@daum.net

인쇄·제책 (주)신광씨링/출판사업부 (062-232-2478)

ISBN 979-11-964442-4-2 (04300) | ISBN 979-11-964442-0-4 (04300) 세트

ⓒ 이희호 · 2018